D0715743

Zu diesem Buch

Robert Olmstead schreibt das Epos einer kleinen Stadt. Er schüttelt das Kaleidoskop aus Alltag, Träumen, der Vergangenheit und den Hoffnungen der Menschen. Und er findet dafür eine ganz eigene Sprache, voller überraschender Bilder, mitunter von deftiger Komik, dann wieder voll leiser Melancholie.
«Mit seinem Epos ist dem noch jungen Amerikaner zweifellos eines der merkwürdigsten Bücher geglückt: eine glänzend geschriebene, sich immer neu an ihren eigenen Bildern und Geschichten entzündende Burleske, ein Glanzstück modernen, aufrührerischen Erzählens.» («Buchjournal»)
«Seine überschäumende Phantasie könnte noch die Toten in der Leichenhalle zum Lachen bringen. Er häuft ein komisches Detail auf das andere zu einem riesigen Freudenfeuer der Absurdität.» («The Washington Post Book World»)

Robert Olmstead, geboren 1954, wuchs in New Hampshire/USA auf. Für sein schriftstellerisches Werk erhielt er bereits mehrere Preise. Im Rowohlt Verlag liegt auch sein Roman «Jagdsaison» vor.

Robert Olmstead

SPUREN VON HERZBLUT, WOHIN WIR AUCH GEHEN

Roman

Deutsch von Edith Nerke,
Fee Engemann und Jürgen Bauer

Rowohlt

Die Originalausgabe erschien 1990 unter dem Titel
«A Trail of Heart's Blood Wherever We Go» bei
Random House, New York

Die Übersetzer danken Anthony Tranter-Krstev
für seine wertvolle Hilfe.

Veröffentlicht im Rowohlt Taschenbuch Verlag GmbH,
Reinbek bei Hamburg, März 1994

Umschlaggestaltung Barbara Hanke
Gesamtherstellung Clausen & Bosse, Leck
Printed in Germany
1690-ISBN 3 499 13398 9

Für Molly und Emily

PROLOG

Heute dachte ich, ich hätte ein Zebra gesehen, es war aber ein Pferd von einer merkwürdigen Farbe. Ich denke an Codys Cougar auf dem Grund des Spofford Lake, 42°52'47" nördlicher Breite und 72°26'40" westlicher Länge oder meinetwegen auch UTM-Zone 18 07365394.

Er schickt mir Postkarten aus dem ganzen Land, aus der ganzen Welt. Er schreibt nie etwas drauf. Als ich noch studierte, trennte sich einer meiner Freunde von seiner Frau. Sie lief eines Nachts weg, mit dem Scheckbuch und den Kreditkarten. Jeden Monat bekam er einen Kontoauszug, und daran konnte er sehen, wo sie gerade war. Als ich ihn fragte, warum er ihr nicht einfach die Vollmacht entzog, sagte er, er wollte genau wissen, wo sie sich aufhielt, auch wenn er immer um ein paar Tage hinterherhinkte und obwohl er sie vielleicht nicht mehr so liebte wie früher.

Vor Jahren kannte ich mal eine Familie. Der Vater versuchte, sie alle umzubringen, und ich könnte wetten, daß es genau so eine Geschichte schon im Fernsehen gab. Und dann gab's da noch einen Mann und eine Frau, die hier in der Gegend lebten und ineinander verliebt waren. Er versuchte, sich und die Frau umzubringen, und fuhr von der Straße runter in den Fluß. Sie war damals mit jemand anderem verheiratet, und man kann nur vermuten, daß sie zu ihrem Mann zurückkehren wollte. Wie kann man erklären, was nicht zu erklären ist, all das, was wir einander antun?

Mary macht dieses Jahr ihre Abschlußprüfung am College. Das hat sie schon lange gewollt, hat es aber immer wieder verschoben, damit sie die Kinder kriegen konnte. Sie wird Lehrerin. Sie ist jetzt zweiunddreißig und macht sich Sorgen, daß sie zu scharf auf Sex sein könnte.

Letzte Woche mußte ich ein Pärchen begraben, das starb, während es irgendwo parkte. Im Auspuff war ein Loch, und die Abgase vergifteten die beiden. Als man sie fand, wollte sie keiner stören, sie sahen so friedlich aus.

Die Mutter des Mädchens sagte zu mir: «Sie waren so verliebt, nicht mal Sie werden die beiden unter der Erde halten können.»

So ist das in Inverawe. Die Köpfe denken vorwärts und rückwärts. Die Jungen träumen Gott weiß wovon, und die Alten machen so weiter wie früher, bevor Vernunft so verdammt wichtig wurde.

Ich versuche immer wieder, die Toten zu begraben, aber oft wollen sie einfach nicht mitmachen, und ich habe es schon lange aufgegeben, darauf zu bestehen. Wir nehmen sie mit, wohin wir auch gehen, während das Leben uns mit seiner Geschwindigkeit fortreißt.

Noch mal zu Codys Cougar. Es heißt, daß ein Bergungsunternehmen ihn heben will. Die Karre war das erste, was er ans Wasser verloren hat, und man sollte sie in Ruhe lassen.

TEIL EINS

1

Eddie Ryan informiert sich über Heizungen. Er könnte tiefe Schächte ausheben, zweihundert Fuß oder noch tiefer, Wasser und Glykol hindurchpumpen und einen Wärmetauscher einbauen sowie einen Elektroheizstab. Das nennt man eine erdgekoppelte Wärmepumpe mit geschlossenem Wasserkreislauf. Bob Vila hat das System in seiner Sendung für Heimwerker vorgeführt. Es ist beinahe perfekt, so etwas wie ein Perpetuum mobile.

Er steht auf und legt noch ein Holzscheit in den Ofen. Er kann hören, wie der Windkühlfaktor draußen Kälterekorde bricht; da freuen sich die Meteorologen. Könnte schlimmer sein, denkt er. Er könnte oben auf dem Berg hinterm Haus stehen oder auf dem Mount Washington, wo die Temperatur bei minus 20 Grad Fahrenheit liegt und es durch den Windkühlfaktor noch um 30 Grad kälter wirkt. Bei dem Wetter wachsen die Eiszapfen parallel zum Boden, und heißes Wasser gefriert so schnell, daß das Eis warm ist.

Als er sich wieder gesetzt hat, schlägt er im Bulletin des Landwirtschaftsministeriums Nr. 180 unter *Holz* nach. Er erfährt, daß ein *Klafter* Holz zwei Tonnen wiegt und den Wert einer Tonne Kohle hat. Er fragt sich, wie die Poissant-Jungens, die ihm das letzte Klafter geliefert haben, das mit einem Halbtonner Chevy geschafft haben.

Er sieht unter *Kohle* nach. Er findet die Wörter *Anthrazit, bituminös, Stoker* und *Flugasche*. Er ist ein großer Freund von Wörtern, lernt gern, was Wörter können und was nicht, und deshalb wollte er Dichter werden, ist aber statt dessen Beerdigungsunternehmer geworden. Irgendwie, denkt er, ist das die gleiche Art von Arbeit, aber wie, weiß er nicht genau.

Eileen kommt auf dem Po die Treppe heruntergerutscht, mit einem weichen, dumpfen Plumps bei jeder Stufe, auf die sie sich fallen läßt. Auch sie liebt Wörter, Wörter wie *mißmutig, ekelerregend, abartig* und *wundervoll*. Sie ist sechs und, wie ihr Lehrer sagt, manchmal ein wenig altklug.

«Mutter, Vater», ruft sie von der dritten Treppenstufe. «Little Eddie hat das schlimme Wort gesagt! Zweimal!»

Eddie Ryan schaut von seinen Broschüren auf. Er sieht seine Tochter, die ihr Gesicht zwischen zwei Stäbe des Geländers gepreßt hat.

«Little Eddie hat das schlimme Wort gesagt! Little Eddie hat das schlimme Wort gesagt!» singt sie.

«Na wunderbar», sagt Eddie. «Sag deinem Bruder, in diesem Haus wird das schlimme Wort nicht benutzt, auch wenn man es manchmal durchaus sagen kann. Sag einfach, Santa Claus mag das nicht und bringt ihm kein Schießgewehr, wenn er es weiter sagt. Und jetzt geht ihr beide wieder ins Bett.»

Mary sieht von den Rechnungsbüchern auf. Es ist ihre Aufgabe, die Rechnungen einzutreiben, die für die Toten anfallen. Das klappt zwar nicht immer, aber sie kommen über die Runden. Mit ein bißchen Glück können sie vielleicht von einem pensionierten Installateur günstig einen neuen Heizkessel kriegen. Ein Tauschhandel: Heizkessel gegen Beerdigung. Er hat es ihnen selbst vorgeschlagen. Eddie findet es makaber, aber Mary hält es für ein gutes Geschäft.

«Um Gottes willen, Eddie. Sei nicht so streng mit ihr. Sie nimmt sich alles so zu Herzen, was du sagst.»

Eddie spürt, wie ihm Wärme in Gesicht und Nacken hochsteigt. Er weiß, daß sie recht hat, und mit einemmal belasten ihn seine Vaterrolle und seine achtunddreißig Jahre mehr, als er gedacht hat – nicht, daß er sie bisher auf die leichte Schulter genommen hätte. Er findet, er hat sich ganz gut geschlagen. Doch in letzter Zeit sind es die kleinen Sachen, zum Beispiel, auf jedes Wort achten zu müssen.

Wortlos wendet er sich wieder seinen Prospekten zu. Er entscheidet, daß das Tiefschacht-System, mit dem Wasser Wärme abgepreßt werden soll, Wärme, die tief aus der Erde geholt wird, zu exotisch ist. Er weiß, daß er sich mit einem neuen Ölbrenner begnügen wird. Der ist unkompliziert – heißer Dampf wird durch Rohrleitungen gepumpt und wieder zurückgeführt, um erneut erhitzt und durch die Leitungen gepumpt zu werden.

Er blättert zum Kapitel über Öl und erfährt, daß es verschiedene Spezifikationen und zwei Arten von Ölbrennern gibt, den Düsenbrenner und den atmosphärischen Brenner.

Der Düsenbrenner interessiert ihn. Das Öl wird durch die Brennerlanze zur Zerstäuberdüse gefördert, ein Gebläse bläst Luft in den Ölnebel, und ein Funke entzündet das Gemisch, das dann in der feuerfest ausgekleideten Brennkammer verbrennt. Jetzt ist Eddie ganz aufgeregt. Das klingt wie eine Verbrennungsmaschine oder, noch besser, wie ein Herz. Er muß das alles Eileen erklären, weil er weiß, daß sie so etwas ganz toll findet, genauso toll wie nackte Tote im Keller und zurechtgemachte Tote im Wohnzimmer. Der Ölbrenner ist das Weihnachtsgeschenk, das er und Mary sich machen. Sie haben das vor Wochen beschlossen und müssen jetzt einen aussuchen, damit sie ihn im Sommer einbauen können.

Das Licht der Lampe flackert, als die Stromleitungen draußen von einer Sturmbö gebeutelt werden. Eddie sieht auf; sein Blick fällt auf den Weihnachtsbaum. Dessen Farben scheinen im weichen Licht des Raumes zu pulsieren.

In diesem Zimmer werden die Toten aufgebahrt, irgendwo zwischen bescheiden und extravagant in ihrem Tod. Nachmittags und abends kommen Freunde und Verwandte, um von ihnen Abschied zu nehmen, um zu sehen, daß es den Tod gibt. Doch morgens sitzen Eileen und Little Eddie auf dem Boden vor dem Sarg und essen Cornflakes, während im Fernsehen «Sesamstraße» läuft.

Sie sind noch Kinder und kommen mit Sachen wie dem Tod ziemlich gut klar.

«Eddie», sagt Mary mit einer Stimme, die klingt, als komme sie aus dem Innern einer großen Pauke, «mach mal den Scanner an. Ich hab gerade so eine Vorahnung von Feuer gehabt.»

Er sieht zu ihr hinüber. Sie sitzt auf einem Hocker an dem Rollpult, das seinem Vater gehört hat. Ihre Taille befindet sich auf einer Höhe mit den Rechnungsbüchern, und als sie sich darüberbeugt, um weiterzuarbeiten, versucht, mit der Buchhaltung nachzukommen, die sie in den letzten paar Wochen hat schleifen lassen, sieht es aus, als ob sie im Innern der Pauke wäre.

Ihm ist wieder kalt, weil es ihr manchmal Ernst ist, wenn sie sagt, daß sie eine Vorahnung von einem Feuer gehabt hat und manchmal nicht. Brennt es tatsächlich, ist es ihr Ernst gewesen, brennt es nicht, dann nicht.

«Das kann schon sein», sagt er. «Überlastete Brenner und Kamine, in denen sich Kreosot entzündet. Manchmal packen die Leute schon Heiligabend ihre Geschenke aus und stecken dann das ganze Papier in den Kamin. *Voilà* – Kaminbrand. Das steht in dem Heft hier.»

Eddie kennt sich da aus, denn er ist bei der Freiwilligen

Feuerwehr. Er hat Feuerschutzhosen, einen Mantel, einen Helm und seinen eigenen Preßluftatmer. Er hat einen 16-Kanal-Bearcat-Scanner mit ASL-Schaltung, RF-Gain und Squelch.

«Mist», sagt sie und knallt ihren roten Kuli auf den Tisch. «In diesem Steuerjahr haben wir fast genauso viele umsonst beerdigt wie gegen Bezahlung. Mit den ausstehenden Rechnungen könnt ich eine ganze Wand tapezieren. Die Veteranen bringen uns noch unter die Erde. Der Veteranenverband und seine mickrigen vierhundertfünfzig Dollar – wenn einer Rente bekommt. Hunderfünfzig, wenn nicht. Ich sag dir was, die können sie sich sonstwohin stecken.»

«Man kann nicht gleichzeitig ein guter Geschäftsmann und ein guter Bestatter sein.»

Sie verschränkt die Arme auf dem Tisch und legt den Kopf darauf, den Rücken ganz waagerecht gebeugt. Eddie steht auf und geht zu ihr, greift in ihre Locken und streichelt ihr Nacken und Schultern. Er spürt die Wärme und Weichheit ihrer Haut. Sie hat sich vor kurzem eine Dauerwelle machen lassen, und der Geruch davon hängt noch immer in ihrem Haar. Es riecht wie verbrannt, ziemlich stark. Sie hat gesagt, es geht schon wieder weg. Da muß man einfach durch.

Eddie Ryan tut für die Veteranen, was er kann. Nachdem er die Simmons-Schule für Bestattungswesen absolviert hatte, war er in Khe Sanh für das Bestattungsregister zuständig. Er hat noch immer das *Life*-Heft über die Arbeit, die sie da machten, die G. I.-Sondernummer, die in den Staaten nicht verkauft wurde. Veteranen zum Sonderpreis zu bestatten ist für ihn eine kleine Möglichkeit, weiterhin das Seine beizutragen.

Er berührt sie am Oberarm und zieht sanft daran, macht ihr deutlich, daß sie aufstehen soll. Als sie steht, schiebt er den Hocker zur Seite, legt dann von hinten die Arme um sie und zieht sie an sich. Ihr Kopf liegt an seinem Brustbein, ihre Hände greifen nach seinen Unterarmen.

«Hast du uns einen schönen Brenner ausgesucht?»

Er lacht und läßt das Kinn auf ihren Kopf herabsinken. Dann küßt er sie, drückt die Lippen ins Gewirr ihrer Haare. Er atmet tief, füllt seinen Kopf mit ihrem Duft, denkt darüber nach und versteht trotzdem nicht, wie sie dahin gekommen sind, wo sie sind.

«Ja, das hab ich», sagt er. «Für jeden von uns ist etwas dabei, ein Zerstäuber für dich, wie für Parfüm, elektrische Funken für Eileen und eine Lanze für Little Eddie. Pfft, knack und wusch.»

Als er «wusch» sagt, stößt er sein Becken gegen ihren Po, und sie lacht und macht sich in seinen Armen schwer. Sie wiegt die Hüften und drückt ihren Körper gegen seinen.

«Und für dich?» sagt sie leise, aber er antwortet nicht, weil er nicht weiß, ob er Ölnebel oder Brennkammer sagen soll, und so ist er gefangen, innerlich begeistert, doch mit einer unguten Wahl zwischen zwei häßlichen Bildern.

Mary hört auf, sich zu bewegen, lehnt sich wieder an ihn und dreht dabei den Kopf unter seinem Kinn, weiß, wie er manchmal sein kann, weiß aber nicht warum.

«Was willst du?» sagt sie plötzlich mit harter Stimme.

Eddie schaut hoch und sieht Eileen, die sich durch die Stäbe des Treppengeländers vorbeugt, auf sie herabschaut und dabei den Saum ihres Flanellnachthemds hochhält, sieht die spindeldürren Mädchenbeine in Kniestrümpfen mit einem Rippenmuster, die wie zwei Bündel Streichhölzer aussehen.

«Was macht ihr da, Mom – amüsiert ihr euch ein bißchen, während ich oben schlafe?»

«Ich habe dich etwas gefragt.»

Eileen schaut die Treppe hoch und dann durch den

Raum. Sie strengt sich gewaltig an, ihre Augen ganz groß zu machen.

«Mutter, Vater», flüstert sie. «Die Nacht ist nur ein Schatten, und er wandert um die ganze Welt.»

Für eine Sekunde unterbricht Cody seine Beschäftigung und sieht in den Nachthimmel hinauf. Durch das wirbelnde Schneegestöber, das gegen die scharf umrissene Spitze des Berges drängt, sieht er mit Hilfe des starken Suchscheinwerfers auf dem Pickup die Planeten Venus, Mars und Merkur auf ihren ewig gleichen Bahnen durchs All kreisen.

Er dringt in ihre schweigend gezogenen Kreise ein mit seinem D-7H Catdozer, der neben ihm im Leerlauf röhrt, und denkt an die mit Stellit bestückten Ventile, an die Ventilsitze aus hartlegiertem Stahl, die oval geschliffenen Kolben aus Aluminium, die stahlummantelten Laufbuchsen, die durchgehärtete Kurbelwelle, den gekühlten Öldruckkreislauf mit dem Ölstromhauptfilter und an den Dieselkraftstoff, der durch die dröhnenden 638 Kubikzoll jagt.

«Der Motor kennt keine Kälte», schreit er. «Der Motor kennt keine Kälte.»

Er denkt an die Drehmomentlasten, die im Innern des Power-Shift-Planeten-Getriebes ruhen, den Planetenradträger, das Hohlrad, das Zentralrad, alles für eine lange Lebensdauer ständig mit Öl gekühlt, und an den Turbolader, der darauf wartet, noch mehr Luft in die Zylinder zu packen, noch mehr Stoff zu geben, mehr Kraft, mehr Energie, und die Nacht füllt sich mit Lärm, der so stark wird, daß er einen Moment lang glaubt, gleich haut es ihn von dieser Scheißerde weg und pustet ihn auf dem Arsch ins All.

Er dehnt den Brustkorb im Overall, spürt die Träger, die über seinen Schultern spannen, und ist stolz darauf, daß er den Unterschied zwischen Kosmetologie und Kosmologie kennt. Das hat ihm die Frau erzählt, die er vor langer Zeit einmal hatte, bevor er sein Vagabundenleben aufnahm. Sie hatte es auf einer Kosmetikschule gelernt. Soweit er weiß, hat beides mit Schönheit zu tun, das eine damit, wie sie entsteht, das andere damit, wie sie gemacht wird, und im Moment ist es ihm völlig egal, was was ist, aber trotzdem ist es eine gute Unterscheidung; eine, die man wirklich kennen sollte.

Sein Brustkorb dehnt sich wieder, und er ist stolz, weil ein Mann namens Archimedes sich einfach hingestellt und gesagt hat, gebt mir einen langen Stock und einen Platz, wo ich stehen kann, und ich werde die himmlischen Planeten bewegen. Was für eine phantastische Arbeit, denkt er, die Sterne umzuräumen, all die jungen blauen auf einen Haufen zu tun, wo sie wie Autoscooter herumsausen können, und die alten roten an die Seite, wo sie sich was erzählen können, bis sie den Geist aufgeben, verlöschen wie Kerzen oder vielleicht in ein schwarzes Loch rutschen und auf den Trip ihres Lebens gehen. Er und Archimedes, die Gestalter des Kosmos.

Sternschnuppen beginnen um ihn herum zu fallen, und mit seiner behandschuhten Hand tut er so, als würde er sie da wieder aufhängen, wo sie hingehören. Er versucht, die 215 Pferdestärken seines Schleppers zu überschreien, seine Lungen schwellen an, seine Kehle schmerzt, doch plötzlich fühlt er sich alt und müde, und außerdem ist das Arbeit für andere Männer, jüngere Männer als ihn und den alten Archimedes.

Er beschließt, diese eine Sache noch zu Ende zu bringen und dann den Berg zu verlassen und sich ein ruhiges Leben zu gönnen. Er wird sich ein Hobby suchen, ein Buch lesen, öfter mal wieder bumsen und sich bis zu seinem Tod Natursendungen im Fernsehen anschauen.

Cody setzt sich, lächelt und spürt, wie ihm kalte Luft an

Zähne und Zahnfleisch dringt. Er knirscht mit den Zähnen und grinst, weil sie nicht krachen, er weiß ganz genau, daß sie's nicht bringen, ist ja nur Emaille, womit man auch Badewannen, Waschbecken und Toiletten überzieht. Eine kurze Bewegung aus dem Handgelenk, ein Hammerschlag und was dann? Nur altes, in tausend Stücke zersprungenes Emaille. Er zieht seine Fäustlinge aus und zündet sich schnell eine Zigarette an, hält dabei die Flamme dicht ans Gesicht, so dicht, daß er sich fast den Bart ansengt.

Er beschließt, daß er, wenn er vom Berg runter ist, seine Winter in Yucatán auf dem Rancho San Carlos verbringen wird; morgens wird er Krickenten jagen, und an den heißen Nachmittagen wird er betrunken daliegen, in einem Arm ein Mädchen mit Namen Rosalita und im anderen eins mit Namen Juanita. Er wird Seemann werden und lernen, seinen Kurs nach den Sternen zu bestimmen, mit ihnen vertraut werden wie ein Liebhaber, ein Mann inmitten von Sternen. Er wird zum Kreuz des Südens segeln, die Magellanschen Wolken sehen, Galaxien als Nachbarn haben. Er wird herausfinden, was zum Teufel eigentlich an dieser Urknall-Theorie dran ist und ob sie wirklich was mit Sex zu tun hat, wie sein Partner, G. R. Trimble, meinte.

«Scheiß aufs Fernsehen», schreit er. «Scheiß aufs Fernsehen und die Leute, die es machen!»

Voller Kraft und in der Überzeugung, daß ihn eine Zukunft mit Enten, Sternen und Mexikanerinnen erwartet, geht Cody wieder an die Arbeit, macht den Stapelplatz dicht, kuppelt den Zug zusammen, den er herausschleppen wird. Er geht systematisch vor, spürt, wie der Schnee unter seinen Stiefeln knirscht, und alles, was er anfaßt, dröhnt und klappert, hallt wider in der klirrend kalten Luft, die Geräusche klingen scharf und deutlich über dem dröhnenden Diesel, durchdringen den schwarzen, schneidenden Wind.

Er arbeitet zügig, steckt einen Anhängebolzen durch das Zugmaul des Rückeschilds und sichert die Deichsel noch zusätzlich mit einer Kette. Dann kuppelt er den Tieflader hinter den Rückeschild, stapft durch den Schnee zurück und verknotet die Seile, die den Pickup und den Pferdeanhänger auf dem Tieflader sichern.

Als er fertig ist, macht er den Suchscheinwerfer aus, und die ganze Welt wird dunkel. Er hält so lange aus, wie er kann, wartet, daß sich seine Augen an die Dunkelheit gewöhnen, aber es geht nicht schnell genug, und er fürchtet, er kann nie wieder sehen. Er schließt die Augen und geht mit vorgestreckten Armen auf die Geräusche des Raupenschleppers zu. Als er dicht vor ihm steht, hat er das Gefühl, daß sein Kopf gleich platzen wird, so sehr ist er vom Krach angefüllt, und dann denkt er, er wird in den Strudel des Lärms gesogen, um ein Maschinenteil zu werden und für immer mit anderen Maschinenteilen zu verschmelzen. Dann, einen Augenblick später, liegen seine Hände auf der kalten Stahlkette des Raupenschleppers, und er ist eigentlich ein bißchen enttäuscht, daß nichts miteinander verschmilzt.

Jetzt macht er die Augen auf, und er kann wieder sehen. Einer nach dem anderen zeigen sich die Sterne, und er möchte weinen vor Erleichterung und vor Schmerz, den er in seinem Herzen fühlt, doch er weiß, es würde ihn schwächen. Er weiß, daß es auch nicht das Wahre ist, alles aus sich herauszulassen. Es ist ja nicht so, daß dann einfach ein gutes Gefühl hineinströmt und das schlechte ersetzt. Er fragt sich, warum so viele den Dampf möglichst schnell ablassen wollen, wo man doch mit dem aufgestauten Druck eine riesige Turbine antreiben könnte, eine, die ganze Städte mit Licht versorgt, die Maschinen in Fabriken zum Laufen bringt, die die Condors und Skylabs in den Vergnügungsparks an die äußerste Grenze der Zentrifugalkraft treibt und wieder zurückholt.

So schluckt er seine Tränen hinunter; bald hat er sich eine weitere Zigarette angezündet und sitzt im Führerhaus, unter sich die siebenundfünfzigtausend Pfund des Schleppers, die rechte Hand auf dem Gashebel, die linke auf den Steuerhebeln. Es macht ihm Freude zu wissen, was er weiß. Er weiß, daß diese Maschine mehr als ihr Eigengewicht ziehen kann, er weiß, wie schnell eine Kettensäge läuft, wieviel eine Winde ziehen kann und daß man auch wissen kann, was Liebe ist, daß man sie als eine Tatsache des Lebens festhalten kann. Das sind die Dinge, für die es sich lohnt zu leben. Das sind die Dinge, für die es sich lohnt zu sterben.

Es ist spät am Heiligabend. Gleißendes Licht erhellt den Raum, in dem Eddie liest und Mary die Abrechnung für November macht. Ein tiefes, dumpfes Donnern folgt dem Licht und wird immer stärker, bis das Haus zu beben anfängt.

Eileen kommt auf dem Hintern die Treppe heruntergerutscht, ist erschrocken, aber voller Hoffnung, daß es Santa Claus ist, daß sie ihn endlich dabei erwischt hat, wie er die Geschenke verteilt.

«Er ist es», sagt sie. «Ich hab vom Schlafzimmer aus gesehen, wie er den Berg runtergekommen ist. Zuerst war das Licht ganz klein, und jetzt ist es ganz groß. Er hat gar keinen Schlitten. Er fährt einen Bulldozer und hat mir ein Pferd in einem Pferdeanhänger gebracht. Toll!»

«Er kommt direkt aufs Haus zu», schreit Eddie, reißt Eileen hoch und drückt sie Mary in die Arme. «Ich hol Little Eddie. Macht, daß ihr hier rauskommt!»

Dann kommen Lärm und Licht nicht weiter auf sie zu. Sie bleiben mit ihrer ganzen Lautstärke und Helligkeit genau vor der Hintertür stehen. Little Eddie steht oben an der Treppe und reibt sich die Augen. Eddie geht hoch zu ihm, nimmt ihn auf den Arm und sagt ihm, alles ist wieder gut. Der Junge schlingt die Arme um den Hals seines Vaters, und Eddie hält ihn, einen Unterarm unter seinem Po.

«Hol Decken», ruft Mary, und Eddie läuft los und zieht die Decken von den Betten der Kinder. In Eileens Zimmer bleibt er stehen und schaut aus dem Fenster. Auf dem Rasen hinter dem Haus steht eine Karawane: Raupenschlepper, Rückeschild, Pickup und Pferdeanhänger. Dahinter zieht sich eine breite Spur den Berg hoch und verschwindet in der Dunkelheit. Sie sieht aus wie die Spur eines über Land geschleppten Schiffes oder eines Riesenfisches, den man aus dem Wasser gezogen hat, über nassen Sand und trockene Dünen, und sein hin und her schlagender Schwanz hat sie dabei eingeebnet, dem Erdboden völlig gleichgemacht.

Er kommt mit den Decken die Treppe hinunter, und sie wickeln die Kinder darin ein. Mary sieht ihn an, er zuckt mit den Schultern, nickt zu Eileen hinüber und zieht die Augenbrauen hoch, als ob er sagen wollte, vielleicht hat sie recht.

Eddie nimmt Eileen, weil sie schwerer ist, und Mary nimmt Little Eddie, der noch immer nicht wach genug ist, um zu begreifen, was los ist. Sie gehen langsam durch das Haus in die Küche, tauchen immer wieder ein in das weiße Licht, das gleißend durch die Fenster hereindringt und das ganze Erdgeschoß ausfüllt. Wie Rehe im Wald suchen sie ihren Weg, wie Katzen im hohen Gras.

«Es ist alles gut», sagt Eileen leise. «Ist ja nur Santa Claus.»

Eddie entriegelt die innere Tür und öffnet sie. Lärm und Licht dringen durch die Scheiben der Außentür. Der Wind treibt den Schnee dagegen, und die Scheiben beschlagen im Handumdrehen. Eddie öffnet auch diese Tür, und sofort bekommen sie das Wetter in seiner ganzen Heftigkeit zu spüren. Sie treten hinaus in die vier Elemente, die so gut zueinander passen: Wind, Schnee, Lärm und Licht. Eddie ist kurz davor, sich umzudrehen und seine Familie zurück ins Haus zu schieben, doch er bleibt stehen.

Vor sich sieht er Scheinwerfer und Kabinenlichter. Direkt vor der Veranda hängt der riesige Planierschild; während der holprigen Fahrt durch die Schneewehen, bei der es alles platt gewalzt hat, hat sich die Höhlung des Schildes völlig mit Schnee gefüllt. Hinter dem Schild befindet sich der gewaltige Dieselmotor, der durch seinen Kühlergrill Luft ansaugt, und rechts und links davon sitzen die Hydraulikzylinder, die hoch über Eddies Kopf hinausragen.

Als er einen Schritt näher herangeht, sieht Eddie, daß die Maschine von Eis und Schnee weiß ist, ihre gelbe Lakkierung nur ein Schatten, nur an den äußersten Ecken sichtbar. Ketten und Zahnräder sind von einer festen Schneeschicht überzogen, und ein Mann sitzt breitbeinig obenauf, aufrecht, steif im Überrollkäfig, eine behandschuhte Hand am Gashebel, die andere an den Steuerhebeln, einen Zigarettenstummel im Mundwinkel.

Auch der Mann ist weiß; Spuren von Eis ziehen sich von den Augenwinkeln herab in seinen Bart.

«Hoffentlich ist es ein Palomino», flüstert Eileen, aber niemand kann sie hören, und sie ist froh darüber, denn nachdem sie es gesagt hat, denkt sie, daß es vielleicht nicht das Richtige war.

Der Mann steht da und schlägt die Arme um seine Brust. Schnee stiebt von seinem Körper auf und fliegt im Wind davon. Er tastet vorsichtig über Bart und Gesicht, zieht dann die Handschuhe aus und tastet noch einmal über sein Gesicht. Er reibt sich die Wangen und klatscht dagegen, um sich zu vergewissern, daß er keine Erfrierungen hat. Nachdem er den Motor ausgeschaltet hat, springt er auf den Boden; doch seine Beine tragen ihn nicht, und er stürzt; fällt durch den Raum, der noch vom Lärm bebt, überschlägt sich in dem vereisten Schnee und bleibt auf der Seite liegen.

Eddie, noch immer mit Eileen auf dem Arm, geht die Treppe hinunter, hilft dem Mann mit der freien Hand auf und klopft ihm den Schnee ab. Mit jedem Schlag steigt der Geruch von Tannen und Dieselöl aus dem Overall des Mannes.

Der Mann lacht, und Eddie auch. Mary und die Kinder lächeln.

«Ho, ho, ho», sagt der Mann. «Fröhliche Weihnachten. Solltet ihr Kinder nicht im Bett sein? Ich bin wohl zu früh gekommen.»

«Nein, nein», sagt Eileen. «Die Strümpfe hängen am Kamin, und es gibt Kräcker und Milch für Sie. Laß mich runter, Vater.»

Eddie stellt sie in ihren Kniestrümpfen auf die Veranda. Sie wickelt sich wieder in die Decke und gibt Mary ein Zeichen, Little Eddie auf den Boden zu stellen.

«Komm schon», sagt sie. «Wir müssen ins Bett.»

Sie nimmt ihren Bruder an der Hand und zieht ihn ins Haus, wo sie beide die Treppe hinaufgehen, eine Stufe nach der anderen. Sie gehen in Eileens Zimmer, wo sie durch die Farne und Blätter, die der Frost ans Fenster gezeichnet hat, sehen können, was unten auf der Veranda geschieht.

«Mach uns doch einen Kaffee», sagt Eddie, und auch Mary geht ins Haus. Der Mann wartet, bis sie die Tür zugemacht hat, bevor er spricht.

«Mr. Ryan», sagt er, «ich hab was für Sie.»

Er geht zum Planierschild und fängt an, den festgedrückten Schnee abzuschlagen, stößt den Arm hinein und wühlt sich durch.

Eddie tritt neben ihn. Als der Schnee mit einem dumpfen Geräusch auf die Erde fällt, sieht er, am Schild festgezurrt, die beiden Hälften von Codys Partner, G. R. Trimble. Sein schwarzer Gürtel zieht den Hosenbund eng zusammen, und seine Hemdschöße sind ausgefranst und zerfetzt, als wäre er in die Luft gesprengt worden. Eine auf vollen Touren laufende Motorsäge hat ihn mitten entzwei geschnitten, und jetzt trägt er das eisige blaue Gesicht des Todes.

2

Mary steht mit dem Rücken zur Spüle, die Handflächen auf die Arbeitsplatte gestützt. Eddie und Cody kommen aus der Kälte ins Haus, stampfen mit den Füßen und schlagen sich mit den Armen an den Oberkörper, um sich aufzuwärmen. Das sieht merkwürdig aus, weil dabei kein Geräusch entsteht; nur die Bewegungen der Männer sind zu sehen, als wären sie große flugunfähige Vögel. Seit der Schlepper abgeschaltet ist, hat sein Lärm in ihren Köpfen einer Art Taubheit Platz gemacht, und so sind ihre Bewegungen nun eine Pantomime.

«Der Kaffee ist gleich fertig.»

Sie wiederholt es, zeigt dabei auf die Kanne. Sie nicken.

Eddie rückt für sich und Cody Stühle zurecht, und beide setzen sich. Sie falten die Hände und blicken darauf nieder, warten auf den Kaffee und darauf, daß ihr Gehör zurückkehrt.

Im Flur sieht man den Widerschein der roten, blauen, grünen und gelben Kerzen am Weihnachtsbaum, und in den Fenstern stehen Plastikkerzen mit weißen Birnen. Mary betrachtet die Männer, ihren Ehemann und den Fremden, und fühlt sich in diesem Augenblick so müde wie schon lange nicht mehr; alle Energie ist aus ihrem Körper gewichen.

Man hat keine Ruhe im Leben, denkt sie, keinen Augenblick ohne ein Danach, keine Handlung ohne Folgen. Eddies Vater ist vor vier Jahren gestorben, und in letzter Zeit ist er so abwesend und trinkt auch mehr, und nun taucht ausgerechnet am Heiligabend dieser Mann auf. Obwohl sie noch nie einen Moment Ruhe gehabt haben, ist sie zuversichtlich, daß es eines Tages soweit sein wird. Ihr Gehör kommt wieder, und sie meint, sie hat noch nie in ihrem Leben so gut hören können.

«Und was ist Ihrem Freund passiert?» sagt Eddie gerade.

«Eigentlich war er kein Freund», sagt Cody, und dann verstummt er. Er sieht zu Mary, und sie lächelt ihn an. «Er war mehr eine Ehefrau. Oder ein Ehemann», sagt Cody.

Eddie sieht zu Mary hinüber. Ihr Gesicht verzerrt sich, als sie das hört. Sie verschränkt die Arme, als ob sie friert.

«Ich war oben am Stapelplatz», sagt Cody. «Buck hat die Stämme rausgezogen, zu mir hoch, und G. R. war unten in der Senke.»

«Buck?»

«Buck? Buck ist ein Pferd», sagt Cody, als wäre das auch für ihn neu. «Also, er ließ die Säge ein bißchen laufen und machte sie aus, ließ sie wieder laufen und machte sie aus. Da unten steht der Wald ziemlich dicht, und wir mußten bloß noch ein paar Stämme rausholen. Und dann ist Buck irgendwann nicht wieder hochgekommen, also hab ich gewartet. Eine geraucht. Ich hab ganz genau gewußt, was los ist. Hab genau gewußt, da ist nichts zu machen. Also bin ich runter und hab ihn gefunden, wie er über der Säge lag, die Hand noch am Gaszug.»

Cody verstummt. Er blickt eine Weile auf seine gefalteten Hände. Er öffnet sie, betrachtet erst eine Handfläche und dann die andere. Er sieht Mary an, und beide lächeln, aber so, daß die Lippen eine dünne Linie bilden; Codys

Lippen sind so schmal, daß sie in seinem Vollbart verschwinden, der jetzt naß ist und glänzt von geschmolzenem Eis.

«Erst sein Rückgrat hat das Ding stoppen können», erzählt er ihr. «Er hatte das stärkste Kreuz, das ich jemals gesehen hab. Er ließ die Säge gerne heißlaufen. Eine heiße Säge läuft mit fast achttausend Umdrehungen. Immer weiter, einfach so», sagt Cody und schnippt mit den Fingern. «Ich hab's ihm oft genug gesagt, wenn du die Säge so heißlaufen läßt, gibt's noch mal 'nen Kolbenfresser, aber er wollte nicht hören. Er war alt. Hat sich nie was sagen lassen. Außerdem war es kalt. Sein Blut war kalt. Er war kalt. Wie ich da unten ankam, und das hat nicht lange gedauert, hätt ich sein Blut einsammeln können wie winzigkleine Rubine im Schnee.»

Cody schaut auf den Boden. Eddie und Mary auch, und sie wären nicht überrascht, wenn er mit Blutrubinen übersät wäre.

«Er lief schon blau an, und auf seinem Gesicht war ein kleines Lächeln. Ist immer noch da. Ich seh's, wenn ich ihn anschau. Buck stand über ihm und stupste ihn unterm Arm, am Hals, an den Ohren. Wie ich zu ihnen runterkomme, sieht Buck mich nur an, mit feuchten Augen, feucht vom Wind und von den Ästen, die ihm gegen den Kopf geklatscht sind.

Er hat mich angeguckt, als ob er sagen wollte, diesmal hat's ihn wirklich erwischt. Und ich sag: ‹Gottverdammter Mist, in was für 'ne Scheiße hast du dich da bloß reingeritten, G. R.!› Aber er hat nichts gesagt, so tot wie er da schon war.»

Cody sieht wieder auf seine Hände; nach einer Weile hebt er den Kopf, und seine Augen leuchten bei dem Gedanken, der ihm gerade gekommen ist.

«Hören Sie, Mr. Ryan, kann man ihn nicht irgendwie

ausstopfen und wieder zusammenflicken? So, daß man ihn hinstellen kann, mit den Armen so, daß wir mit Draht 'ne Motorsäge an seinen Händen festmachen können?»

«Äh, Cody, das geht nicht – das ist gegen das Gesetz. Wir brauchen einen Totenschein und eine Bestattungsgenehmigung. Vielleicht ist eine Obduktion notwendig. Hören Sie, Cody, Sie sind müde und haben einiges hinter sich. Wir reden morgen früh darüber.»

Eddie weiß, daß er diplomatischer sein sollte, geschickter. Er hat immer damit gerechnet, mal so etwas gefragt zu werden, und hat sich auch eine entsprechende Antwort zurechtgelegt, aber heute nacht ist er nicht vorbereitet.

«Hab ich mir gedacht», sagt Cody. «Es ist bloß so, daß wir darüber geredet haben, G. R. und ich. Es war so eine Idee von ihm, und ich mußte ihm versprechen, daß ich danach frage, wenn's soweit ist.»

«Er hat über seinen Tod gesprochen?»

«Die Leute tun das, wenn sie ihn kommen sehen. Ich hab gewußt, daß es passieren würde. Er auch. Es war Zeit für ihn. Er glaubte ganz fest an die Zeit. Zeit hierfür, Zeit dafür.»

«Cody, es war ein Unfall. Er muß ausgerutscht und gefallen sein.»

«Nein. Ich würde sagen, er hat sich eher selbst draufgeschmissen.»

Die Kaffeemaschine zischt, pumpt das letzte Wasser durch die Leitung und spuckt es in den Filter. Mary holt Tassen und Untertassen und stellt sie auf den Tisch. Sie holt Zucker und ein Milchkännchen, vielleicht nimmt Cody gern etwas in den Kaffee, was aber nicht der Fall ist. Alle drei sitzen am Tisch und trinken ihn schwarz.

«Wenn wir ihn nicht ausstopfen können», sagt Cody dann, «sollten wir wenigstens seine Därme wieder reintun. Es war alles ganz schön zermatscht, aber ich hab's eingesammelt, so gut es ging, und in seine Taschen gesteckt. Ist alles da. Das ganze Fleisch und alles.»

«Cody», sagt Eddie, «versuchen Sie, nicht daran zu denken. Was Sie erleben, ist ein großer Verlust. Sie trauern, weil Ihr Freund gestorben ist. Sie fühlen eine tiefe Trauer, man könnte es auch Schock nennen. Das kann einen gleich treffen oder auch erst viele Jahre später.»

«Wissen Sie, Mrs. Ryan», sagt Cody zu Mary, «ich wollte ihn da oben lassen, auf dem Pferd. Das war genau, was er wollte, ich hab's bloß nicht über mich gebracht, den alten Buck zu erschießen.

Das mit dem Schock», sagt er und dreht sich zu Eddie, «ich hab davon gehört, aber ich weiß nicht, was ich dazu sagen soll. Ich finde, wenn das 'n Zustand ist, den man durchmacht, dann kann man doch auch einfach noch andere Stücke vom Leben abschneiden und sagen, das ist auch nur so 'n Zustand. Ich glaub, mir gefällt die Vorstellung nicht, daß der Schock was ist, wo man durch muß. Wenn das, was ich hab, 'n Schock ist, dann ist das eben so, und ich hab verdammt noch mal vor, es zu genießen. Sagen Sie das lieber nicht mehr. Wenn Sie nichts als warme Sprüche auf Lager haben, dann sagen Sie besser überhaupt nichts.»

«Tut mir leid», sagt Eddie. «Ich wollte Sie nicht aufregen.»

«Nein, mir tut's leid», sagt Cody. «Bloß wenn ich müde bin, dann bin ich so. In letzter Zeit passiert das immer öfter. Reden wir über was anderes. Wie wär's mit den Celtics? Wie haben sie gespielt?»

Eddie will sagen, daß Müdigkeit auch ein Symptom von Trauer ist, aber er überlegt es sich anders. Er will etwas über die Celtics sagen, weiß aber nicht, wie sie in letzter Zeit gespielt haben. Er beschließt, den Mann einfach reden zu lassen.

«Jetzt wo er tot ist, Mrs. Ryan, ist es, als ob man mir eine große Last von den Schultern genommen hat. Es ist, als wär ich ein freier Mann. Er hat's ziemlich schwer gehabt in den letzten Jahren. War nicht mehr ganz richtig im Kopf. Bei den kleinsten Sachen ging er in die Luft. Am Ende ist er nicht mal mehr in die Stadt runter. Im letzten Jahr seines Lebens bin ich der einzige Mensch gewesen, den er überhaupt gesehen hat.»

«Was werden Sie jetzt tun, Cody?»

«Er hat angefangen, in der Offenbarung zu lesen, laut. Er hat nur noch von erschlagenen Kindern geredet, von Frauen, die am Stück verschlungen werden, von Meeren, die sich in Blut verwandeln. Überall auf der Welt geht das Licht aus. Kapitel acht, Vers sieben. Und es wird viel gutes Holz verlorengehen. Und so ähnliche Scheiße. Es war ein Jammer.

Danach lebte G. R. ganz sauber. Fluchen, bumsen, rauchen, Müll rumstreuen – das gab's alles nicht mehr.»

Eddie streichelt Marys Hand. Als sie ihn anschaut, lächelt er und gibt ihr so zu verstehen, daß sie weitermachen soll. Sie kennt das. Sie denkt, daß sie Cody vielleicht ein wenig da rausholen kann. Sie tut es gern. Sie hat Eddie oft bei den Gesprächen mit den Hinterbliebenen beobachtet und immer sein geschicktes und taktvolles Verhalten bewundert, seine Art, sie ein bißchen zum Reden zu bringen, wenn sie es nicht von allein können, und sie ein bißchen zu bremsen, wenn sie den Mund überhaupt nicht mehr zukriegen.

Sie sieht Cody an, der wieder auf seine Hände starrt. Sie kommt zu dem Schluß, daß er gar nicht so alt ist, wie er aussieht, eigentlich ist er recht jung. Sie überlegt, wie seltsam es ist, daß er ihnen auf diese Weise den Tod ins Haus gebracht hat, in dieser Nacht, seltsam, weil in ihr nicht sofort ein Schwall dumpfen Mitleids hochkommt; sie fühlt sich leicht in ihrer Müdigkeit, beinahe froh, daß er den todesblauen G. R. Trimble zu ihnen gebracht hat.

Das Gluckern in ihrem Bauch klingt wie Worte. Cody sieht hoch zu ihr, Eddie auch, und beide lächeln. Sie lächelt zurück und erinnert sich plötzlich an den Text eines Liedes, irgendwas wie *«can't live without my man»*, und dann ist sie sich nicht sicher, ob die Worte aus einem Lied sind oder ihrem tiefsten weiblichen Gefühl entspringen. Sie ist überwältigt von dem Verlangen, Eddie zu sagen, daß sie ihn liebt, aber das ist im Moment nicht angebracht, und so hebt sie es auf wie einen Brief in ihrer Tasche, der erst geöffnet werden darf, wenn sie es gar nicht mehr aushält.

«Cody», flüstert sie, «was werden Sie jetzt machen?»

«Keine Ahnung», flüstert er zurück. «Ich hab 'ne Menge Möglichkeiten. Ich könnte das ganze Gerät verkaufen und dieses Geschäft hinschmeißen. Ich hab ganz gut Geld. Ich hab nie 'nen Grund gehabt, es auf den Kopf zu hauen. Aber Geschäfte machen liegt mir nun mal im Blut, wissen Sie.»

Mary hört ihm zu. Die Stimme ist Codys Stimme, doch manchmal scheinen seine Worte die eines anderen zu sein. Es müssen die seines Partners sein, G. R. Trimble.

«Ich bin immer mein eigener Herr gewesen, solange ich denken kann. Ich weiß es nicht genau, wenn ich ehrlich sein soll. Ich halt mir gern alles offen. Das Problem ist, daß ich den Gedanken, für jemand anders zu arbeiten, zum Kotzen finde.»

«Haben Sie und G. R. noch Familie?»

«G. R. hatte das Pferd, und ich hab 'ne Frau und 'nen Jungen. Als ich das letzte Mal von ihnen hörte, haben sie in Winchester gelebt. Wir sind nicht geschieden. Ich bring Geld für sie auf die Bank, und immer, wenn ich das mache, seh ich an den Auszügen, daß sie's abhebt. Ich denke, man kann sagen, daß wir zurechtkommen. Zwei Drittel, wissen Sie. Zwei Drittel von dem, was ich verdiene, zahle ich dort ein. So wie ich das sehe, sind wir drei: ich, sie und der Junge. Ein Drittel für jeden. Aber das Gerät ist abbezahlt und gehört jetzt mir. Der Schlepper ist einiges wert, der Rückeschild, der Pickup. Buck auch. Sie würden ganz schön gucken, wenn Sie wüßten, was der wert ist. Aber von Buck würde ich mich zuallerletzt trennen. Einen Freund kann man ja nicht einfach so verkaufen, oder? Und kaufen kann man sie auch nicht, hab ich gehört.»

«Nein», sagt Mary. «Nein, kann man nicht. Freunde kann man nicht kaufen oder verkaufen.»

«Ich sag Ihnen was», sagt Cody, grinst und sieht dann in seine Tasse. «Heute nacht auf dem Berg hab ich mich wie ein König gefühlt. Wie der Bergkönig in Person. G. R.s Tod ist irgendwie das Größte, was ich bisher erlebt hab. Werd noch 'ne Weile brauchen, das zu verdauen. Ich weiß, da gibt's billige Gründe, aber nicht bei mir. Hab's auch nicht eilig, es zu verdauen. Ich find das Gefühl noch immer gut. Kaum zu glauben, daß der Tod von jemandem so eine Wirkung auf einen hat, was?»

Mary und Eddie schütteln den Kopf. Eddie sieht Kraft und Mitleid in ihren Augen. Er legt seine Hand in ihre, und sie drückt sie so stark, daß ihm die Finger weh tun.

«Ihr beide geht jetzt rein, zum Ofen, da ist es warm», sagt Mary. «Sie sehen immer noch verfroren aus. Eddie, du leistest ihm Gesellschaft, und ich mach uns was zu essen. Geht rein zum Ofen und macht es euch gemütlich. Und noch was. Sie können gerne über Nacht hierbleiben und auch Weihnachten mit uns verbringen. Ich denke, das ist am besten.»

Cody sieht erst Mary, dann Eddie an.

«Klar», sagt Eddie. «Morgen gibt's gefüllten Truthahn, Preiselbeersoße, Kürbis und Kartoffelpüree, und wir fänden es sehr schön, wenn Sie bleiben und mit uns essen würden.»

«Ich weiß, warum Sie das alles sagen, aber ich bleib trotzdem», sagt Cody.

«Klingt, als hätten Sie ein schweres Leben gehabt», sagt Eddie, der sich ein wenig schämt, daß seine Einladung nicht ganz so ehrlich wie die von Mary geklungen hat, aber er findet das Ganze irgendwie unprofessionell.

«Kann man so sagen, aber einige haben's noch schwerer. Bergleute zum Beispiel. Ich kann mir nicht vorstellen, unter die Erde zu gehen, um Geld zu verdienen. Da unten geht doch jeden Tag einer drauf. Das könnte ich nicht. Ich danke Gott jeden Tag, daß ich kein Bergmann bin.»

Cody steht auf und reckt sich in seinem braunen daunengefüllten Overall.

Er sieht gedrungen aus, findet Eddie, und hat kräftige, runde Schultern, wie sie Basketballspieler manchmal haben, aber so sehen viele Menschen aus, die tagtäglich mit Werkzeugen arbeiten. Auch Eddie steht auf und geht voraus.

Mary sieht zu, wie sie aus der Küche gehen; Cody schlurft auf Strümpfen davon, so schnell, als versuche er, vor sich selbst wegzulaufen. Sie sieht die roten Fersen eines weiteren Paares durchschimmern. Er hat darauf bestanden, seine Stiefel an der Tür auszuziehen. Das haben er und G. R. immer gemacht, hat er gesagt. Es hat sie für ihn eingenommen, daß ein Mann daran denkt, auf einem sauberen Boden keine schmutzigen Spuren zu hinterlassen.

«Wie ich sehe, Mr. Ryan, informieren Sie sich über Heizungen», sagt Cody und setzt sich in Eddies Sessel.

«Ja. Wir haben einen alten Kohlebrenner, der auf Öl umgestellt worden ist. Ziemlich schwach, das Ding. Wird bald den Geist aufgeben. Nächsten Sommer stürzen wir uns in Unkosten und tauschen das ganze System aus.»

«Aha. – Könnt mir mein Leben nicht unter Tage verdienen», sagt Cody und blättert in einem Prospekt. «Mr. Ryan, Sie können ihn wieder zusammenflicken, oder?»

«Ja, Cody. Mach ich.»

«Das ist gut, weil G. R. wohl nicht gern als halber Mann unter die Erde kommen würde. Das hat er immer gesagt. Man kann nicht als halber Mann durchs Leben gehen, hat er gesagt. Er meinte, das sind viele von uns geworden. Halbe Männer.

Er hat erzählt, wie er mal in einem Lebensmittelgeschäft in Keene gewesen ist. Da gibt's jetzt so große Platten mit Salat. Also, G. R. hat gesagt, da war ein erwachsener Mann mit 'ner Salatzange, mit der hat er rote Beete aufgepickt, in Scheiben, die so dünn waren wie Waffeln, und sie auf so grünen Salat in einen Plastikbecher gelegt. Und zwar vor allen Leuten. Er sagte, das war das Beschissenste, was er in seinem ganzen Leben gesehen hat.»

«Na ja, Cody, Salat ist gesund. Heutzutage ißt man viel Salat, weil man auf seinen Körper achtet.»

«Ich bin in der falschen Zeit geboren», sagt Cody.

«Wieso? Hätten Sie lieber als Wilder in den Bergen oder vielleicht zur Zeit des Unabhängigkeitskriegs gelebt?»

«Nein, im Gegenteil. In der Zukunft, wenn die große Bombe gefallen ist. Die einzige Lösung, die mir einfällt. Ein bißchen Radioaktivität wäre genau das Richtige, um die Männer von den Schlappschwänzen zu trennen. Endlich die Hosenscheißer loszuwerden.»

«Das ist ein schrecklicher Wunsch», sagt Eddie. Er hat seinen Teil vom Krieg gehabt, in Gestalt von hundert Leichen, die er pro Monat herzurichten hatte und von denen die wenigsten zum Anschauen freigegeben waren.

«Weiß ich», sagt Cody, «aber klingt doch ganz gut, nicht? Aber ich würd lügen, wenn ich nicht sagen würde, daß doch was Wahres dran ist. Aber darum geht's nicht. Man kann nicht als halber Mann durchs Leben gehen, und man kann ganz bestimmt auch nicht als halber Mann auf die Reise gehen, die er vor sich hat.»

«Hören Sie», fährt er fort und legt den Finger an die Nase. «Ich hab eine Idee. Ich bin Ihre Heizung. Ich mach das als Bezahlung dafür, daß Sie G. R. zusammennähen, in Form bringen und ihn begraben. Ich bin Ihre Heizung. Ich besorg Ihnen Holz, mehr Holz, als Sie verbrauchen können.»

«Ich weiß nicht. Mary macht gerade die Abrechnung, und wir sind ein bißchen knapp bei Kasse. Es sieht nicht besonders gut aus.»

«Dann geb ich Ihnen so viel, daß Sie was verkaufen können. Damit Sie wieder 'n bißchen flüssig sind. Sagen Sie ja.»

Eddie kennt das schon. Wenn es klappt, wird er ziemlich gut dastehen. Damit kommen sie durch den Winter. Wenn nicht, ist er am Arsch gepackt, was er schon so oft war, daß er sich lieber nicht mehr daran erinnert. Doch Mary erinnert ihn immer wieder daran.

«Sie lassen mich in Ihrem Garten überwintern, und ich zahl's Ihnen doppelt und dreifach zurück.»

Mary kommt herein und trägt ein Tablett, beladen mit Kaffee, Kuchen und Weihnachtsplätzchen.

«Ich sag Ihnen was», sagt Eddie, der überlegt, wie er sich um die Entscheidung drücken kann. «Schlagen Sie's ihr vor, und wenn sie einverstanden ist, bin ich's auch.»

«Schon gehört. Ich finde die Idee großartig.»

«Gut. Dann machen wir es so», sagt Cody und gibt beiden die Hand.

3

Mary liegt bereits im Bett, als Eddie hochkommt. Er zieht einen Flanellschlafanzug und Socken an und schaut noch einmal nach den Kindern. Eileen hat die Knie unter den Bauch gezogen, wie ein Strauß. So liegt sie da, die Wange auf dem Kopfkissen, die Lippen in die Falten gedrückt. Sie hat ihm einmal gesagt, mit dem Kissen übt sie, wie man gut küßt. Eddie streicht ihr über den Kopf und ist schon wieder an der Tür, als er noch einmal zurückgeht und sie auf die Wange küßt. Sie dreht das Gesicht ins Kissen, und er denkt einen Augenblick, dort landet nun der für ihn bestimmte Kuß.

Little Eddie liegt in seinem Gitterbett wie ein Betrunkener auf dem Jahrmarkt, ganz in seine Decken verheddert. Eddie deckt ihn zu und gibt auch ihm einen Kuß, muß ihn dabei aber gekitzelt haben, denn der Junge reibt sich so heftig die Nase, als wollte er sein Gesicht wegwischen.

Es sind brave Kinder, denkt er, liebevolle Kinder, die gelernt haben, in der Anwesenheit Toter zu frühstücken und «Sesamstraße» anzugucken. Eileen findet es ganz toll, den jeweils Aufgebahrten in die Lieder mit einzubeziehen, in die Abzählverse und in die Alphabetübungen.

Mary liegt auf der Seite, mit dem Rücken zu ihm, und er kriecht neben sie und kuschelt sich an sie. So liegen sie da, atmen eine Zeitlang im gleichen Rhythmus und dann nicht mehr.

«Schläft er?» flüstert sie.

Zuerst denkt er, sie meint Little Eddie, merkt dann aber, daß sie von Cody redet. Bevor er antwortet, nimmt er sich Zeit, darüber nachzudenken, warum er den Fremden, der aus der Nacht gekommen ist, mit seinem Sohn verwechselt hat.

«Er hat darauf bestanden, im Pferdeanhänger zu schlafen. Er hat gesagt, das wär sein Zuhause.»

«Ein merkwürdiger Mensch, wenn du mich fragst. Aber wohl ganz nett.»

«Ja», sagt Eddie. «Das ist er.»

«Also, ich weiß nicht, wie's dir geht, aber mir reicht's für heute. Ich schlafe jetzt.»

Eddie schlingt einen Arm um ihren Körper. Er langt in ihr Nachthemd und umfaßt ihre Brust an der Stelle, wo sie auf der Matratze liegt. Das macht er gerne, denn nach einer Weile wird seine Hand ganz warm und die Wärme steigt den Arm hoch in die Schulter, von wo sie dann in seinen Körper strömt.

«Mary», flüstert er. «Donahue sagt, 'ne Menge Frauen täuschen einen Orgasmus nur vor. Woran merkt ein Mann, ob eine Frau einen Orgasmus nur vortäuscht?»

«Daran, daß sie sich so verhält, als ob es ihr Spaß macht.»

Mary sagt das, obwohl sie schon halb eingeschlafen ist. Es ist ein Witz, den sie einmal gehört haben und den sie sich gerne erzählen. Er ist eine Art Zeichen dafür geworden, daß alles gut ist zwischen ihnen, so gut, daß sie ruhig schlafen können, besonders nach einem Abend wie dem heutigen.

«Um Gottes willen», sagt Mary plötzlich und hebt den Kopf vom Kissen. «Hast du den Mann ins Kühlfach gelegt?»

«Nein. Cody hat gesagt, er deckt ihn mit einer Plane zu. Wir besorgen das morgen früh, wenn die Kinder beschäftigt sind. Sie sind sowieso daran gewöhnt. Ich wollte nicht, daß er sich noch mehr aufregt.»

Mary kuschelt sich wieder an ihn, seufzt, und dann schläft sie endgültig ein für diese Nacht, und Eddie kurz nach ihr.

Später, wie ihm scheint bereits nach wenigen Sekunden, wacht Eddie auf. Er hört seinen Sohn laut aufschreien. Dann herrscht wieder Ruhe. Er sieht auf den Wecker auf dem Nachttisch und stellt fest, daß er mindestens schon eine Stunde geschlafen hat.

Er kann nicht verstehen, warum ein Kind das tut. Schon als er ganz klein war, ein Säugling, der nichts zu fürchten hatte, schrie sein Sohn derart auf und war dann wieder still. Die ersten Monate mit ihm im Haus waren die Hölle. Er litt an Blähungen, und nur eine Fahrt im Kombi oder in dem graublauen Cadillac konnte ihn beruhigen. Die Hebamme, die bei seiner Geburt dabeigewesen war, gab ihnen eine Kassette, auf der Herzschläge aufgenommen waren, und das half auch. Sie lief neunzig Minuten. Neunzig Minuten lang drang das Geräusch eines schlagenden Frauenherzens durch die Stäbe seines Kinderbettchens in seine Ohren.

Jetzt ist es besser, aber noch immer schreit er manchmal ohne jeden Grund mitten in der Nacht auf.

Eddie liegt im Bett und befürchtet, sein Sohn könnte Schlafwandler werden. Er hat eine Geschichte über einen elfjährigen Jungen gelesen, der im Schlaf auf einen Güterzug aufsprang. Sogar im Schlaf verspürte er den Drang zu wandern. Man fand ihn hundert Meilen von zu Hause in einem Wald, wo er in seinem vom Tau durchnäßten Schlafanzug umherirrte. Einige Menschen essen im Schlaf, einige stürzen, andere machen Hausputz. Eddies Mutter wusch im Schlaf die Wäsche. Sie steckte sie in die Waschmaschine, und wenn sie fertig war, ging sie barfuß nach draußen und hängte sie auf die Leine. Sein Vater konnte nie verstehen, warum sie nicht den Trockner benutzte. Beide sind jetzt tot.

Eddie schläft wieder ein und hat denselben Traum wie in der vergangenen Nacht. Er träumt von einem Mädchen, das er nicht kennt. Als der Traum zu Ende ist, steht er auf und holt sein Tagebuch aus der Kommode, wo er es unter den Socken aufbewahrt. *«Traumgleichnis»*, schreibt er im Mondlicht, und in Klammern macht er eine Notiz für sich: *«So wirklich, wie die Wirklichkeit sein kann»*. Er schreibt weiter:

Letzte Nacht habe ich geträumt, ich lebte in Deinem Haus. Du kamst und hast an die Küchentür geklopft. Ihre Scheibe ist das Medium, wo warme und kalte Luft aufeinandertreffen, wo sie ihren Nebeltanz tanzen, wo die warme und die kalte Luft Liebe machen, bis sie zu Nebel werden. Ich hatte einige Zweige, sie waren übriggeblieben vom Palmsonntag. Ich nahm sie, wischte die Scheibe mit ihnen, und Du bist lachend zurückgesprungen.
Ich schaute durch die Scheibe und sah Dich. Du hattest langes Haar und trugst eine Baskenmütze, einen marineblauen Mantel aus Wolle, zweireihig, mit vier großen blauen Knöpfen. Wir standen einfach da, lachten beide, Du hieltest ein Paket, ich einen Strauß vertrockneter Zweige.

Als er fertig ist, legt er den Stift nieder und liest, was er geschrieben hat. Es gefällt ihm. Er blättert eine Seite zurück und liest weiter.

Zwei lachende Herzen. Zwei ineinander verschlungene Seelen. Was für Geräusche sie wohl machen? Kann man sie hören, wenn man nicht da ist, wenn sie im Wald niederstürzen? Ja; ja. Sie klingen wie ein heller Bach; Enten durchstreifen die Wiesen; Nebelgeister wehen durch die kalte Morgenluft. Sie klingen wie die Sonne, wenn sie durch das Dunkel bricht. Sie klingen wie ein einsamer Vogel, der wie ein Kind weint, wenn er am Himmel von Osten nach Westen fliegt.

Auch das gefällt ihm. Er hat es einige Nächte zuvor geschrieben. Mary bewegt sich im Schlaf, und er ist traurig, denn er wünscht, diese Worte wären für Mary, doch sie sind es nicht; diese Worte sind für niemand Bestimmtes geschrieben. Das Mädchen im Traum hatte Susans Gesicht, seine erste große Liebe, als er noch zur Schule ging, in die siebte Klasse, doch sie war es nicht. Es war ihr Gesicht, doch es war jemand anders. Er denkt, vielleicht ist es nur die Vorstellung von einer anderen Frau. Irgendeiner Frau. Vielleicht von der Frau in mir, sagt er zu sich. Manchmal denkt er solches Zeug.

Wieder wünscht er sich, diese Worte wären für Mary und er könnte sie ihr zeigen, aber sie sind es nicht, und er kann es nicht tun. Es sind nur Worte, und sie stehen in einem Tagebuch. Es sind Gedanken, die er hat, und er fühlt sich unter dem Zwang, sie niederzuschreiben. Es ist, als ob die Dinge zusammenfließen, für einen Moment in einen Zustand geraten, in dem alles klar und einfach ist, gefüllt bis zum Rand und noch etwas darüber hinaus.

Es wäre wunderbar, denkt er, sein Leben mit diesen Augenblicken durchtränken zu können, so daß sie sich in eine lange nahtlose Reihe fügen würden, wie die kleinen Fenster eines Films, der gerade belichtet werden soll. Wo eines aufhört, beginnt ein anderes. Auch das Böse würde er annehmen, solange es rein wäre in seiner Bösartigkeit, pechschwarz mit scharfen Konturen. Er wartet sehnsüchtig auf den Tag, an dem seine Gedanken klare Gestalt annehmen. Welch ein Leben wird er dann haben. Ein Leben für sie alle.

Eddie klappt sein Tagebuch zu und legt sich wieder zu seiner Frau ins Bett. In der Zeit, die er außerhalb des Bettes verbracht hat, sind seine Füße kalt geworden. Er dreht sich auf die Seite, zieht die Knie an und legt die Fußsohlen gegen Marys warme Waden. Sie hält es eine Weile aus, dann dreht sie sich weg, aber das macht nichts, weil sie ihm eine warme Stelle im Bett frei macht.

Während er daliegt und auf den Schlaf wartet, wird ihm klar, daß das Mädchen im Traum Mary war und das Haus ein Haus an einem See, wo sie früher gelebt hat. Das paßt nicht mit dem zusammen, was er zunächst gedacht hat, also versucht er herauszufinden, was geschehen ist. Einen Augenblick lang ist ihm klar, wie alles zusammengehört, und in diesem Augenblick ist er ganz sicher, daß das der Schlüssel zu allem ist; aber dann entgleitet es ihm, und er verflucht sich und hat das Gefühl, ihm ist ein Streich gespielt worden.

Mary kuschelt sich wieder an ihn, als wüßte sie, daß seine Füße nicht mehr kalt sind. Sie küßt ihn auf die Schulter, und er dreht sich zu ihr. Es ist angenehm, ihren vom Schlaf weichen Körper durch das Nachthemd zu fühlen. Seine linke Hand gleitet von ihrem Schenkel zum Bauch und dann zu den Brüsten, die jetzt durch ihr Gewicht beinahe flach auf dem Brustkorb liegen. Er fährt mit der Hand ihre Rippen hoch und umfaßt die Rundung einer Brust. Er hebt sie in die Stellung, die sie hätte, wenn Mary stehen würde, und läßt sie dann wieder dahin gleiten, wo sie liegen will.

«Morgen früh kriegen wir das schon hin», sagt Mary, aber er weiß, sie spricht nur im Schlaf.

Auf der anderen Seite des Flurs saugt Eileen mit den Lippen an dem Kopfkissenbezug aus Baumwolle. Sie stellt sich gerne vor, es wäre der Bauch ihrer Mutter. Sie ist froh, daß sie jetzt in der Schule ist und viele Sachen lernt, auch wenn sie nicht ganz versteht, wie sie funktionieren. Sie denkt an das Skelett in ihrem Körper. Es ist aus Knochen, und die Knochen sind aus Kalzium. Und es gibt vier Nahrungsmittelgruppen, grün, weiß, rot und braun. Das ist gut, denkt sie, gibt ihrem Kopfkissen einen Kuß und schläft wieder ein, ohne wirklich aufgewacht zu sein.

Jetzt träumt sie von den Pferden, die sie malt. Sie benutzt Wasserfarben und Federn aus ihrem Kissen als Pinsel, für jede Farbe eine Feder. Früher war sie ein Einhorn, deshalb haben alle Pferde, die sie malt, ein Horn am Kopf, ein Horn, das spiralförmig aus den Locken ragt, die ihnen zwischen den Ohren wachsen.

Ihre besten Freunde sind Abbin und Delia. Sie sind auch Einhörner. Sie sind die letzten Einhörner. Das war 1861, vor ewigen Zeiten, als es nur Schwarzweißfernsehen gab.

Sie spürt einen leichten Luftzug, und die Matratze gibt ein wenig nach. Sie weiß, daß es Max ist, der Kater. Er schläft jede Nacht bei ihr, wenn er mit dem Mausen fertig ist. Er schläft zusammengerollt an ihren Füßen. Nach ihrer Überzeugung ist er ein Prinz, aber er ist kein Prinz; er ist eine Jagdkatze, ganz schwarz mit weißen Schnurrhaaren, Kinn und Pfoten. Er ist sehr groß, zum Teil Angora, zum größeren Teil Straßenmischung. Er gehörte Eddies Vater, und als dieser starb, erbte Eddie ihn. Jetzt kommen sie miteinander aus wie Geschwister; sie machen einen großen Bogen umeinander und fangen manchmal Streit miteinander an, wenn sie sich langweilen. Eileen weiß, daß er in sie verliebt ist.

Sie weiß das, weil Max ihr Jagdtrophäen vor die Tür legt, die Köpfe von Kaninchen oder Eichhörnchen. Er setzt sie aufrecht hin, den Blick nach oben gerichtet, so daß man sie nicht übersehen kann, wenn man morgens aus dem Zimmer kommt.

Vögel mag er auch. Die bringt er gern auf die Veranda und verschlingt ihre schmackhaftesten Teile auf den Stufen. Einmal brachte er einen Maulwurf ins Haus. Er ließ ihn durchs ganze Haus rennen, und dann gab er ihm den Rest. Wenn er nicht gerade Tiere jagt und frißt, macht er die Gegend unsicher und sorgt für Nachwuchs.

Little Eddie schläft gleichzeitig auf Bauch und Rücken, sein Körper ist eine Art Möbiussche Fläche. Die Zehen zeigen nach unten und außen, eine Hand liegt mit der Handfläche nach außen, und den anderen Arm hat er nach hinten geschoben, in den Rücken. Eine etwas abenteuerliche Art zu schlafen, doch er könnte nicht glücklicher sein, da er die Gesetze der Bequemlichkeit nicht kennt.

In seinem kindlichen Gehirn denkt er, ich möchte die Welt mit dem Mund kennenlernen. Ich will die Welt und alles, was in ihr ist, essen. Erst wenn ich älter bin, werde ich die schlechten Teile ausspucken, aber jetzt will ich den ganzen Kuchen.

Das ist Wolle, das sind Flusen, das ist ein Knopf. Nimm und iß, es schmeckt nämlich ziemlich gut. Das ist ein Honigsnack, das ich zwischen Teppich und Wand fallen gelassen habe, als ich in meinem Gehfrei vorbeigesaust bin, eine kleine Nährstoffreserve. Das ist ein Zehennagel. Ich beeile mich lieber, denn wenn sie mich damit sieht, macht sie ihm die Hölle heiß, weil er ihn auf dem Boden liegengelassen hat.

Und weil es mir einfach Spaß macht, bin ich der Zerstörer festgefügter Welten, der Zerfetzer von blauen Büchern, grünen Büchern, roten Büchern, *Feld und Fluß,* dem *Handbuch des Bestatters,* dem *Gesetz über das Leichenwesen,* dem *Cosmopolitan*. Ich sehe sie alle oben im Regal stehen. Da müßte ich hochkommen...

Little Eddie bewegt sich im Schlaf. Er ist wie aufgehendes Brot oder Biskuit, leicht wie Luft, locker vor Eischnee.

Klamotten sind gut, denkt er, besonders wenn die Sachen gerade warm aus dem Trockner kommen. Einen Korb voll Wäsche finde ich besser als eine Brust voll Milch. Man kann sein kleines Gesicht darin verstecken, aus ihm hintenüberkippen und sich vielleicht den Kopf dabei stoßen, so daß das Gehirn herumwirbelt und man zu weinen anfängt.

Ich klettere aber sofort wieder hoch, nicht nur, weil ich keine Angst habe, sondern vor allem, weil ich aus nichts was lerne. Bis jetzt hab ich noch gar nichts gelernt, und dafür bin ich dankbar.

Deshalb habe ich eine Vorliebe für Tassen mit heißer Suppe und Steckdosen. Ich will in sie hineinkriechen und mich durch sie hindurchessen.

Sein kindliches Gehirn arbeitet, testet auf immer neuen Rennstrecken künftige Gedanken, probiert aus, ob sie ihm passen.

Gott kommt nachts zu mir. Er erzählt mir von meiner Zukunft und läßt sie mich wieder vergessen. Darum schreie ich nachts manchmal auf. Er sagt, er tut es für alle fühlenden Lebewesen. Oder hat er wühlende gesagt? Scheiß drauf. Er tut es für Gänse, Bären, Kaninchen, Bakkenhörnchen, Wachteln und Beutelratten. Er tut es für alle Lebewesen hier und im Ausland. Er bietet diesen Service an, damit man, wenn man den Löffel abgibt, weiß, was man zu tun hat. Dann muß man nicht erst lange darüber nachdenken.

Und wenn es dann soweit ist, erinnert man sich daran, was er gesagt hat, und es haut einen nicht so um. Deshalb ziehen die Mönchsvögel ins Vulkangebirge von Transvaal, und deshalb dauert der Todeskampf eines Gürteltiers eine halbe Stunde.

Ich sage ihm danke schön, und dann bleibt er noch ein Weilchen. Er redet über das Leben, hauptsächlich über sein eigenes, aber er erzählt mir auch das eine oder andere. Er sagt mir, was ich lernen werde und was nicht. Er erzählt mir, daß ich laufen lernen werde und nicht mehr in die Hosen zu scheißen, was mir, ehrlich gesagt, fehlen wird. Ich finde es zwar das Größte, alles in den Mund zu stecken, aber in die Hosen scheißen kommt gleich danach. Das ist meine Art, für all das, was ich bekomme, ein bißchen zurückzugeben.

Er erzählt mir, daß ich lernen werde, wie man Dreirad fährt, ein Dreikäsehoch auf einem Dreirad, und wie man Bälle wirft, und daß ich beides sehr gut können werde. Eileen wird mir Kartenspiele beibringen. Eines Tages will ich dann zu ihr in die Badewanne klettern, aber sie will nicht, und das wird für lange Zeit das letzte Mal sein, daß ich eine Frau sehe, die nichts anhat. Er hat geseufzt und den Kopf geschüttelt, als er mir das erzählt hat. Es war, als würde er die ganze Last des Himmels auf seinen Schultern tragen, mit all den Verlierern, Gläubigen, Opfern, Kindern, Großeltern, Unfalltoten und Totgeborenen. Sein graues erhabenes Haupt gebeugt unter dieser Last.

Ich frag ihn also, was so los ist, und er sagt, daß ich wissen werde, wie man Reifen wechselt, wie man mit elektrischen Werkzeugen arbeitet und Batterien auflädt. Ich werde in der Müllkippe auf Ratten schießen und in den Sommernächten wie der Teufel mit einem Pickup über die Feldwege rasen. Er sagt, ich werde lernen, daß Teufel nur ein Wort ist, das einige Menschen gebrauchen.

Dann erzählt er mir, daß mich keine Frau so sehr lieben wird wie meine Mutter. Ich sage, hol's der Teufel – ich kann mir auch gar nicht vorstellen, daß ich das will, und er sagt, gut, es ist sowieso nicht das Gelbe vom Ei. Und er sagt, ich soll mir keine Sorgen machen, weil Frauen einem ganz schön auf die Nerven gehen können, und daß er deshalb nie geheiratet hat. Einmal hat er sich mit einer eingelassen, und das war der Grund, aus dem er an sein Buch noch siebenundzwanzig Kapitel anhängen mußte, bis er es schließlich satt hatte und ein Kapitel schrieb, bei dem man vor Angst das Schwitzen kriegen kann. Einmal hat Gott gereicht, für alle Zeiten.

Der Frau gegenüber hat er sich aber absolut korrekt verhalten. Er hat seinen Sohn anerkannt. Er hat gesagt, das ist mein Sohn. Gegen ihn würde es keine Vaterschaftsklagen geben.

Es macht ihn traurig, über seinen Sohn zu sprechen. Er seufzt, und dabei atmet er so viel Luft ein, daß die Vorhänge von den Gardinenstangen abstehen – kein Flattern, kein Kräuseln, wie Pfeile richten sie sich geradewegs auf ihn. Dieser Josef tut mir leid, sagt er. Alle Väter tun mir leid. Ich werde dir eine Geschichte erzählen.

Gottes Geschichte: Als Moses auf den Berg kam, war gerade ziemlich viel los, es ging richtig rund. Was ich ihm sagte und was er niederschrieb, waren zwei ganz verschiedene Dinge, aber, ich sag's dir, da unten am Berg trieben sie's sogar mit ihren Schwestern. Es ging drunter und drüber, es war also kein Wunder. Ich sagte ihm also, schreib: *Du sollst deine Mutter ehren und deinen Vater lieben.* Aber er schrieb: *Du sollst deine Mutter und deinen Vater ehren* oder so ähnlich.

In dem Augenblick hab ich mir nichts weiter dabei gedacht. Da unten haben sie um das Goldene Kalb getanzt und sich vollaufen lassen. Ich sag dir, das Ganze geriet allmählich außer Kontrolle. Also ließ ich es so stehen. Außerdem dachte ich, es klingt auch besser.

Dann kam diese Geschichte mit Josef und Maria, und ich wußte sofort, warum ich es so gesagt hatte, wie ich es gesagt hatte. Du sollst deine Mutter ehren und deinen Vater lieben, weil der arme Teufel es weiß Gott nicht leicht hat. Meistens sind die Väter eh' nur dazu da, den Kopf hinzuhalten. Das ist es, was seitdem so viele Leute inspiriert hat, über mich zu schreiben.

Er hört auf zu erzählen und seufzt wieder. Die Fensterscheiben wölben sich nach außen in die Nacht. Das Neue Testament, denke ich, damit er den Faden wiederfindet.

Nein, sagt er und sieht mich an. Country- und Westernmusik.

Es wird still in meinem Zimmer. Ich beobachte ihn durch die Gitterstäbe meines Bettes. Er steht ganz dicht bei mir, die Arme verschränkt. Über seinen himmlisch weißen Gewändern trägt er eine Daunenjacke. Die Gewänder sehen aus, als wären sie weich wie Schnee, und immer wieder sprüht die goldene Kordel Funken, die fast an Leuchtfeuer erinnern.

Ich sehe ihn an, wie er da steht, und frage mich, wer von uns innen und wer außen ist. Er lacht und weint gleichzeitig, weil er weiß, daß ich gerade einen originellen Gedanken gehabt habe, einen mit einer Spur von Angst und Pathos. Ich habe mich in Gott hineingefühlt.

Wie stellt man es an, gleichzeitig zu lachen und zu weinen?

Oh, das ist eine gute Frage, sagt er. Zum erstenmal passierte mir das, nachdem ich die Jungfrau Maria geliebt hatte. Seitdem überkommt es mich in den merkwürdigsten Situationen, als Nero Rom anzündete, beim Aufstand des Daniel Shay, dem Film *Zulu* und als ich Hitler die Waffe in die Hand drückte.

Er macht eine Pause und sagt dann, nein, das letzte nehme ich zurück. Es war eine helle Freude, zu sehen, wie sich dieser Schweinehund selbst die Kugel gab. Ich habe andere Momente der Freude erlebt, die Schlacht von Clontarf, Little Bighorn, Buddha in Windeln, Kolumbus … und auch des Schmerzes, Schmerz bis ins Mark: den Kinderkreuzzug, den Osteraufstand, Pol Pot, Oppenheimer und den Tag, als die Red Sox 86 den sicheren Sieg verschenkten. Und Reue. Wegen meines Jungen, den ich für das alles hier hingegeben habe.

Gott fährt mit der Hand durch die Luft und setzt das prunkvolle Spiel der Zeit in Gang. Alles, was gewesen ist und sein wird, Felsen, Pflanzen und Tiere, Lavaströme und Einwegrasierer, Pemmikan und Tapioka, der modische Trend zur Glatze.

Er konnte diese tollen Sachen mit Brot, Fischen und Wasser machen, sagt Gott.

Dann sieht er sich in meinem Zimmer um. Seine Augen werden zu hellen Lampen wie die am Armaturenbrett im Auto meines Vaters spätnachts. Er läßt die Plüschtiere tanzen und die Flugzeuge endlose Kreise ziehen. Er schießt Bündel kalter Funken aus Mund und Nase. Das Geräusch seines Herzschlags wird immer stärker im Zimmer, wie Trommelschläge auf einem ausgehöhlten Baumstamm. Die Funken werden zu Brandung, dann zu Feuer. Es beginnt zu schneien. Er amüsiert sich prächtig.

Und wie das so alles in meinem Zimmer passiert und umeinanderwirbelt, legt er mir Worte in den Kopf: Es ist an der Zeit, zu vergessen.

Ich weiß, sage ich.

Es ist an der Zeit, daß du mit dem Vergessen anfängst, sagt er. Es wird mit einem *wusch* geschehen, wie das Geräusch eines Rocks, der über die Hüften einer Frau hochgezogen wird, aber vorher möchte ich dich fragen – hast du schon einmal geröstetes Brot gegessen? Kennst du den Witz, der so aufhört: «Toll, von hinten»? Hast du mal zwei Topfdeckel genommen und sie aneinandergeschlagen oder mit einem auf den Boden gehauen? Oh, was für ein wunderbarer Lärm, sagt er und singt mir die Worte in den Kopf, als wäre er allein alle Chöre, die es je gegeben hat und geben wird.

Und so machen wir uns daran, meine Erinnerung für so lange auszuschalten, wie es nötig ist.

Am ersten Weihnachtstag wacht das Haus schon im Morgengrauen auf, ächzt und knarrt, als alle seine Einzelteile tief Luft holen, sich dabei zusammenziehen und dehnen. Hier springt ein Nagel heraus, dort bohrt sich eine Schraube fest. Es ist Totgewicht, statisch und fixiert, Konstruktion, Fassade und Ausstattung, die ganze Last, die gut in einem massiven Betonfundament verankert ist, aber wenn der Erdmantel einmal zuckt, sich bei Frost alles wirft, wenn die Erde in ihrer Umlaufbahn auf einen Hukkel stößt, dann ächzt das Haus von Eddie Ryan ein wenig. Es wird zu einem seismischen Grammophon im Klammergriff der Schwerkraft.

Eileen und Little Eddie gehen ins Schlafzimmer ihrer Eltern. Eddie ist schon wach und steht am Fenster, das nach Osten geht. Er kann auf den Platz von Inverawe sehen mit dem Denkmal, den Ahornbäumen und dem Fahnenmast. Von dort aus führen Straßen in alle vier Himmelsrichtungen. In seinem Kopf hat Eddie eine Karte, auf der er aus einer Höhe von dreitausend Fuß den Landgürtel sieht, der Inverawe umgibt, die Straßen, die sich durch die Berge und hinunter zum Connecticut River ziehen, Kreuzungen, die feine Gewebe bilden, und Bäche, die sich ihren Weg selber suchen.

Der Platz ist das Zentrum von Inverawe. Nicht weit davon befinden sich der Laden, das Rathaus, die Kirche aus rotem Backstein, das Postamt, die Schule, die Feuerwache und Ryans Bestattungsinstitut.

Auch Mrs. Huguenot, die Matriarchin von Inverawe, weiß um die zentrale Bedeutung des Platzes. Genau in seine Mitte will sie einen Springbrunnen setzen lassen. Sie will das Grundwasser anzapfen, das sie alle trinken, und es durch die Luft tanzen lassen, in Strahlen so dünn wie Adern eines Blattes. Sie will den Brunnen als eine Art Schrein bauen lassen, den die Leute besuchen, um mit der Quelle ihres Wassers in Berührung zu kommen. Der Platz um den Brunnen soll zur Meditation einladen. Unter dem Siegel der Verschwiegenheit hat sie Eddie erzählt, daß sie glaubt, die Beschaffenheit von Wasser rege Wasserträume an, bringe Menschen ihrem Unterbewußtsein näher. Mrs. Huguenot ist schon sehr alt und stirbt langsam.

Die Kinder kriechen zu beiden Seiten ihrer Mutter unter die Decke. Eddie legt sich neben Eileen und kitzelt sie zwischen den Rippen.

«Laufen und reden, laufen und reden. Das ist alles, was du kannst», sagt er. «Du bist ein richtiges Walkie-talkie.» Er zwinkert Mary zu, und sie lächelt. Sie haben den Kindern bei Radio Shack Walkie-talkies gekauft. Das wird *die* Überraschung. Es wird wieder still im Zimmer.

«Also, was werdet ihr wohl für Geschenke kriegen?» flüstert Eddie.

«Aufkleber und Bücher. Ich krieg immer Bücher.»

«Und du, Sportsfreund?»

«Spielzeugmänner», sagt Little Eddie in einer Sprache, die nur Eileen verstehen kann.

«Er sagt ‹Spielzeugmänner›», sagt sie.

«Ja, und dein Vater kann dir dann zeigen, wie er seine mit Benzin und Streichhölzern geschmolzen hat. Das fand er immer sehr lustig.»

«Um Himmels willen, Mary. Ich finde es wirklich nicht gut, daß du das erzählst», erwidert Eddie mit verletztem Blick.

«Du hast mir aber gesagt, daß du das immer gemacht hast.»

«Um Himmels willen, Mary. Doch nicht Weihnachten», sagt Eileen.

Mary schnappt sie sich und pikst ihr in den Bauch, bis sie lacht, und dann lachen sie alle.

«Los», sagt Eileen. «Wir müssen aufstehen und die Geschenke aufmachen.»

Eddie nimmt Eileen hoch, und Mary nimmt Little Eddie. Sie gehen in ihrem Nachtzeug die Treppe hinunter, tappen in Strümpfen leise auf den heller werdenden Schein der Lichter am Weihnachtsbaum zu.

«Wieso sind die denn an?» fragt Eddie. Jede Nacht zieht er gewissenhaft den Stecker heraus.

Am Fuß der Treppe setzen sie die Kinder ab, und dann stehen alle vier da und starren ins Wohnzimmer. Während sie geschlafen haben, sind in der Nacht neue Geschenke angekommen. Die Holzkiste ist voll, und im Sessel steht ein Mikrowellenherd, das Sichtfenster ihnen zugewandt. An den Haken am Kaminsims hängen Motorsägen, mit den Spitzen in den Strümpfen der Kinder. Und aus dem Ofen, in dem sonst zu dieser Zeit nur glühende Reste liegen, die gestochert und gerüttelt werden wollen, strömt Wärme. Der auf Öl umgestellte Brenner im Keller ist nicht zu hören, man sieht nur die trockene Strahlungswärme, die vom Ofen aufsteigt, in alle Ecken des Hauses, eine Wärme, die im farbigen Licht der Weihnachtsbeleuchtung vibriert.

Eddie geht in die Küche und sieht zur Hintertür hinaus. Der schwere Schleppzug ist verschwunden.

«Er ist in der Nacht weggefahren», sagt Eileen, und ihre Stimme ist so nah, daß sie ihn erschreckt. «Ich hab's gesehen.»

4

Eddie steht im Sandkasten, um den die Spur von Codys Zug herumführt; er hat dort gewendet und ist auf demselben Weg wieder den Berg hochgefahren. Eddie drückt seinen Becher mit Kaffee gegen die Brust und fragt sich, warum er von dem Licht und dem Lärm diesmal nichts mitbekommen hat. Er muß gerade tief geschlafen haben, und Cody ist vielleicht ohne Licht weggefahren, langsam, mit niedriger Drehzahl.

Der Kaffee dampft in der kalten Luft; aus dem Becher steigt eine Säule weißen Dampfes, die sich ein Stück über dem Becherrand in Wolken und Federn zerteilt. Die Berge, in die Cody verschwunden ist, sind dick in Schnee und Eis gehüllt, in eine Kälte, die Baumstämme zum Bersten bringen kann.

Im Haus bepinselt Mary den Truthahn mit Butter und unterhält sich dabei mit Eileen, die sich oben in ihrem Zimmer unter der Bettdecke verkrochen hat. Sie benutzen die neuen Walkie-talkies. Mary ist das Mutterschiff und Eileen der Eroberer Ponce de León. Sie glaubt, sie hat Dinosauriereier entdeckt.

Little Eddie schleppt Geschenkpapier, das er mit seinen dicken Unterarmen an den Körper drückt, von einem Zimmer ins andere. O-beinig torkelt er dahin; seine Latzhose ist mit bunten Schleifen verziert. Er nimmt die Deckel von leeren Schachteln ab und versucht hineinzusteigen. Er überlegt, ob er wieder an den Ofen gehen soll, und fragt sich, was das Theater mit dem Anfassen zu bedeuten hat. Er will es herausfinden, versteht nicht, warum Anfassen nicht der richtige Weg ist. Sein Blick fällt auf die niedriger hängenden Kugeln am Weihnachtsbaum. Vielleicht wird er in dieser Gegend ein wenig herumstöbern, eine anfassen oder sie sogar aufessen.

In einigen Tagen wird es Sterbefälle geben, einen, zwei, vielleicht auch sechs. Nach Weihnachten häufen sie sich auf einmal und dann wieder Ende Januar, traurige Tode, Tode von alten Menschen, nicht erklärbare Tode. Eddie beschließt, morgen früh loszugehen, um Cody zu suchen, solange er noch ein bißchen freie Zeit hat. Er ist nicht sicher, ob er zu Fuß losziehen oder sich ein Schneemobil mieten soll. Zu Fuß könnte es lange dauern, ein Schneemobil könnte Fragen aufwerfen. Er schaut über die zerstörte Hecke, wo sich die beiden Spuren einander nähern und sich beinahe treffen, bevor sie sich im Wald verlieren, der noch dunkel ist. Die unteren Äste der Bäume sind an dieser Stelle von ihrer winterlichen Last befreit. Er schaut konzentriert hin, versucht zu verstehen, was er sieht, aber es gelingt ihm nicht. Das ärgert ihn, doch es ist einfach zu kalt, und er ist ohne Jacke nach draußen gegangen. Er dreht sich um und kehrt ins Haus zurück.

«Hör zu», sagt er. «Ich muß da rauf und nach dem Rechten sehen. Es geht hier um Gesetze, den rechtlichen Status menschlicher Überreste, die Bestattung dieser Überreste. Er könnte eine Menge Ärger kriegen.»

«Ich weiß», sagt sie. «So bist du eben, aber es ist Weihnachten. Kannst du diese eine Sache nicht der Polizei überlassen? Das ist schließlich ihre Aufgabe.»

Aber sie weiß, das wird er nicht tun. Es ist zuviel Falsches gesagt worden. Er hat den Mann nicht genügend beruhigt, und er hat immer ganz besonderen Wert darauf gelegt, sich um die Nöte der Hinterbliebenen zu kümmern. Und tief in ihrem Innern weiß sie, daß es auch mit dem Tod seines Vaters zu tun hat. Der liegt schon ein paar Jahre zurück, aber seitdem läuft er durch die Gegend wie jemand, der etwas mit sich herumschleppt und nach einem Platz sucht, wo er es abstellen kann.

«Wie wär's, wenn ich morgen raufgehe, und zwar so früh, daß ich genug Zeit hab, wieder zurückzukommen? Und wenn ich ihn finde, bin ich übermorgen wieder da.»

«Mutterschiff, Mutterschiff. Hier Ponce de León. Hab noch ein Dinosaurierei gefunden. Ich versuch mal, es auszubrüten.»

«Mach das, Ponce, und wenn du keine Lust mehr hast, sag Bescheid. Ich schick dann deinen Vater hoch zum Ablösen.»

«Roger, over, Ende.»

«Das ist die Idee», sagt Eddie. «Ich nehm eins der Funkgeräte mit. Die haben eine Reichweite von fünf Meilen.»

«Gute Idee.»

Eddie geht ins Wohnzimmer. Die Glaskugeln von den unteren Zweigen des Weihnachtsbaums sind abgenommen worden und liegen in einer Schachtel. Little Eddie steht unter dem Kaminsims, neben dem Ofen. Über seinem Kopf baumeln die vier Strümpfe; aus zweien gucken gelbe Motorengehäuse heraus, die Spitzen mit den Ketten stecken in den Strümpfen.

Er hält eine rote Glaskugel in der Hand. Sie ist weiß gesprenkelt und hat einen seidigen Glanz. Der Haken ist ab. Bevor Eddie etwas sagen kann, wirft der Junge sie, und sie zerplatzt mit einem Knall am heißen schwarzen Stahl der

Ofenplatten. Die eine Hälfte wird zu glitzernden Splittern, die herunterregnen und dann verschwinden, die andere fällt auf den Teppich, und auf diese Hälfte sehen die beiden jetzt, als ob sie erwarten, daß etwas daraus aufsteigt.

Mary kommt aus der Küche angerannt und sieht die beiden gebückt dastehen, die Köpfe zusammen, und die gezackte Halbkugel liegt zwischen ihnen auf dem Boden.

«Jetzt reicht's aber», sagt sie. «Seht zu, daß ihr euch bis zum Essen irgendwie sinnvoll beschäftigt.»

Der Tag ist zu Ende, und die Kinder liegen im Bett. Little Eddie schläft allmählich ein, während Eileen sich auf eine weitere Bescherung am Wochenende freut, an dem sie nach Rhode Island zu ihrer Großmutter fahren werden. Da wird sie noch mal einen guten Fang machen.

Ihre Großmutter ist die Mutter ihrer Mutter. Sie lebt allein. Sie hat ein Haus mit Blick über die Narragansett Bay; manchmal ziehen riesige Schiffe vorbei und füllen das ganze Panoramafenster aus. Ihre Mutter ist anders, wenn sie in Rhode Island ist. Sie badet lange, und sie denken sich zusammen komplizierte Frisuren aus. Die meiste Zeit verbringen sie am Strand; sogar im Winter machen sie dort Spaziergänge. Manchmal kommt ihr Vater mit, aber meistens sitzt er im Haus, arbeitet sich durch Stöße von Zeitungen und ißt Käse und Kräcker.

Großmutter nimmt Little Eddie auf *Entdeckungsreisen* mit, wie sie es nennen. Die Mutter ihres Vaters hat Eileen nicht kennengelernt. Sie ist gestorben. Aber an den Vater ihres Vaters kann sie sich noch erinnern, glaubt sie. Daddys Daddy, sagt sie immer wieder, Daddys Daddy, und dabei schläft sie schließlich ein.

Eddie und Mary liegen im Bett und unterhalten sich über den Truthahn. Mary sagt, er war zu trocken. Eddie sagt, er war genau richtig. Am Morgen wird er der Spur von Codys Zug nachgehen. Die dicken Sachen, die er dafür anziehen muß, liegen schon auf dem Stuhl bereit.

«Weißt du», sagt Mary, «ich hab noch nie einen Brenner zu Weihnachten gekriegt. Dabei war ich schon immer ganz heiß drauf.»

«Nächstes Jahr werden wir nur an uns denken.»

«Nächstes Jahr.»

«Ja, nächstes Jahr, aber bis dahin», sagt er, langt unter das Bett und holt eine Schachtel hervor, «bis dahin ist hier eine Kleinigkeit für das Boudoir meiner Verehrtesten.»

«Eddie, wir wollten uns doch nichts schenken», sagt sie, macht die Schachtel auf und nimmt ein weißes Flanellnachthemd mit kariertem Kragen und karierten Manschetten heraus.

«Das ist doch aus dem Katalog», sagt sie. «Das ist nicht fair. Ich hab gar nichts für dich.»

«Das macht doch nichts. Ist ja nur eine Kleinigkeit.»

Sie weiß, daß er die Wahrheit sagt. Er bekommt nicht gern Geschenke. Er war schon immer so, aber es gibt so vieles, was sie ihm gern schenken würde. Sie steigt aus dem Bett, um das neue Nachthemd anzuziehen, doch zuerst liest sie die Etiketts, und dann hält sie es vor sich hoch.

«Mary, hast du gewußt, daß hinter der Hecke ein alter Weg ist? Man kann ihn kaum sehen, weil da so viele Büsche stehen.»

«Nein, das wußte ich nicht. Wo führt er denn hin?»

«In die Berge hoch, denk ich. Ob Eileen das wohl weiß?»

Eddie steigt aus dem Bett und geht über den Flur. Seine Tochter liegt oben auf dem Kopfkissen, den Po in die Luft gestreckt und die Decke dicht ans Kinn gezogen. Er beugt sich hinunter zu ihrem Gesicht und fragt sie, ob sie den Weg kennt.

«Natürlich, du Dummkopf. Er führt nach Florida, und die Dinosaurier legen am Wegrand ihre Eier in Nester.

Little Eddie und ich, wir schleichen jedesmal ein Stück weiter auf dem Weg. Geh jetzt ins Bett.»

Als Eddie wieder ins Bett kommt, gibt Mary ihm einen Kuß – für alles, sagt sie. Er liegt neben ihr und fragt sich, in was für einer Welt seine Kinder leben, und er hat Angst, weil ihm nie ganz klar gewesen ist, daß sie neben seiner eigenen existiert.

Eddie ist schon lange nicht mehr gewandert. Er geht viel zu Fuß, aber das hier ist eine richtige Wanderung, und er macht sie im Winter, entlang einer gefrorenen Spur von Ketten und Reifen. Links von ihm verläuft eine identische Spur.

Er denkt über Marys Worte nach: «Sag ihm einfach, es sind schöne Geschenke. Mach kein Drama draus. Wenn's dir unangenehm ist, revanchieren wir uns irgendwie.»

Schon nach kurzer Zeit sieht er das Haus nicht mehr; er steigt mit jedem Schritt höher, und der Weg führt nach jeder Kurve steiler den Berg hinauf. Es ist eine alte Waldstraße, die Cody, als er vor zwei Tagen herunterkam, neu geöffnet und wenige Stunden später, als er wieder hochfuhr, verbreitert hat, beides nachts bei Schneesturm, beides auf einem Hohlweg, der eigentlich für Pferde oder Ochsen in den Berg geschlagen wurde.

Auf der Bergseite befinden sich modrige Rückewege und Rampen aus Holz, um die Schlitten von Hand beladen zu können. Hinter jeder Kurve rechnet er damit, an eine Stelle zu kommen, wo Cody sich verschätzt und den Tieflader oder sogar den ganzen Zug mit sich selbst oben im Überrollkäfig zum Kippen gebracht hat, zu Tode gequetscht von den Tonnen Gewicht, die auf ihn gefallen sind.

Eddie steigt höher, bis er das Gefühl hat, in den Baumkronen zu laufen. Hemlocktannen, die stehenblieben, als die besten Waldbestände in Neuengland abgeholzt wurden, ragen noch hoch in die Luft. Ein gutes Nutzholz, grobgemasert, die Rinde reich an Tannin, das rot färbt.

Er bleibt stehen, um einen Zweig abzubrechen, und streift die kurzen flachen Nadeln in seine Hand. An der Oberseite sind sie dunkelgrün und von unten silbrig. Er stellt sich Bäume als lebende Wesen vor. Er weiß nicht, daß das Spundholz lebt, das Herzholz jedoch stirbt, ein Streich, den die Natur der menschlichen Einbildungskraft spielt.

Gegen Mittag ist Eddie fast am Gipfel angekommen. An die Stelle des Waldes treten hier Bergwiesen, Gruppen von Wacholder und Pappeln bilden ein Dickicht, ein Knochengerüst für den schweren Schneekörper. Es gibt ein paar verlassene Apfelgärten und hier und da eine Rinne aus Stein, damit das Wasser unter dem Weg durchfließen kann. Die Reste einer Steinmauer verlaufen entlang dem Weg, der jetzt breiter wird, und von einem Punkt aus sieht er das Rathaus, den Kirchturm und sein eigenes Haus. Von einer anderen Stelle hat er eine ungetrübte Sicht über das Tal bis zum südlichen Ende von Inverawe und sieht die großen Laster wie kleine Flecken jenseits des Connecticut River oder auf der Route 91 in Vermont.

Hier bleibt er stehen und versucht, Mary über Funk zu erreichen, doch er schafft es nicht; er hat ihr vorsichtshalber gesagt, daß das passieren kann. Er geht weiter, folgt den Spuren immer höher hinauf, wo sie alten Wegen folgen, die früher einmal dem Handelsverkehr dienten, der Öffentlichkeit, Land, das jetzt Leuten gehört, die genug Geld haben, um es einfach zu besitzen und zu halten, während sie in Boston oder New York leben und ihre Ferien auf den Inseln verbringen.

Eddie erreicht den Gipfel, ein Geröllfeld. Keine Aussicht hier, nur das Auf und Ab steiler Hänge, wie Wellen im fernen Meer, und der Weg, der sich an den immer schmaler werdenden Schluchten der Gebirgsbäche entlangzieht, durch die der Wind weht. Eddie dreht sich um, will sehen, wo er hergekommen ist, aber der Pfad beschreibt eine Kurve und verschwindet. Er sieht nach vorn, und dort ist es das gleiche. Es fängt an, ihm zu gefallen.

Das erste Zeichen von Cody ist der Geruch von Rauch, der Eddie beunruhigt, bis das zweite Zeichen kommt, das Kreischen einer warmen, gut eingestellten Motorsäge, das entsteht, wenn jemand damit arbeitet, der in der Lage ist, sie bei Vollgas mit einer Hand zu halten und mit der anderen am Schnellstarter zu reißen. Das Geräusch kommt von links, von der anderen Seite einer Kuppe. Er sieht, wie sich vor ihm der Weg verliert und nach links abbiegt, also klettert er durchs Unterholz hoch und sieht von oben auf Codys Holzfällerlager, aber die Säge ist jetzt ausgestellt, und er kann nicht sagen, woher das Geräusch gekommen ist. Er setzt sich auf einen Baumstumpf, wartet und betrachtet das Lager, das unter ihm liegt.

Auf der Lichtung steht eine Gruppe von Fahrzeugen und Geräten. Das Brummen eines Generators ist zu hören. Es ist der Homelite, mit dem die Heizung im Pferdeanhänger betrieben wird; aus dessen blauem Rumpf steigt Dampf. Daneben stehen Bulldozer, Rückeschild und Pickup. Sie stehen auf dem schwarzen, gefrorenen Boden. Der Schnee ist fortgeräumt und an einer Seite zu einem Wall aufgehäuft.

Der Rauch steigt aus einer mit Holz bedeckten Grube am Rand des Lagers auf; schwarz verfärbter Schnee hängt über die Ränder der Grube und gefriert schon wieder, wo er geschmolzen war.

Alles andere in dieser Welt schweigt, ist weiß von Rauhreif und Schnee, das Grün der Tannen und Kiefern von fast mitternächtlicher Farbe, kein anderer Zugang und nur ein Weg heraus.

Cody sitzt ein Stück vom schwelenden Feuer entfernt auf

einem Baumstamm. Etwas weiter unten steht der Tieflader mit einer halben Ladung sauber geschnittener Holzstämme. Cody sitzt ruhig da, raucht eine Zigarette, hat die Beine übereinandergeschlagen und den Hut nach hinten geschoben. Er fragt sich, wie lange es wohl dauert, bis Eddie Ryan ihn sieht. Er hat nur zufällig gerade eine Pause gemacht und sich hingesetzt, als er Eddie aus dem Wald kommen und sich auf einen Baumstumpf setzen sah.

Er wartet und tut nichts, um sich zu verbergen oder auf sich aufmerksam zu machen. Er steckt sich noch eine Zigarette an, und als das Streichholz aufflammt, bemerkt ihn Eddie.

Die Männer sehen sich fest an, doch keiner bewegt sich. Schließlich grinst Cody und winkt, und Eddie tut dasselbe. Dann stehen sie auf und gehen aufeinander zu, treffen sich auf dem gefrorenen Boden.

«Tag, Mr. Ryan, guten Tag. Haben Sie ein schönes Weihnachtsfest gehabt?»

«Ja, Cody. Ja, das haben wir, und ich danke Ihnen für die Geschenke. Sie sind sehr schön.»

«Gut. Gut. Bevor Sie jetzt fragen, will ich Ihnen noch sagen, ich hab mich da bei Ihnen ein bißchen danebenbenommen. Man könnte sagen, ich bin zu weit gegangen. Na, jetzt bin ich wieder zurück, und ich hoffe, wir können weitermachen wie vorher.»

Die Worte treffen Eddie, aber dann merkt er, daß er mit seinem Kopf denkt, nicht mit Codys. Er merkt, Cody sagt das einfach so; er möchte an das anknüpfen, was war, bevor er überhaupt zu Eddie heruntergekommen ist.

«Ich wollte, wir könnten es», sagt Eddie leise, «aber ich muß meine Pflicht tun, verstehen Sie.»

«Ich seh schon, Sie möchten gleich zur Sache kommen.»

«Nein, das ist schon in Ordnung. Wie wär's mit einem Kaffee?»

«Wissen Sie, Mr. Ryan, ich wollte für immer da rauskommen. Das war so eine von den dramatischen Entscheidungen, die wir alle manchmal im Leben gern treffen.»

«Cody, wir reden von zwei verschiedenen Dingen. Sie müssen verstehen, daß der Tod Ihres Freundes uns beide angeht. Und das Traurige ist, daß es Gesetze gibt, die wir befolgen müssen.»

«Es gibt Gesetze und Gesetze.»

Codys Worte sind bitter. Eddie spürt, wie in ihm etwas zerbricht; das Leben weigert sich, nach Vorschriften zu verlaufen, Eisschollen treiben auf einem Strom.

Der Entschluß, Bestatter zu werden, hat für ihn mehr mit dem Leben als mit dem Tod zu tun gehabt, wenigstens hat er das immer geglaubt; es war im wesentlichen ein optimistischer Schritt dorthin, wo Rituale wie gute Medizin wirken. In Khe Sanh wurde das Ritual zur Lebensform, zu einer Möglichkeit, dem Leben zu entfliehen. Er möchte sagen, vertrauen Sie sich mir an, und ich werde Ihnen helfen. Ich werde Ihnen die Erlösung bringen. Wie ein Dichter werde ich Ihnen näherbringen, was es bedeutet, Mensch zu sein. Eddie lächelt über seine eigenen dummen Gedanken.

«Es ist alles geregelt», sagt Cody und nickt in Richtung auf das hastig zugedeckte Loch. «Ich hab ihn verbrannt. Asche zu Asche. Staub zum Staube und die ganze Scheiße. Er wollte es so.»

«Vorgestern nacht haben Sie mir was anderes erzählt.»

«Er hat seine Meinung eben geändert.»

Die Wohnecke im Pferdeanhänger ist gerade so groß, daß zwei Männer darin essen, schlafen und Vorräte und Hausrat unterbringen können. Außerdem ist es warm. Buck, der große Percheron, schnaubt in seinen Hafersack. Sein Körper gibt so viel Wärme ab, daß die Heizung nicht ständig auf vollen Touren laufen muß. Hinter ihm am Boden sammeln sich runde Pferdeäpfel an, die stechend riechen und langsam kalt werden.

«Die frühen Semiten glaubten, daß die Geister der Verstorbenen in einer Gemeinschaft unter der Erde leben», sagt Eddie. «Die Beisetzung war für sie sehr wichtig. Verbrannte waren dazu verdammt, auf ewig in der Welt umherzuirren.»

«Weltwunder», sagt Cody und löffelt Instantkaffee in zwei Becher.

«Ja. Unter Konstantin dem Großen waren Feuerbestattungen per Gesetz verboten. Das Christentum hat eigentlich nie eindeutig Stellung zu dieser Frage bezogen, obwohl die eher säkularisierten Gruppen wie die Unitarier Verbrennungen eigentlich befürworten. War G. R. vielleicht Unitarier?»

«Nein. Er war kein Unitarier und auch kein Rotarier. Er war Holzfäller, neben anderen weniger wünschenswerten Dingen.»

«Die Germanen und die Skandinavier haben die Feuerbestattung im großen Stil betrieben. Sie fürchteten sich vor den Toten; gleichzeitig wollten sie die Seele aus dem Körper befreien. Es gibt eine Geschichte von zwei Brüdern, Aran und Asmunder. Sie machten ab, daß, wenn einer von ihnen stirbt, der andere drei Nächte bei ihm Totenwache halten wird. Und eines Tages fällt Aran tot um.»

«Gott, wie schade», sagt Cody, «dabei hatte ich grad angefangen, die Jungens richtig gern zu haben. Sind aus dem gleichen Holz geschnitzt wie ich.»

«Also, hören Sie zu. Aran liegt in seinem Hügelgrab, mit seinem Schwert, seinem Jagdhund und seinem Jagdfalken, und ein Pferd hat er auch. In der ersten Nacht tötet er den Falken und den Hund und ißt sie. In der zweiten Nacht tötet er das Pferd und ißt und bietet auch Asmunder davon an. In der dritten Nacht erhebt er sich wieder und versucht, seinen Bruder zu essen, aber Asmunder wehrt sich heftig, kann fliehen und verliert dabei nur seine Ohren.»

«Was?» sagt Cody und grinst.

«Seine Ohren. Er verliert seine Ohren im Kampf. Ah, ich verstehe. Sie haben genau gehört, was ich gesagt habe. Sie nehmen mich auf den Arm.»

«Er hat seine Scheißohren verloren? Soll das 'n Witz sein oder was? Versteh ich nicht.»

«Ist nicht so wichtig», sagt Eddie. «Sie glaubten, daß die Seelen im Grabhügel weiterleben und daß diese Seelen sich dauernd bekämpfen. Die Walküren waren Frauen, die den Helden zu Lebzeiten halfen und sie nach ihrem Tod nach Walhall geleiteten.»

«Wie ich G. R. kenne, hat er einen ganzen Harem von denen, die für ihn springen und alles für ihn machen, eben jetzt, wo wir hier sitzen. Er war einfach so.»

Eddie trinkt aus seinem Becher. Es wird warm im Pferdeanhänger, so warm, daß es beinahe ungemütlich ist. Er zieht die Jacke aus und öffnet den Hemdkragen. Ihm ist nicht klar, was Cody gehört und was G. R. gehört hat. Er sieht, wo der Mikrowellenherd gestanden hat. Das ist einfach zu erkennen, denn es ist die einzige Stelle, an der nichts steht oder liegt oder hängt. Es ist die einzige Stelle, an der nichts gestapelt ist und wo offensichtlich nicht gearbeitet wird.

«Sehr gemütlich hier, Cody.»

«Man kann's aushalten.»

«Nein, es ist wirklich sehr gemütlich.»

«Ich könnt 'ne Maschinenwerkstatt draus machen», sagt Cody. «*Das* wär 'ne Sache. Eine Werkstatt, um was mit Maschinen zu machen. Sie haben sicher 'ne Leichenwerkstatt, bei dem Job, den Sie haben.»

«Ja, im Keller, und dann benutzen wir das Wohnzimmer zum Aufbahren. Normalerweise sind wir Tag und Nacht dabei. Im Süden gibt's einen, bei dem kann man mit dem Auto an den aufgebahrten Toten vorbeifahren und von ihnen Abschied nehmen. Sie sitzen hinter Fenstern, und man kann an ihnen vorbeifahren.»

«Ich hab immer einen Job haben wollen, wo man nie zur Ruhe kommt. So wie Farmer oder die Männer, die Schnee pflügen. Man kann immer noch 'n bißchen mehr machen. Meine Frau, die konnte das nicht verstehen. Ich hab sie auf dem Golfplatz auf der anderen Seite vom Berg kennengelernt. Sie verkaufte da in dem Imbiß. Sie war gar nicht so üppig gebaut, aber jedesmal, wenn sie sich rüberbeugte, um 'ne Eiswaffel rauszugeben, hatte sie 'ne andere Geschmacksrichtung auf der Bluse.»

«Sehen Sie Ihre Frau eigentlich nie?»

«Sehen Sie sie hier irgendwo?» sagt Cody und fährt mit dem Arm durch die Luft wie zu einer großen Geste. «Es sind die Maschinen, Mr. Ryan. Als kleiner Junge verbringt man seine ersten paar Jahre mit Frauen, und dann wird man den Maschinen übergeben. Sie verzerren unser Gefühl für das, was Spaß macht. Frauen haben kein Gespür für Maschinen. Männer werden damit geboren. Verstehen Sie was von Ultraleichtfliegern, Mr. Ryan?»

«Nein, leider nicht. Ich hab nicht viel darüber gelesen.»

«Sie lesen wohl 'ne ganze Menge, was? Ich trau dem geschriebenen Wort nicht. Es hat immer Probleme bedeutet – Vorladungen, Haftbefehle, Zwangsräumungen. Das Gesetz wird aufgeschrieben, und dann sind's nur diese Rechtsverdreher, die's lesen können.»

«Rechtsanwälte», sagt Eddie.

«Herrgott, Mr. Ryan, wie soll ich da durchsteigen? Schließlich sind doch immer wir die Angeschissenen. Sagen Sie mal, wird's für mich jetzt unangenehm wegen dieser Sache oder nicht?»

«Ich weiß nicht, Cody. Das kann ich noch nicht sagen.»

Cody steht auf und geht zu dem Pferd. Das Gesicht des Tieres ist entweder ruhig oder dumm. Er weiß im Moment nicht, wofür er sich entscheiden soll.

«Feuerbestattungen sind im Kommen», sagt Eddie. Seine Stimme klingt weich und weit weg. «Von 1960 bis 1980 ist ihr Anteil von dreieinhalb auf zehn Prozent gestiegen.» Er mag Cody; der hat keine Angst vorm Tod. Er sieht aus, als ob er vor nichts Angst hat. «In den Staaten an der Westküste ist der Anteil am höchsten.»

«Kann man verstehen, daß sie da ihre Toten verbrennen wollen.»

«Warum sagen Sie das?»

«Weiß nicht. Vielleicht, weil die meisten von ihnen woanders her sind. G. R. war von überall her. Fragen Sie ihn, er wird's Ihnen sagen.»

«Wenn man von woanders her kommt, ist es teuer, die Leichen zu verschiffen. Von der Schweiz aus würde es mehr als fünftausend Dollar kosten. Moskau ist etwas günstiger, etwa dreitausend. Die meisten Leute, die weit von ihrem Zuhause entfernt sterben, kommen nie wieder dorthin zurück.»

«Gott, das ist traurig», sagt Cody. «Na, dann hab ich's wohl ganz richtig gemacht. Ich steig in das Loch runter und hol 'nen Eimer Asche raus, und wo ich für den Rest meines neuen Lebens auch hingeh, streu ich 'ne Prise von G. R. in den Wind.»

«Wohin wollen Sie denn, Cody?»

Cody kommt wieder an den Tisch zurück. Er grinst. Er holt tief Atem, und dann beginnt er mit einer Stimme zu sprechen, die nicht seine ist:

«Tauben in Kenia, Krickenten in Yucatán, Silberkönige in Costa Rica, Rebhühner in Argentinien, Truthähne in Alabama, Wachteln in Florida, Silberlachse in Nova Scotia, Gänse in Neuseeland, Barrakudas auf den Bahamas,

Schneehühner in Schottland, Weißwedelhirsche in Pennsylvania und Wildschweine in Georgia.»

Und für Eddie klingen die Worte schön, voller Entschlossenheit, Staunen, Phantasie, Überlegung und Herzenswärme. Es sind nur die Namen von Ländern und die Namen von Vögeln, Fischen und anderen Tieren, die dort leben, aber es klingt wie ein Gesang darüber, wie schön die Welt sein kann. Die Worte erwecken die Vorstellung von Felsmalerei, von Männern, die Felle tragen, von ganzen Geographien, Anordnungen und Aufteilungen. Der Pferdeanhänger ist ein Hologramm, und er steckt in ihm. Wortblüten. Etwas zum Sehen.

«Machen Sie sich keine Gedanken», flüstert Cody. «Ich hab ihn verbrannt. Und das ist unser kleines Geheimnis.»

5

Eddie und Cody sitzen am Küchentisch und trinken Budweiser. Zwischen ihnen steht eine Flasche Jim Beam. Sie schieben sie hin und her und haben die Gläser immer zwei Finger breit gefüllt.

Sie haben angefangen, über den Bau eines kleinen Stalls für Buck zu sprechen. Eddie gibt ein kleines Stückchen Land am Ende des Grundstücks her, Cody das Holz und die Arbeitskraft. Das wird Bucks Stall sein, bis er stirbt; dann geht das Eigentumsrecht wieder auf Eddie und Mary über. Jetzt ist es spät und dunkel, und sie reden über andere Dinge.

«Dieser Tisch ist unsre Welt», sagt Cody, «so hat man sie sich vorgestellt, damals, als Kolumbus kam, über den blauen Ozean.»

«Das ist ein Gedicht, Cody. Das ist ein Gedicht. Ich wollte Dichter werden, weißt du. Schon als Kind wollte ich einer werden, und jetzt dichte ich manchmal, ohne Sinn und Verstand. Ihr stecht sie ab, ich grab das Grab. Und ähnlichen Blödsinn.»

Mary umkreist den Tisch. Nach zwei Wochen weiß sie, wie die beiden werden können, spät in der Nacht, aber sie versucht, sich nicht darüber zu ärgern. Sie denkt, so wird es sein, wenn Little Eddie größer ist und einen Freund zum

Mittagessen da hat. Sie werden an demselben Tisch sitzen, Brote mit Erdnußbutter und Marmelade essen und Milch trinken. Sie freut sich für Eddie, daß Cody zurückgekommen ist und den Winter über bleibt, bevor er auf Reisen geht.

«Ich hab mal ein Gedicht für meinen Vater geschrieben», sagt Eddie. «Es ist ein Gedicht für Säufer. Ich nenne es: ‹Das betrunkene Gedicht. Für meinen Vater›. Weiter bin ich noch nicht gekommen. Weißt du, ich glaub, das war's auch schon. Ich glaube, das ist das ganze Gedicht.»

«Also, ich sag dir was, Eddie. Mein Vater, das war ein richtiger Kerl. Hör dir die Geschichte mal an.»

Cody winkt mit dem Finger, bedeutet Eddie, daß er sich zu ihm herüberlehnen soll. Dann erzählt Cody ihm die Geschichte im Flüsterton, aber doch so laut, daß Mary alles mitbekommt.

«Wir hatten ein Zugpferd», sagt er, «eines, das war so groß wie der alte Buck, und ich hatte ein Shetlandpony, auf dem bin ich immer wie ein Teufel durch die Wälder geritten. Na, und wie das Pony das erste Mal rossig wird, hat das Zugpferd es zu Tode gefickt. Entschuldige, wenn ich das so deutlich sage, aber so war's. Das ist 'ne traurige Geschichte. Ich geb gern zu, das ist uns allen ziemlich nahegegangen.»

Cody und Eddie lehnen sich zurück und schütteln den Kopf über den Tod des Ponys. Mary dreht den Wasserhahn auf und ist dankbar für den Wasserschlag in der Leitung. Sie weiß, daß die beiden jedesmal zusammenzucken, wenn sie das hören. Es macht sie nüchtern.

«Mein Alter hat mir zwei Ratschläge gegeben, die ich mein ganzes Leben lang befolgt habe. Trink Alkohol immer pur und kauf den Frauen Strümpfe mit 'ner Naht hinten.»

Eddie und Mary lachen, als sie das hören.

«Cody», sagt Mary und tippt ihm leicht auf den Kopf. «Heute tragen die Frauen solche Strümpfe nicht mehr. Sie tragen Strumpfhosen.»

«Strumpfhosen», sagt Cody angewidert. «Strumpfhosen sind doch nur im Winter gut. Da zieht man drei Paar übereinander, und ich sag euch, das ist besser als alle langen Unterhosen zusammen.»

«Du trägst Strumpfhosen?» sagt Eddie.

Cody sieht von Eddie zu Mary.

«Sag ich euch nicht», sagt er. «Außerdem ist mir im Winter nie kalt – nur in Sommernächten. Trink Alkohol immer pur und kauf den Frauen Strümpfe mit 'ner Naht hinten. Daran kann man sich halten. Das kann man mit durchs Leben nehmen, und wenn euer Junge alt genug ist, dann werde ich ihm dasselbe erzählen. Der ist 'n ziemlich zartes Pflänzchen. Wenn er groß genug ist, wird ihm der alte Cody schon zeigen, wo's langgeht.»

Cody leert sein Whiskeyglas und trinkt einen Schluck Bier nach. Eddie schenkt noch etwas Jim Beam ein.

«Dieser Tisch ist die Welt», sagt Cody. «Die ganze beschissene Welt hier in der Küche. Küchen ohne Tische sind schrecklich. Ein Tisch muß so stehen, daß ein Mann hinter sich langen, den Kühlschrank aufmachen und ein Bier rausnehmen kann. So lebt sich's gut, weißt du.»

Er zeigt mit einem Finger auf Eddie und sagt: «So lahmarschig wie du bist, hast du's gut getroffen, ohne es überhaupt zu merken. Das einzige, was dir im Leben noch fehlt, ist Kabelfernsehen.»

Mary holt noch ein paar Bier aus dem Kühlschrank.

«Über meinen Vater kann ich auch was erzählen», sagt Eddie. «Er war Alkoholiker. Ich weiß nicht, warum er trank, aber es hat ihn umgebracht. Er hat nicht aus dem Grund getrunken, den alle Welt vermutet.»

«*Diese* Welt», sagt Cody und klopft mit den Fingerknöcheln auf den Tisch, «diese flache Welt, die es seit fünfhundert Jahren nicht mehr gibt.»

«Genau. Es war ein Grund, den man am besten auf lateinisch oder griechisch ausdrücken kann oder in der Sprache eines Volkes, das in einem tiefen Tal lebt und noch entdeckt werden muß. Vielleicht haben die ein Wort dafür in ihrer Sprache. In Wahrheit sind doch alle Gründe gleich. Ich urteile nicht mehr so schnell darüber. Das hab ich früher getan, aber jetzt nicht mehr.»

Eddies Blick geht ins Leere, wie der eines Mannes, der gerade sein Leben an sich vorbeiziehen sieht, und was er sieht, ist nicht allzu schön. Cody sieht erst ihn an und dann Mary. All ihre Aufmerksamkeit ist auf ihren Mann gerichtet. Sie hört Dinge, über die er nicht oft redet, und möchte zu ihm gehen und die Arme um ihn legen, doch in diesem Augenblick scheint er weit weg zu sein, an einem Ort, an dem er schon seit Monaten ist, wo er unerreichbar ist.

«An einem Silvesterabend», sagt Eddie, «kam mein Vater betrunken nach Hause. Wir saßen am Tisch und redeten. Ich war noch klein, aber ich hab es gemerkt. Er gab mir eine Dollarnote nach der anderen und sagte, die könnte ich behalten. Ein Auto bog in die Einfahrt, und der Hund fing an zu bellen. Er hieß Bullet. Es war ein Schäferhund. Mein Vater ging raus, um zu sehen, wer es war. Ich sah ihm von der Haustreppe aus nach. Ich konnte sehen, wie er die Hände an die Tür legte und sich in den Wagen beugte. Dann flog sein Kopf plötzlich zurück, und der Mann stieg aus und stieß ihn zurück. Er warf ihn zu Boden und fing an, auf ihn einzuprügeln.

Bullet schnappte den Mann am Hosenbein. Er biß sich an dem Kerl fest. Er war ein guter Hund. Er saß immer im Sessel und guckte mit mir fern. Wie Kennedy 63 erschossen wurde, da saßen ich und der Hund das ganze

Wochenende im Sessel und guckten es uns immer wieder an. Es gab sogar ein Foto von mir und dem Hund im Sessel.

Meine Mutter stürzte an mir vorbei aus dem Haus, griff den Mann am anderen Bein und versuchte, ihn wegzuzerren. Ich wußte nicht, was ich tun sollte. Dann kam mein Bruder mit dem Gewehr raus. Er ist älter als ich, vier Jahre. Aber wir hatten nie viel miteinander am Hut. Er schoß einmal in die Luft, und dann hielt er dem Mann das Gewehr an den Kopf, direkt hinters Ohr.

Ich weiß noch, wie ich dachte, knall ihn ab, knall ihn ab. Ich wollte, daß er diesen Mann auf die übelste Art abknallt. Und in dem Augenblick wußte ich, ich würde meinen Bruder immer lieben, und das werde ich auch. Ich werde meinen Bruder immer lieben für das, was er getan hat. Seit diesem Moment.»

Eddie nimmt einen zu großen Schluck Jim Beam und würgt, weil es hinten im Hals brennt. Seine Augen werden heiß und fangen an zu tränen. Cody und Mary machen beide eine Bewegung auf ihn zu, doch sie halten inne, denn Eddie hebt die Hände und winkt ab. Er fängt wieder an zu sprechen, und seine Stimme klingt, als ob ihm jemand die Kehle zudrückt.

«Die Nase von meinem Vater hing ganz schief, und seine Augen waren schon ganz blau unterlaufen. Das war das erste Mal, daß ich soviel Blut von einem Menschen sah. Es war nicht rot – es war ganz dunkel, glitschig und glänzend, und es lief. Zog Spuren über sein Gesicht.

Meine Mutter half ihm durch den Flur. Als er mich sah, fragte er mich, ob ich schon mal in eine Schlägerei geraten sei. Ich sagte nichts, und er boxte mich in den Magen. Richtig fest. Er sagte: ‹So ist das. So ist das bei einer Schlägerei.›»

Mary steht an der Spüle und weint. Tränen steigen ihr in die Augen und fließen ihr über das Gesicht, sehr große Tränen, die langsam die Wangen herunterlaufen, als hätten sie viel Zeit, als versuchten sie, sich an ihr vorbeizuschleichen. Sie macht keine Anstalten, sie wegzuwischen. Diese Geschichte hört sie zum erstenmal.

«Ich glaub, daß ich dich deshalb gern hab, Cody. Weil ich sicher bin, du hättest den Mann abgeknallt. Heute gibt's nicht mehr viele Leute, die das tun würden. Alle wollen irgendwelche moralischen Wegweiser. Alle wollen eine Orientierung, die Konsequenzen schon vor den Tatsachen. Die Wahrheit vor der Lüge. Aber wenn man sie ihnen gibt, mögen sie das nicht. Und sie mögen dich auch nicht. Du bist nicht so, Cody. Du hättest den Mann abgeknallt, oder?»

«Ich weiß nicht», sagt Cody. «Ich kann dir's nicht sagen. Jetzt, wo du mich so direkt fragst, weiß ich's nicht.»

Eddie langt so heftig über den Tisch, daß er fast die Flasche herunterstößt. Sie wackelt und bleibt an der Kante stehen. Er packt Codys Hand.

«Sag, daß du ihn abgeknallt hättest. Bitte, sag's.»

Cody sieht Mary an. Sie nickt.

«Ich hätt ihn abgeknallt, Eddie. Ich hätt ihn erschossen.»

«Das ist gut, Cody. Gut, daß du das gesagt hast.»

Eddie läßt Codys Hand los und lehnt sich zurück. Sie trinken ihr Bier. Er gießt mehr Bourbon in die Gläser und wendet sich dem Kühlschrank zu, doch Mary ist schneller. Sie nimmt noch mehr Bier heraus und öffnet je eins für die Männer und eins für sich.

«Jahre später», sagt Eddie, «ging mein Vater mit einem Revolver in den Wald, den er in braunes Packpapier gewikkelt hatte. Er wollte sich umbringen. Er sang die ganze Zeit ‹The Streets of Laredo›. Er sang dauernd: *‹When I was a-walkin' the streets of Laredo, I spied a young cowboy all wrapped in white linen, cool clear water.›*»

Eddie hat sich an der Tischkante festgeklammert; jetzt

rutscht seine Hand ab, und er kippt fast um. Mary und Cody wollen ihm helfen, doch er wehrt ab. Er redet weiter, aber jetzt mit weicher Stimme.

«Mein Großvater hatte ein Zimmer im Untergeschoß, da wohnte er die letzten Jahre seines Lebens. Er blieb immer in dem Zimmer und kam nie raus, bis er starb.

Jetzt sitz ich hier und denk über die beiden nach. Sieht so aus, als ob Väter, alle Väter, sich umbringen. Jetzt sitz ich hier, denk über ihn nach und weiß nicht mal mehr, wann er gestorben ist. Ich weiß nicht mal mehr, wann er gestorben ist. Ich weiß nicht, in welchem Monat oder an welchem Tag oder in welchem Jahr. Mary. Mary, weißt du, wann das war?»

«Im Februar, Eddie. Am elften Februar 1984», sagt Mary.

«Sogar jetzt gibt es noch Sachen, die ich ihm erzählen will. Ich will mich daran erinnern, damit ich sie ihm erzählen kann, wenn ich ihn sehe, deshalb schreib ich sie auf, aber dann merke ich, daß er nicht mehr da ist. Sonntags bin ich immer mit ihm zu Hause geblieben, wenn die anderen in der Kirche waren. Er machte mir immer Bratkartoffeln, Eier und ein Steak. Wir saßen dann am Tisch, und ich aß, und es schmeckte immer sehr gut. Er hatte eine Tonne neben seiner Werkbank stehen, in der zerschlug er immer die Flaschen, wenn sie leer waren.

Ich saß da, aß mein Frühstück, und er trank ein Bier. Das war, bevor er mit den harten Sachen anfing. Er schlug immer die Beine übereinander, wie eine Frau, ein Bein über das andere, die Wade ans andere Schienbein gedrückt, kein Platz dazwischen.»

«Eddie bemerkt immer solche kleinen Details», sagt Mary.

«Mein Vater legte im geheimen Dinge in einem an, die erst Jahre später hochkamen, wenn sie längst vergessen waren. Ich glaub, man könnte sagen, wie Zeitbomben, die in meinem Kopf und in meinem Herzen losgehen, und erst Tage danach finde ich raus, daß das was mit ihm zu tun hat.»

«Zeitbomben. Schlafenszeit. Laß es gut sein für heute», sagt Mary.

«Das hörst du wohl nicht gerne?» sagt Eddie.

«Es macht mir angst, wenn du so losgehst, weil ich nicht weiß, ob du zurückkommst.»

«Mary, so ist eben das Leben von Männern. Zuerst lieben sie ihre Mutter und haben Angst vor ihrem Vater, diese schreckliche Angst, die einen anzieht und alle möglichen Sehnsüchte weckt, und dann treibt man sich eine Zeitlang mit Jungs rum, und dann fängt man an, Frauen zu lieben, besonders eine, mehr als alle anderen. Die wird dann wieder zur Mutter, und wenn das passiert, wird alles anders, und man fängt wieder an, Männer zu lieben.»

«Und zu trinken», sagt Cody. «Männer trinken gern.»

«Weißt du, Cody, ich bin bei der Geburt der Kinder dabeigewesen. Ich hab gesehen, wie sie aus dem Körper meiner Frau rausgekommen sind. Ich hab gesehen, was sie in diesem Moment gefühlt hat, erst den Schmerz und dann die Freude.»

Eddie sieht zu Mary hoch. Es ist, als wolle er sichergehen, daß sie zuhört, und gleichzeitig, als merke er nicht, daß sie es tut.

«Das hat mich verändert», sagt er. «Das hat mein Leben verändert. Es ist jetzt schon eine Weile her, und ich bin immer noch verändert, aber ich weiß nicht wie.»

«Na ja, Eddie, wenn man an all die Toten denkt, mit denen du leben mußt, dann gibt das für mich schon einen Sinn.»

«Meinst du, das ist es? Weißt du, ich seh diese Frau an

und denke, wie schön sie ist, und ich weiß, ich hab Glück gehabt, aber manchmal seh ich die Kinder aus ihr rauskommen, erst eins, dann das nächste, und in dem Moment weiß ich, daß ich sie an jemand anders verloren habe. Auf einmal war da jemand, den hat sie mehr geliebt als mich, und das ist ja auch gut so. Natürlich sind es die Kinder, aber gerade in diesem Moment gehen die Gedanken in meinem Kopf los wie Explosionen. Das und die Schmerzen meines Vaters, die ich jetzt verstehe, verwirrt mich total. Jeden Tag finde ich neue Gründe für Liebe in meinem Kopf. Was sie mehr zur Frau macht, macht mich weniger zum Mann. Ich denk diese Gedanken, und wenn ich dann bis aufs Mark runter bin, so daß es richtig weh tut, zuckt mein Kopf zurück unter einem Peitschenhieb des Selbstmitleids. Und dann grab ich weiter, und mein Kopf zuckt wieder zurück, und es wird so schlimm, daß ich denke, man kann überhaupt nicht ans Mark rühren ohne dieses Selbstmitleid. Da komm ich einfach nicht drüber weg. Dieses Selbstmitleid ist wie Stacheldrahtzaun, der einen aufreißt, und heute nacht bin ich so oft da durch, daß fast alles von mir weggerissen ist – meine Kleider sind weg, mein Fleisch ist weg, und jetzt bin ich runter bis aufs Mark. Aber ich glaub, wenn ich weitermach, dann schaff ich's, und dann wird auf der anderen Seite wenigstens ein kleines Stück von mir übrigbleiben.»

«Windmühlen, Eddie. Du kämpfst gegen Windmühlen.»

«Das denke ich auch, aber ich sag dir, wenn ich es da rüberschaffe und wieder zurück, dann hab ich was, was ich an meinen Sohn weitergeben kann. Ich würd es in eine Art Code umsetzen, eine Art Zeichen, weil das die einzige Möglichkeit ist, wie man's wieder rüberbringen kann.

Ich bin froh, daß du hier bist, Cody. All das hab ich Mary

noch nie erzählen können. Ich bin froh, daß du hier bist, weil ich es ihr jetzt durch dich erzählen kann.»

«Was ich nicht kapier», sagt Cody, «ist, wie du bloß Bestatter werden konntest, wenn man dann so wird.»

«Weil ich Menschen mag, glaub ich. Aber ich kann sie nur auf eine bestimmte Art aushalten.»

6

Ende Januar verschwindet Cody wieder, für drei Tage. Die Stadtpolizei von Keene hat ihn in die Ausnüchterungszelle gesteckt. Er verbringt die Zeit damit, sich die Seele aus dem Leib zu kotzen und mit einer bösen Scheißerei auf dem Klo zu sitzen. Er kommt zu dem Schluß, daß er eine Art Trunkenheitsvirus gehabt haben muß, so einen Zweiundsiebzigstundenrausch mit einem höllischen Delirium im Nacken.

«Hallo, Eddie. Ich bin hier in Keene in der Ausnüchterungszelle, und die wollen mich jetzt endlich rauslassen. Du mußt mich holen.»

Eddie legt den Hörer auf. Er sagt Mary, es war Cody und man hat ihn betrunken hinterm Steuer erwischt.

Mary schüttelt den Kopf. Sie weiß, wie Eddies Vater getrunken hat. Sie hat auch gelesen, daß es irgendwie erblich ist. Wie der Vater, so der Sohn – dieser Satz geht ihr im Kopf herum. Was sie gelesen hat, hat ihr angst gemacht. Wenn sie nicht so gut drauf ist, denkt sie manchmal, daß es vielleicht eines Tages mit Eddie auch soweit kommt. Sie denkt an ihren Sohn und daran, daß die Gene manchmal eine Generation überspringen. Vielleicht wird er derjenige sein, der an der Flasche hängt.

Sie ist eine junge Mutter mit einer jungen Familie und

einem jungen Geschäft, das am Laufen gehalten werden muß. In diesem Moment faßt sie einen Entschluß.

«Bring ihn nicht wieder her», sagt sie ruhig.

«Was?»

«Ich hab gesagt, bring ihn nicht wieder her.»

«Mary, er braucht Hilfe. Was sollen wir denn machen? Ihn hängenlassen? Wir sind Freunde geworden.»

«Ich weiß.»

Cody erzählt Eddie, wie er in seinem Pickup aufgewacht ist und gedacht hat, es wäre Jahre zuvor und Heiligabend. Es war tierisch kalt, und wenn er nicht so besoffen gewesen wäre, wäre er sicher erfroren. Um ihn herum blinkte überall Blaulicht, strich durch die Nacht, blitzte in der Dunkelheit. Einen Moment lang dachte er, er wäre sechs Jahre alt und würde im Wohnwagen seiner Mutter unter dem Weihnachtsbaum schlafen. Aber dann merkte er, daß er eingebuchtet werden sollte. Er hatte angehalten, um seinen Rausch auszuschlafen, und jetzt wollte man ihn hinter schwedische Gardinen bringen. Dabei hatte er bloß ein verantwortungsbewußter Bürger sein wollen, aber so geht's einem. Sein Lappen ist weg, und wenn er ihn wiederhaben will, muß er in eine Therapiegruppe.

«Wenn das so weitergeht», sagt er, «wird bald keiner mehr wissen, wie man mit besoffenem Kopf fährt.»

«Das mit dem Pickup erledigen wir morgen. Mary kann uns reinbringen, und dann holen wir ihn.»

«Halt!»

«Was ist denn?»

«Ich brauch was zu rauchen. Hab seit drei Tagen keine Zigarette mehr gehabt.»

Eddie weiß genau, was Cody will, hält aber trotzdem an. Cody steigt aus und kommt nach einigen Minuten mit einem Sechserpack unter dem Arm wieder. Er gibt Eddie eine Flasche und nimmt sich dann selbst eine, die er halb leer hat, bevor sie wieder auf der Straße sind. Er hört erst auf zu trinken, als es ihm hochkommt und in der Nase brennt.

«Verdammt», sagt er und starrt vor sich hin. «Falls Gott was Besseres erfunden hat, als im Pickup durch die Gegend zu fahren und mit seinem besten Freund Bier zu trinken, dann verrät er's nicht.»

Eddie fährt los, steuert den Wagen langsam durch die Nebenstraßen, die sie nach Hause führen werden. Cody sagt kein Wort, bis sie aus Keene heraus und auf der Hurricane Road sind.

«Sieht aus, als ob man in diesem Land bald gar nichts mehr darf. Wohin man sich auch dreht, immer ist schon einer da. Früher war's so, daß ein Mann von dem lebte, was er im Schweiße seines Angesichts erarbeitete. Heute sind's die Geldverleiher und Paragraphenschinder, die groß rauskommen.»

«Cody, es ist gegen das Gesetz, Auto zu fahren, wenn man getrunken hat. Daran gibt's nichts zu rütteln.»

«Mein Gott, es ist nicht nur gegen das Gesetz, Auto zu fahren und zu trinken, es ist auch unmoralisch geworden, darum geht's doch.»

Cody kurbelt das Fenster herunter und wirft die leere Flasche gegen eine Steinmauer, die entlang der Straße verläuft. Die Flasche bleibt im Schnee stecken, zerspringt nicht. Weil Cody nicht auf das wunderbare Geräusch verzichten will, wirft er noch eine zweite Flasche hinaus, diesmal eine volle, die auf den Steinen zerplatzt und dann ohne weiteres Geräusch liegenbleibt.

«Herrgott, laß das», sagt Eddie.

«Nimm mich doch fest.»

Mary ist noch auf, hat auf sie gewartet, als sie ins Haus kommen. Es ist kalt draußen, fast zu kalt, um dunkel zu sein. Die Kälte ist wie Stahl, der die Dunkelheit nicht kennt, und in dieser Kälte ist die Dunkelheit bestenfalls ein schlechtsitzender Mantel für die Welt.

Cody zittert. Er hat sich einen Schnupfen geholt.

Weil er in den vergangenen Tagen und Wochen ständig betrunken war, fühlt er sich innerlich kalt und leer. Eddie weiß, er braucht einen Schluck, und er wird ihm einen geben, einen kleinen und dann noch einen kleineren.

Eddie hat als Junge im Alter von zwölf Jahren Auto fahren gelernt. Das mußte er wegen seines Vaters. Der war entweder betrunken oder gerade dabei, es zu werden, und später, wenn er dann aus der Kneipe anrief, schickte die Mutter Eddie mit Probierfläschchen los, einer kleinen Dosis, um zu verhindern, daß er randalierte.

Mary hat Kaffee gekocht und Muffins dick mit Erdnußbutter bestrichen. Eddie gibt Cody einen Schuß Whiskey in den Kaffee, genug, um ihn zu beruhigen. Schlechte Medizin, aber sie wirkt. Eddie schüttelt den Kopf. Er denkt daran, wie die Feuerwehr Feuer mit Feuer bekämpft. Man legt Gegenfeuer, um Flächen von Unterholz auszubrennen, und zerstört damit die Nahrung des Feuers, das im Wind wütet. Feuerwasser.

«Du mußt dringend unter die Dusche», sagt Mary.

Cody starrt in seine Kaffeetasse. Er ist wieder soweit bei Verstand, daß er sich schämt. Er beißt in ein Muffin, dann muß er mit einem Finger am Zahnfleisch entlangpulen. Er trinkt etwas Kaffee und verbrennt sich den Mund, ohne ein Wort zu sagen.

«Der ist koffeinfrei», sagt Mary. «Damit kriegst du keine Probleme beim Einschlafen. Du gehst jetzt unter die Dusche, und dann kannst du auf der Couch schlafen.»

«Weißt du, Mary», sagt Cody, «das habe ich noch nie verstehen können.»

«Was?»

«Das mit dem koffeinfreien Kaffee. Warum säuft man das Zeug, wenn nicht wegen dem Koffein?»

«Vielleicht gibt's Leute, denen er schmeckt.»

«Cody», sagt Eddie. «Wie soll's weitergehen?»

Diese Frage stellt er auf Marys Drängen. Sie will sichergehen, daß es einen Plan gibt. Sie will, daß er verhandelt wird, daß Unklarheiten beseitigt und sie sich einig werden.

«Meine Flügel sind gestutzt. Die haben mir den Lappen sofort abgenommen, und wahrscheinlich dauert es Monate, bis ich ihn wiederkriege. 'ne Geldstrafe krieg ich auch. So um die dreihundertfünfzig Dollar, und ich muß diese Therapie machen. Im nächsten Monat fängt in Keene so 'ne Gruppe an. Der Bulle meinte, ich könnte froh sein, daß sie mich nicht beim Fahren erwischt haben. Ich werd nach Florida fahren und mir da 'nen Lappen besorgen. Ich verändere einfach einen Buchstaben in meinem Namen. Ich kenn einen, der hat das gemacht.»

«Nein, das tust du nicht», sagt Mary, für die es notwendig ist, das Beste aus der Situation zu machen, jetzt, wo sie weiß, daß er wieder bei ihnen ist. «Du hältst dich an die Abmachung. Du hast deinen Anhänger hier stehen. Du schuldest uns Holz, und da ist noch der halbfertige Stall. Wir haben eine Abmachung. Entweder hältst du dich dran, oder du machst dich endgültig vom Acker, und das war's dann. Wenn du noch einmal so abhaust wie jetzt, dann laß dich hier ja nicht wieder blicken. Da mach ich nicht mit.»

Mary möchte weinen, aber eher läßt sie sich vierteilen, als daß sie's vor Eddie und Cody tut, also lächelt sie und trinkt langsam ihren Kaffee. Als sie fertig ist, steht sie auf, spült die Tasse aus und geht nach oben.

Nachdem sie zu Bett gegangen ist, treten Eddie und Cody auf die Veranda, um eine zu rauchen. Es ist kalt, aber völlig windstill. Der Mond hängt groß am Himmel. Das Land ist blau.

«Eine Saukälte», sagt Cody.

Die Stimme einer Frau dringt durch die Nacht; hoch und zitternd singt sie eine Art Arie, dann verstummt sie. Über ihnen fliegt ein Düsenjet seinem Schall davon, läßt ihn Meilen hinter sich, während er durch die Nacht zieht.

«Warum hast du dich nicht eher gemeldet?» fragt Eddie.

Es dauert lange, bis Cody antwortet, und als er es tut, ist Eddie zunächst nicht sicher, was er sagt, doch dann hört er die Worte in seinem Kopf, und sie sind so klar wie der Klang einer Glocke.

«Wegen den Kindern.»

Sie gehen ins Haus zurück, um sich Pullover und Jacken zu holen. Beide Männer fühlen sich am wohlsten, wenn sie draußen sein können.

«Weißt du, sie hat schon recht», sagt Eddie.

Der Alkohol hat Codys Blut verdünnt. Er fröstelt in all seinen Sachen. Er zittert, bis er warm wird, dann muß er die Mütze abnehmen und den Hemdkragen aufmachen.

«Frauen ziehen uns groß», sagt er. «Sie ziehen uns groß, bis wir alt genug sind, um mit Männern zusammenzusein, und von da ab verbringen wir unser Leben mit Maschinen. So ist es immer gewesen, und so muß es sein.»

«Das sagst du, aber es gibt Leute, die sagen, das stimmt nicht. Es gibt Leute, die sagen, Frauen sind die Opfer dieser Gesellschaft.»

«Und wer erzählt so einen Scheiß?»

«Die Opfer, nehme ich an», sagt Eddie.

«Das sind nur Worte. Wenn du sie wegnimmst, was hast du dann? Worte sind verdammt armselig. Darauf kann man kein Leben aufbauen.»

Sie sprechen nicht mehr miteinander. Sie kauern sich in Stühle und rauchen. Sie werden noch lange draußen sitzen bleiben, obwohl es keinen Grund mehr dafür gibt, obwohl sie sich schließlich vor Kälte nicht mehr bewegen können. Sie sitzen einfach draußen vor der Tür, als ob sie den Eingang bewachen oder darauf warten, daß ein Kind geboren wird. Das haben Männer seit jeher getan, und einige tun es noch immer, auch wenn es längst keinen Grund mehr dafür gibt.

«Ich bin Mr. Hurley, und das ist Mr. Nims. Ich mache Ausbildungsberatung an der High School, und Mr. Nims ist Schulpsychologe. Wir möchten gleich von Beginn an klarstellen, daß wir nicht auf der einen oder anderen Seite stehen. Wir sind allerdings der Auffassung, daß die Staatsanwaltschaft manchmal etwas übereifrig agiert. Dieser Kurs dauert sechs Wochen, das heißt, wir haben einmal pro Woche eine dreistündige Sitzung. Denken Sie daran, daß Sie verpflichtet sind, an jeder Sitzung teilzunehmen, und daß Sie mitarbeiten müssen, wenn Sie sich die Teilnahme an einer Einzeltherapie ersparen wollen.»

Bei dem letzten Satz lachen Mr. Hurley und Mr. Nims. Sie lachen, wie Männer lachen, die allzu vertraut mit dem Körper des anderen sind, auch wenn es gar nicht so ist.

«Außerdem», sagt Mr. Nims, «wird Ihnen bei erfolgreicher Teilnahme an dieser Gruppe die Hälfte des Bußgeldes zurückerstattet. Das sind für jeden von Ihnen mindestens hundertfünfundsiebzig Dollar. Sie bezahlen sich also gewissermaßen selbst für Ihre Teilnahme. Als erstes möchte ich gern, daß wir einen Kreis bilden, damit wir uns alle ein wenig unterhalten können.»

Im ersten Moment bewegen sich die Teilnehmer nicht, aber dann müssen sie, denn Mr. Nims nimmt einfach den Stuhl von einem von ihnen und fordert ihn auf, den Stuhl eines anderen zu nehmen. So entsteht schließlich ein nierenförmiger Kreis. Mr. Nims bittet sie, sich hinzusetzen und dann wieder aufzustehen, um einen besseren Kreis zu bilden. Der sieht eher aus wie ein Herz, deshalb wiederholen sie das Ganze noch mal, und diesmal klappt es. Die erste Stunde ist um.

«So. Gut», sagt Mr. Nims. «Fangen wir damit an, einander unsere Geschichten zu erzählen.»

Mr. Nims und Mr. Hurley kennen das. Vom Bilden des Kreises bis zu diesen Worten von Mr. Nims haben sie die Situation routiniert im Griff.

«Es geht nach dem Zufallsprinzip», sagt Mr. Nims. «Ich ziehe Namen aus einem Hut. Wir fangen an.»

Johnny MacDuffie ist der erste. Er sieht aus wie ein Cowboy. Er trinkt, um die Leere zu füllen, die sein verstorbener Sohn zurückgelassen hat. Dann ist die Reihe an Blond Bomber. Sie trinkt, um Einblick zu gewinnen. Loretta Pelletier trinkt nie. Milt Tease trinkt, seit er ein kleiner Junge war. Torvalt und Wayne trinken, weil es ihnen schmeckt. Larry Fish trinkt nur Seagram's Five-Star. Valentine Gordon trinkt, weil sie das prämenstruelle Syndrom hat. Stanley Garneau trinkt, weil er Kriegsveteran ist. Reggie Bodinka trinkt, weil er bankrott ist. Freddy Clough war schon mal hier, und Leo Comeau trinkt, weil er das am besten kann. Als Cody an die Reihe kommt, sagt er nichts. Er schüttelt nur den Kopf. Mr. Nims entscheidet, es diesmal dabei bewenden zu lassen.

«Mr. Hurley, damit sind Sie dran.»

Mr. Hurley ist Mr. Nims Trumpf. Er ist sein eigener Trumpf. Er ist Anonymer Alkoholiker und Mr. Nims ist Akademiker.

«Ich heiße Joe und bin Alkoholiker. Ich bin seit zwanzig Jahren trocken. Als ich den ersten Schluck nahm, wußte ich, daß ich geliefert war. Eine Flasche Whiskey, und ich war für eine ganze Woche erledigt. Schließlich haben sie mich erwischt. Ich bin auf dem Highway mit einem Reh zusammengestoßen und im Graben gelandet. Aufgewacht bin ich im Krankenhaus, als sie mir Blut abzapften. Ich betrank mich trotzdem wieder. Ich hab so getrunken, daß ich ins Bett geschissen hab. Ich konnte nicht mal furzen, ohne mich einzuscheißen. Ich wußte nicht mal mehr, wie das ist, wenn man beim Scheißen drücken muß.

Jeden Morgen um sechs hab ich Schweißausbrüche gekriegt und mußte unbedingt was trinken. Haben Sie sich schon mal mit sich selbst unterhalten, wenn beide betrunken sind? Ich schon. Ich war am Ende. Ich war fertig mit den Nerven. Ich war völlig kraftlos.

Dann fand ich zwölf Schritte in ein neues Leben. Ich legte mein Leben in die Hände einer Kraft, die stärker ist als ich. Ich habe eine Bestandsaufnahme von mir gemacht und meine Fehler eingestanden. Es gibt noch mehr zu erzählen, und ich hoffe, daß wir in den nächsten Wochen Gelegenheit haben, darüber zu reden.»

«Danke, Joe», sagt Mr. Nims. «Wir möchten Ihnen jetzt einen Film zum Thema Alkohol, Alkoholismus und Trunkenheit am Steuer zeigen, und dann sind wir für heute fertig. Nächste Woche können wir dann vielleicht richtig einsteigen, unsere wirkliche Geschichte erzählen, damit wir einander kennenlernen – und uns selbst. Film ab.»

Eddie parkt draußen und wartet auf Cody, um ihn nach Hause zu fahren.

«Wie war's?»

«Gut. Nichts Besonderes.»

«Ein Bier?»

«Nein, jetzt nicht. Mir hängt das Ganze schon zum Hals raus. Ich würd lieber 'n Jahr schlafen. Entweder das oder meine Zeit bei deinen Toten verbringen. Ich weiß, wieso du diesen Beruf hast. Tote und Bäume haben eine Menge gemeinsam.»

«Sie schweigen.»

Blond Bomber ist in der ganzen Gegend bekannt. Früher hat sie für den Hippie-Sender gearbeitet, aber jetzt ist da alles auf Computer umgestellt. Ihre Sendung begann um ein Uhr nachts und dauerte bis fünf Uhr morgens. Alle Farmer machten das Radio an, wenn sie zum Melken gingen. Sie sprach den Wetterbericht für die Landwirtschaft und machte Interviews mit Vertretern des Bezirks, des Naturschutzes und mit Förstern. Angeblich hat sie eines Morgens in der Sendung jemandem einen geblasen, dann aber Gott gefunden. Durch die Sendung wurde verhindert, daß die Farmer unter den Kühen einschliefen.

«He, du Wichser», sagt sie, «Narben halten ewig.»

Sie erzählt der Gruppe ihre Geschichte. Sie möchte sich selbst erfahren. Sie hat alles satt – Pyramiden, Ketten aus steinernen Perlen, Minerale, Yoga, Metaphysik, ganzheitliche Psychotherapie und Kristalle, um nur einiges zu nennen. Und Drogen. Jeder Art. Aber nichts bringt es so gut wie eine Flasche Johnny Walker Red.

Das war der Grund, erzählt sie der Gruppe, weshalb sie gegen den Strommast knallte und in ganz West Keene der Strom ausfiel. Die Leitungen rissen und ließen ein Jesusbild aus elektrischen Funken aufleuchten.

«Er sagte: ‹He, du alte Fotze, Narben halten ewig›, und ich wußte, daß er von meinem Herzen spricht.»

Valentine Gordon blickt auf ihre ineinander verschlungenen Finger.

«Ich wünschte, Sie würden das nicht sagen», sagt sie.

«Was? Was? Was?» sagt Blond Bomber.

«Das Wort.»

«Hör zu, Baby. Im Anfang war das Wort, und das Wort war bei Gott, und das Wort war Gott, und das Wort war saugut. Das Evangelium nach Johannes. Ich steh auf Jesus.»

Torvalt und Wayne sehen Reggie Bodinka an. Sie grinsen. Sie haben auf seiner Farm gearbeitet. Jeden Morgen haben sie Bomber im Radio gehört. Sie hatten Reggie dazu gebracht, sich die Sendung auch anzuhören, aber er sagte immer, Bomber wäre eine Schlampe.

Torvalt und Wayne erzählen ihre Geschichte. Torvalts Mutter hat sehr viel Geld. In ihrem Haus gibt es ein verschlossenes Zimmer, wo sie es in Fässern lagert. Sie ist Psychotherapeutin. Den Winter über sollten Torvalt und Wayne auf ihr Ferienhaus am See aufpassen, aber es ist abgebrannt. Wayne ist Torvalts neuer bester Freund. Sie haben sich auf einem Konzert von Dead in Hartford kennengelernt und sind in den letzten vier Wochen unzertrennlich gewesen. Die Karten für das Konzert waren ein Geschenk von Torvalts Mutter.

«Also, Wayne und ich, wir sind übers Wochenende nach Stratton zum Skilaufen gefahren. Aus dem Wochenende wurde eine Woche, und in der Woche ist das Haus abgebrannt. Sie hat die Herstellerfirma der Mikrowelle verklagt. Ihr Anwalt behauptet, das schnurlose Telefon hat die Mikrowelle angeschaltet, und nach vier Tagen ist sie dann durchgeschmort und hat das Haus in Brand gesetzt. Meine Mutter sagt, daß ich schuld bin und nicht nach Hause kommen darf, bis die Sache geregelt ist.»

Wayne glotzt Torvalt an. Die anderen fühlen sich unbehaglich, weil er aussieht wie Charles Manson.

«Also haben Wayne und ich für Mr. Bodinka gearbeitet. Wir haben Holz gesägt. Er hat uns erlaubt, auf seinem Grundstück in einem Zelt zu wohnen. Eines Nachts ist der Kerosinofen ausgegangen, während wir schliefen, und am Morgen waren wir mit Rauhreif bedeckt. Ich hab gedacht, Wayne wär tot. Er war blau und sein Atem ging ganz flach. Ich hab ihn geschlagen, bis er wach wurde. Wir rannten in Füßlingen die Straße runter zu Mr. Bodinkas Stall. Die Kühe haben uns das Leben gerettet. Wir sind zu ihnen rein, und ihre Wärme hat uns gerettet. Später sind wir dann zurückgegangen, und jemand hatte unsere Sachen geklaut, die Sägen, das Zelt und die Schlafsäcke, alles. Sogar die Stiefel.»

Torvalt sieht aus, als würde er gleich losheulen. Wayne wendet sich zur Gruppe und sieht jedem einzeln in die Augen, bis sie den Blick senken. Der letzte, den er ansieht, ist Cody, der ohne zu blinzeln den Blick erwidert. Er ist es, zu dem Wayne spricht.

«Abends sind wir nach Bellows Falls gegangen, ins Derry Café, und haben uns zugesoffen. Es ging gut runter. Wir haben niemandem weh getan – nur uns selbst, und wir sind niemand Besonderes.»

Mr. Hurley blättert in seinen Unterlagen. «Hier steht, man hat euch beide erwischt, wie ihr mit einem Traktor die Interstate runter seid.»

«Und wenn schon.»

«Ich hätte nicht fahren dürfen», flüstert Loretta Pelletier. «Ich habe einen Monat lang eine Wanderpneumonie gehabt. Ich nehme Beruhigungsmittel und Aspirin. Ich bin zum Laden gefahren, um Lebensmittel einzukaufen. Die Straße war spiegelglatt. Ich bin nicht von hier, und ich bin's auch nicht gewöhnt, bei solchem Wetter zu fahren. Ich bin um eine Kurve, und der Wagen ist von der Straße abgekommen. Die Heckklappe ist aufgegangen, und alle Sachen sind rausgeflogen. Als die Polizei kam, hab ich im Schnee nach dem Gemüse gesucht. Ich hab nur einen Kohlkopf gefunden.

Ich hab den Polizisten gebeten, mir zu helfen, mein Gemüse zu suchen. Ich hab gesagt: ‹Mein Mann wird ärgerlich sein, wenn ich ohne die Sachen nach Hause komm.› Aber sie haben mir nicht geholfen. Sie haben mir gesagt, ich solle den Kohlkopf hinlegen, aber ich habe mich geweigert. Ich mußte in das Röhrchen pusten, und dann haben sie gesagt, ich sei festgenommen, wegen Alkohol am Steuer. Ich trinke nicht. Ich trinke nie. Mein Anwalt sagt, ich werde freigesprochen, aber ich soll an der Gruppe teilnehmen, sicherheitshalber.»

Mr. Nims weiß nicht, was er sagen soll. Diese Geschichte hat er schon öfter gehört. Manchmal ist sie wahr, manchmal nicht.

«Ich glaube, da hat er Sie gut beraten, Loretta. Was halten Sie von einer kleinen Kaffeepause? Möchten Sie Ihre Tassen noch einmal nachfüllen?»

Nach der Pause ist Johnny MacDuffie dran.

«Mein Sohn spielte Baseball in der Schülermannschaft. Es war Samstag. Er war mit anderen Jungen unten bei der Müllkippe, um Geld für neue Trikots zu sammeln. In dem Ort in Connecticut, wo wir herkommen, ging man am besten dahin, um Geld zu sammeln, weil samstags morgens jeder hinging. Unter der Woche waren die Leute immer weg, in der Stadt zum Arbeiten. An der Müllkippe war ein Schuppen, wo man Bücher tauschen konnte. Wenn Leute für ein öffentliches Amt kandidierten, standen sie am Eingang und verteilten Schokoladenriegel, Doughnuts und Kaffee, aber jetzt ist da nur noch ein Wartehäuschen, und alles kommt in die Müllverbrennungsanlage.

An diesem Morgen, es ist jetzt fünfzehn Jahre her, sind wir vom Betrieb aus angeln gegangen. Wir haben ein Boot gemietet und waren schon in aller Herrgottsfrühe draußen, den ganzen Morgen. Als ich nach Hause kam, hab ich dann angefangen, mit dem Fisch einen Eintopf zu machen, mit Sahne, Milch, Kartoffeln, Sellerie und Zwiebeln. Ich bin in den Keller gegangen und hab vergessen, daß das Essen auf dem Feuer war. Als mein Sohn nach Hause kam, ist der Topf übergekocht, und er hat alles abgekriegt und ist an den Verbrennungen gestorben.»

Wayne beugt sich zu Torvalt hinüber.

«Und war stumm wie ein Fisch», flüstert er so laut, daß es alle hören.

John MacDuffie sieht sie an. Sein Gesicht ist das eines Mannes, der gerade ein Messer in den Bauch gekriegt hat und stirbt, eines Mannes, der sich überhaupt nicht erklären kann, warum gerade ihm das passiert ist. Er fängt an zu weinen. Blond Bomber geht zu ihm und nimmt ihn in die Arme. Sie drückt seinen Kopf an ihren Bauch und streichelt ihm den Nacken.

Cody ist aufgestanden und durchquert den Kreis. Er packt Wayne am Kragen und zieht ihn vom Stuhl hoch.

«Ich sollte dich umbringen, du Arschloch», sagt er.

Mr. Hurley legt eine Hand auf Codys Arm.

«Ich glaube, das reicht bis zur nächsten Woche. Ich danke Ihnen allen.»

Eddie macht Frühstück für die ganze Familie. Das kann er gut. Frühstück ist seine Spezialität. Er brät Kartoffeln, Würstchen und Eier auf tausendundeine Art. Wenn die Kinder Cornflakes wollen, schüttet er sie in ihre Schalen, mit Milch für Little Eddie, ohne für Eileen. Er macht auch Pfannkuchen und Waffeln. Manchmal macht er einfach nur Muffins oder Maisbrot und serviert sie mit einem großen Teller Obst und Joghurt. Frühstück ist sonntags zu ihrer Hauptmahlzeit geworden.

Mary sagt ihm, er sollte versuchen, fürs Fernsehen eine Kochserie zu machen. Niemand sonst ist ausschließlich auf die Zubereitung von Frühstück spezialisiert.

«Richtig», sagt er. «Der Chefkoch der Bestattungsküche. Warum begraben – wiederverwerten! Darmklöpse, Bandscheibenragout, Arteriensalat, gefülltes Hirn.»

«Lange gluckernde glitschige Glibberdärme», sagt Eileen. «Igitt!»

Little Eddie begleitet jedes ihrer Worte mit einem Geräusch. Einge der Geräusche klingen fast wie Silben. Er sitzt in den Startlöchern zum Reden, bereit zum Sprung in die Sprachgemeinschaft. Seine Mutter ist von der Aussicht begeistert. Sein Vater ist ein wenig traurig, weil er weiß, daß bald die Handlungen der Zuneigung durch Worte der Zuneigung ersetzt werden. Handlungen und Worte werden eins sein. Für Eileen ist das Ganze nichts Besonderes. Schon seit über einem Jahr unterhält sie sich mit ihrem Bruder. Sie hat ihm die Welt übersetzt und seine Wünsche und Bedürfnisse an Mary und Eddie weitergemeldet.

«Nein, nein, nein», sagt Mary. «Eine Kochsendung nur über Frühstück. Frühstück bei Eddie Ryan.»

«Sehr schön. Die Sendung könnte vielleicht *Ein Mann à la carte* heißen», sagt Eddie.

«Du könntest Meister der Kochkunst wie Curry Grant, James Garnier oder Jack Lemon einladen.»

«Sergeant Pepper.»

«Jane Fondue.»

«Hallo, Cody», sagt Eileen.

Cody steht in der Tür. Die Kinder freuen sich, wenn er kommt, weil seine Taschen immer voll Snickers und Milky Way sind.

«Da kommt der Bär.»

«Morgen», sagt Cody. «Was machen wir denn so?»

«Reden.»

«Ich hab PMS, das prämenstruelle Syndrom», sagt Valentine Gordon. «Bevor ich meine Tage bekomme, leide ich unter Depressionen und Angstzuständen. In meinen Händen und Füßen staut sich so viel Wasser, daß ich keine Schuhe tragen kann. Meine Gelenke schwellen an. Mein Darm spielt verrückt. Ich habe Probleme mit dem Hals und kann dann nicht deutlich sprechen. Ich werd vergeßlich und sag alles rückwärts. Ich bekomm Bläschen an den Lippen, Migräne und Furunkel. Cola mit Rum hilft. Es hilft mir sehr, also trinke ich eine Menge und werde es auch weiterhin tun. Ich fahr ganz einfach nicht mehr. Das wird schon irgendwie gehen.»

«Vielleicht sollten Sie zum Arzt gehen», sagt Mr. Nims. «Ein Arzt könnte Ihnen etwas dagegen verschreiben.»

«Sie braucht keinen Arzt», sagt Blond Bomber. «Sie braucht Hilfe. Vielleicht einige Blütenessenzen und Yoga. Sie akzeptiert ihren Körper nicht. Sie müßte stricken oder spinnen.»

«Miss Bomber, das ist vielleicht etwas zuviel, etwas zu schnell.»

Blond Bomber nimmt Stift und Papier aus der Tasche. Sie schreibt Valentine eine Nummer auf.

«Hier, meine Liebe. Die telefonische PMS-Beratung. 1-800-222-4PMS.»

«Vielleicht versuch ich's», sagt sie. «Es ist einen Versuch wert. Wir haben keine Krankenversicherung. Aber ich glaub, irgendwas muß ich machen.»

«Du erzählst nie von deiner Therapiegruppe, Cody. Über die Leute, die da drin sind. Was sind das für Leute?»

«Leute aus Keene und auch aus anderen Orten. Niemand, den du kennst.»

Eddie möchte sagen, er könnte vielleicht doch jemanden kennen, aber es wird ihm klar, wie er die Leute normalerweise kennenlernt, und er fühlt sich unwohl, daß er so viele Menschen nur durch den Tod kennt. Er beschließt, das Thema fallenzulassen.

TEIL ZWEI

7

Am 20. März stirbt Mrs. Huguenot nach langer und auszehrender Krankheit. Sie war Mitglied auf Lebenszeit des patriotischen Frauenverbandes und des örtlichen Wohltätigkeitsvereins. Sie gehörte der Schulpflegschaft an und vertrat sie mehrmals auf nationaler Ebene. Einmal die Woche bat Mrs. Huguenot zum Tee, und an jedem ersten Montag im Monat leitete sie einen Literaturzirkel im Gemeinderaum der Universalisten. Sie ging zwar nicht regelmäßig zur Kirche, aber Paulus war ihr Lieblingsapostel und die *Dartmouth-Bibel* ihre Lieblingslektüre. Jedes Jahr am Unabhängigkeitstag ermahnte sie all die, die sich auf dem Platz von Inverawe versammelt hatten, mit glühenden Worten, die Herausforderungen des modernen Lebens mit Anstand und Würde anzunehmen, da es weiß Gott nicht einfacher werden wird.

Zwanzig Jahre zuvor hatte sie das erste Erdbeerfest organisiert, und zeit ihres Lebens blieb diese Veranstaltung entscheidend von ihr geprägt. Auf ihren Druck hin fiel das Picknick einmal aus, da es in jenem Jahr keine Erdbeeren gab und sie den Gedanken an tiefgefrorene oder importierte Erdbeeren nicht ertragen konnte.

Im nichtöffentlichen Teil ihres Lebens besaß sie ein Zimmer voller Kinkerlitzchen, Schnickschnack, Nippes und

Kitsch. Sie kannte jemanden in Troy, New York, der Abtreibungen vornahm, und arrangierte manchmal das Nötige für Mädchen, die zu jung waren, um für eine Familie zu sorgen. Isabel Huguenot war ein herausragendes Mitglied der Gemeinde; sie brachte fünfhundert Pfund auf die Waage.

Eddie Ryan wartet schon fast ein Jahr lang auf Mrs. Huguenots Ende. Als es schließlich eintritt, ißt er mit seiner Familie gerade Spaghetti. Donnerstags abends essen sie immer Spaghetti. Als das Telefon klingelt, ist Eddie dabei, Knoblauchbrot zu verteilen. Er wirft die Scheiben wie fliegende Untertassen, so daß sie genau auf den gefüllten Tellern der Kinder landen. Er und Mary sehen sich an und möchten am liebsten sagen, laß es, geh nicht ran, die melden sich schon wieder. Aber sie sagen es nie.

Mary nimmt das Gespräch an. Sie verdeckt die Muschel mit der Hand und sagt: «Es ist Rose Kennedy.»

Eddie weiß, daß Mrs. Huguenot tot ist, als er Mary den Hörer aus der Hand nimmt. Er hört eine Weile zu, dann legt er auf.

«Es war wegen Mrs. Huguenot», sagt er. «Sie ist endgültig aus dem Rennen.»

«Eddie, vergiß nicht, wer du bist», sagt Mary.

«Eddie, vergiß nicht, wer du bist», sagt Eileen.

Das Problem ist, daß Eddie weiß, wer er ist. Er ist derjenige, der sie herrichten und aufbahren muß. Er hat die Aufgabe, Mrs. Huguenot zur ewigen Ruhe zu betten, auf sich zukommen sehen. Die Aussicht hat ihn verfolgt. Er hat sich einen Plan nach dem anderen ausgedacht, nun aber, da die Zeit gekommen ist, weiß er nicht genau, wie er das alles bewerkstelligen soll.

Zuerst denkt er daran, Cody aus seiner Therapiegruppe herauszuholen, damit er sofort nach Hause kommt, um die logistische Leitung des Vorhabens zu übernehmen. Seine intime Kenntnis einfacher Geräte – Hebel, Flaschenzug, schiefe Ebene, Schraube und Rad – wäre von unschätzbarem Wert. Eddies zweiter Gedanke ist, einen Artikel für die Fachzeitschrift *Dodge* darüber zu schreiben, wie er das Kunststück fertiggebracht hat, eine Frau mit einem Gewicht von fünfhundert Pfund einzusargen, aber bevor er den Artikel schreibt, das weiß er, muß er das erst einmal wirklich tun.

«Schlürf die Spaghetti nicht so in dich rein, Little Eddie», sagt Mary.

Er sieht seine Mutter an, als wäre sie gerade aus dem Boden gekrochen. Dann steckt er die Gabel in den Mund und legt die Arme an den Körper, stemmt sich in seinem Stuhl nach hinten und hampelt und zappelt.

«Hör auf, dich wie ein Blödmann zu benehmen», sagt Eileen. «Dies ist eine Zeit der Trauer. Die arme Mrs. Huguenot ist endgültig aus dem Rennen.»

Eddie geht zum Telefon und ruft in der Leichenhalle des Krankenhauses an. Little Eddie schlürft weiter seine Spaghetti in sich hinein, und seine Schwester schneidet ihm Grimassen.

«George, hier spricht Eddie Ryan. Ich ruf wegen Mrs. Huguenot an. Hör mal, George. Ich hab da eine Frage. Wie auszehrend war diese Krankheit?»

Eddie legt den Hörer grußlos auf.

«Die Krankheit hat sie um fünfzehn Pfund ausgezehrt, Mary. Das heißt, ich krieg sie mit vierhundertfünfundachtzig Pfund. Er hat so was gesagt wie, ist doch kein Problem, das ganze Gewicht ist ja innen drin.»

Eileen steigt von ihrem Stuhl und geht um den Tisch herum zu Little Eddie.

«Komm mit», sagt sie und führt ihn weg.

«Mary, vierhundertfünfundachtzig Pfund. Er sagt, wir müssen sie holen. Sie haben sie nicht in die Kühlzelle gekriegt. Wir sollten sie vielleicht nach Pittsburgh bringen und in einem Hochofen verbrennen.»

Raudabaugh ist in der Sirupküche, als Rose Kennedy ihn anruft. Dome, Mrs. Huguenots Mann, hat Rose mit der Verbreitung der traurigen Nachricht beauftragt. Rose ist die neue Vorsitzende des patriotischen Frauenverbandes. Sie war Mrs. Huguenots Protegé. Sie wiegt zweihundert Pfund und kämpft sich auf die dreihundert zu. Sie hätte die Nachricht auch verbreitet, wenn Dome sie nicht darum gebeten hätte. Sie telefoniert gern.

Raudabaugh kocht gern Ahornsirup, obwohl er nicht mehr so rangeht wie in jüngeren Jahren. Er ist zu alt, um mit zwei Eimern an einem Tragholz im Wald rumzulaufen. Er zapft ein paar Bäume entlang der Straße an, wo er mit dem Pickup hinkommt. Er hat daran gedacht, eine Pipeline zu installieren, aber dann würde der Saft vermutlich nach dem Plastik schmecken, und bestimmt würden die Eichhörnchen ihm die Leitungen anknabbern.

In seiner Sirupküche hat Raudabaugh eine Kaffeemaschine, einen Stapel Pornohefte, einen Liegestuhl und ein Telefon. Es gefällt ihm, den Kocher anzuwerfen und den Sirup auf eine niedrigere Qualitätsstufe einzukochen. So schmeckt er stärker nach Ahorn und wird von weniger Leuten gekauft. Er hat es nicht gern, wenn Leute vorbeikommen.

Rose Kennedy erzählt ihm, daß Mrs. Huguenot tot ist. Die Nachricht macht ihn traurig, denn als junger Mann war er in Mrs. Huguenot verliebt. Mrs. Huguenot und er gingen in die Sirupküche und kochten dort die ganze Nacht durch. Das war vor dem Krieg, vor Dome und bevor sie so auseinanderging, daß kein Zeltmacher sie mehr hätte einkleiden können.

Raudabaugh bestätigt Rose Kennedys Nachricht mit

einem knappen Dank und legt auf. Er sitzt in seinem Liegestuhl, einen Fuß auf dem Zeitschriftenstapel. Dampf steigt ruhig aus der Pfanne und zieht durch das Dach ab; ein Teil kondensiert an den Dachsparren und tropft wie Regen wieder herunter. Angestrengt versucht er, in dem Dampf Geister zu erkennen. Angestrengt versucht er sich vorzustellen, daß es mehr ist als einfacher Dampf, doch es gelingt ihm nicht. Er denkt an die Zeit, als sie beide bis spät in die Nacht hinein kochten. Sie grillten Würstchen in den Flammen, die aus der offenen Tür der Brennkammer schlugen, und backten Kartoffeln in der Glut. Manchmal legten sie Eier in die Siruppfanne, die sie dann hartgekocht zum Apfelwein aßen. So brachten sie eine ganze Zeit seines Lebens zu, jene Jahre, die sich so klar dem Gedächtnis einprägen, als wären sie mit Blattgold überzogen. Nun ist die Zeit trüb und verblaßt, ruht, bis ein Licht aus der Gegenwart sie so erhellt, daß alles andere ausgeblendet wird.

«Bei Gott», sagt Raudabaugh, «heut abend, da werd ich einen Sirup kochen, wie wir es immer gemacht haben.»

Er öffnet den Ablaßhahn am Lagertank und füllt die Pfanne. Im Schuppen fördert er einige Holzscheite zutage, die so trocken sind, daß sie wie Bowlingkugeln klingen, wenn man sie aneinanderschlägt. Er kurbelt die Ofenklappe auf und stochert in den Kohlen. Unterhalb seiner Gürtellinie glüht das Feuer, während er den Sirup rührt. Er spürt, wie die Nieten an seinem Overall heiß werden, als der Dampf zu den Sparren hochsteigt.

Raudabaugh geht nach draußen. Er hebt die Blende vom Reißverschluß seines Overalls an und läßt sich in die Schneewehe fallen. Die Stahlzähne zischen, als sie auf den Schnee treffen. Er lacht und geht wieder nach drinnen, um mehr Holz ins Feuer zu legen, damit der Sirup richtig sprudelnd kocht, zu Ehren der toten Isabel.

Thad Bushnoe hält die Karten dicht vor die Brust. Er hat gerade eine kleine Straße gekriegt und kann sein Glück nicht fassen. Die anderen Männer am Tisch beäugen ihn. Sie wissen, daß er ein gutes Blatt hat, und versuchen, ihn auszutricksen. Nicht, daß sie ihn nicht mögen, aber sie mögen ihn noch lieber über den Tisch ziehen.

Die Doody-Brüder sehen sich an und grinsen. Es macht keinen Spaß, sie beim Kartenspiel zu schlagen, denn sie machen gute Miene zum guten Spiel und böse, wenn sie verlieren. Sie arbeiten mit schweren Maschinen, und darin sind sie gut.

Joe Paquette reibt sich die von Schmierfett schwarzen Hände. Er ist Lastwagenfahrer und haßt es zu verlieren. Immer, wenn er verliert, sagt er zu dem Gewinner, daß er ihn umbringen wird. Er sagt, ich bring dich um, du Sau. Er hat aber noch keinen umgebracht.

Barkley Kennedy ist der Älteste in der Runde. Er sieht die anderen Männer an, und da er nicht den leisesten Verdacht in ihren Augen sieht, hält er es für seine Pflicht, die Spielregeln ein bißchen zu ändern. Die Frage ist nur, ob er es tun soll, nachdem alle die Karten auf den Tisch gelegt haben, oder vorher. Eigentlich ist es egal. Thad ist ein junger Schreiner und so glücklich über seine Wahl zum Einsatzleiter der Feuerwehr, daß er so gut wie alles schluckt.

Das rote Telefon klingelt, und Barkley reißt den Hörer hoch. So kann er vielleicht ein wenig Zeit gewinnen, bevor Thad Schluß macht, denn auf dieser Leitung kommen die Feuermeldungen.

Die jüngeren Männer beobachten Barkley. Sie sehen zu ihm auf. Seit er seine Anwaltspraxis in Boston aufgegeben hat, lebt er in Inverawe. Sie haben ihn als einen der Ihren akzeptiert, eine Auszeichnung, die, wie es scheint, meistens nur Neuankömmlingen zuteil wird, die mindestens schon sechs Jahre tot sind.

Barkley gibt jetzt einen Kurs in Ethik am Community College von Bolton und einen anderen im Fliegenfischen. Es geht das Gerücht, daß er Nacktfotos von Frauen macht, aber niemand spricht es je offen aus. Es ist einfach ein Gerücht, das von engstirnigen, übelwollenden Menschen niedriger Herkunft verbreitet wird.

«Mrs. Kennedy, Jungs. Raudabaughs Sirupküche steht in Flammen. Sie hat's mit ihrem Teleskop vom Wintergarten aus gesehen.»

Barkley redet von seiner Frau immer als Mrs. Kennedy. Alle machen Witze darüber, daß er sie, wenn sie allein sind, vielleicht auch so nennt, und natürlich tut er das.

«Mist», sagt Thad, «hab ich's doch geahnt.»

«Pech gehabt, Thaddy», sagt Joe Paquette und wirft seine Karten auf den Tisch, zusammen mit den anderen, mit Ausnahme von Barkley, der sein Blatt bis zuletzt behält.

Thad sieht Barkley an, der gutmütig den Kopf schüttelt und den Kartenfächer in der Hand schließt.

«Tut mir leid, Thad», sagt er. «Weißt du, ich glaube, dieses Mal hättest du uns wirklich abgezogen.»

Joe Paquette schiebt das Rolltor hoch, Ein Windstoß wirbelt die Karten in Thads Schoß. Dick Doody wirft das Löschfahrzeug an, während sein Bruder Tom das Pumpfahrzeug startet. Die anderen Männer ziehen ihre Schutzkleidung an, Hosen, Stiefel, Helme und Mäntel. INVERAWE VOLUNTEERS steht auf dem Rücken der Mäntel in grün fluoreszierenden Buchstaben.

Barkley reicht Thad den weißen Helm des Einsatzleiters und schüttelt ihm die Hand. Dann haut er auf den roten Knopf, der die Sirenen auf dem Dach einschaltet, und läßt sie durch die Dunkelheit heulen. Das Löschfahrzeug mit Dick Doody am Steuer röhrt zum Tor hinaus und zum Platz rauf, um dort auf die anderen zu warten. Tom folgt mit dem Pumpfahrzeug und Thad mit dem Tanklöschwagen. Barkley schließt das Tor hinter ihnen. Er läßt sich absichtlich Zeit, weil er weiß, daß Marie Paquette das Telefon in der Zentrale übernehmen und Hilfe von anderen Feuerwehren anfordern wird. Er mag Marie. Er findet, sie sieht gut aus. Er wartet jedoch nicht lange, sondern folgt den anderen in seinem Volvo mit dem Bier. Die Fahrzeuge werden nur kurz warten, um die Motoren warmlaufen zu lassen, dann werden sie davonrasen, und die übrigen von der Freiwilligen Feuerwehr kommen mit ihren eigenen Autos nach.

Eddie Ryan ist im Präparationsraum, als er die Sirene hört. Er mißt die Breite der Türen aus, während Mary letzte Hand an Clifford Manza legt, einem Landarbeiter von Louis Poissants Farm, der, bevor oder während er in den Milchtank fiel und ertrank, einem Herzanfall erlag. Wie auch immer, die Leute, die ihn gekannt haben, sagen, sein Tod sei ein Segen, denn er hinkte, war fast blind und neigte zu Vergeßlichkeit und Kleptomanie.

Mary wäscht ihm die Haare und legt ihm Rouge auf. Nur wenige Menschen werden von ihm Abschied nehmen, aber sie tut gern ihr Bestes, denn wenn sie noch leben, kann man für Leute wie Clifford weiß Gott nicht viel tun.

«Ich muß los», sagt Eddie.

«Sei vorsichtig. Du weißt, ich hab jedesmal Angst.»

Eddie geht die Treppe hoch. Seine Ausrüstung befindet sich im Wandschrank neben der Haustür. Er steigt in seine Stiefel und zieht die Schutzhose hoch. Er nimmt Mantel und Helm und geht zur Tür hinaus. Die Nachtluft kommt ihm viel kälter vor als im Januar, die warmen Frühlingstage scheinen nur ein Streich zu sein, den einem die Nacht spielt.

In der Nähe des Platzes sieht er die Feuerwehrwagen stehen; die Fahrer schauen auf die Uhr und geben Gas. Drei andere Männer sitzen schon drin. Marie Paquette kommt in der neuesten Rostlaube angeschossen, die Joe ihr hergerichtet hat.

Eddie rennt schwerfällig über den Rasen, stapft in seinen Stiefeln über den Boden, der in den letzten Stunden wieder gefroren ist. Er springt hinten auf das Löschfahrzeug und flucht, weil er seine Handschuhe vergessen hat.

Louis Poissant parkt seinen Cadillac hinter dem Krankenhaus in Bolton. Er sieht, wie Dr. Pot aus Inverawe in seinen Tercel steigt und wegfährt. Dr. Pot hat bei Clifford die Herzmassage durchgeführt. Er hat darauf bestanden, daß Louis die Milchkammer verließ, und seitdem kann Louis ihn nicht mehr leiden, weil er ihn aus seinem eigenen Stall gewiesen und ihn erst hereingelassen hat, nachdem Clifford wieder zusammengeflickt war. Louis steigt aus, schließt leise die Tür und zündet sich eine Zigarre an. Er wickelt sich fest in seinen wollenen Mantel und geht auf die grauen unbeleuchteten Stahltüren zu. Er spürt die beißende Kälte auf dem bloßen Fleisch zwischen dem Rand der Schuhe und den Hosenaufschlägen. Er ist ein Mann von gedrungener Gestalt, dessen Hosenbeine immer senkrecht von der Taille herabzuhängen scheinen und sich beim Gehen in Kniehöhe kaum merklich bewegen.

Louis öffnet die Türen und steigt die Betonstufen hinunter. Neben ihm verläuft ein breites Förderband. Im Gehen singt er: *«Buffalo gals, won't you come out tonight, won't you come out tonight.»*

Am Fuß der Treppe öffnet er eine andere Tür. George sitzt an seinem Schreibtisch und füllt Formulare aus. An der Wand steht eine Bahre. Auf ihr liegt etwas, das wie ein Berg unter einem Tuch aussieht.

«Was ist denn hier los, kriegst du sie jetzt immer im Sechserpack rein?»

George springt vom Stuhl hoch und zieht den Kopf zwischen die Schultern.

«Mensch, du hast mich vielleicht erschreckt. Nein, das ist Mrs. Huguenot. Sie ist heute nachmittag gestorben.»

«Mein lieber Mann. Kein leichtes Mädchen, was?»

George nickt und macht sich wieder an die Arbeit. Louis geht im Raum umher und zieht heftig an seiner Zigarre, damit zwischen ihm und dem Leichengeruch eine genügend starke Rauchwolke steht. Er singt vor sich hin: *«Won't you come out tonight, won't you come out tonight.»*

Schließlich legt George den Kuli aus der Hand und lehnt sich zurück. Er faltet die Hände über dem Bauch. Er ist erleichtert, daß er's für heute geschafft hat, falls nicht noch ein Notfall hereinkommt. Die frisch Verstorbenen aus Inverawe, Bolton, Keene und Umgebung sind alle ordnungsgemäß verbucht und warten auf jemanden, der sie nach Hause bringt.

«Wie lang kennen wir uns schon, Louis?»

«Keine Ahnung. Lange genug, denk ich.»

«Wie lange arbeiten wir jetzt schon zusammen?»

«Viele Jahre, George, würd ich sagen. Mindestens eins.»

«Und es sind gute Jahre gewesen, oder? Du bist mein bester Kunde. Also, mein Lieber, der heutige Abend ist einer der besten. Ich habe drei Paar Gummistiefel, zwei Paar Wanderschuhe, ein Paar Tennisschuhe, ein Paar Damenpumps und ein Paar extrabreite, Größe 48. Alles für dich.»

«Du lieber Himmel. Hatte der Schwimmhäute zwischen den Zehen?»

«Ein Unfall letzte Woche auf der Interstate. 'n Typ aus Massachusetts. Ein Vertreter, der jetzt abgetreten ist.»

«Logisch», sagt Louis und langt nach seiner Geldbörse.

«Das ist es», sagt George und nickt.

Das Löschfahrzeug verlangsamt die Fahrt und kommt fast zum Stehen, bevor es vorsichtig eine Haarnadelkurve nimmt, die bergauf zu Raudabaughs Sirupküche führt. Eddies Hände, die die stählerne Haltestange umklammern, sind inzwischen vollkommen taub geworden. Er springt ab und hält den Volvo an, der hinterherfährt. Barkley lehnt sich hinüber zur Beifahrertür und macht sie für ihn auf. Eddie quetscht seinen steifen Körper in den Schalensitz.

«'n Abend, Eddie», sagt Barkley.

«'n Abend.»

Barkley schaltet herunter und fährt dicht auf das Löschfahrzeug auf. Er fährt mit diesem ausländischen Wagen gern auf schwierigeren Strecken. Es gefällt ihm, die Gänge auszufahren, zu fühlen, wie sich der Wagen in die Kurven legt und auf geraden Strecken abzieht.

«Mrs. Kennedy hat mich angerufen. Wegen Mrs. Huguenot.»

«Ist sie tot?»

«Ja. Haben Sie das nicht gewußt?»

«Nein. Ich war den ganzen Nachmittag auf der Feuerwache und hab den Jungs geholfen. Sie planen irgendeine Spendenaktion für einen neuen Wagen. Ich weiß, daß sie letzte Woche ausrücken mußten, weil man sie sonst nicht in den Krankenwagen gekriegt hätte. Sie mußten das große Fenster rausnehmen und sie mit einem Gabelstapler rauswuchten, mit Bett und allem Drum und Dran. Wirklich gute Arbeit von den Jungs.»

Eddie fühlt, wie er in seinem Mantel schrumpft. Seit einem Jahr graut ihm vor der Aufgabe, die er morgen in Angriff nehmen muß.

«Auf dem Rücksitz finden Sie etwas zur Stärkung gegen die Kälte.»

Eddie dreht sich zum Rücksitz um, stößt dabei mit dem Knie gegen den Schaltknüppel und haut den Gang raus.

«Verdammt», sagt Barkley, als der Motor aufheult. Es kracht im Getriebe, während er zu schalten versucht.

«Entschuldigung.»

«Schon gut. Diese Wagen sind so gemacht, daß sie das aushalten. Sind wirklich ziemlich gut.»

Eddie schiebt Bücher und Fotoausrüstung beiseite und entdeckt einen Sechserpack. Es ist schwer, sich in dem kleinen Wagen zu bewegen. Als er wieder in Fahrtrichtung sitzt, kann er am Himmel den Schein von Raudabaughs brennender Sirupküche sehen.

«Da werdet ihr Jungs heute abend ganz schön zu tun haben», sagt Barkley.

Eddie sagt nichts. Er beobachtet den Schein, der sich über den ganzen Horizont hinzieht. Der Volvo schießt in eine Senke, und das Feuer scheint mit einemmal direkt über ihnen zu sein. Als sie wieder herauskommen, sehen sie das Löschfahrzeug beim Teich stehen. Von oben kommen ein paar Pickups, und hinter ihnen folgen noch mehr Scheinwerfer.

Barkley parkt den Volvo hinter dem Löschfahrzeug und springt heraus. Eddie langt nach dem Türgriff, kann ihn aber nicht finden. An ihm vorbei laufen Männer zum Löschfahrzeug.

Dick Doody tritt auf die Kupplung, haut den fünften Gang rein und schaltet von Fahren auf Pumpen um. Er läßt die Kupplung kommen, und die Pumpe beginnt sich zu drehen. Joe Paquette und Thad schlagen Löcher ins Eis und stoßen die Saugleitung hinein, an deren Ende sich der Saugkorb befindet.

Eddie kann sie von seinem Sitz aus sehen. Er versucht, über die Sitze zu kriechen, kommt aber nicht am Lenkrad vorbei. Sein Knie drückt den Schaltknüppel heraus, und der Wagen beginnt rückwärts zu rollen. Er denkt, er wird den ganzen Abhang hinunterrollen, und gerade als der Gedanke ihm angst zu machen beginnt, stößt der Volvo an ein hinter ihm parkendes Fahrzeug. Es ist Benware Smiths Schneepflug.

Benware kommt zum Wagen und hilft Eddie heraus. Als er sieht, wer es ist, schreckt er zurück. Eddie Ryan macht ihn nervös.

Das Löschfahrzeug läuft jetzt mit 1500 U/min. Dick Doody hat die Hand am Gashebel und wartet auf ein Zeichen von Thad. Joe Paquette und Tom Doody rollen die Druckleitung von der Schlauchhaspel und rennen durch den Schlamm zum Feuer. Eddie und zwei andere Männer kuppeln eine zweite Leitung an den Abgang, während zwei weitere mit dem Strahlrohr hinter Tom und Joe herlaufen.

Die Entlüftungspumpe im Innern der Feuerlöschkreiselpumpe läuft auf vollen Touren. Die Druckmesser beachtet Thad nie. Sein Gehör sagt ihm genau, wie die Pumpe arbeitet. Endlich hört man, wie unter dem Löschfahrzeug Druckwasser ausfließt. Langsam öffnet Thad die Druckventile und bedeutet Dick, indem er mit dem Daumen nach oben zeigt, die Pumpe noch 1000 U/min. höher zu jagen.

Der Schlauch schwillt an wie eine Python, die ein Lamm verschlungen hat und es durch den Körper wandern läßt. Joe Paquette legt den Hebel am Strahlrohr auf Vollstrahl um, und das Wasser schießt mit hohem Druck heraus. Der erste Strahl birst durch die Fenster auf der Nordseite, fegt durch die Sirupküche und bricht durch die Fenster auf der Südseite wieder hinaus. Sekunden später beginnen Eddie und Tom Doody mit dem Wasserbeschuß aus der großen Leitung, mit der sie die Mauer zum Einstürzen bringen. Der große Dampfabzug gibt ein gewaltiges Zischen von sich, bevor er einstürzt und den Blick auf Brennkammer und Herd freigibt. Der Herd glüht kurz auf, dann ist auch er in Dampf und Rauch gehüllt. Joe Paquette und Dick

Doody spritzen den Schornstein um und fegen den Rauchabzug vom Dach. Die große Leitung drückt die gegenüberliegende Wand und die vordere Ecke ein. Das Dach fängt an zu beben und zu schwanken. Schließlich dreht es sich in einer langsamen Pirouette um die eigene Achse und stürzt dann plötzlich in einer großen Wolke aufstiebenden Dampfes und fliegender Funken zusammen.

Die Männer schließen die Leitungen. Dick Doody nimmt das Gas zurück. Er richtet den Suchscheinwerfer auf das, was der Einsatz übriggelassen hat. Er entdeckt den Holzschuppen, der gleich neben dem qualmenden Haufen steht.

«Du hast den Holzschuppen gerettet, Thaddy!» brüllt er.

Thad nickt und zündet sich eine Zigarette an. Die übrigen Männer tun es ihm nach.

Nach der Arbeit gehen die Krankenschwestern meistens zur Happy Hour ins Holiday Inn von Bolton einen trinken. Mary Rooney, die im Krankenhaus von Bolton als Krankenschwester arbeitet, trifft sich dort gern mit ihrer besten Freundin, Mary Looney, Friseuse und Kosmetikerin. Seit der High School sind sie Busenfreundinnen. Im Herbst spielten sie immer zusammen Rasenhockey, und im Winter waren sie Cheerleader beim Basketball. Mary Rooney zieht sich immer um, bevor sie ins Holiday Inn geht. Sie duscht im Krankenhaus, um den Geruch von Medizin und Krankheit abzuwaschen. Heute duscht sie besonders lange. Der Geruch einer verstorbenen Patientin haftet an ihr. Ein alter Geruch. Ihr fällt kein anderes Wort dafür ein. Alt, nichts anderes. Der Geruch des Todes ist einzigartig. Er hat zu nichts auf der Welt Verbindung. Das einzige Wort, mit dem man ihn beschreiben kann, ist das Wort *alt*, als ob es ein Geruch wäre, der mit dem Alter kommt.

«Na ja, Mary, es war die Huguenot. Wir beide im Zimmer, sie und ich, zusammen sechshundert Pfund, von denen hundertzehn auf mein Konto gehen.»

«Aber das ist ja prima! Wieviel hast du schon runter? Doch bestimmt zehn Pfund», sagt Mary Looney.

«Ja, ungefähr zehn. Noch vier – und ab nach Florida.»

Mary Rooney und Mary Looney wollen Ostern nach Florida fahren. In Boston haben sie neue Strandmode erstanden. Sie sind beide brünett, aber sie wollen ihr Haar blond färben, wenn sie in Florida sind.

Wenn sie wieder in New Hampshire sind, werden sie jedem erzählen, ihr Haar wäre von der Sonne ausgebleicht.

«Die ganzen alten Schachteln vom patriotischen Frauenverband waren da, um von ihr Abschied zu nehmen. Wer auch immer sie zurechtmachen muß, wird ganz schön fluchen.»

«Warum?»

«Na ja, wie ich gesagt hab, diese ganzen Weiber sind gekommen, und wir hatten ihre Zähne nicht drin, und als wir dann endlich Zeit dazu fanden, hatte die Leichenstarre schon eingesetzt. Ihr Gesicht war ganz eingefallen, und wir haben sie nicht reingekriegt. Wer sie fertigmacht, muß irgendwie die Zähne reinkriegen.»

«Ich finde deine Arbeit wirklich faszinierend», sagt Mary Looney. «Wie viele technische Details du so im Kopf haben mußt! In meinem Beruf gestalten wir das Äußere. Die Aura, wie man das nennt. Es ist der Versuch einer Illusion.»

«Ich bind ihr also Hände, Ellbogen und Füße irgendwie zusammen. Als nächstes mußte ich sie ja auf den Wagen kriegen und in einen Sack, und ich hab gedacht, die kriegst du nie im Leben da rübergerollt.»

«Genau wie eine Mumie», sagt Mary Looney. «Die Arbeit mit Toten hat so was *Altes* an sich. Wie mit Antiquitäten.»

Mary Rooney nickt. Sie sieht Mary Looney an.

«Ist das 'ne neue Haarfarbe?»

«Ein leichter Kupferton. Wie findest du's?»

«Ich finde, wir brauchen noch mal dasselbe.»

Mary Rooney bringt die leeren Gläser zur Theke. Sie bestellt noch zwei Cola Light mit Rum. An der Theke steht Ronny Rounds, ein Pfleger aus dem Krankenhaus.

«Hallo, Mare», sagt er. «Wer ist denn deine hübsche Freundin?»

«Mary Looney. Wir sind zusammen zur Schule gegangen.»

«Ach was. Willst du mich ihr nicht mal vorstellen?»

«Wenn du einen ausgibst.»

«Abgemacht», sagt Ronny.

Mary läßt ihn an der Theke stehen und geht zum Tisch zurück. Sie erzählt Mary Looney, Ronny Rounds ist ein ambulanter Patient von Station acht, wo die Verrückten sind. Sie erzählt ihr, daß er da ist, weil er dreißig verschiedene Frauen in ganz Neuengland geheiratet hat.

«Vielleicht kennt er ja meinen Ex. Ich hoffe, daß sie den mal erwischen und auch in die Klapsmühle stecken.»

Mary Looney war mal kurz mit einem Auktionator verheiratet. Nachdem ihn einige Leute beschuldigt hatten, die Gebote in die Höhe zu treiben, ging er nach Connecticut. Er versprach, Mary nachzuholen, tat es aber nicht. Er ließ sie mit einer Scheune voll Schrott sitzen, die ihr Vater jetzt als Garage benutzt.

«Hallo, die Damen», sagt Ronny und stellt die Drinks hin.

«Hallo, Ronny, ich muß dir und den Jungs wirklich dafür danken, daß ihr mir bei dem Walroß geholfen habt. Das hättest du sehen müssen, Mary. Ich schieb los und hol Ronny und seine Freunde, die auch alle nicht ganz dicht sind, damit sie mir bei der Dicken helfen. Wir kriegen sie auf die Seite gerollt, und dann gibt sie plötzlich ein lautes Grunzen von sich. Das war natürlich die Luft, die noch aus den Lungen kam, aber die Jungs haben alle gedacht, sie kommt wieder zu sich, und springen zurück, und da ist sie runtergefallen. Und unser Ronny hier legt sich lang und landet genau auf ihrem Gebiß.»

Mary Rooney lacht schallend. Sie wirft den Kopf zurück und hält sich die Seiten. Ronny sieht in sein Bier. Er wird rot. Er spürt die Prellung am Hintern, wo die Zähne ihn erwischt haben.

«O Gott», sagt Mary Looney. «Wie fürchterlich. Und was habt ihr da gemacht?»

«Natürlich unserem guten alten Ronny 'ne Tetanus verpaßt.»

«Mit der Frau, meine ich.»

«Och, nicht der Rede wert. Wir haben noch mehr Leute zusammengetrommelt und sie aufgeladen. Die Jungs haben sie zu George runtergebracht, und ich mußte in die Notaufnahme und bei einem helfen, der auf der Interstate 'nen Bruch gebaut hatte. Bei dem war aber nicht mehr viel zu machen.»

Louis Poissant kann die Flammen auf der anderen Seite des Tals von der Hill Road aus sehen, als er nach Hause fährt. Es muß bei Raudabaugh sein, aber er kann nicht sagen, welches Gebäude. Unter sich sieht er andere Lichter auf den Straßen in Richtung auf Raudabaughs Grundstück dahinjagen. Er hat eigentlich keine Lust, fährt aber trotzdem dorthin. Er biegt nach rechts ins Tal hinunter. Er hält an der Kreuzung und wartet, daß der Löschwagen an ihm vorbeifährt, aber es dauert zu lange, und so biegt er ab und gibt Gas. Neben der Straße fließt der Bach zum Fluß hinunter. Der große Wagen schlingert durch die Nacht. Louis bremst und biegt scharf auf die Brücke. Er rumpelt über die knarrenden Planken und fährt dann den Berg hoch. Kies spritzt an die Schmutzfänger und fliegt hinter ihm hoch, als der Cadillac über die Straße brettert wie ein Motorboot auf dem Fluß.

Louis erklimmt den Berg und gleitet dann wieder hinab in die Senke. Der Widerschein der Flammen ist über ihm und zu seiner Linken. Die Automatik schaltet einen Gang herunter, und der Wagen zieht weiter den Berg hoch; der Hang ist steil. Louis sieht, wie sich die Flammen in den Fenstern von Scheune und Haus spiegeln und in jeder Fensterscheibe zittern, wie ein Feld von Farnen.

Er steigt aus dem Wagen und bleibt daneben stehen, ohne die Tür zu schließen. Er überlegt, ob er wieder einsteigen und wegfahren soll. Weiter unten hört man jetzt das Löschfahrzeug über die Brücke rumpeln. Im Wagen vibriert die Lenksäule, weil er den Motor angelassen hat. Er sieht, wie unten auf der Straße die Strommasten in den Lichtkegel der näherkommenden Scheinwerfer geraten, wie die Lichter Tupfen in den Nachthimmel setzen. Überlegt noch einmal, ob er in den Cadillac steigen und verschwinden soll, bis er schließlich mit flatternden Hosenbeinen auf das Feuer zurennt.

Eddie Ryan schließt die Leitung. Einer der Männer schultert das Strahlrohr und klettert den Hügel wieder hinauf. Der andere setzt sich auf einen Stein und steckt sich eine Zigarette an. Eddie sieht Thad kommen und wartet auf ihn. Sie gehen zusammen zu den Trümmern der Sirupküche hinüber. Dort bleiben sie stehen und sehen auf den schwarzen triefnassen Berg von verkohltem Holz. Dampf rieselt ihnen als Regen auf Kopf und Schultern. Steine und Stahl zischen und rauchen, als die dicken Tropfen darauf landen.

Plötzlich leuchtet im Holzschuppen etwas auf, erhellt ein

Schein die Nacht in ihrem Rücken und wirft ihre Schatten auf das zusammengestürzte Gebäude und gegen die Rauchschwaden. Sie drehen sich um, in dem Glauben, daß das Feuer an einer anderen Stelle wieder aufgeflackert ist, sich unter der Erde weitergefressen hat, eine heiße Stelle, die sich entzündet hat. Im Schuppen sitzt Raudabaugh, die Kleidung zerrissen, mit schwarzem Gesicht und qualmendem Haar. Barkley steht neben ihm und fummelt an der Laterne, von der der Schein kommt. Raudabaugh sitzt auf einem Holzklotz und hat seine riesigen Hände auf die Knie gelegt.

«Ganze Arbeit, Thaddy, mein Junge», sagt er zum Einsatzleiter. «Ich glaub, du hast den Schuppen vorm Feuer gerettet.»

Seine Stimme klingt eher wie das Meer als wie eine Stimme. Sie klingt wie Wellen, die über Sand und Steine schwappen.

Mary Looney, Mary Rooney und Ronny Rounds haben schon ganz schön einen in der Mütze. Ronny schneidet Grimassen. Er schiebt die Nase mit den Fingern hoch, dann zieht er mit Zeige- und Mittelfinger der anderen Hand die Unterlider herunter. Weil er betrunken ist, schiebt und zieht er wirklich.

«Du bist abartig», sagt Mary Rooney. «Du bist schon ein Schwein, wenn du nicht so 'nen Scheiß machst.»

Mary Looney sagt: «Hört mal zu», und erzählt dann eine Geschichte von einem Mann, der eine Dauerwelle haben wollte.

«Er war wie eine Frau angezogen, aber wir haben sofort gemerkt, daß es ein Mann ist, weil die Titten total verkehrt saßen. Nur ich und Blond Bomber von diesem Hippie-Sender waren im Laden. Sie wollte diesen Mop, den sie Haare nennt, nachfärben lassen. Sie sagt zu ihm: ‹Du bist ein Typ›, und er fragt, woher sie das weiß. Sie sagt: ‹Deine

Titten sitzen total verkehrt, viel zu weit oben.› Dann haben wir ihn dazu gebracht, daß er sich auszieht, und wir haben ihm gezeigt, wie sie richtig sitzen müssen. Blond Bomber hat sogar das Top ausgezogen und ihm gezeigt, wie ihre sitzen. Sie hat 'ne Tätowierung auf der linken. Das *Schärfste*, was ich je gesehen habe, so ein Pferd mit einem Horn. Der Transvestit und ich standen einfach nur da und guckten es uns an. Ich würd's nicht erzählen, wenn ich nicht betrunken wär, aber ich durfte es anfassen. Es war so warm. Es war blau und warm. Ich dachte irgendwie, es müßte kalt sein, es war aber nicht kalt. Es war warm. Ich sagte, sieht aus, als würde es weh tun, und sie sagte, sie merkt es kein bißchen. Ich hab beschlossen, daß ich auch so eins haben will, wenn Mare und ich nach Florida fahren. Aber ich will eins haben, das ich immer spüre.»

Keiner sagt etwas, als Mary Looney mit der Geschichte fertig ist. Sie sehen in ihre Gläser, auf ihre Hände. Schließlich redet Ronny Rounds.

«Und was war mit dem Typ in Frauensachen?»

«Na, schwul war er jedenfalls nicht», sagt Mary Looney. «Blond Bomber steht da und zeigt mir die Tätowierung, und wir sehen zu dem Typen rüber, und da kriegt der doch wirklich 'nen Steifen. Ehrlich, wir wurden nicht schlau aus dem.»

«Ich will tanzen gehen», sagt Mary Rooney.

Die drei fahren zusammen in die Stadt; Ronny Rounds sitzt am Steuer, Mary Looney in der Mitte und Mary Rooney außen. Sie gehen in die Flat Street Bar, und zufällig macht Blond Bomber den Diskjockey, schwänzt die Therapiegruppe. Die Haare stehen ihr vom Kopf ab wie Speichen von einem Rad, nur voller, wie bei einem Stachelschwein mit ziemlich langen Stacheln. Als sie Mary Looney sieht, schreit sie ins Mikrofon.

«He, Mary Looney. Narben halten ewig.»

«Die hat ja wohl nicht mehr alle Nadeln auf der Tanne», sagt Mary Looney zu Mary Rooney.

Ronny Rounds schnappt sich Mary Looney und führt sie auf die Tanzfläche. Mary Rooney steuert die Theke an. Sie denkt, ich halt dieses Leben nicht mehr lange aus. Aus dem Lautsprecher dröhnt: *«Dance a little closer, dance a little closer tonight»*. Sie legt die Arme um den Körper, als wäre ihr kalt, dort an der Theke, wiegt sich langsam in den Hüften, nach hinten und nach vorne. Sie hat immer gedacht, der Unterschied zwischen Männern und Frauen wäre, daß Männer ein Leben haben und Frauen Leben geben, aber jetzt klingt ihr selbst das nur wie leere Worte im Kopf. Sie denkt wieder daran, sich umzubringen, aber auch das ist nur eine Möglichkeit, die Zeit rumzukriegen.

«Ich bin verrückt nach dir», flüstert Ronny Rounds in Mary Looneys Haar.

«So siehst du aus», sagt sie. «Genauso siehst du aus.»

Die Männer sitzen in Raudabaughs Holzschuppen und warten darauf, daß Tom Doody den Kasten Bier anschleppt. Thad verstaut die Ausrüstung im Löschfahrzeug.

Tom Doody schreit nach Licht, und Thad haut auf den Schalter vom Suchscheinwerfer. Die plötzliche Lichtflut scheint Tom umzuwerfen. Er landet auf dem Hintern und rutscht den Rest des Weges hinunter. Den Kasten hält er hoch, damit das Bier nicht geschüttelt wird.

Raudabaugh erzählt gerade, wie er Sirup ins Feuer gegossen hat, und da hat's ihn auch schon flachgelegt. Er ist im Holzschuppen wieder aufgewacht und konnte zusehen, wie die Freiwillige Feuerwehr den Brand löschte.

«Das ist einfach so eine Sache, für die es keine Erklärung gibt», sagt Dick Doody. «Wie wenn 'ne Frau 'nen Buick hochstemmt, um ihr Kind zu retten.»

Diese Erklärung genügt den Männern von der Feuerwehr. Sie sind müde, und bei den meisten ist inzwischen das Abendessen zu Haus auf dem Tisch kalt geworden. Sie lassen die Bierkiste rumgehen, und Raudabaugh bringt noch genug Energie auf, um einen Krug von seinem besten Apfelwein hervorzuholen.

«Egal, wie's ausgegangen wäre, Raudabaugh, du bist in guten Händen. Wir haben immer Eddie dabei, als besonderen Service.»

Alle lachen darüber, sogar Eddie, obwohl er es nicht komisch findet. Bestatter zu sein ist ein hartes Geschäft.

«Dickie», sagt Barkley Kennedy zu Dick Doody, «ich glaub, da ist noch 'ne Kiste von dem guten Bier im Kofferraum. Sei ein guter Junge und bring's uns her.»

«Jaha», sagt Joe Paquette, «sei ein guter Dickiejunge und bring's uns her.»

Meilen entfernt sitzt Rose Kennedy in ihrem dunklen Haus am Tisch vor dem Panoramafenster. Sie peilt mit ihrem Teleskop einen nahen Stern an, das Licht der Laterne in Raudabaughs Holzschuppen. Ohne den Blick abzuwenden, notiert sie flink die Namen der anwesenden Feuerwehrmänner. Als sie alle zusammenhat, geht sie ans Telefon und ruft die Frauen an, um sie wissen zu lassen, daß es eine lange Nacht wird.

Dome, der Mann von Mrs. Huguenot, tappt auf bloßen Füßen durchs Haus. Mit einer Taschenlampe sucht er sich einen Weg. Der Boden ist kalt, aber er hat viel Bewegungsfreiheit, denn je mehr Mrs. Huguenot im Lauf der Jahre an Gewicht, an Leibesfülle zunahm, desto weiter wurden die Möbel auseinandergerückt. Er sitzt in ihrem Sessel, auf dessen Lehnen er nicht gleichzeitig beide Ellbogen stützen kann. Er denkt an seine Harley Davidson, Baujahr 42, unter einer Plane in der Scheune, die sie als Garage benutzen.

Bald wird er sie durch das große Tor hinausrollen, sie anwerfen, in die Sonne hineinfahren und sich den Brückenpfeiler suchen, der für ihn bestimmt ist. Er lacht über diesen dummen Gedanken, steht auf und füllt die Gießkanne. Dann gibt er jedem der dreißig Bonsais ein wenig Wasser.

Als er fertig ist, geht er in sein Zimmer, zieht sich bis auf die Unterhose aus, wuchtet dreihundert Pfund auf die Stange, legt sich hin und fängt an, sie zu stemmen. Seine Haut ist alt und schlaff, aber die Muskeln darunter sind wie Stahl. Je schwerer Mrs. Huguenot wurde, desto schwerer wurde das Gewicht, das er von seiner Brust hochstemmte, desto stärker wollte er sein, um die Kraft zu haben, sie so zu lieben, wie sie es verdiente, und jetzt ist sie von ihm gegangen, gestorben.

Die Stange kommt herunter, und er kriegt sie nicht mehr hoch. Er hat dieses ganze Zeug im Kopf und dabei vergessen zu zählen, vergessen, auf den einen Stoß zu achten, der der völligen Ermüdung der Muskeln vorausgeht, und jetzt liegt er da, allein in dem dunklen Zimmer, mit der Stange auf dem Brustkorb und dreihundert Pfund Eisen an der Stange, und kann sie kein Stückchen bewegen.

Er lacht und keucht, müht sich ab unter dem Gewicht und versucht, sich an die Worte zu erinnern: Wenn ich nicht lache, muß ich heulen, aber es gelingt ihm nicht. Er dreht sich nach rechts, stemmt die Stange mit der linken Hand hoch und klemmt die rechte Schulter darunter. Er kippt die Stange, bis sie seinem Griff entgleitet, auf den Dielen aufschlägt und eine tiefe Delle hinterläßt.

Er liegt da, keucht, sein Brustkasten hebt und senkt sich, und kalter Schweiß tropft an ihm herab.

«Schatten im Sommer, Wärme im Winter. Ich kann ohne diese dicke Frau nicht leben», sagt er, doch er weiß, daß er es tun wird.

Louis Poissant sieht zu, wie die Jungen mit den Melkmaschinen zwischen der Pumpstation und den Kühen hin- und herlaufen. Die Mädchen werfen den Tieren Futter in die Tröge. Wenn sie so schnell arbeiten, sprechen sie französisch miteinander, wie in Quebec, oder sie sagen gar nichts. Louis steht mittendrin, aber nicht im Weg. Er riecht entsetzlich nach Rauch. Seine Schuhe sind schwarz und die Hosen verdreckt. Seine Hände sind verbrannt und glänzen jetzt im Licht, dick mit Salbe eingeschmiert.

Er möchte sich eine Zigarre anzünden, aber das Rauchverbot im Stall beachtet selbst er.

Mrs. Huguenot liegt auf der Bahre, in ständiger Bewegung. Ihre Füße sind zusammengebunden und ihre Hände auch, und die Augenlider schlagen flatternd gegen das Pflaster, das sie geschlossen hält. Die schwachen Hirnströme haben ausgesetzt, das Gehirn fängt an zu fließen und läuft ihr zu den Ohren raus. Sie stöhnt, als die Luft ihrem Körper entweicht, an den Stimmbändern vorbeistreicht und ihr Zahnfleisch kitzelt. Es heißt, manche Leichen würden sich aufrichten, aber nicht sie. Es ist schon Jahre her, daß ihre Wülste das zugelassen hätten. Liegen, das ist in den letzten Jahren genau das richtige für sie gewesen. Ihr Mund ist fest geschlossen, verzerrt sich, schließt sich wieder. Ihr Gebiß ist nicht drin, und man wird ihr den Kiefer brechen müssen, damit sie es wieder reinläßt. Ihre Innereien zersetzen sich allmählich, und ihr Blut nimmt den Weg allen Wassers, sucht den Abflußpunkt, sucht eine Möglichkeit, durch ihre Hügel herunterzulaufen. Sie fließt über, wo sie nur kann, großzügig im Leben und danach.

Mrs. Huguenot liegt auf der Bahre, gewaltig in ihrem Tod, während zu dieser Stunde die Leute in Inverawe darauf warten, daß der Morgen sie wieder in Bewegung versetzt.

8

Mary steht früh auf und tritt ans Fenster. Die Welt draußen ist grau und naß. In der Nacht sind Wolkenbänke aufgezogen, geladen mit Regen, und haben ihn ohne Unterlaß ausgeschüttet. Hinter ihr im Bett liegt ihr Mann. Von dem Feuerwehreinsatz ist er ganz durchnäßt nach Hause gekommen, verfroren, halb betrunken, nach Rauch stinkend und geil. Sie wollte seine Geliebte sein, aber es war ziemlich mühsam. Sie half ihm so gut sie konnte, aber schließlich schlief er ein, schlaff in ihrer Hand und immer noch nach Rauch stinkend.

Das Ganze hatte irgendwann angefangen, auch sie zu erregen. Sie ging ins Badezimmer, stellte das Radio an und besorgte es sich selbst, während Roy Orbison «Pretty Woman» sang.

Sie muß an Clifford Manza denken. Gestern abend hat sie ihm die Haare gewaschen und das magere, eingefallene Gesicht geschminkt. Sie will sein Gesicht gerade jetzt nicht im Kopf haben, doch in letzter Zeit ist die Liste toter Männer und betrunkener Männer lang gewesen. Nachdem Roy Orbison sein Lied zu Ende gesungen hatte, war es Clifford gewesen, an den sie dachte.

Sie verschränkt die Arme und seufzt. Sie fragt sich, wer sie ist, und lächelt dann, weil es eine so dumme Frage ist.

Sie weiß, wer sie ist. Sie ist Mutter und Ehefrau und Geschäftspartnerin. Komisch, denkt sie, wie die Aufzählung in dieser Reihenfolge zustandekommt. Ist aber seine eigene Schuld, daß er nur an zweiter Stelle steht. Wenn er in dieser Nacht etwas weniger betrunken gewesen wäre, hätte er als Nummer eins ganz groß rauskommen können, ihre Nummer eins. Sie ist dreißig, und manchmal wünscht sie sich nichts sehnlicher, als seine Hände auf ihrem Körper zu spüren.

Sie wünscht sich nichts sehnlicher, als seine Hände auf ihrem Hintern zu spüren, wie sie ihren Rock hochschieben, oder seine Hände, die an ihren Rippen hochgleiten, zu den Brüsten, daß sie im Mund, unter den Achseln und zwischen den Beinen feucht wird.

Wieder denkt sie an Clifford Manza und weiß, daß sie sich mehr Mühe geben muß, die Toten im Keller, im Wohnzimmer, in der Kirche und in der Erde zu lassen. Es ist gar nicht Clifford. Es ist dieser gespenstische Übergang vom Winter zum Frühling. Es ist das dritte Mal, daß sie das in Inverawe erlebt, und das erste Mal, daß es ihr zu schaffen macht.

Sie beschließt, mehr Frau zu sein. Sie wird sich bis zum Rand mit Leben füllen, so daß kein Raum mehr für tote Gesichter bleibt. Sie ist nicht sicher, wie sie das angehen soll, doch im Augenblick genügt der bloße Gedanke, um sie aufzurichten.

Sie läßt das Nachthemd am Fenster fallen, steht da in ihren langen Unterhosen und spürt die Kälte des Zimmers auf der Haut. Die Kälte flirtet mit dem Blut in ihren Adern, macht ihre Haut fleckig und die Brustwarzen hart. Sie beschließt, daß es das beste ist, wenn die Kinder immer zuerst kommen. Es ist die menschlichste, zivilisierteste Einstellung, die man haben kann. Bei diesem Gedanken stutzt sie. Merkwürdig, daß das, was für Menschen zivilisiert ist, für alle anderen Tiere der einzige Grund zum Leben ist. Punkt eins, denkt sie, handle weniger zivilisiert und mehr instinktiv.

Sie geht ins Bad, um zu pinkeln, tut es aber nicht. Sie sitzt nur da, die Unterhose ringelt sich um ihre Knöchel, und sie denkt an ihre Kinder und ihren Mann. Sie fühlt, wie sie größer wird, mutiger, wie ein Polizist im Kampf gegen die Mafia stellt sie sich dem neuen Tag.

Als sie die Kinder machten, haben sie und Eddie die Tage ausgewählt, an denen es geschehen sollte. Dieses Geheimnis behält sie für sich, denn viele ihrer Freundinnen haben Probleme gehabt, schwanger zu werden. Sie nicht. Sie hat beide Male den Tag bestimmt, ihm gesagt, heute nacht passiert's, und sie haben ein Fest daraus gemacht.

Sie strampelt sich aus der langen Unterhose und spreizt die Beine ein wenig. Sie streichelt sich wieder, wie sie es gestern nacht getan hat. Sie stellt sich vor, ihre Finger wären eine Zunge. Sie beobachtet sich in den Spiegelfliesen an den Wänden des Badezimmers. Was sie sieht und fühlt, gefällt ihr.

Unten läutet das Telefon. Sie flucht, zieht die lange Unterhose wieder hoch, bis über die Hüften und geht hinunter zum Telefon. Cody sitzt am Frühstückstisch und ißt mit den Kindern Cornflakes, aber sie sieht ihn nicht rechtzeitig. Sie hebt den Hörer ab, meldet sich und schnappt nach Luft.

Die Kinder lachen, und Cody wird rot, als sie in den Flur zurückspringt, um aus ihrem Blickfeld zu kommen.

«Mrs. Ryan. Dome hier. Sie will mit dem Scheißeichhörnchen begraben werden.»

«Dem Eichhörnchen?»

«Ja. Dem Scheißeichhörnchen, das den Aschenbecher hält.»

«Das geht schon in Ordnung, Mr. Huguenot.»

«Nicht Mr. Huguenot. Ich heiß Dome.»

«Das geht schon in Ordnung, Dome.»

Mrs. Huguenot hat einmal ein Eichhörnchen überfahren. Die Leute sagten, daß das Tier wirklich bescheuert gewesen sein mußte, weil sie nie schneller fuhr als fünfunddreißig Meilen pro Stunde. Sie kam immer ganz langsam über den Highway angewalzt, manövrierte ihren geräumigen Ford im Winter über die Frostschäden, im Frühling über die schlammbedeckten Straßen, die wie Kord gerippt waren, über Straßen, die im Sommer so hart wie Kesselblech waren und im Herbst noch härter wurden, wenn der Frost begann, in den Boden einzudringen. Auf dem Heck ihres Wagens stand: ICH BREMSE FÜR TIERE.

Das Eichhörnchen zu überfahren war einer jener Einschnitte in ihrem Leben, die zur rechten Zeit kommen. Jeder durchlebt solche Momente, in denen sich alles verändert. Alle Momente münden in diesen einzigen Moment, aus Lastern werden Ziehharmonikas. Die Zeit bleibt stehen, und auf alles andere bezieht man sich dann mit davor oder danach.

«Sie fuhr an den Straßenrand und packte das Tier in ihr weißes Taschentuch. Sie legte es auf den Sitz neben sich und fuhr sofort nach Hause. Am nächsten Tag schickte sie es zu einem Mann nach Georgia, und eine Woche später kam es zurück und hielt einen Aschenbecher.»

«In Ordnung, Dome. Ich sag meinem Mann Bescheid.»

«Wir rauchen nicht mehr. Ich hab zu ihr gesagt, sie soll den Aschenbecher wegnehmen und ihm eine Schale mit Nüssen zum Halten geben. Ich hab gesagt, das würde witzig aussehen. Als ob der kleine Scheißer die Nüsse klaut.»

«Das ist eine schöne Geschichte, Dome. Ich sag meinem Mann Bescheid.»

«Sie sagte zu mir: ‹Heute nacht schläfst du auf dem Sofa!› – ‹Gut›, sag ich, ‹und der kleine Pisser schiebt mir Cashewnüsse ins Maul.›»

«Ich sag meinem Mann Bescheid.»

«Okay. Ich wollt's Ihnen nur sagen.»

Mary langt um die Ecke, um den Hörer aufzulegen. Sofort läutet es wieder. Joe Paquette kann nicht mit dem Heckbagger der Doody-Brüder kommen, um Cliff Manzas Grab auszuheben. Es hat zuviel geregnet.

«Wenn ich bei dem Wetter da reinfahre, wo der Frost noch im Boden sitzt, reiß ich die ganze Erde auf.»

«Du mußt, Joe. Die Beerdigung ist heute nachmittag. Du mußt jetzt da reinfahren.»

«Ist nicht. Müßt ihr ihn eben weiter auf Eis lassen.»

Mary legt auf. Sie unterhält sich nicht gerne mit Joe Paquette, wenn sie oben ohne ist. Bei ihm kriegt sie eine Gänsehaut. Sie geht wieder nach oben und rüttelt Eddie wach.

«Komm, mein Liebster. Du hast genug Schönheitsschlaf gehabt. Du hast viel zu tun heute.»

Sie zieht ihn unter die Dusche und dreht das Wasser auf. Die Leitungen hämmern, und das Wasser zischt. Erst ist es zu kalt, dann zu heiß, dann geht es.

Mary sitzt auf dem Toilettendeckel und erklärt ihm, daß er Mrs. Huguenot holen muß. Dann muß er ein Grab für Clifford Manza ausheben, weil Joe Paquette es nicht macht, dann muß er Clifford zum Friedhof fahren, in die Erde legen, Mrs. Huguenot einbalsamieren und ein Grab für sie ausheben. Vielleicht sogar zwei Gräber.

«Und mach fertig, was du letzte Nacht angefangen hast. Keine Sonderwünsche. Nur laß mich nicht zu lange warten, sonst such ich mir 'nen Ersatzmann.»

«Cody», brüllt Eddie, worauf Mary aufspringt und sich etwas überzieht.

Während Mary Eileen für die Schule fertigmacht, sitzen Eddie und Cody bei Clifford Manza.

«Wie war die Sitzung gestern? Du bist nicht beim Fahren erwischt worden, oder?»

«Gut», sagt Cody. «Einer von den Jungs hat sein Rezept für selbstgebrautes Bier mitgebracht. Der Psychologe hat's ihn an die Tafel schreiben lassen, und wir haben's alle abgeschrieben. Hast du von diesem PMS-Zeug gehört, das Frauen kriegen? Sie kriegen's jeden Monat, wenn's bei ihnen soweit ist, und manchmal werden sie dann richtig zikkig.»

«Ja. Ich hab davon gelesen. Wieso?»

«Letztens hat eine von den Frauen gesagt, sie trinkt wegen ihrem PMS.»

Mary kommt ins Wohnzimmer.

«Ich will euch ja nicht hetzen, aber ihr reißt wohl besser mal den Arsch vom Stuhl.» Sie lächelt und geht durch den Flur in die Küche.

«Mensch», sagt Eddie, «irgendwie ist sie heute komisch. Irgendwas stimmt nicht. Ich möchte bloß wissen, was in sie gefahren ist. Sie sieht sogar anders aus.»

Cody zuckt die Schultern, dann sagt er: «Hab gehört, ihr habt gestern nacht einen draufgemacht. Du und die von der Feuerwehr.»

«Cody, heute wird's ziemlich eng. Ich muß bis Punkt zwölf heute mittag für den Kumpel hier ein Grab gebuddelt haben. Ich muß Mrs. Huguenot holen und fertigmachen. Und was weiß ich noch alles. Kannst du mir helfen? Ich zahl dir was. Das ist nicht in unserer Abmachung drin.»

«Mir was bezahlen! Verdammt noch mal. Ich eß dein Essen. Die Maschinen und ich und das Pferd schlafen auf deinem Grund und Boden. Manchmal bist du wirklich bescheuert. Ich erledige das mit dem Grab. In zwanzig Minuten bist du da und sagst mir wo.»

Cody steht auf, geht aus dem Haus und knallt die Tür hinter sich zu. Mary kommt wieder ins Wohnzimmer.

«Was hast du zu ihm gesagt?»

«Wieso?»

«Er hat Little Eddie genommen und ist weg. Hat ganz schön wütend ausgesehen. Er hat gesagt, er dreht mal 'ne Runde.»

«Nichts. Was hast du da an?»

Mary dreht sich in ihrem Jeans-Minirock und den blauen Strümpfen. Sie streicht sich über den Pulli, lächelt und geht aus dem Zimmer. Eddie denkt, wie lang zwanzig Minuten sind und was zwei Leute in dieser Zeit alles machen können. Er sagt Clifford, daß er gleich wieder da ist, und geht in die Küche.

«Komm her», sagt er, «ich hab was für dich.»

Eddie parkt den Leichenwagen an der Friedhofsmauer. Cody und Little Eddie sind schon da und sitzen im Führerhaus eines Heckbaggers, dessen gelber Lack Blasen wirft und mit Dreck verschmiert ist.

«Wo hast du denn den her?»

«Zeig mir einfach wo und was.»

Eddie geht zum Leichenwagen zurück, holt ein Stück weiße Zimmermannskreide und eine Schaufel. Er bedeutet Cody, ihm zu folgen, und der fährt langsam hinter ihm her.

Der Friedhof ist der älteste in der Gemeinde. Der älteste Grabstein ist der von Erasmus Elbridge. Er starb am 2. September 1732, als sein Lieblingshund auf sein Gewehr trat und sich dadurch ein Schuß löste. Die Kugel traf Erasmus Elbridge in die Schläfe. Er war sofort tot. Was für eine Art zu sterben, nur weil er das Gewehr abgelegt hatte, um zu pinkeln.

Erasmus hat den französisch-britischen Kolonialkrieg

und den Unabhängigkeitskrieg nicht erlebt, aber er liegt hier mit achtundzwanzig anderen, die beide Kriege mitgemacht haben.

Eddie geht den Weg in Richtung Westen hinunter. Zu beiden Seiten liegen große, dicke Grabplatten. Alte Friedhöfe gehören zu seinen Lieblingsplätzen auf dieser Welt, besonders dieser hier. Wenn er Zeit hat, kommt er hierher, liest, was auf den Grabsteinen steht, und stellt sich vor, wie die Leute gelebt haben. Hier kann er die Geschichte des ganzen Landes zurückverfolgen, die Kriege, alle, auch die Krankheiten: Grippe, Typhus, Masern, Kinderlähmung. All die jungen Frauen, die daran starben, daß sie die Kinder alter Männer zur Welt brachten. Der Mann, der gewettet hatte, daß er ein Pfund Rosinen essen könne, und die Wette gewann, aber an den Folgen starb. Die Frau, die die Saint Francis-Indianer erstachen und skalpierten. Ihr Haar verkauften sie den Franzosen. Der Marineveteran von 1812, um dessen Grabstein jetzt die Wurzeln einer Ulme gewachsen sind. Diejenigen, die daran starben, daß sie zuviel Herz hatten oder zuwenig.

Eddie bleibt bei der Friedhofsmauer stehen, ganz hinten, wo ein baumbewachsener Hang über eine halbe Meile steil zum Fluß hin abfällt. Mit der Kreide umreißt er ein Rechteck von Ost nach West, markiert die Stelle für den Aushub und gibt Cody ein Zeichen, ihm weiter zu folgen; sie verlassen die Stelle, wo Clifford Manza den Rest seines Todes zwischen seinen Frauen ausleben wird.

Sie halten sich rechts und folgen dem Weg hinunter auf eine breite Terrasse. Hier haben die Huguenots ihre Grabstellen gekauft, zwei für sie, eine für ihn, wenn es soweit ist. Sie wird einen schönen Blick über New Hampshire, Vermont und Massachusetts haben. Eddie umreißt ihre beiden Plätze und geht dann zum Bagger.

«Bleibt er bei dir da oben, oder soll ich ihn nehmen?»

«Er findet's hier ganz gut», sagt Cody und kitzelt den Jungen durch seine Daunenjacke.

Little Eddie turnt auf Codys Schoß herum.

«Im Schuppen sind Planen für den Aushub. Stich die Grasnarbe aus und stapel sie auf, so gut es geht. Ich versteh nicht, wieso Paquette das nicht machen konnte. Der Boden ist in Ordnung. Mach das hier zwölf Fuß tief. Wir müssen Beton reinschütten. Ich konnte keinen Übersarg kriegen, der groß genug ist. Ich sag Mary, sie soll was zu trinken und ein paar Sandwiches vorbeibringen. Sie kann ihn ja dann mitnehmen. Irgendwann verliert er sicher die Lust.»

Sie nicken sich zu, dann dreht sich Eddie um und geht den Weg wieder hoch. Er steigt in den Leichenwagen und fährt weg.

Eddie findet die Doody-Brüder in der Imbißstube. Sie hat einen neuen Eigentümer, und die Doody-Brüder sind angeheuert worden, um den alten Golfplatz in eine Art Tierpark umzubauen. Im Augenblick ist es ein Sumpf, und sie können nichts machen.

Die eine Hälfte ihrer Maschinen ist steckengeblieben, und die andere Hälfte ist kaputt, abgesehen von dem Heckbagger auf dem Tieflader, der auf Joe Paquette wartet.

Dick Doody reicht Eddie eine Tasse Kaffee und erklärt, Joe hat sich gestern nacht mit Marie gestritten, und das ist der Grund, warum er das Grab nicht ausgehoben hat, warum er nicht aufgekreuzt ist. Die Doody-Brüder hat er auch auf dem trocknen sitzen lassen.

«Meinst wohl, im Sumpf stecken lassen», sagt Tom.

«Scheiß drauf», sagt Dick. «Ich fahr jetzt los und mach die Gräber für dich.»

Eddie erklärt, daß Cody schon dabei ist.

«Wo hat er denn den Bagger her?»

«Keine Ahnung, aber auf jeden Fall macht er's.»

«Wir wollen mit ihm über den Schlepper und die Rückevorrichtung reden», sagt Tom Doody. «Wir würden ihm gern ein Angebot machen. Für den Tieflader auch. Wir haben ihm und Trimble alle sechs Monate geholfen, wenn sie woanders hingezogen sind. Was ist eigentlich mit Trimble, hat er an ihn verkauft?»

Dick sagt seinem Bruder, er soll den Mund halten. Er sagt, das geht ihn überhaupt nichts an. Eddie ist erleichtert. Zum erstenmal hätte er vor dem Problem gestanden, eine Erklärung abgeben zu müssen.

«Könnt ihr mir helfen?» sagt er, um das Gespräch auf etwas anderes zu bringen.

«Du hast gestern nacht auch schon so was gesagt», sagt Tom. «Dick und ich haben darüber geredet. In deinen Leichenwagen kriegst du sie im Leben nicht. Aber mach dir keine Sorgen. Wir haben alles organisiert.»

Eddie Ryan sitzt zwischen Dick und Tom Doody, als der Dreiachser über den Asphalt zu ihm nach Hause dröhnt. Dick fährt die Kurven weit aus, um den angehängten Tieflader vom Seitenstreifen weg und auf der Straße zu halten.

Für Dick ist Fahren eine Tätigkeit, bei der sein ganzer Körper beteiligt ist. Er fährt mit Zwischengas, tritt aufs Pedal und läßt die Hebel einrasten. Der Spiegel ist nie zu seiner vollen Zufriedenheit eingestellt, und in der Hand hält er immer einen Plastikbecher halbvoll mit Kaffee.

Hinter ihnen rumpelt der Tieflader, und darauf festgezurrt steht eine Kiste aus fünf dicken Sperrholzplatten. Darin liegt Mrs. Huguenot und genießt die Fahrt.

«Die haben wir gestern nacht zusammengebastelt», sagt Tom. «Zuerst haben wir die Platte auf die Kanthölzer gesetzt und festgenagelt. Dann haben wir den oberen Teil mit den Seiten zusammengeklopft. Paßt wie ein Deckel. Dick hat neulich eine neue Uhr bestellt, und die Schachtel, in der sie sie geschickt haben, war auch so. Dadurch sind wir auf die Idee gekommen. Sie war 'ne tolle Frau, ich sag's dir. Sie hat uns am Anfang ganz schön unter die Arme gegriffen. Das ist das mindeste, was wir tun können.»

Dick biegt in Eddies Auffahrt ein. Die übrigen Männer von der Freiwilligen Feuerwehr sind schon da, um mit anzupacken – Thad, Barkley, Benware Smith, Raudabaugh und sogar Mr. Washburn, dem der Laden gehört. Mary und Little Eddie sind auch da.

«Die Leute sind einfach hier aufgetaucht», sagt sie. «Thad hat den Cadillac von der Imbißstube hergefahren. Er hat gesagt, er dachte, wir brauchen Hilfe. Dann sind sie einer nach dem anderen gekommen. Barkley ist so süß. Ein Lustmolch, aber süß.»

Dies ist eine kleine Stadt, denkt Eddie, und ihm wird warm ums Herz. Irgendwann in den vergangenen drei Jahren ist jeder dieser Männer mal als Sargträger eingesprungen. Sie sind mit ihm gefahren, um die Leichen zu holen. Sie haben ihm geholfen, sie die enge Treppe hinunter in den Präparationsraum und wieder hoch zu schaffen. Er wünscht, Cody wäre hier, um das zu sehen, und nicht allein in der grauen Nässe des Morgens beim Gräberausheben. Er wünscht, Cody wäre hier, um die kleine Stadt bei der Arbeit zu sehen.

Schon haben die Doody-Brüder die Kiste losgebunden, und die Männer stehen neben den Griffen. Jeder Mann muß hundert Pfund Holz und Frau tragen. Sie gehen über den glitschigen Boden und bugsieren sie die Treppe hinunter und in den Präparationsraum, wo sie sie auf einer Rollbahre neben dem Tisch absetzen. Dann nehmen sie die Kiste auseinander und wuchten sie, immer noch in ihrem Sack, auf den Tisch.

«Wenn ihr mir bei Clifford Manza helfen könntet, wär ich euch dankbar», sagt Eddie.

Die Männer tragen Clifford Manza in den Leichenwagen. Sie machen ab, morgen wiederzukommen, um sie die Treppe hochzutragen, und übermorgen, um sie zur Beerdigung zu bringen.

«Danke», sagt Eddie. «Ihr seid wirklich großartige Freunde.»

Grinsend winken sie ab. Sie sagen, er würde das ja auch für sie tun, und dann lachen sie, weil ihnen klar wird, was für ein dummer Gedanke das ist.

«Bis dann», sagen sie und gehen, Dick und Tom zurück zum Sumpf, Mr. Washburn in seinen Laden, Thad zu dem Haus, das er baut, Benware zum Knast und Barkley zurück zu Rose und Ruhestand.

Keine Menschenseele ist gekommen, um von Clifford Manza Abschied zu nehmen. Eine feierliche Beerdigung ist nicht vorgesehen, nur das Abschiednehmen und ein Gottesdienst am Grab, den die Familie des Mannes organisiert, für den er gearbeitet hat, Louis Poissant. Die Zeremonie findet im Regen statt.

Doch Eddie ist nicht traurig. Er hat Clifford eine kleine Botschaft in die Tasche geschoben, eine Art japanischer Tanka. Die zweite Zeile lautete ‹Osteomyelitis›, und die letzte ‹Milch macht auch dich wieder fit›. Als Eddie auf dem Friedhof ankommt, ist Cody nirgendwo zu sehen. Die Gräber sind ausgehoben, doch von Cody und dem Bagger fehlt jede Spur. Louis Poissant und seine Familie warten im Cadillac. Eddie fährt mit dem Leichenwagen vor und stellt den Motor ab. Aus Louis Poissants Wagen ergießt sich ein Strom von Kindern und Jugendlichen. Sie sehen aus, als hätten sie ihr ganzes Leben im Regen verbracht, und deshalb sagt Eddie nichts über den Regen oder darüber, ob sie Regenschirme mitnehmen wollen, obwohl er ein Dutzend im Auto hat.

Bei den Kindern ist eine Frau. Sie scheint für alle eine Art Mutter zu sein, so wie Wendy für Peter Pan und seine

Freunde. Für Eddie sieht es aus wie eine von diesen zusammengewürfelten Familien, ein Haufen Kinder und eine eher junge Frau.

Viele Hände helfen mit. Kleine und große Füße schlurfen über den nassen Boden, und der Kiefernsarg wird auf die Versenkungsvorrichtung gestellt. Es fällt kein einziges Wort. Lediglich das Scharren der Stiefel ist zu hören, von Stiefeln aller Art, sogar verschiedene Sorten an einem Kind, und das Geräusch schniefender Nasen. Eddie stellt sich der Frau vor. Sie sagt ihm, daß sie Kay heißt und aus der Bibel lesen wird.

«Sollen wir noch auf Mr. Poissant warten?»

«Lohnt nicht», sagt einer der Jungen. «Er ist immer noch stinksauer, weil er die Milch wegkippen mußte, in der Clifford ersoffen ist.»

Kay tritt vor und liest aus der Bibel. Sie liest Prediger 3,1–9, Johannes 11 und Lukas 6,17–49. Dann schließt sie die Bibel und sagt den Kindern, sie sollen von Mr. Manza Abschied nehmen. Sie tun es.

«Okay, Mr. Ryan, Sie können ihn jetzt runterlassen. Holt eure Schaufeln, Jungs.»

Die Jungen gehen zum Wagen, und Louis macht den Kofferraum auf. Als sie ans Grab zurückkommen, fangen sie an zu schaufeln, daß die Erde nur so fliegt.

«Ich soll Sie daran erinnern, daß Sie bei der Rechnung an die Leihgebühr für seinen Bagger heute denken.»

Eddie nickt, während die Jungen die Grasnarbe auflegen und dann zum Cadillac zurückrennen. Kay geht hinterher und hält sie beieinander.

Eddie sitzt im Präparationsraum mit der fünfhundert Pfund schweren nackten Frau. Ihr Fleisch hängt überall über den Rand des Tisches herab, und ihr Bauch ragt mindestens zwei Fuß breit zur Decke hoch. Die Haut ihres

Oberkörpers ist hochgerutscht über Hals, Kinn und Lippen. Das Gesicht ist mehr schwarz als blau, und die Arme sehen eher wie Flossen aus.

Es klopft an der Tür. Es ist Cody.

«So eine Gelegenheit, das Bestatterhandwerk zu lernen, kriegst du so schnell nicht wieder», sagt Eddie.

Cody sagt nichts. Er schüttelt nur den Kopf und pfeift.

«Na denn», sagt er.

«Zuerst: Handschuhe, Schutzanzug, Überschuhe, Hauben, Mundschutz und Schürzen.»

Eddie gibt Cody die notwendige Schutzkleidung. Er erklärt, daß man sie wegen möglicher Infektionskrankheiten braucht: Herpes, Hepatitis, Masern, Röteln, Meningitis, Syphilis, Tripper, Trachom-Erreger, AIDS. Typhus, übertragen vom *pediculus humanus corporis*, allgemein als Körperlaus bekannt. «Um nur einige zu nennen», sagt Eddie.

«Darf ich überhaupt hiersein?»

«Betrachte dich als Angestellten dieses Instituts. Hand aufs Herz und ran an die Leiche.»

Eddie sieht seinen Freund an. Er ist froh, daß sie einen Mundschutz tragen, denn gerade jetzt fühlt er sich nicht besonders sicher. Er möchte sagen, bleib bei mir, guck dir an, was ich mache, sag mir, warum ich mich so beschissen fühle, wo ich mich gut fühlen sollte.

«Nimm den Schlauch da. Stell das Wasser lauwarm ein. Wenn's zu heiß ist, gerinnt das Blut. Als erstes müssen wir den Körper waschen.»

«Das sind zwei Sachen zuerst.»

«Neulich hab ich eine Postwurfsendung von einer komischen Organisation bekommen. Sie benennen Sterne ohne Namen nach einem Toten. Der Name kommt dann ins Internationale Sternenregister, und die Familie bekommt eine Bescheinigung auf Pergamentpapier, zwei Himmelskarten und die Broschüre ‹Unser Platz im Kosmos›.»

«Meine Mutter hat mir erzählt, bevor ich zur Welt kam, war ich nur ein glitzernder Stern am Firmament.»

«Meine Mutter hat mir erzählt, ich war ein glitzerndes Zwinkern im Auge meines Vaters.»

«Ich finde, da ist was dran», sagt Cody. «Mir gefällt der Gedanke. Ich glaub, ich werd einen Stern nach G. R. nennen lassen.»

«Das wäre schön, Cody.»

Es ist lange her, daß Cody G. R. erwähnt hat. Eddie freut sich. Er denkt, zum Teufel, wenn das Sternenregister hilft, warum nicht?

«Hab ich dir schon mal erzählt, daß ich ein Tagebuch habe?»

Durch Mundschutz und Haube hindurch denkt Cody, Eddie hat Tragetuch gesagt. So ist das. Jedesmal, wenn er mit seinem Freund eine gemeinsame Wellenlänge gefunden hat, sagt der irgendwas Seltsames.

«Nein, das hast du mir noch nie gesagt. Wo hast du es?»

«Oben in meinem Zimmer. Das wär vielleicht auch was für dich. Es ist eine Möglichkeit, die Gefühle, Stimmungen und Gedanken, die man jeden Tag hat, zu dokumentieren.»

Endlich versteht Cody, wovon Eddie redet. Er denkt an die Hefte mit dem braunen Einband, die Mr. Nims in der Gruppe ausgeteilt hat. In seinem stehen ein paar Wörter, die er von der Tafel abgeschrieben hat: *Alkohol ist eine Droge, eine starke, süchtigmachende Droge*. Weiter steht nichts in dem Heft. Es gefällt ihm so, weiß und rein, mit dünnen blauen Linien.

Nachdem sie Mrs. Huguenot gewaschen haben, desinfiziert ihr Eddie Mund und Nase.

«Wenn sie Barthaare hätte, müßten wir sie rasieren, aber sie hat zum Glück keine. Jetzt sieh genau hin.»

Ohne ein weiteres Wort bricht ihr Eddie den Kiefer, damit die Zähne in den Mund passen. Als sie drin sind, näht er den Mund zu. Er tupft ihre Augen ab, trägt Vaseline auf und schließt sie sanft.

«Gute Nacht, altes Mädchen», sagt er, als ob er sie mit dieser Geste zur ewigen Ruhe gebettet hätte.

Während Eddie eine Schicht Creme auf ihr Gesicht aufträgt, erklärt er Cody, in welche Position sie den Körper für das Einbalsamieren bringen müssen und wie wichtig das ist. Sie arbeiten schweigend, schnallen Schultern, Ellbogen, Fersen und Gesäß fest. Sie lagern den Kopf hoch und befestigen die Brüste mit Klebeband in der richtigen Stellung.

Eddie klemmt den Schlauch am Tisch fest und dreht das Wasser auf. Als nächstes macht er einen Schnitt in Mrs. Huguenots Hals und zieht zunächst die innere Halsvene, dann die Halsschlagader heraus. Er führt eine Kanüle in die Halsschlagader ein und ein Drainageröhrchen in die Halsvene, klemmt beide fest und setzt dann den Irrigator in Gang, der Formalin durch Mrs. Huguenots Körper pumpt, während Cody und Eddie sie bewegen und massieren. Obwohl sie schon viele Stunden tot ist, kommt das Blut noch warm aus ihrem Körper.

Als sie mit der Injektion fertig sind, entfernt Eddie die Kanülen, unterbindet die Gefäße und vernäht den Einschnitt. Er zeigt Cody, wie er die Maschine reinigen muß.

Während Cody das macht, steht Eddie auf einem Stuhl und saugt ihre Körperöffnungen ab. Danach injiziert er zwei Flaschen Formalin und verschließt den Einstich.

«Das hier muß alles desinfiziert und sterilisiert werden. Morgen kommt eine Friseuse und macht ihr die Haare, und dann besorgt Mary das Schminken. Wir müssen sie in den Sarg legen und nach oben schaffen, aber daran, wie das gehen soll, will ich im Moment lieber nicht denken.»

Eddie schlüpft ins Bett, an Marys Rücken. Er legt die Arme um sie und leckt ihr zärtlich mit der Zunge im Ohr. Sie trägt etwas knappes, seidiges Schwarzes.

«Ich konnt's fast nicht erwarten», flüstert sie.

«In letzter Zeit bist du unersättlich.»

«Ich weiß. Mach schnell. Ich will dich jetzt gleich in mir.»

Danach, als das Zimmer ganz dunkel und der Schweiß auf ihren Körpern kalt geworden ist, steht Mary auf und zieht ihr Flanellnachthemd an. Sie sagt leise zu Eddie, daß für die nächsten zwei Tage schon alles arrangiert ist. Er muß nur dastehen und höflich lächeln.

«Weißt du», sagt sie, «das war die längste Anzeige, die ich je aufgeben mußte. Scheint, als ob der Zeitungsherausgeber und sie alte Freunde waren. Er kam gleich selbst an den Apparat und hat mir gesagt, er und Mrs. Huguenot hätten den Text für die Anzeige schon geschrieben.»

«Merkwürdig», sagt Eddie. «Bei jedem Schritt, den wir tun, sieht es so aus, als ob sie schon vorher dagewesen ist und alles organisiert hat.»

«Genau.»

Mary kommt wieder ins Bett, und er zieht sie an sich. Sie drängt sich mit dem Po an seinen Unterleib, mit dem Rükken an seine Brust.

«Mary», flüstert er, «weißt du was über dieses PMS?»

«Ja. Ich weiß alles darüber. Ich hab's auch ein bißchen, da bin ich ganz sicher. Schlaf jetzt.»

Cody rumpelt mit dem Bagger über die dunklen Straßen. Der einzige Scheinwerfer, der noch dran ist, ist mit Draht in seiner Halterung befestigt, doch sein Schwanken und Klappern geht im Dröhnen des Dieselmotors unter.

Er fährt am Knast vorbei, auf die River Road und folgt ihr den Berg entlang. Er biegt in die Einfahrt zu Louis Poissants Farm. Es scheint ewig zu dauern, bis er dort ankommt.

Das Haus liegt im Dunkel, aber im Stall ist Licht. Louis steht an den Kälberboxen und läßt ein Kalb an seinen Fingern saugen.

«Was schulde ich dir für den Bagger?»

«Vergiß es. Eine Hand wäscht die andere.»

«Das ist fair.»

Cody stützt die Ellbogen auf die Box und läßt die Hände herabhängen. Ein Kalb nimmt seine Finger ins Maul und saugt daran.

«Ist Kay da?»

«Denk schon.»

«Geht's ihr gut?»

«Ja, seit sie von Winchester hierhergezogen ist. Sie sagt, es gefällt ihr besser da, wo keiner sie kennt.»

Cody dreht sich um und geht. Als er zur Stalltür herauskommt, wirft er einen Blick auf das große dunkle Haus, wo Louis Poissants Sippe in den Betten liegt. Er überlegt, welches Fenster wohl das von Kay ist, aber das ist nur so ein Gedanke. Er klettert in seinen Pickup und fährt weg.

In dieser Nacht träumt Eddie, er ist ein kleiner Junge, und es ist Samstag morgen, Zeit um aufzustehen und Zeichentrickfilme anzugucken. Seine Eltern schlafen noch, und deshalb geht er leise die Treppe hinunter. Unten angelangt, ist er in seinem eigenen Haus, und Mrs. Huguenot liegt da in ihrem Sarg. Es ist ein Wohnwagen mit zurückgezogenem Dach, das wie der Deckel einer Sardinenbüchse auf den Öffner gerollt ist. Eileen ist da. Sie hat Mrs. Huguenots Wangen dick mit Rouge eingerieben und ihr Lippenstift um den Mund geschmiert.

Sie sagt gerade: «Großmutter, was hast du für große Zähne.»

Eddie wird wach und setzt sich auf. Er sagt sich, mit so

einem Traum zahlt Gott es ihm heim, daß er ein Arsch ist. Das ist das einzige, was ihm einfällt. Er schreibt den Traum in sein Tagebuch, geht nach unten und genehmigt sich einen Schluck zur Betäubung. Er sieht, daß die Kellertür offensteht, und geht auch diese Treppe hinunter. Bei jedem Schritt sagt er sich, es kann nicht angehen, daß dies sein Traum ist, der wahr wird, aber die Ähnlichkeit entgeht ihm nicht.

Cody ist im Präparationsraum. Er lehnt an der Wand und sieht auf Mrs. Huguenot.

«Cody, du solltest nicht hier drin sein», sagt Eddie.

«Ich hab darüber nachgedacht, wie froh ich bin, daß ich das mit G. R. gemacht habe, was ich gemacht habe. Ich weiß auch nicht, warum. Ich kann mir einfach nicht vorstellen, daß man so was mit ihm macht.»

«Manche Leute scheint es aber zu trösten.»

Eddie hält sich Mund und Nase mit der Hand zu. Der Formalingeruch scheint stärker zu sein als sonst.

«Wär mir lieber, du würdest sagen, für dich war das bloß 'n Job.»

«Ich kann verdammt noch mal auch nicht immer die richtigen Worte finden. Manchmal hab ich das Gefühl, ich stehe total neben mir.»

Cody richtet sich auf. Er möchte Kays Namen sagen. Er sieht ein letztes Mal auf Mrs. Huguenot und geht aus dem Raum, aus dem Haus, und als er geht, macht er die Lichter aus und schließt die Türen. Eddie erinnert die Verdunklung an den Krieg. Kein Strom, kein Licht, nur der Geruch von Verbranntem und Kordit und der erstikkende Geruch von Formalin. Er steht im Dunkeln, direkt vor der dicken Frau auf dem Tisch. Er steht in der kalten Dunkelheit, bis er zu schwitzen anfängt und ihm schwindlig wird.

Er riecht nur noch das Formalin. Er macht Licht an und

sieht, daß sich auf dem Tisch um das Gesäß der dicken Frau eine Lache gebildet hat. Die Flüssigkeit ist durch die Darmwand gesickert und aus dem Körper ausgetreten. Er schüttelt den Kopf, sagt: «Zum Teufel damit», und gibt es für heute nacht auf.

9

Als er hört, wie Eileen die Treppe hinunterfällt, ist Eddie mit einem Satz aus dem Bett. Nackt läuft er nach unten, nimmt zwei, drei Stufen auf einmal. Sie sitzt auf dem Boden, reibt sich den Kopf und brüllt wie am Spieß.

Er nimmt sie hoch und drückt sie an sich. Instinktiv will er für sie ihren Kopf reiben, doch dann denkt er, wie unsinnig das ist. So drückt er sie an sich und sagt ihr, es ist schon gut.

«Hat sie sich was getan?»

Mary steht oben an der Treppe und hat Angst, jetzt herunterzukommen. Sie sagt es nicht, aber sie ist überzeugt, daß es ihre Schuld ist. Als sie mit Eileen im sechsten Monat schwanger war, ist sie ausgerutscht und auf dem Steißbein eine Treppenstufe nach der anderen runtergerutscht, bis sie unten auf dem Boden landete. Eddie strich damals ein Haus in Syracuse an. Sie rief ihn an und drängte ihn, sofort nach Hause zu kommen. Noch nach einer Woche konnte sie nicht sitzen. Jeden Morgen, bevor er zur Arbeit fuhr und sie allein ließ, weil sie das Geld brauchten, beschrieb er ihr die Farben des Blutergusses, und am Abend noch einmal. Seitdem sind ihr Treppen etwas unheimlich.

Später bekam sie vorzeitige Wehen und mußte für den Rest der Schwangerschaft liegen. Jedesmal, wenn Eileen fällt oder stolpert, gibt sie sich die Schuld, auch wenn sie weiß, daß das albern ist.

«Bring sie rauf. Bring sie hier rauf.»

Eddie trägt seine Tochter die Treppe hoch. Jedesmal, wenn er sie trägt, kann er sich nicht genug darüber wundern, wie groß sie wird, wie dünn und feingliedrig ihre Hände und Füße geworden sind, wie sehr sie jetzt ihrer Mutter ähnelt.

«Ich hab mir den Kopf gestoßen», schnieft sie in seinen Nacken.

«Das wird schon wieder. Ich mach mir Sorgen um die Stufen», sagt er, «ich hoffe, du hast sie nicht kaputtgemacht.»

«Daddy, wie hätte ich die Stufen kaputtmachen sollen?»

Er gibt keine Antwort. Als er oben ist, will er sie ihrer Mutter übergeben, doch das Mädchen klammert sich an seinen Hals. Er trägt sie ins Schlafzimmer und steckt sie unter die Decke. Mary legt sich zu ihr, während Eddie sich eine lange Unterhose anzieht.

«Wolltest du Pipi machen?» fragt Mary. «Du hättest doch auf unser Klo gehen können.»

«Eure Tür war zu.»

Eddie kommt zu ihnen ins Bett. Er kitzelt erst Eileen und dann Mary. Beide sagen ihm, er soll das lassen.

«Ich glaube, ich wollte Pipi machen, aber vielleicht hab ich geträumt.»

«Als Kind hat man's schon schwer», sagt Mary.

«Ich hab mir mal den Kopf gestoßen, als ich noch ein Kind war», sagt Eddie. «Mein Vater hatte einen Holzschrank im Keller. Da drin hatte er sein selbstgebrautes Bier. Das Bier, die leeren Flaschen, die Kronkorken und die Maschine für die Kronkorken. Ich bin mit meinem Fahrrad um die Treppe herumgefahren. Und ich bin ganz schön schnell gefahren, immer im Kreis. Wenn man da aus der

Spur kam, dann war Sense. Dann knallte man gegen den Öltank oder den Ofen oder an einen Pfosten oder so. Ich fahre also immer schneller und schneller und bums, voll gegen die Ecke von dem Schrank. Überall war Blut. Und weißt du was? Ich hab Sterne gesehen, richtige Sterne. Sie waren blau und rot und silbern und golden. Sie haben gefunkelt. Mit drei Zacken, vier Zacken und fünf Zacken. Es war wunderschön.»

Eileen denkt eine Weile darüber nach.

«Weißt du, was ich gesehen hab?» sagt sie.

«Nein, was denn?»

«Ich hab Hot dogs mit Ketchup gesehen.»

«Hast du nicht.»

«Doch. Hot dogs. Mom, muß ich heute in die Schule?»

«Ja, ich glaube, du mußt heute in die Schule. Heute abend, während der Beileidsbesuche, gehen wir beide und dein Bruder zum Essen aus und ins Kino. Morgen kannst du dann zu Hause bleiben, zu Mrs. Huguenots Beerdigung.»

«Meine Klasse geht zur Beerdigung.»

«Wer sagt das?»

«Miss Germaine. Sie sagt, die ganze Schule geht hin.»

«Du lieber Gott», sagt Eddie. «Das nimmt ja kein Ende.»

Mary langt herüber und berührt Eddie. Sie lächelt.

«Langsam gefällt mir das Ganze», sagt sie. «Ich finde es wunderbar, wie ganz Inverawe Anteil nimmt.»

Little Eddie schreit aus seinem Zimmer. Im ersten Stock ist alles wach, und der Tag kann beginnen.

Mary Looney und Cody sitzen in der Küche und trinken Kaffee, als die Ryans hereinkommen. Mary ist hier, um Mrs. Huguenot zu frisieren. Cody und Little Eddie werden nach Keene fahren, um den Sarg abzuholen. Gestern hat er seinen Führerschein wiederbekommen; er darf jetzt eine festgesetzte Route zur Arbeit und wieder zurück fahren. Nächste Woche hat er die letzte Sitzung, und wenn er damit durch ist, bekommt er seinen regulären Führerschein wieder, mit dem er fahren kann, wohin er will.

Eddie muß zu Rose Kennedy. Sie will ihm die letzten Einzelheiten für die Beerdigung mitteilen und ihm sagen, wann er wo zu sein hat. In letzter Minute entscheiden sie, daß Eileen die Schule schwänzen und mit ihrem Vater fahren darf, und plötzlich herrscht Ruhe im Haus, und nur noch Mary Ryan und Mary Looney sitzen da mit ihren Kaffeetassen.

«Haben Sie das schon mal gemacht?»

«Nein, und ehrlich gesagt, ich bin schon etwas aufgeregt.»

«Keine Angst, ich bin die ganze Zeit bei Ihnen. Wenn Sie soweit sind, können wir runtergehen und anfangen.»

Mary Looney nimmt ihren Koffer, und die beiden Frauen gehen die Treppe hinunter in den Präparationsraum. Mary hat Mary Looneys erschrecktes Aufatmen, das Zögern, die schwache Bewegung zurück zur Tür schon geahnt. Sie nimmt ihre Hand und führt sie zu dem Leichnam.

«So, das haben wir hinter uns», sagt sie und weiß, es ist nicht wahr, ist aber überzeugt, daß es so am besten geht. Sie führt Mary zu einem Schrank und nimmt für sie beide blaue Schutzkleidung heraus. Die Frauen ziehen sich die Kittel und Schürzen an, dann gehen sie zur Leiche zurück.

«Sie wollte ihr Haar offen haben, ausgebreitet. Sie wollte es weiß.»

Mary nimmt die Stütze unter Mrs. Huguenots Kopf weg und läßt ihn auf den Tisch sinken, so daß er jetzt tiefer liegt als der Rest des Körpers. Dann löst sie das Haar der Frau und zieht es nach hinten.

Mary Looney kommt mit einem Kamm. Sie beginnt an den Spitzen und arbeitet sich langsam bis zur Kopfhaut vor.

Durch die Arbeit gewinnt sie allmählich Mut. Sie geht vorsichtig und behutsam zu Werke. Sie benutzt eine Blauspülung, gießt sie ins Haar, fängt sie in einer Schale auf und gießt sie dann wieder ins Haar. So wird es allmählich schneeweiß. Dann fönt sie es trocken und kämmt es dabei die ganze Zeit.

«Jetzt müssen wir ihr wieder Farbe geben», sagt Mary, «die Verfärbung verstecken, und ich möchte sie gerne hübsch machen. Das tue ich am liebsten. Die Leichen schönmachen. Früher hab ich's immer übertrieben.»

«Und wenn schon», sagt Mary Looney, «ich find die Idee gut. Übrigens, wer gut schminken kann, ist Kay Poissant. Alle Mädchen, die was davon verstehen, haben es von ihr gelernt. Sie ist auf 'ner Kosmetikschule gewesen.»

Mary stellt auf einem Tablett zusammen, was sie braucht.

«In Griechenland war das immer Frauensache», sagt sie.

«Natürlich», sagt Mary Looney, «die Drecksarbeit bleibt immer an uns hängen. Aber wer soll sie auch sonst machen?»

«Es war Sache der Frauen, den Leichnam mit Ölen, Essenzen und Gewürzen einzureiben. Es war eine heilige Aufgabe. Mrs. Huguenot ist kein Problem», sagt Mary Ryan. «Manchmal sickert das Blut in die unteren Hautschichten, zum Beispiel bei Blutergüssen. Manchmal sammelt sich das Blut einfach.»

Mary Looney schließt die Augen und berührt Mrs. Huguenots Gesicht. Sie tastet die schlaffe Haut nach Muskeln und Knochen ab. Sie berührt das Gesicht noch einmal. Diesmal mit offenen Augen.

«Normalerweise schminke ich die Leichen erst, wenn wir sie wieder oben haben, aber diese kriegt Eddie nicht allein hoch, deshalb will er, daß ich's schon hier unten mache. Er hat eine Hebebühne, aber er ist sich nicht sicher, ob die das aushält.»

«O Gott», sagt Mary Looney. «Jetzt verstehe ich erst, was Sie so alles zu sehen bekommen.»

Die beiden Frauen sehen sich an, und die Liste der Möglichkeiten geht ihnen durch den Kopf: Schußwunden, Kindesmißhandlungen, Frontalzusammenstöße, Platzwunden.

«Halb so schlimm», sagt Mary. «Kopf hoch. Ene mene meh, tut gar nicht mehr weh.»

Das ist ein Kinderreim, den sie mal gehört hat. Er besagt wohl alles.

Mary nimmt eine Flasche Bräunungsmittel vom Tablett. Sie schüttelt sie, schraubt die Kappe ab und läßt etwas davon auf den Finger laufen. Sie trägt die Creme auf Mrs. Huguenots Haut auf und massiert sie mit drei Fingern ein. Sie reibt die Stirn ein, verstreicht die Farbe nach oben und nach unten und nimmt zum Haaransatz und den Augenbrauen hin weniger. Die Wangenpartie betont sie mit einem Beige. Dann färbt sie Ohren, Nase und Kinn rötlich. Sie trägt Rouge auf die Wangen und dann mit einem Lippenbürstchen auf die Lippen auf.

Als nächstes kommen die Augen dran. Sie trägt Lidschatten auf, verteilt ihn mit den Fingern und tuscht die Wimpern.

«Jetzt müssen wir sie pudern.»

Als Mary damit fertig ist, zeigt sie Mary Looney, wie sie Mrs. Huguenot den letzten Schliff gibt. Sie betupft ihren Haaransatz sanft mit Watte, die sie um eine Klemme gewickelt hat. Sie benutzt einen Augenbrauenstift, um Spuren der Schminke von Brauen und Wimpern zu entfernen. Sie läßt es Mary Looney versuchen, dann gibt sie ihr weiße Schuhcreme und eine Zahnbürste und erklärt ihr, wie sie retouchieren muß.

«Ehrlich, Mary», sagt sie. «Ihr Haar ist toll. Sie haben wirklich Talent.»

«Danke», sagt Mary Looney. Sie weiß, daß es nichts Besonderes ist, aber sie findet es nett, daß Mary sie lobt.

Mrs. Huguenot ist feierlich aufgebahrt und bereit, Besuch zu empfangen. Eddie freut sich, daß das Parterre des Hauses diese Doppelfunktion hat. In der guten alten Zeit war es so, daß alles zu Hause stattfand. Der Bestatter reiste mit einem Kühlblech und seinem Werkzeugkoffer herum. An den Türklopfer wurden eine Rosette und ein Band gebunden, um zu zeigen, daß jemand gestorben war, Schwarz für die Alten, Weiß für die Kinder und Schwarzweiß für die, die dazwischenlagen.

Das war in den Tagen, als der Tod den Lebenden noch Streiche spielte. Der Tod war ungenau, oft gleichgültig. Er schien ohne Grund zu kommen und zu gehen. Damals mußte bei den Toten sehr lange gewacht werden, für den Fall, daß sie nur scheintot waren. Und manchmal war es so. Manchmal schüttelten die Körper den Tod ab; Männer, Frauen und Kinder setzten sich auf, erhoben sich und redeten zu den Versammelten. Es ist schön, wenn das zu Hause geschehen kann.

«...jawohl, ganz New Hampshire, Gott und die Welt», flüstert Blond Bomber.

«Na ja», sagt Mary Looney, «ich hab dir ja gesagt, sie war eine echt starke Frau.»

«Können wir jetzt gehen? Ich hab dir ja schon gesagt, daß ihr Haar phantastisch aussieht.»

Die Männer von der Freiwilligen Feuerwehr kommen mit ihren Frauen, aber von Joe Paquette wieder keine Spur. Er ist für zehn Tage weg, fährt Heu von Kanada nach Maryland. Diesen Job nimmt er immer an, wenn er und Marie Streit haben.

Dome sitzt in einem Sessel mit hoher Lehne, die Arme verschränkt, Manschetten und Kragen steif gestärkt. Marie Paquette ist ganz vernarrt in ihn. Sie hat Mrs. Huguenot den Haushalt geführt. Es war Mrs. Huguenots letztes Projekt, die Ecken und Kanten in Maries Ehe mit Joe zu glätten, ein Projekt, das sie nicht zu Ende führen konnte. Marie ist für sie wie eine Tochter gewesen.

Freddy Clough aus der Therapiegruppe taucht auf. Er hat riesige Mengen Apfelwein dabei. Ohne tut er keinen Schritt. Cody freut sich, ihn zu sehen. Freddy und er sind zwei von den dreien, die ihre Geschichte immer noch nicht erzählt haben. Larry Fish ist der dritte.

Die beiden sitzen auf der Veranda hinter dem Haus und trinken. Freddy hat Mrs. Huguenot gekannt, seit sie als junge Frau die Sommer am See verbrachte.

«Wir hatten ein Boot, mit dem wir Rum schmuggelten, die *Diamond Reo*. Mein Großvater hat es auf dem Ontariosee eingesetzt und dann irgendwann nach New Hampshire zurückgebracht. Ich hab sie auf Spritztouren um den See mitgenommen.

Sie sah gut aus», sagt Freddy. «Sie hatte Beine, bei denen einem ganz anders wurde, und auf ihren Titten konnte man ein Bier abstellen. Dann ist sie eine Tonne geworden, ein richtiger Elefant. Mann, sogar da war sie noch schön. Ich seh sie immer noch, wie sie mit diesen tollen Beinen über das Deck läuft. Meine Güte.»

Freddy sagt das so, als ob er träumt, erfüllt von der Verwunderung über diese Beine. Er rät Cody, Nims und Hurley besser eine gute Geschichte zu erzählen, eine prägende persönliche Erfahrung, oder sie werden ihm die Bescheinigung nicht geben.

«Ich komm gerade von Larry Fish. Der sitzt bei sich zu Hause und nuckelt an seiner Flasche Seagram. Er findet, daß das alles für 'n Arsch ist, aber ich hab ihm gesagt, er muß mitspielen oder er muß 'ne Einzeltherapie machen. Wenn diese Ärsche erst mal in deinem Hirn rumschnüffeln, bist du bloß noch totes Fleisch. Diese beiden jungen Rotzlöffel sind eh schon hinüber. Sie kriegen zwar ihre Bescheinigung, aber es wird ganz schön schwer für sie werden.»

«Was wirst du machen?»

«Ich möcht was von dem einzigen Mädchen erzählen, das ich je geliebt habe, aber wahrscheinlich erfinde ich 'ne andere Lüge.»

Eddie freut sich, das Haus voller Trauergäste zu haben. Er lebt mit den Toten. In einem gewissen Sinn wird sein Haus zu einer Kirche, einem Ort von Ritual und Prunk. Der Dichter in ihm denkt an die Ironie, die in alldem liegt, und seine Freude beginnt zu schwinden, geht über in das altbekannte Gefühl der Zwiespältigkeit und Trägheit, ins Nichts der Unentschlossenheit.

Barkley Kennedy schiebt sich mit einem Glas Punsch in der Hand an ihn heran.

«Darf ich fragen, wieviel das alte Mädchen zum Schluß gewogen hat?»

«Dasselbe», sagt Eddie. «Die Menschen sterben ohne materiellen Gewichtsverlust. Die Eingeweide werden nicht entfernt. Eine Flüssigkeit wird gegen die andere ausgetauscht.»

«Verzeihen Sie, Eddie, aber derartige Anlässe gehen mir immer sehr nah, und ich hoffe, ich gehe nicht zu weit, wenn ich Ihnen sage, daß Sie ein Gewinn für unsere Stadt sind. Sie sind ein Repräsentant der Geschichte Ihres Standes, von den Ärzten des Alten Ägypten bis zur Gegenwart. Aber mehr noch. Sie haben einen Platz in unserem Leben eingenommen.»

«Danke. Aber ich tue nur meine Pflicht.»

Barkleys Gesicht rötet sich. Er kommt ganz nah an Eddie heran.

«Nun, wenigstens bestehlen Sie weder die Lebenden noch die Toten», flüstert er und geht dann weg.

Das ist für Eddie das letzte Stück des Puzzles. Sein Vorgänger, der sich früh zur Ruhe gesetzt hat, die günstigen Bedingungen, zu denen er selbst den Kredit bekam, mit dem er das Geschäft gekauft hat, Mrs. Huguenot, die als Vermittlerin tätig war. Der Kerl muß die Leichen beklaut haben.

Er schüttelt den Kopf und wünscht, Mary wäre hier und er könnte ihr erzählen, was er soeben herausbekommen hat.

Barkley geht auf die Veranda hinter dem Haus, um sein Glas wieder zu füllen. Er findet, daß Freddy Clough ein angenehmer Mensch ist.

Dann kommen Althea Hall und Miss Germaine, zwei Lehrerinnen. Miss Germaine findet Eddie süß. Sie sagt es Althea Hall, und die sagt ihr, sie soll sich benehmen.

Mary Rooney und Ronny Rounds kommen vorbei. Auch George aus dem Leichenschauhaus und Dr. Pot, der Arzt von Inverawe. Rose Kennedy spielt die Gastgeberin und reicht das Kondolenzbuch herum. Sie ist ganz verliebt in die Blumen, Rosen, Azaleen, Chrysanthemen, Immergrün und die feinen Windungen von Asparagus.

Das Parterre füllt sich mit Leuten. Mary Looney und Blond Bomber versuchen, durch die Hintertür zu verschwinden. Sie nehmen einen Schluck aus Freddys Krug und beschließen, noch ein wenig zu bleiben.

Rose legt eine Kassette auf. Sie hat sie auf Mrs. Huguenots Wunsch aufgenommen. «Lead Kindly Light», «Abide with Me», «Thy Will Be Done», «Over the Stars There Is Rest». Es singen Willie Nelson, Merle Haggard und Patsy Cline. Bill Morrissey singt etwas über eine Frau, die Molly heißt, und Richard Ward singt «It's So Easy to Pretend with You».

«Miss Bomber», sagt Barkley, «haben Sie schon einmal daran gedacht, als Modell zu arbeiten?»

Am Abend, nachdem sie *Bambi* gesehen haben, ißt Eileen zum erstenmal in ihrem Leben Eis mit heißer Schokolade. Sie hat das Gefühl, im Paradies zu sein. Mary trinkt einen Tee, und Little Eddie schläft auf dem Stuhl neben ihr. Den Film hat er durchgehalten, aber jetzt kann er nicht mehr.

«Welche Stelle hat dir am besten gefallen?» sagt Mary.

«Mir hat am besten gefallen, wie Bambi sagt: ‹Wer ist das, und warum sieht er mich so an?› Und Bambis Mutter sagt: ‹Das ist dein Vater. Er ist sehr mutig und klug.›»

«An die Stelle kann ich mich gar nicht erinnern.»

«Die ist auch nicht im Film, die ist in dem Buch.»

«Ach so.»

«Mom manchmal wünsche ich mir, ich hätte eine Schwester und keinen Bruder.»

«Ich glaub, alle Frauen wünschen sich, sie hätten eine Schwester, und alle Männer wünschen sich, sie hätten einen Bruder.»

«So viele Wünsche.»

«Ja, sehr viele.»

Am Morgen kommen die Männer. Sie kommen in ihren Pickups und Pkws. Die Doody-Brüder rollen mit ihrem Dreiachser an, der Tieflader hängt hinten dran. Er ist mit Rasenstücken bedeckt, saftigem grünem Gras, das angeliefert wurde, um den neuen Tierpark zu begrünen, aber sie haben es für das Begräbnis ausgeliehen.

Cody ist schon auf dem Friedhof und dirigiert einen Betonmischer an den Rand des Grabes. Schließlich hebt er die geballte Faust, um anzuzeigen, daß es nun nah genug ist.

Der Fahrer springt aus der Kabine. Erst jetzt merkt Cody, daß es Milt Tease aus der Therapiegruppe ist.

Cody schüttelt ihm die Hand, begrüßt ihn. Es ist das erste Mal, daß sie miteinander reden.

«Als der Sensenmann die hier geholt hat, mußte ich einfach kommen», sagt er. «Das alte Mädchen ist eine Freundin meiner Mutter gewesen. Sie hat für das Baudarlehen meiner Eltern gebürgt. Wenn sie das nicht gemacht hätte, wäre ich vermutlich in einer Hütte irgendwo am Arsch der Welt geboren worden. Wer weiß.»

«Gut, gut», sagt Cody. «Das ist wirklich gut.»

Cody schüttelt Milt noch einmal die Hand. Er freut sich, ihn zu sehen. Milt ist der, der trinkt, seit er ein kleiner Junge war, der in einem Pickup herumfuhr, obwohl er sowohl zum Fahren als auch zum Trinken zu jung war. Er hat es aber trotzdem gemacht. Er hat gesagt: «Eigentlich sollte ich diese Gruppe leiten, weil ich mehr vom Trinken verstehe als jeder andere hier.»

«Na gut, Milt. Das ist wirklich gut. Also, wir müssen hier einen Sockel gießen. Den lassen wir aushärten und setzen dann ein paar Blöcke rein. Die tragen den Sarg und eine Form, in der er steht. Die Blöcke setzen wir so in die Mitte, daß wir außen rum gießen können und der Beton gleichmäßig überall hinkommt. Wir werden eine ganz schöne Masse brauchen.»

«In Ordnung», sagt Milt. «Die anderen Mischer warten schon. Stan Garneau fährt jetzt auch. Ich hab ihm Arbeit in der Firma besorgt. Hast du gewußt, daß er ’nen kleinen Affen hat? Er hat ihn an einer Kette. Der kleine Scheißer rennt überall damit rum. Er springt von den Möbeln in Stans Arme. Stan sagt, er nimmt ihn mit zum Schwimmen, und das Vieh bleibt im Wasser auf seinem Rücken sitzen. Aber ich glaub das nicht. Ich denk, der kleine Scheißer würde einen ertränken.»

«Keine Ahnung. Aber wieso sollte er lügen? Könnt ja wahr sein.»

«Na ja, könnte sein.»

Cody und Milt haken die Rutschen ein, und im Nu ist eine ganze Ladung Beton ins Loch gerauscht.

Es ist ein herrlicher Märzmorgen. Der Winter ist vorüber, und es wird bald Frühling werden. Es ist ein Tag, an dem man in kurzen Ärmeln herumlaufen kann, während überall noch Spuren des Winters zu sehen sind, Schnee an den Ostufern der Bäche und im Innern des Hochwaldes. Die Bäume fließen über vor Saft, die Erde kracht und stöhnt, drückt den Frost heraus, bäumt sich auf vor Vergnügen.

Zehn Männer heben den eingesargten Leichnam auf den Tieflader, der dann die Straße hinunter zur Kirche fährt. Ganz Inverawe ist auf den Beinen. Die Menge ist zu groß für die Kirche, und so versammeln sich die Trauernden draußen auf dem Platz. Dick Doody parkt vor Washburns Laden. Die Leute bringen sich Gartenstühle mit, und die Kinder kommen in Zweierreihen aus der Schule, immer ein größeres Kind mit einem kleineren. Sie tragen ihre Schulstühle auf dem Rücken oder unter dem Arm. Die größeren tragen die Stühle ihrer Schützlinge. Jeder Schüler hat eine Blume, die auf den Tieflader gelegt werden soll. Sie bilden einen Halbkreis, werfen ihre Blume hoch, dann stellen sie die Stühle ab und starren gebannt auf den schönen Bronzesarg.

Cody kommt in einem Anzug, den Mary ihm gekauft hat, damit er bei solchen Gelegenheiten helfen kann. Er geht zu Eddie, der ganz hinten steht.

«Cody! Sieh mal einer an. Meine Güte. Du siehst ja richtig gut aus.»

Cody zuckt die Schultern. Er kommt sich blöd vor in dem Anzug. Sein Gesicht ist bärtig, rot, gegerbt von kalten Wintern und heißen Sommern. Der Anzug sieht gut aus, aber er findet, daß er nicht zu seinem Gesicht paßt.

Cody zieht einen Ärmel des Jacketts hoch, um zu zeigen, daß er nur die Manschetten des weißen Hemdes trägt.

«Sie mußte die Ärmel abtrennen und das Hemd am Rükken aufschlitzen. Sieht man das?»

Eddie lacht.

«Nein, du siehst gut aus.»

Mary kommt die Straße herunter mit Little Eddie im Sportwagen. Sie hat ihr schwarzes Kleid an, schwarze Strümpfe und Pumps. Sie trägt das Haar anders, mit mehr Pfiff, Mary Looney hat ihr das gezeigt. Sie findet, daß sie sehr sexy aussieht, und Eddie findet das auch.

Cody läßt den Blick über die Menge wandern. Noch nie hat er so viele Leute hier auf dem Platz gesehen. Mary Looney, Mary Rooney und Blond Bomber tauchen auf. Sie tragen ihr Haar stoppelig, an den Seiten und im Nacken etwas ausrasiert. Cody will Eddie Blond Bomber zeigen, ihm sagen, daß sie eine gute Bekannte von ihm ist, aber er weiß, daß das eigentlich nicht stimmt. Als er mit der Arbeit fertig ist, hat er fast alle aus der Therapiegruppe gesehen, allein, mit Freunden oder mit der Familie. Loretta Pelletier kommt mit ihrem Mann. Cody verspürt einen merkwürdigen Drang, ihm die Fresse einzuschlagen, weil er weiß, daß Loretta von ihm mißhandelt wird. In diesem Augenblick tauchen Mr. Nims und Mr. Hurley hinter ihm auf.

Sie grüßen ihn, und Cody dreht sich um und nickt.

«Das ist aber schön, daß wir Sie sehen», sagt Mr. Hurley. «Ich hab gar nicht gewußt, daß Sie in dieser Branche arbeiten.»

«Tu ich auch nicht», sagt Cody, und da kommt Eddie hinzu, stellt sich vor, sagt aber nichts über Cody.

«Wirklich schön, Sie zu sehen», sagt Mr. Nims zu Cody. «Nächste Woche ist unsere letzte Sitzung. Dann sind Sie an der Reihe mit Ihrer Geschichte.»

«Das hier ist meine Geschichte», sagt Cody, und dann

läßt er sie stehen, um Mary entgegenzugehen, die sich langsam einen Weg durch die Menge bahnt. Sie sehen, wie er sich bückt und Little Eddie auf den Arm nimmt, ihn auf den Schultern reiten läßt. Er nimmt die Manschetten ab und gibt dem Jungen die Manschettenknöpfe zum Spielen.

«Gibt es ein Problem?» fragte Eddie. «Wenn ja, würde ich gern wissen, worum es geht. Cody gehört zu meiner Familie.»

Eddie macht sich Gedanken darüber, daß er fast gesagt hätte, Cody gehört zu keiner Familie. Der Mann, der Nims heißt, ist mit seiner Erklärung fast fertig, bevor Eddie hört, was er sagt.

«Er muß mitarbeiten, anderenfalls muß er sich einer Einzeltherapie unterziehen und bleibt unter Beobachtung. In der nächsten Woche findet die abschließende Beurteilung statt, und er hat noch kein einziges Wort gesagt.»

Eddie spricht mit Mr. Nims, als hätte dieser einen Trauerfall zu beklagen. Er erzählt ihm ruhig, was für ein toller Kerl Cody ist, der Pate seiner Kinder, ein tüchtiger Arbeiter, aus dem Geschäft nicht wegzudenken. Er erzählt ihm, daß Cody vor kurzem jemanden verloren hat, der ihm sehr nahestand, und daß er noch dabei ist, die Trauer zu verarbeiten.

«Sie kennen doch sicher die Veröffentlichungen von Elisabeth Kübler-Ross?»

Mr. Nims und Mr. Hurley ignorieren die Frage, sagen aber, wie froh sie sind, mit Eddie darüber gesprochen zu haben, und dann gehen sie. Mary kommt herüber, um zu hören, was los war. Sie sagt: «Wieso hast du ihnen nicht einfach gesagt, sie sollen sich verpissen?»

Cody beobachtet von der Kirchentreppe aus, wie sie reden. Er wünschte, Eddie würde sich um seinen eigenen Mist kümmern. Er wünschte, die ganze Welt würde sich um ihren eigenen Mist kümmern. Little Eddie läßt einen

Manschettenknopf fallen. Cody geht in die Hocke, um ihn aufzuheben. Als er sich wieder aufgerichtet hat, sieht er Kay und Louis Poissant an einer Reihe geparkter Autos vorbei auf den Platz zugehen.

Als ein Pastor, ein Rabbi und ein Priester auf den Tieflader klettern und dort auf Stühlen Platz nehmen, geht Cody zu Mary zurück und läßt Little Eddie bei ihr; dann, als der Gottesdienst beginnt, geht er weg.

In diesem Moment geht auch Mrs. Huguenot. Sie hatte ein erfülltes Leben, und nun ist es Zeit.

Sie denkt, daß sie nie hat verstehen können, warum ihre gute Freundin Kate Smith in einem Mausoleum aus rosa Granit in der katholischen St. Agneskirche von Lake Placid, New York, beigesetzt werden wollte. Als sie im Sterben lag, hat sie an ihre arme Freundin gedacht, die noch immer im Keller der Kirche abgestellt ist, so lange nach ihrem Tod, weil die Friedhofsordnung den Bau von Mausoleen nicht gestattet. Als es soweit war, hat sie an Kate gedacht, ihren liebenden Mann Dome und die guten Menschen von Inverawe. Sie sprach zu Gott. Sie sagte, beschütze Dome in der Wüste, die arme, arme Kate, und Gott schütze Amerika. Dann starb sie.

Die Menschen standen um sie herum. Sie sagten, es ist tröstlich zu wissen, daß manche Menschen sich selbst im Tod nicht verändern. Sie fühlte sich leicht und luftig, leer in ihrem Innern.

Als die Menschen gegangen waren, verbrachte sie die Nacht in Eddie Ryans Wohnzimmer. Er ist der Sohn, den sie nie hatte. Er sieht so gut aus, hat so gute Manieren, ist belesen, ein Anhänger ihrer Brunnen-Idee für den Platz. Sie hofft, daß sein Geschäft gutgehen wird, daß er bald im Schulausschuß sitzen wird, daß er weitermacht, wenn andere scheitern. Die Menschen in einer Stadt brauchen eine Frau, die sie zur Welt bringt, und einen Mann, der ihnen hilft, aus der Welt zu gehen, und so soll es sein. Den kleinen Zettel, den er ihr in den Sarg gelegt hat, wird sie immer in Ehren halten. Es ist ein Haiku, und die Zahl der Silben stimmt genau.

Oben warten Gott und Kate Smith darauf, sie zu begrüßen. Inzwischen weiß sie, daß es keine Hölle gibt. Das ist nur ein Trick, damit die Menschen sich mehr anstrengen, gut zu sein.

«Ich komme», flüstert sie, denn Seelen sind von Natur aus leise, und dann ist sie weg, schwebt in ihrer ganzen Fülle durch den Bronzedeckel empor, durch die Decke aus Luft in den Dachboden, und durchs Dach der Atmosphäre hinaus und tritt über die Schwelle des Himmels. Sie möchte einen guten Platz.

Am äußersten Ende des Friedhofs stehen drei Betonmischer. Cody ist bei Stan und Milton, während der andere Fahrer im Führerhaus döst. Während sie warten, trinken sie Kaffee aus einer Thermoskanne, dann Limonade, dann noch einen Kaffee. Sie trinken so viel, daß ihre Blase überläuft und sie pinkeln müssen. Zu den Getränken essen sie jede Menge Schokoriegel. Jeder versucht, Worte für das zu finden, was sie tun, es ist ihnen aber peinlich. Stan Garneau hat seinen Affen mitgebracht, und sie füttern ihn mit Zigaretten und sehen ihm zu, wie er rückwärts Purzelbäume schlägt, während sie warten.

Es ist schon spät, als endlich auch die allerletzten den Friedhof verlassen, nachdem sie auf dem Weg noch an den Gräbern lieber Verstorbener, prominenter Verstorbener und einfacher Verstorbener stehengeblieben sind.

Dome gibt Marie einen Kuß auf die Stirn und sagt ihr, sie soll nach Hause gehen. Er will sich diesen Teil nicht entgehen lassen. Der Rabbi ist auch noch da. Mrs. Huguenot hatte sich damit einverstanden erklärt, mit Tauen ins Grab abgesenkt zu werden, nach dem orthodoxen Ritual. Der Rabbi lächelt, weil er jetzt sieht, daß es sowieso die einzige Möglichkeit ist.

Die Freiwilligen packen die Taue. Dome ergreift auch eines. Sie heben den Sarg über das Grab, dann lassen sie ihn ganz langsam hinab, bis er auf den Betonblöcken steht. Die Doody-Brüder bringen die Sperrholzabdeckung und lassen sie ebenfalls hinunter. Von da, wo sie stehen, sieht es aus, als ob der Sarg in einem Loch in der Erde schwebt. Es sieht eher aus, als würden sie etwas ausgraben und nicht, als würden sie etwas beerdigen.

Eddie geht den Hügel hinauf und winkt. Die Motoren der drei Mischer heulen auf, dann kommen sie den Weg heruntergerollt. Die gewaltigen Mischtrommeln schwanken gegen den Himmel. Cody kommt quer über die Gräber gelaufen und ist noch vor dem ersten Wagen da. Die Männer nicken und begrüßen ihn, doch er sagt nichts. Er nickt bloß zurück, dann weist er den ersten Mischer ein und hilft dem Fahrer, die Rutsche einzuhängen.

Ab hier übernehmen die Doody-Brüder das Kommando. Wenn es ums Verschalen geht, sind sie die großen Spezialisten, und das zu Recht. In ihrem Leben haben sie genug Beton gegossen, um eine kleine Stadt daraus zu bauen.

«Dreh auf», sagt Dick, und der Beton beginnt, durch die stählerne Rutsche herabzugleiten. Dick steuert die Rutsche mit Geschick, hält sie niedrig und in Bewegung, sorgt dafür, daß Sarg und Kiste nicht vom Sockel gespült werden, stellt sicher, daß der Beton unten drunter fließt, auch zwischen die Blöcke.

«Mehr Wasser», sagt er. «Mehr Wasser. Das muß da unten reinlaufen.»

Als der Mischer leer ist, fährt der Fahrer auf die Straße, um ihn auszusprühen. Milt Tease kommt als nächster angerollt. «Mehr Wasser», sagt Dick. «Wir wollen sie doch nicht vom Sockel hauen.»

Milts Ladung reicht bis an den oberen Rand der Kiste. Er fährt auch raus, und dann kommt Stan. Dick führt die Rutsche weiter mit leichter Hand, läßt den Beton herausfließen und bedeckt die Kiste so damit, daß noch viel Raum bis zur Erdoberfläche bleibt.

Vom Fluß des Betons fasziniert, bemerken die Männer nicht, wie Stan Garneaus Affe aus dem Fenster der Fahrerkabine klettert und dann auf die Mischtrommel springt; seine Kette klappert auf dem Metall, als er da oben entlanghüpft.

Vom höchsten Punkt des Mischers aus springt der Affe in die Luft und landet auf Dick Doodys Rücken. Dick verliert das Gleichgewicht und stürzt ins Grab, wo er im hochschwappenden Beton untergeht und die anderen mit dem kalten grauen Schlamm bespritzt.

Cody sieht ihn abrutschen und springt ihm nach. Er kommt wieder hoch mit Dick in den Armen. Die Kette des Affen hat sich um Dicks Hals gewickelt, der Affe dreht völlig durch und gibt vor ihren Augen den Geist auf. Um Dick herauszuziehen, muß Cody untertauchen und ihn hochstemmen. Die anderen stehen am Rand und packen ihn, wo es nur geht. Als er hochgezogen wird, klammert sich Cody an seinen Gürtel und hofft, daß der nicht reißt.

Beide werden unversehrt aus dem Loch gezogen. Stan Garneau bringt einen Eimer Wasser, während sie versuchen, sich das Gesicht abzuwischen.

Cody sieht zu Stan hoch.

«Tut mir leid wegen dem Affen», sagt er.

«Ich würd sagen, das war seine eigene Schuld», sagt Stan. «Manchmal habe ich mich gefragt, wer an wen gekettet war.»

Mehr Wasser wird gebracht, und Dick und Cody werden

abgespült, aber sie sagen nichts, nicht ein einziges Wort. Keiner sagt etwas, bis Dome auf sie zugeht.

«Kopf hoch, Jungs. Das alte Mädchen hätte seinen Spaß dran gehabt. Wahrscheinlich lacht sie jetzt gerade irgendwo über die ganze Aufregung.»

Und genau das tut sie.

10

Dome gibt es schließlich auf, an die Tür zu gehen. Er läßt sie offen und heftet einen Zettel daran: *Kommt einfach rein.* Er sitzt in der Küche auf einem Stuhl und genehmigt sich ein Bier. Er will, daß diese ganze Sache mit dem Tod ein Ende hat. Er hat die Beileidsbekundungen satt, die aus dem ganzen Land, der ganzen Welt ankommen, vom Internationalen Roten Kreuz, von der Nationalen Schulpflegschaft, Amnesty International, Nancy Reagan, Lena Horne, Malcolm Forbes und dem Akkordeonspieler Biff Dupré.

Er trinkt allein, froh, daß er allein ist, da er ohnehin keine andere Wahl hat. Er lehnt sich zurück und hakt die Absätze seiner schwarzen Sicherheitsschuhe in die untere Querstrebe des Stuhls, etwas, was ihm Mrs. Huguenot immer verboten hatte.

«Entschuldige, Schatz», flüstert er und atmet den intensiven Geruch des frisch eingefetteten Leders ein. «Entschuldige, an das Scheißeichhörnchen hab ich auch nicht gedacht.»

Dome hat seine Ledersachen an. Er trägt Jeans, Cowboy-Handschuhe mit Fransen, eine Lederweste und Stulpen. Er hat ein neues schwarzes T-Shirt an, auf dem in großen weißen Buchstaben steht: FUCK. Seine Arme sind nackt, voller eintätowierter Schlangen, Greife und Drachen, gespaltener Zungen, die an seinem Bizeps lecken, die beste Arbeit in Schwarz und Grau, die außerhalb eines Bundesgefängnisses zu finden ist, eine Arbeit, die begonnen wurde, als er als Junge mit Schaustellern herumzog.

«Hier rein», sagt er, und eine Parade kommt den Korridor entlang. Sie sind alle auf letzten Wunsch der Verstorbenen gekommen: Dick und Marlene Doody, Tom und Jeri, Barkley und Rose Kennedy, Raudabaugh, Thad Bushnoe, Joe und Marie Paquette, Nancy Manza, Mary Rooney und Mary Looney und die Poissants und sogar Dr. Pot.

Sie kommen mit Kuchen, Pies, Braten, Lasagne, Eintopf, Salaten und Schüsseln mit Götterspeise.

Sie kommen, um die Bonsais zu besichtigen, von denen Marie so viel erzählt hat, einige echt, andere Handarbeit mit geschnitzten Stämmen aus Holz und Blättern aus Seide, Repliken von Repliken.

Die Frauen bücken sich und studieren die Einzelheiten, während die Männer von einem Fuß auf den anderen treten, verlegen herumstehen, die Hände hinter dem Rücken verschränken. Angesichts solcher Zartheit kommen sie sich vor wie grobe Klötze. Doch sie müssen einfach hinsehen, können den Blick nicht abwenden.

Im ganzen Haus stehen Bonsais. Fächerahorn in drei verschiedenen Größen, alle in schwarzen Porzellanschalen. Bougainvillea und ein winzig kleiner Feigenbaum. Auf dem Kaffeetisch stehen Flieder, Azaleen und Glyzinien.

Barkley Kennedy schnappt nach Luft und klatscht leise in die Hände.

«Eine Studie in Malve, eine Symphonie in Malve, Malve in Malve. Ich kann mich gar nicht satt sehen.»

Raudabaugh pult an dem Schorf in seinem Gesicht. In Gedanken hängt er Miniatureimer an die Ahorne, baut eine kleine Sirupküche und produziert teelöffelweise

Ahornsirup. Er stellt sich vor, es wären kleine, maßstabgerechte Holzschnitzereien. Die Eimer für den Saft sollten so gemacht werden wie die Bäume, aus winzig kleinen Dauben und einem winzig kleinen Boden. Kleine Form, kleiner Spund, kleine Reifen.

«Du lieber Gott», sagt Marlene, «ein Apfelbaum, mit Blüten kleiner als ein Fingernagel. Viel, viel kleiner. Guckt mal, ein ganzer Obstgarten.»

Mary Looney entdeckt, daß die Farbe der Blüten eine ihrer Lieblingsnagellackfarben ist, die Farbe, die sie gerade trägt, aber dann findet sie die Blüten noch hübscher und steckt die Hände in die Taschen.

Es gibt auch französische Rosen mit Seidenblüten, pink, gelb und zartrosé, und Birken, eine ganze Gruppe Birken, keine höher als zwei Fuß. Da sind eine japanische Blütenkirsche, eine Federaralie, eine Erdbeerguajave, eine schwarze Zwergolive und ein Bergahorn. Dann eine Zypresse, ein Wacholder, eine Weißfichte und Eschenahorne, Buchsbäume, die aus Felsen herauswachsen, eine windgepeitschte Lärche, eine Serissa in Kaskadenform und eine geneigte Schwarzkiefer.

Neben der Glyzinie auf dem Kaffeetisch liegen winzige Harken, Hacken, Besen, Schaufeln und Bonsaischeren.

Joe Paquette sieht eine zwergwüchsige Hemlocktanne, die noch mit Draht umwickelt ist. Sie sieht aus wie ausgeglühter Kupferdraht. Er denkt an die Spanndrähte, mit denen seine Antenne verankert ist, die Drähte, die durch seine Maschinen laufen, durch sein Haus. Er besieht sich den Topf von allen Seiten, sieht ein Schildchen mit seinem Namen und stellt die Tanne sofort wieder hin, in der Befürchtung, daß jemand ihn vielleicht bei der Entdeckung seines Namens gesehen hat.

«Einige ihrer besten Stücke sind gar nicht hier», sagt Dome aus der Küche, als würde er mit dem Kühlschrank sprechen. «Sie sind an die staatliche Bonsaisammlung im Nationalarboretum ausgeliehen. Eine zweihundertsechzig Jahre alte japanische Mädchenhaarkiefer und eine hundertneunzig Jahre alte japanische Rotkiefer, ein Geschenk von diesem Arschficker Hirohito. Die einzigen Bonsais, die sie je aus dem Palast rausgelassen haben. Auch von den jüngeren Bäumen sind die meisten vierzig Jahre alt. Will jemand 'n Bier? Ist im Kühlschrank.»

Raudabaugh sagt, er trinkt eins, dann steckt er einen Finger ins Ohr. Er bildet sich ein, seit dem Feuer schlecht zu hören. Der einzige Japse, den er kennt, ist Tojo, und das Arschloch haben sie aufgeknüpft. Er versteht nicht, wieso Dome so etwas erwähnt. Er sagt zu Dr. Pot, er soll nicht beleidigt sein.

«Nein, nein», sagt Dr. Pot. «Ich bin nicht beteiligt.»

«Unter jeden Topf ist ein Name geklebt», sagt Dome. «Sie wollte, daß jeder von euch einen bekommt.»

Dome nimmt einen Schluck und strafft die Schultern. Er fährt fort: «Sie bat mich, euch zu sagen, daß die Bäume länger als hundert Jahre leben können und von einer Generation an die nächste weitergegeben werden sollen, zum Gedenken an die Menschen, die sie über Jahrhunderte gepflegt haben. Es sollen auch Ableger genommen und weitergezüchtet werden. Für jeden Bonsai gibt es spezielle Pflegeanweisungen und allgemeine Informationen. Jeder kann große Liebe und Respekt für die Natur und andere universale geistige Wahrheiten lernen.»

Domes Stuhl fällt mit einem dumpfen Geräusch auf seine vier Beine zurück, und Dome kommt ins Wohnzimmer. Er geht zu jedem Topf. Er kennt ihre Namen nicht, aber ihre Bedeutung. Er sagt über jede Pflanze etwas und zeigt mit dem Finger darauf, als er an ihnen vorbeigeht.

«Stellt euch einen Baum vor, der sich in einer Schlucht an einen Felsen klammert, zwei Menschenfamilien, altes morsches Holz, vom Yin geneigt, zum Himmel emporstrebend, Berge, Wasserfall, hohes Alter, Sturm, Drachen, die sich in die Lüfte schwingen, vom Blitz getroffen, Mann, Frau, Kind, Himmel und Erde, Mensch und Göttlichkeit, Mann und Frau.»

Er nimmt einen Schluck Bier, und die Leute hören, wie er ihm durch Mund und Kehle rinnt. Sie sehen, wie müde er ist, und sind bereit, ihn aufzufangen, wenn er umfallen sollte. Dann hören sie, wie Eileen Little Eddie etwas ins Ohr flüstert.

«Das ist die Kirche mit Glockengeläute, öffne die Tür, gleich kommen die Leute.»

Sie bewegt ihre Finger wie Spinnenbeine und kitzelt Little Eddie im Gesicht. Er lacht, und das ist ein Laut, den sie alle erkennen.

Die Männer sitzen in der Küche auf Stühlen, den Arbeitsflächen und dem Boden. Sie halten ihre Bonsais auf dem Schoß, und jeder weiß, weshalb er gerade den bekommen hat, den er bekommen hat. Thad Bushnoe stellt seinen windgepeitschten Feuerdorn beiseite, um Bier zu verteilen. Er gibt die Dosen einzeln aus, und jeder gibt sie weiter, bis alle eine haben.

«Also», sagt Tom Doody zu Dome, «was hast du jetzt vor?»

«Mein Gott», sagt sein Bruder, «manchmal fragst du wirklich die bescheuertsten Sachen.»

«Jungs», sagt Barkley und streicht über die seidenen Blüten seines Flieders.

«Stört es, wenn ich eine rauche?» fragt Thad.

«Ist mir scheißegal», sagt Dome zu ihm. «Aber fackelt mir die Bude nicht ab.»

Die Männer lachen und einige wiederholen Domes Worte: *Aber fackelt mir die Bude nicht ab.*

Rose Kennedy kommt herein, um Pappteller, Tassen und Schüsseln zu holen, damit sie anfangen kann, das Essen zu servieren. Die Männer hören auf zu reden. Sie lächelt und nickt ihnen zu.

Als sie aus der Küche gegangen ist, erzählt Dome ihnen, daß er sich für eine Reise fertigmacht. Er muß noch einige Dinge regeln. Sobald Eddie Ryan die Rechnung bringt, wird er seine Maschine anwerfen und weit wegfahren. In Laconia, Unadilla, Sturgis, Daytona muß er Station machen. Da gibt es Drag-Rennen, Motorradtaufen, Rodeos, Dorffeste und Oben-ohne-Wettbewerbe. Wenn er es bis zum Bluegrass Poker Run schafft, weiß er, daß er seinen alten Kumpel Malcolm Forbes dort treffen wird und vielleicht auch Liz Taylor, wenn es bis dahin bei denen nicht schon gekracht hat. Vierzig Jahre führt er jetzt ein anständiges Leben, und noch mal vierzig Jahre macht er das nicht mit.

Die Jungen von Louis Poissant haben ein Auge auf das Leergut geworfen. Sobald die Männer die Dosen absetzen, bringen sie sie zu den Mülleimern raus, wo sie die Reste zusammengießen und versuchen, eine Dose vollzubekommen.

Cody geht ins Wohnzimmer. Er sagt Mary, er löst sie für eine Weile ab und nimmt Little Eddie mit zu den Männern. Er hält Ausschau nach Kay, aber sie scheint nicht gekommen zu sein.

«Vierzig Jahre», sagt Dome gerade zur Decke, als Cody zurückkommt. «Vierzig Jahre. Vor fünfzig Jahren war ich Kommunist.»

Die Männer sehen hoch, überrascht, das zu hören, als ob Dome soeben gesagt hätte, vor fünfzig Jahren war ich eine Frau.

Barkley Kennedy verbirgt sein Lächeln, denn vor fünfzig Jahren war auch er Kommunist, und er kann sich nicht vorstellen, das irgend jemandem zu erzählen.

«Was sagt er?» fragt Raudabaugh, doch niemand antwortet.

Dome sieht auf die Uhr.

«Sie hat euch allen etwas hinterlassen. Ich kann euch vielleicht diese kleine Geschichte hinterlassen.»

Domes Geschichte:

1937 war ich bei der Lincoln-Brigade in Spanien. Wir waren ganz arme Schweine, ich sag's euch. Wir wurden fertiggemacht. Stukas. *Guernica.*

Danach hat mich der Geheimdienst aufgelesen. Die haben mich nach Nordafrika geschafft und mich mitten in der Nacht mit einem Arschtritt aus dem Flugzeug geschmissen. Unten waren Sterne, und die Scheißwüste war wie ein Backofen. Nordafrika, 12. September 1940. El Agheila, Tobruk, El Alamein, die Kattara-Senke, die Wüste.

Ich sag euch, wenn die Stukas nicht nach Stalingrad abgezogen wären, säße ich heute nicht hier, um meine kleine Frau zu beerdigen. Die hätten uns erledigt. Die Bomber und die Ju 88 waren schon übel genug. Die konnten so richtig loslegen. Wie Nüsse haben die die Panzer geknackt.

Ich lag so flach am Boden, daß ich auf der anderen Seite mit meinem Zinken 'nem Chinesen im Arschloch hing.

Da sind mir die Rajputs lieber. Die Jungs sind nachts losgeschlichen und mit 'ner Menge Ohren wiedergekommen.

In Nordafrika hab ich meine erste Kiste gehabt. Ich war Kurier. Die Maschinen, die sie uns angeschleppt haben, waren lauter Beemers and Trumpets, aber mir war gleich diese komische Kiste aufgefallen. Sah gut aus. Ein Prototyp, für die Sahara gebaut. Einzigartig, und ich hab gesagt, dieses Schätzchen will ich haben. Fünfundvierzig Kubikzoll mit Kardanantrieb, Zweizylinder-Boxermotor, Scheinwerfer mit Abdeckung, Gewehrhalterung, Hand- und Fußschaltung.

Höchstgeschwindigkeit siebzig Meilen. Aber nicht für mich. Ich hab die Zylinder aufgebohrt, übergroße Ventile und Flachkolben reingebaut. Damit bin ich auf fünfundachtzig gekommen und dann noch mal auf fünfzehn mehr mit meiner Spezialmischung. Die hab ich von den Fliegern bekommen. Flugbenzin. Das ging vielleicht ab. Hat mich auf mancher Dienstreise durch die Wüste gerettet, Arschbacken zusammengekniffen und ab durch die Mitte.

Bei Mondschein ging's los, immer oben auf den Dünen, so daß du abbremsen kannst, wenn die weichen Stellen kommen. Buttergelber gewellter Sand war sicher, und schimmernder purpurroter bedeutete Treibsand.

Ich erzähl euch was von dem tollen Gebräu, meiner Spezialmischung. Die Jungs haben alle Feuer mit Petroleum gemacht, um sich was zu brutzeln. In einer alten Büchse haben sie einen Cocktail aus Sand, Wasser und Petroleum gemischt und sich darüber ihre Pampe aus Zwieback und Corned beef gemacht. Oder Tee. Bei den Tommies lief nichts ohne Tee. Nie 'ne Armee gesehen, die soviel pissen mußte. Von Tee hab ich immer das Dauerpissen gekriegt, und außerdem Hängen im Schacht. Waren richtig traurig deswegen, die Haremsdamen. Richtig traurig, die gute Hekmet, die Bauchtänzerin im Melody Club, und die Nutten von Kairo.

Der gute alte Sahara-Dome. Sandstürme, Treibsand und Schlaglöcher, das bricht dir die Federbeine und auch mal das Genick. Das grelle Licht vom Sand und die langen Schatten. Sand, der von den Dünen weht. Ich war von Kopf bis Fuß in einen Burnus eingewickelt, mit Gasschutzbrille und Atemmaske. Brauchte man auch. Die haben einen Wind, der weht durch die Libysche Wüste, die Kattara-Senke, das Meer aus Sand, Jabal el Akhdar. Der Wind heißt Khamsin. Ein heißer Wind, so zehn, vierzig Meilen die Stunde. Der Sand trifft einen wie Schrotkugeln, wie heiße Nieten. Das Gesetz der Beduinen erlaubt einem Mann, nach fünf Tagen Khamsin seine Frau umzubringen. So ein Wind kann Telefonmasten aus dem Boden reißen. Verursacht magnetische Störungen, läßt den Kompaß verrückt spielen. Angeblich ist wegen dem Wind mal ein Munitionslager hochgegangen. Im Winter kann er saukalt sein.

Bei den Stürmen, da sieht man nichts mehr. Ein Sandsturm war so übel, daß die Tommies auf ihre eigenen Leute geballert haben.

Da hab ich an die Lenkstange von der Harley schon 'ne Reihe Tommykanonen montiert gehabt. Nach 'ner Zeit haben die mich nicht mehr mit Meldungen losgeschickt. Die haben einfach gesagt: ‹Dome, fahr doch mal raus und mach denen ein bißchen Feuer unterm Arsch.› Genauso haben sie's gesagt: ‹Dome, fahr doch mal raus und mach denen ein bißchen Feuer unterm Arsch.›

Hab ich auch gemacht. Immer, wenn die Griechen oder die Gurkhas was vorhatten, bin ich mit. Die Jungs haben das gemacht, was man heute psychologische Kriegsführung nennt. Bloß, daß es für die das pure Vergnügen war. Denen war die Nacht am liebsten, mir auch. Heute noch. Diese Griechen sammeln gerne italienische Ohren. Die haben sie auf 'ne Schnur aufgezogen, wie Perlen. Die Jungs waren knallhart. Einmal haben die Deutschen einen Gurkha zurückgeschickt, den sie geschoren hatten. Das ist für die die größte Schande überhaupt, und der Junge hat sich umgebracht. Mann, da waren die Typen nicht zu halten. In der Nacht sind sie alle raus aus dem Lager, gegen den Befehl, und als sie zurückgekommen sind, bei Tageslicht, da haben sie ausgesehen, wie wenn sie in Blut geschwommen wären. Sie waren schwarz vor Blut, vor glitschigem, glänzendem Blut. Ich bin dabeigewesen. Ich hab gesehen, was sie gemacht haben. Einem nach dem andern haben sie die Kehle durchgeschnitten. Kam nur so rausgeschossen, das Blut.

Dann gab's da noch so 'ne Aufklärungstruppe, das war eher ein schlapper Haufen. Die sind nur in Chevys rumgefahren. Hat man da Töne? Die hatten die ganze Navigationsausrüstung, Theodoliten, Sonnenkompasse, Azimutkarten, Navigationsbücher und Chronometer. Die sind immer wie die Henker gefahren, bis sie sich irgendwo verfahren hatten, und dann sind sie noch weitergebrettert, weil's eh' schon egal war. Ich hab sie immer gesucht und zurückgebracht.

Der alte Dome ist nach den Sternen gefahren. Der Polarstern weicht immer anderthalb Grad vom wahren Norden ab. Mehr hab ich nicht gebraucht.

Der große Vorstoß kam im Spätherbst 42, El Alamein, Algier, Oran, Casablanca. Da hör ich dann, daß Fred Sharby bei dem Brand im Cocoanut Grove ums Leben gekommen ist. Das stand in einem Brief. Soldaten machen ihre Briefe nie auf. Sie kriegen sie und stecken sie ein. Tragen sie tagelang mit sich rum. Sie haben Schiß, sie aufzumachen, und gleichzeitig genießen sie es, stellen sich vor, was drinstehen könnte, wie wenn man an ein kühles Bier denkt.

Wir sind zusammen groß geworden. Hab mit ihm Ball gespielt. Er ist noch mal rein, um seine Familie zu suchen, und nicht wieder rausgekommen. Die Leute sind gegen die Tür gedrückt worden und gestorben. Von den Dämpfen, übereinandergestapelt wie Brennholz, oben die stärksten, unten die schwächsten. Genau wie im Leben. Sie hatten die Farbe von den Türen gekratzt. Ich hab gesehen, wie Leute im Feuer krepieren. Sie schmelzen zusammen wie Wachs oder Stahl. Erst kommt Rauch, dann Feuer, dann die Explosion...»

Joe Paquette tritt von einem Fuß auf den anderen. Als er

noch zur Schule ging, das ist noch nicht so lange her, hat er als bester Footballspieler den Sharby-Pokal gewonnen. Jedes Jahr, wenn die Spiele stattfinden, erzählt der Trainer Bucky Malpezzi die Geschichte von Fred Sharby. Es ist eine Geschichte, die die Menschen traurig macht, die sie versuchen läßt, bessere Menschen zu werden.

Dick und Tom Doody starren auf den Boden. Auch sie kennen die Geschichte. Sie schlugen Breschen in die Linie, damit Joe wie eine Gazelle mit dem Ball durchlaufen konnte, bis er von der letzten Verteidigungslinie gestoppt wurde.

«... da hatte ich die Schnauze voll. Ich hab den Tank vollgemacht, noch ein paar Kanister von meiner Spezialmischung draufgepackt und hab mich verpißt...

«Mehr als zwei Jahre lang bin ich dann im Herzen von diesem Erdteil gewesen», sagt Dome, «aber das ist eine ganze andere Sache; das hier ist Geschichte, Jungs. Darum geht's. Laßt mich jetzt in Ruhe.

Und wenn ihr alle gegangen seid, werd ich mich mal wieder auf den Weg machen. Denkt dran, je kürzer der Besuch, desto größer die Freude.»

Als Eddie Domes Haus erreicht, ist es schon dunkel. Im Haus ist kein Licht, aber durch das Tor der Scheune dringt ein schwaches Leuchten. Eddie geht hinein und sieht Dome unter seiner umgekippten Harley liegen, eine Shovelhead, Baujahr 42. Der Rückspiegel ist abgebrochen, und auf den Betonboden ist Flüssigkeit ausgelaufen. Ein Eichhörnchen, das einen Aschenbecher hält, ist an die Lenkstange gebunden. Dome raucht eine Zigarette.

«Guten Abend», sagt er zu Eddie, der angesichts der Ruhe, die von dieser Situation auszugehen scheint, etwas verwirrt dreinsieht. «Könntest du mich von dem Ding befreien?»

Eddie bückt sich, und zusammen schaffen sie es, das Motorrad aufzurichten. Dome berührt die scharfe Stelle, wo der Spiegel abgebrochen ist. Dann hinkt er durch die Garage, wie ein Vogel, der durchs Wasser watet.

«Mistbock», sagt er. «Wenn diese Schätzchen umkippen, tun sie's in Zeitlupe. Man läßt sie gehen und betet zu Gott, daß man nicht drunterkommt. Ich hätt sie halten können, aber ich hatte 'n bißchen viel draufgepackt, 'n bißchen zuviel. Hast du die Rechnung für mich?»

«Sie ist ziemlich hoch», sagt Eddie. «Da waren eine Menge Extras. Allein der Sarg hat fünftausend Dollar gekostet.»

«Ist mir scheißegal. Das alte Mädchen hatte alles geplant. Sie wollte das Modell aus solider Bronze mit gewölbtem Deckel, Seidenauskleidung und Beschlägen an allen Seiten.»

«Da ist auch noch die Verschalung.»

«Sie hat die verdammte Verschalung gewollt, Eddie. Mach dir bloß nicht ins Hemd. Du mußt es ja nicht zahlen.»

Dome humpelt zu den Schweißgeräten hinüber. Er öffnet die Ventile und reguliert das Gemisch. Aus dem Regal über der Werkbank holt er Dosen mit Chilibohnen und Kartoffeln und eine Dose Frühstücksfleisch. Er stellt sie auf eine Stahlplatte und durchlöchert die Deckel mit einem Dorn. Dann zündet er den Brenner an und fängt an, die Dosen fürs Abendessen warm zu machen. Er streckt die Hand aus, und Eddie gibt ihm die detaillierte Rechnung.

Die Dosen beginnen auf der Platte zu klappern; aus den Löchern quillt Saft.

«Ach du Scheiße», sagt Dome. «Da sind allerdings *einige* Extras angefallen. Eine Hebebühne? Ich geh kaputt. Warum hast du mich nicht angerufen? Das hätt ich gern gesehen.»

«Na ja, das war nur so 'ne kleine Hebevorrichtung, die

ich mieten mußte, keine richtige Hebebühne. Sie war eine stattliche Frau.»

«Wem sagst du das. Wärme im Winter, Schatten im Sommer.»

Dome liest weiter, während das Klappern der Dosen stärker wird. Sie sehen aus, als würden sie gleich auf den Boden springen.

«Na schön», sagt Dome, sieht auf und nickt, wie um das Geschäft zu besiegeln. «Du bleibst zum Essen.»

Eddie weiß, daß er keine Wahl hat. Er sieht zu, wie Dome jede Dose mit einer Rohrzange festhält und mit einer anderen die Deckel abzieht.

«Du fängst mit den Bohnen an», sagt Dome und nimmt die Dose mit Kartoffeln, «dann gibst du sie mir weiter. So lassen wir die Sachen rumgehen.»

«Was ist eigentlich aus der Idee mit dem Mausoleum geworden, aus rosa Granit, wie Kate Smith eins wollte?»

«Im Moment denk ich nicht darüber nach. Ich werd auf meiner Tour wohl mal in Lake Placid reinschauen und mich umhören. Das hat sie mir aufgetragen. Arme Kate. Gott schütze Amerika. Ihr Tod war ein harter Schlag für Isabel.»

Dome stellt das Frühstücksfleisch ab und seufzt tief. Eddie weiß, was das bedeutet. Zum erstenmal seit ihrem Tod hat Dome ihren Namen ausgesprochen. Erst wenn man den Namen ausspricht, erkennt man den Tod als Realität. Das hat Eddie schon oft erlebt.

«Das ist ganz normal», sagt er ruhig. «Es ist ganz normal, Momente wie diesen zu durchleben. Die Trauer lebt weiter, sechs bis neun Monate lang. Dann beginnt sie nachzulassen. Es ist, wie wenn man ein Baby bekommt.»

Dome sieht zu ihm hoch. Eddie kennt diesen Blick. Dieser Blick fragt: Redest du mit *mir*? Und dann fragt er: *Warum* redest du mit mir?

«Manchmal nimmt die Trauer unerwartete Formen an», sagt Eddie, und er weiß, daß er das nicht mehr zu Dome sagt. Er sagt es zu sich selbst. «Trauer kann unerwartete Formen annehmen. Zum Beispiel Alpträume oder nächtliche Ängste. Ein Mann hatte fünfzehn Jahre lang einen Fotoapparat im Kleiderschrank seiner Frau stehen. Der war so eingestellt, daß er sich selbst auslöste, falls die Tür aufging. Ein anderer ließ seine Frau ausgraben und unter seinem Schlafzimmerfenster wieder beerdigen.»

Eddie spricht weiter; seine Stimme ist nur ein Flüstern.

«Der Prozeß des Trauerns ist nie völlig abgeschlossen. Manchmal ist es notwendig, in einer Therapie die Trauer noch einmal zu durchleben. Das ist Teil des Trauersyndroms, Teil der Trauertherapie.»

«Eddie. Ich will ja nicht unhöflich sein, aber ich habe keine Ahnung, wovon du eigentlich redest. Ich bin, was ich bin, und weiter nichts. Jede Menge Muskeln, aber nicht viel im Kopf. Ein Popeye-Verschnitt.»

Eddie kann nicht anders, er muß lachen. Dome lacht auch, bis das FUCK auf seinem T-Shirt zu wackeln beginnt.

«Iß auf», sagt er. «Dann möchte ich dich um einen Gefallen bitten.»

Die Männer beenden ihre Mahlzeit, kratzen die Dosen leer. Dome erzählt Eddie von der Tour, die er für den Sommer geplant hat. Er erzählt ihm, wie er 47 in die Staaten zurückgekommen und zum Zirkus gegangen ist. Er fuhr in einer Todeskugel und im *Motordome*, und so ist er an seinen Namen gekommen, Dome. Er ist auch auf diesen Dingern mit den Rollen gefahren, mit fünfzig Meilen die Stunde, auf einer HD 45.

«Auf den Dingern», sagt er, «fährt man wie der Teufel, aber man bewegt sich nicht von der Stelle. Man kann die Kiste neigen, den Boden mit dem Knieschutz berühren. Ich bin auch auf Bretterpisten gefahren. Keine Bremsen, keine

Kupplung, den Gaszug festgeklebt und nur ein Stoppschalter. Du trittst die Kiste an, und dann geht's ab. Im Ziel mußte einen immer so ein großer Kerl auffangen, weil da die Beine nur noch Wackelpudding waren. Ich kann dir sagen, ich hab Splitter abgekriegt, so lang wie Nägel, aber ich hab auch 'n paarmal Gold geholt, in Savannah und Daytona.

Trotzdem, die Todeskugel ist das beste gewesen. Mein Partner war ein Chippewa und hieß Paradise Lost. Wir hatten Indian-Maschinen. Immer in dieser Kugel herum. Da konnte einem verdammt schwindlig werden.

1919 fuhr Paradise Cross-Rennen auf einer Vierzylinder-Henderson, die beste Kiste damals, und der hat alles verschlissen, sieben Zylinder, vier Kolben, achtundzwanzig Zündkerzen und was weiß ich nicht alles. Der vordere Topf hat öfter geklemmt, und eines schönen Tages, irgendwo am Arsch der Welt, hat er sich festgefressen, und es hat den vorderen Kolben erwischt. Er hat 'n bißchen rumgebastelt und die großen Teile abmontiert und dann einen Eichenstock zurechtgeschnitzt, als Zapfen. Auf diese Weise blieb die Pleuelstange gerade, und er fuhr weiter.

Er behauptete, daß man auf Eisenbahngleisen am besten fahren konnte. Bei fünfzig Meilen berührt man nur noch die Schwellen. Das letzte Mal, als ich ihn gesehen hab, da waren wir in der Todeskugel und fuhren Loopings, kreuz und quer. Die Tür im Ring ist aufgesprungen, und so ist Paradise Lost direkt in die ewigen Jagdgründe eingegangen. Ein Krankenwagen mit einer Schwester ist aufgekreuzt, und mich soll der Teufel holen, wenn's nicht Isabel Huguenot gewesen ist, so um die hundertachtzig Pfund und auf dem besten Weg Richtung dreihundert.»

Dome erzählt Eddie die Geschichte zu Ende, und dann sind sie still. Sie sitzen an der Werkbank, nehmen ohne nachzudenken ein Werkzeug nach dem anderen in die

Hand. Dome legt sich eine Gripzange um den Daumen, verzieht aber keine Miene. Als er die Zange lockert, hinterlassen die Klauen Spuren.

«Komm mit», flüstert Dome, und Eddie folgt ihm.

Sie gehen durchs Haus auf die hintere Veranda. Dome drückt auf einen Schalter, und kleine Tupfer gelben Lichts fallen auf den Boden, weisen einen Pfad hinunter in eine Mulde, wo aus dem Innern eines weiteren Gebäudes ein anderes, stärkeres Licht dringt.

«Das ist ihr Garten, und da steht ihr Pavillon. Da unten ist ein Teich. Sie wollte immer Karpfen in dem Teich haben. Meinst du, daß du dich darum kümmern könntest?»

Dome flüstert, deshalb flüstert Eddie auch.

«Ich werd's versuchen.»

«In ein, zwei Tagen lad ich die Kiste auf meinen Pickup und fahr mit meinem Zeug nach Süden. Raus aus diesem Klima. Du siehst für mich nach dem Haus und versuchst, 'n paar Karpfen zu züchten, wenn die richtige Zeit ist. Ich bezahl dich natürlich für alles. Das alte Mädchen hat es so gewollt.»

Dome setzt sich und macht Eddie ein Zeichen, daß er sich auch setzen soll.

«Das ist ihr Garten», sagt er. «Ihr geheimer Garten.»

Wind streicht durch die Bäume, und man hört das Geräusch fließenden Wassers. Es plätschert irgendwo in der Dunkelheit über Felsen. Da ist noch ein anderes Geräusch.

«Was ist das?» fragt Eddie. «Dieses hämmernde Geräusch.»

«Das ist, um Tiere abzuschrecken. Ein Bambusstab an einer Achse, der mit Wasser volläuft und dann umkippt. Dann entleert er sich und schlägt wieder auf den Boden. Sie behauptet, der Bambus singt mit dem Wasser, das durch ihn durchläuft, aber ich hör das nie. Aber ich wette, du kannst es.»

Eddie denkt, daß er es hören kann, aber er will es nicht zugeben.

«In diesen Felsen sind Geister. Sie hat das gesagt. Die Felsen. Sie wachsen.»

Eddie möchte nach Hause. Er ist traurig, weil die alte Dame gestorben ist, und noch trauriger, weil das noch nicht das Ende ist. Er hat irgendwie das Gefühl, daß er noch in ein weiteres Leben hineingezogen wird, und im Augenblick hat er gerade genug mit anderen Dingen zu tun.

«Hier», sagt Dome und gibt Eddie einen Scheck. «Alles bezahlt.»

Eddie faltet den Scheck und steckt ihn in die Tasche.

«Verdammt noch mal! Du hast nicht mal draufgesehen. Ich hätt dich bescheißen oder dir den für die Telefonrechnung geben können. Jetzt guck schon drauf.»

Eddie zieht den Scheck aus der Tasche. Er ist auf ihn ausgestellt, und die Summe ist korrekt.

«Na bitte, das war doch ganz einfach, oder? Einfach und diskret.»

«Normalerweise kümmert sich Mary um diese Dinge. Dadurch läuft der finanzielle Teil ganz unpersönlich. So, wie es sein sollte.»

«Sie ist ein gutes Mädchen. Aber ich hab sie durchschaut. Harte Schale, weicher Kern.»

«Das ist meine Sache und mein Geschäft.»

«Ja, und du läßt dich übern Tisch ziehen. Da, nimm das auch. Das ist dein Trinkgeld. In bar, wie du siehst.»

Dome überreicht Eddie einen Umschlag. Darin befinden sich Tausenddollarscheine, zehn Stück. Eddie schüttelt den Kopf, will protestieren.

«Nimm es», sagt Dome. «Sie hat das so gewollt. Sie weiß, wie oft du beschissen wirst. Reg dich wegen dem Geld nicht auf. Sie hat genug hinterlassen, um zwei Lehrstühle am College zu stiften, und sie hat einen Fonds gegründet, damit alle Kinder in der Stadt Spielzeug zu Weihnachten kriegen. Und das ist noch lange nicht alles.»

«Ich kann das wirklich nicht annehmen», sagt Eddie. «Das ist viel zuviel.»

«Ihr könnt es gebrauchen. Nimm es. Bevor du hierhergekommen bist, gab es keinen, der den Leuten da durchgeholfen hat. Der alte Bushway war ein Leichenfledderer. George und er hatten so eine Art Abkommen, haben die Leichen weggeschafft, bevor die Angehörigen überhaupt was sagen konnten. Dann hat er sie einfach behalten, bis er Lösegeld bekam. Isabel ist ihm auf die Schliche gekommen und hat dafür gesorgt, daß er das Geschäft aufgeben mußte. Sie hatte den Verdacht, daß er Füllungen und Ringe stiehlt, aber sie konnte es nicht beweisen. Du erinnerst dich sicher noch, wie verdammt günstig du an das Unternehmen gekommen bist.»

«Verdammt. Warum hat man mir das nicht erzählt? So geht das doch nicht.»

«Reg dich nicht auf, Eddie. Es ist, wie wenn man ein Baby bekommt.»

Sie lachen beide, und dann ist Dome still. Ein kühler Wind weht aus der Mulde, wo noch viel Schnee unter den Bäumen liegt. Vom Berg her hört man, wie das Schmelzwasser abfließt. Es rauscht wie der Wind, und der Bambus singt und hämmert vom Wasser.

«Ich glaube, das war's für heute», flüstert Dome, und Eddie weiß, es ist Zeit, nach Hause zu gehen.

Als er zu Hause ankommt, steht ein fremder Wagen in der Auffahrt. Im Haus sitzen Nims und Hurley und Cody am Küchentisch, und Mary serviert Kaffee. Niemand bemerkt Eddie in der Tür.

Cody sagt gerade: «Also, nachdem meine Mutter nach Washington gefahren war und mit Präsident Roosevelt und dem Marineminister darüber gesprochen hatte, daß ich zu jung fürs Militär war, hat man mich von Wladiwostok zurückgebracht, wo ich als Gefängniswache auf 'nem Schiff war. Da hatte ich schon überall Tätowierungen, und bei jeder hatte ich 'ne Flasche Wodka geleert. Sie sehen, als ich sechzehn war, war ich schon ganz munter dabei.»

Eddie dreht sich lächelnd um und geht durch den Flur ins Wohnzimmer. Er setzt sich so, daß er Codys Geschichte hören kann.

«... mein Vater hat auch getrunken. Er hat das Zeug immer flaschenweise getrunken – 'ne Flasche Hiram Walker, 'ne Flasche Wodka. Wir haben zusammen getrunken bis zum elften Februar, da hat er dann zwei Flaschen auf einmal in die Finger gekriegt. Er ist in den Wald gegangen und hat alles in sich reingeschüttet. Irgendwo in der kalten Nacht, ganz allein, ist er dann nahtlos von der Bewußtlosigkeit in den Tod hinüber. Wenn ich jetzt trinke, trinke ich allein.»

Eddie bedeckt sein Gesicht mit dem Arm, die Nase in der Ellbogenbeuge. Er umklammert mit der Hand die Schulter und drückt sie sanft, als ob es jemand anders tut, und jedesmal preßt er mehr Tränen in den Ärmel, in die hochgekrempelte Manschette. So traurig sie ist, er findet, es ist eine schöne Geschichte, eine, die es wert ist, wieder und wieder erzählt zu werden.

11

Im Frühling füllt sich die Luft mit dem Geruch von Kuhmist, der schwer von den Misthaufen aufsteigt, die im Winter aufgehäuft worden sind, weil zuviel Schnee auf den Feldern lag, um ihn auszubringen, weil die Schneewehen zu hoch waren, aber jetzt wird er ausgefahren und auf die Äcker gebracht. Der Geruch verteilt sich in der kalten Luft, die den warmen Dampf meilenweit mitführt.

Es riecht auch nach Feuer, nach brennendem Unterholz, nach Bergen von Wurzelwerk und anderen Holzabfällen, die quer zum Wind liegen, so daß die Flamme sie wie eine riesige Hand bedeckt, Reisig und Zweige und Äste und Stämme. Und es riecht nach dem Abfall in den Tonnen, den Laubhaufen und dem gebeugten braunen Gras an den Rändern der Rasenflächen, die noch gefroren und mit Schnee bedeckt sind.

Als am Mittag die Sirene heult, sitzen Eddie und Cody am Küchentisch bei einer endlosen Partie Rommé fünfhundert, wo man genau auf fünfhundert Punkte kommen muß, und kommt man auf mehr, hat man verloren. Für Cody ist es ein Mittel, vom Bier zu lassen und sich mit Schokolade zu begnügen. Für Eddie ist es ein Mittel, sich mit klaren, simplen Gedanken zu begnügen. Jeder kennt die Tricks des anderen.

Mary hilft mit, Eileens Klasse auf dem Wandertag zu beaufsichtigen, und hat Little Eddie mitgenommen. Sie sind zu dem neuen Tierpark gefahren, der am Highway eröffnet hat. Wie Eileen sagt, zuerst war da keiner, und jetzt ist da einer. Der Zoo gehört Walter Disney, einem Freund Isabel Huguenots schon aus Kinderzeiten. Er hat einen guten Reibach gemacht, als alle Unternehmen wie wild versuchten, möglichst viele andere Unternehmen aufzukaufen, und seine Schnallenfabrik von einer Fensterreinigungsfirma übernommen wurde, die jetzt mit Vertragshändlern im ganzen Land zusammenarbeitet.

Es gab viele Brände in diesem Jahr. In Jefferson steckt ein Brandstifter Häuser an; und in einer Schule in Keene hat irgend jemand, der meinte, sich mal austoben zu müssen, ein Kopiergerät mit Kopierflüssigkeit übergossen und sein Feuerzeug drangehalten. Auch die Farmer greifen immer häufiger zu diesem letzten Mittel, dem einzigen Ausweg, aus den roten Zahlen herauszukommen, ländliche Räume zu sanieren, sich ein wenig Wärme zu verschaffen.

Die Männer legen ihre Karten verdeckt auf den Tisch. Cody knotet die Träger seines Overalls auf, die er sich um die Hüfte geschlungen hat, zieht sie über die Schultern und schnallt sie fest. Eddie schlüpft mit einer einzigen Bewegung in Schutzhose und Stiefel. Als sie die Tür öffnen, wirbelt ein Windstoß die Karten vom Tisch auf den Boden. Wenn sie von dem Einsatz zurückkommen, werden sie noch mal von vorn anfangen müssen.

Walter Disney trägt einen Tropenhelm, Reithosen, schwarze Reitstiefel und eine Safarijacke. Er hat eine Reitgerte, und an seiner Hüfte hängt eine Spielzeugpistole. Er hat es mit einem Monokel versucht, aber das Scheißding ist immer runtergefallen.

Er führt die Kinder durch den Park, dessen Tierhäuser in

Form eines Wagenrads angeordnet sind, alle unter einem Dach, so daß die Besucher nicht naß werden, wenn sie herumschlendern. Als besonderen Service für die Gemeinde hat er kostenlose Sonderführungen angeboten, bevor er im Juni offiziell eröffnet. In den letzten zwei Wochen hat er jeden Tag eine Schulklasse geführt. Danach wird er die Seniorengruppe führen, den patriotischen Frauenverband, die Schulpflegschaft, die Freiwillige Feuerwehr, den Herrenklub, den Lesezirkel und den Wohltätigkeitsverein.

Ihm ist nicht klar, daß die meisten Leute zwei oder drei Führungen mitmachen müssen, weil die Stadt so klein ist.

Mary sitzt mit Miss Germaine, Eileens Lehrerin für Sachkunde und Rechnen, in der schrägen Morgensonne auf der Aussichtsterrasse. Sie trinken Kaffee aus Plastikbechern, während aus dem Ventilator über ihren Köpfen der Geruch von Frittieröl wirbelt.

Der Rand von Miss Germaines Becher ist mit rotem Lippenstift verschmiert. Sie trägt Pumps, einen Rock und eine Lederjacke. Mary kommt sich an ihrer Seite vor wie eine Hausfrau und Mutter, wie eine graue Maus. Sie hofft, daß dieser Tag bald vorbeigeht. Sie hat beschlossen, ihr Leben noch ein wenig mehr zu verändern. Vielleicht sollte sie mal mit Mary Looney reden.

Miss Germaine sagt, sie geht vielleicht an die Uni zurück und macht den Abschluß in Betriebswirtschaft. Bei ihren Mathekenntnissen sei das ein Kinderspiel.

Mary fällt ein, daß sie letzte Woche in *Newsweek* gelesen hat, daß es sexy ist, Geschäfte zu machen. Sie denkt, wem der Schuh paßt, der zieht ihn sich an, und einen Moment lang möchte sie der Frau ins Gesicht schlagen. Sie kommt sich deshalb gemein vor.

«Das hier ist eine wirklich realitätsnahe Lernerfahrung für die Schüler», sagt Miss Germaine. «So sollte man Sachkunde unterrichten. Wunderbares Unterrichtsmaterial.»

Walter Disney erzählt den Kindern von den besonderen Räumen, die für Besucher nicht zugänglich sind. Dort paaren sich die Tiere, werden gepflegt oder eingeschläfert, wenn es nötig ist.

«In solchen Situationen bekommen wir einen sehr engen persönlichen Kontakt zu den Tieren», sagt er.

«Da drin vögeln sie», sagt ein Junge, doch der Zoodirektor geht nicht darauf ein.

Eileen folgt der Gruppe und hält Little Eddie fest an der Hand. Sie soll auf ihn aufpassen. Für diese paar Stunden ist sie seine Mutter, eine Aufgabe, die ältere Schwestern ihr ganzes Leben lang haben.

«Die Käfige haben Gitterdraht und Betonböden. Hier kopulieren und regenerieren sich die Tiere, zwei Akte, die zusammengehören.»

Walter Disney lacht über seinen eigenen Witz, aber die Kinder starren ihn nur an, der Humor der Erwachsenen ist ihnen noch fremd. Er redet immer so mit den Kindern. Er behandelt sie nicht herablassend, und sie wissen es zu schätzen. Walter Disney glaubt, wenn man Kinder wie Erwachsene behandelt, verhalten sie sich auch entsprechend.

Er ist stolz auf seinen Tierpark. Und weil er Walter Disney heißt, will er ihn *Disneyland Animal Farm* nennen. Er weiß, daß man ihm einen Prozeß anhängen wird, aber das ist ihm egal.

Für ihn wird es *die* Möglichkeit sein, der Welt zu sagen, wie schwer es für ihn ist, einen solchen Namen mit sich herumzuschleppen. Erst heute morgen hat er das neue Schild fertiggemalt. Es wird bei der großen Eröffnungsfeier enthüllt werden. Wenn man ihm den Prozeß macht, wird er es abmontieren. Das sorgt für Publicity.

«Das ist eine Dolchstichtaube», sagt er. «Man sagt, daß die Taube diese Brustfärbung bekam, weil sie in die Seite des Herrn flog, als er am Kreuz starb. Seitdem trägt sie dieses Mal.»

Er geht langsam durch das Vogelhaus, läßt den Kindern Zeit, die Vögel zu entdecken, die sich in den Bäumen verstecken und von dort aus die Gruppe beobachten.

«Das sind Kasuare, große Vögel, die nicht fliegen können, und das sind Goldbartvögel.»

Er mag die Geschichte von der Dolchstichtaube besonders gern. Es ist eine der wenigen Geschichten, die er erzählt. Sonst sagt er nur, woher die Tiere kommen und was sie fressen.

«Eis», sagt Little Eddie, ein Wort aus seinem wachsenden Vokabular.

Eileen macht: «Psst!» Er weiß, früher, vor dem Tierpark, waren hier die Imbißstube, der Golfplatz und die Minigolfanlage. Als Walter Disney aus Florida heraufkam und das Gelände kaufte, schloß er den Golfplatz und errichtete seinen elf Morgen großen Tierpark mit siebzig Arten von Säugetieren, Vögeln und Reptilien. Er ist dabei, die Imbißstube umzubauen und dort Eintrittskarten, Souvenirs und Snacks zu verkaufen. Während des Umbaus macht er sie nicht zu, weil so viele Fernfahrer und Vertreter zum Frühstück, Mittag- und Abendessen dort einkehren.

«Papageien gehören zu meinen Lieblingstieren», sagt er. «Das da sind Aras. Auf der ganzen Welt gibt es über dreihundert verschiedene Arten. Diese Aras sind aus dem Amazonasbecken. Ich hab sie schon als junger Mann gehabt.»

Die Aras wiederholen ganz genau seine Worte. Die Kinder lachen, weil die Stimmen der Papageien genau wie seine klingen.

«Und was ist das hier für ein Vogel?»

«Ein Pfau», sagt Eileen.

Sie beantwortet alle Fragen. Ihre Klassenkameraden erwarten das von ihr. Sie macht es ihnen und den Lehrern leicht. Sie trägt die Last, diejenige zu sein, auf die man sich verläßt. Das macht ihr nichts aus, wohl aber die langen Pausen, die entstehen, wenn andere nichts sagen. Eileen hat wirklich was drauf.

«Seht euch die Augen auf den Schwanzfedern an. Der Pfau war der Lieblingsvogel der Göttin Hera. Eines Tages war sie böse auf ihren Diener Argus, weil er versuchte, sie zu hintergehen. Um ihn zu bestrafen, riß sie ihm die Augen aus und verteilte sie auf die Schwänze ihrer Pfauen. Argus hatte hundert Augen.»

Der Junge, der das Wort *vögeln* gesagt hat, fragt, wozu Argus bloß hundert Augen braucht.

«Ich kann gar nicht erwarten, daß es Sommer wird», sagt Miss Germaine. «Bei diesem Wetter wird meine Haut so trocken. Sie haben so schöne Hände.»

«Ich nehme Velvatone», sagt Mary und sieht auf ihre Hände.

«Velvatone-Hautlotion. Ist die von Clinique oder Estée Lauder? Ich glaube, das hab ich schon mal gehört. Vielleicht Shiseido?»

«Nein. Es wird von einer kleinen Firma in Massachusetts hergestellt, und man muß es bestellen.»

«Wie Mary Kay.»

«So ähnlich.»

«Das hätte ich gern. Von dem trockenen Klima und dem Kreidestaub sind meine Hände ganz hin.»

«Ich besorg Ihnen eine Flasche.»

Mary würde ihr gern erzählen, daß es von der Dodge Chemical Company hergestellt wird, die auch andere Produkte für das perfekte Einbalsamieren macht, aber es ergibt sich keine Gelegenheit. Sie fragt sich, was für eine Wirkung Viscerock, der chemische Schwamm im praktischen

Vorratsglas, wohl auf Miss Germaines Hände haben würde.

«Daß Mrs. Huguenot tot ist, ist wirklich sehr traurig. Sie soll ja ein sehr prominentes Mitglied der Gemeinde gewesen sein.»

«Ja, das stimmt. Ich kenne keinen Menschen, der mehr geliebt wurde.»

Mary glaubt, was sie sagt, und der Glaube wird noch stärker, während sie die Worte ausspricht. Sie hat Schuldgefühle gegenüber Miss Germaine wegen ihrer gemeinen Gedanken. Ihr wird bewußt, wie Mrs. Huguenot sie alle gelehrt hat, ein wenig menschlicher zu sein. Sie denkt an ihren Baum, die zweihundertsechzig Jahre alte Mädchenhaarkiefer. Es war das älteste Stück in Mrs. Huguenots Sammlung, das wertvollste, das schönste. Es war ihr peinlich, als sie feststellte, daß der Baum für sie war, peinlich, weil jeder wußte, daß er das ausgefallenste Exemplar war.

«Ich finde, Tote sehen immer so unnatürlich aus», sagt Miss Germaine. «Sie sehen nie aus wie sie selbst.»

Mary drückt ihren Plastikbecher zusammen, spürt, wie die braune Flüssigkeit steigt und sinkt. Plötzlich empfindet sie Panik, fragt sich, wo ihre Kinder sind, fragt sich, wo ihr Mann ist. Sie steigt auf den Stuhl, läßt die Serviette auf den Bretterboden fallen. Sie kann die Kinder am anderen Ende des Parks sehen. Sie schauen sich eine Herde Moschusochsen an, beobachten, wie die Tiere Büschel von Heu in die Luft werfen, um es aufzulockern. Sie kann ihre Kinder erkennen. Eileen am Zaun und Little Eddie an sie gelehnt, Rücken an Rücken, sein Kopf an ihrem Körper wie auf einem Kissen. Mary setzt sich wieder und sieht Miss Germaine an.

«Ist Ihnen schon mal der Gedanke gekommen, daß das so ist, *weil* sie tot sind?»

Die Wagen rollen schon an, als Eddie und Cody die Feuerwache erreichen. Das Vorauslöschfahrzeug, der Gerätewagen, das Tanklöschfahrzeug und das Löschfahrzeug sind auf dem Weg. Dick Doody schaltet und kriegt den Gang nicht rein, wodurch Eddie und Cody Zeit haben, hinten auf den Wagen aufzuspringen.

Coonie ist auch da, klammert sich an einen Haltegriff. Er nimmt Eddies Mantel und hilft ihm, ihn überzuziehen. Er sagt: «Der Zoo», und Eddie Ryan weiß, daß es die längste Fahrt seines Lebens sein wird, ein Loch in der Zeit, in das er hineingefallen ist, ein Bruch zwischen Momenten, in dem er gefangen ist und nicht von eins bis zwei und weiter zählen kann. So ist es, wenn aus einem Leben zwei werden und aus zwei Leben vier, so ist es für einen Mann, der Familie hat.

«...und das sind meine australischen Schlangen. In Australien gibt es mehr Giftschlangen als in jedem anderen Erdteil. Insgesamt siebzig Spezies. Und das Merkwürdige ist, daß Eidechsen und Wildschweine offenbar gegen Schlangenbisse immun sind. Wildschweine fressen ganz gern Schlangen. Wer weiß, was eine Spezies ist?»

Eileen wartet. Sie möchte einer ihrer Freundinnen eine Chance geben, aber niemand antwortet.

«Menschen sind eine Spezies», sagt sie.

«Das ist richtig. Aber was bedeutet Spezies denn eigentlich? Das wollte ich wissen.»

«Das haben Sie aber nicht gefragt.»

Mary und Miss Germaine knüllen die Plastikbecher zusammen und werfen sie in die Abfalltonne. Sie gehen die Treppe zum Betonweg hinunter, schlendern los, den Kindern und Walter Disney entgegen, deren Rundgang wieder zu ihnen zurückführt. Mary kann sehen, wie er mit Eileen diskutiert, während die anderen Kinder mit den

Schuhspitzen Erdnußschalen und Kieselsteine vor sich her stoßen. Little Eddie sitzt zu Eileens Füßen und sieht quengelig aus.

Mary kniet sich hinter ihn und legt die Hände an die Innenseite der Oberschenkel. Gerade will sie seinen Namen flüstern, als die unbeaufsichtigte Friteuse in der Imbißbude explodiert, die Rückwand herausfliegt, fettige Flammen an den angrenzenden Gebäuden lecken, nach dem Koch und der Kellnerin greifen, die Tabletts mit Essen für die Kinder auf die Terrasse tragen. Die Flammen schneiden die Ausgänge zum Parkplatz ab und machen sich dann an das ernsthafte Geschäft des Niederbrennens.

Als die Freiwillige Feuerwehr von Inverawe ankommt, steht der ganze Komplex in Flammen. Glas springt aus den Rahmen, und die Überstände schmelzen. Unsichtbare Explosionen machen sich durch dumpfes Krachen und helles Zischen bemerkbar; Sägemehl, Heu, Borke, Dächer, Drähte, Gerüste, Zäune und Gartenanlagen werden Opfer der Flammen und tragen sie weiter. Alles, was von Menschenhand gemacht wurde, geht in Rauch auf, steigt teilweise auf, wenn Dächer fallen, und versinkt zum anderen Teil in den einstürzenden Fußböden.

Die Feuerwehren der umliegenden Städte kommen bei dem Brand zusammen. Ein Feuerwehrmann schnallt sich Steigeisen und Hakengurt um. Er läuft den Strommast hoch und kappt die Leitung, während andere den Hydranten öffnen.

Der Mann auf dem Mast brüllt, daß Leute drinnen sind, Leute sind mitten in der Anlage.

Eddie und Cody rennen bereits los, über den Parkplatz rüber zu den Holzwänden, die an die Imbißstube grenzen, Eddie mit einer Axt, Cody mit einer Motorsäge. Thad Bushnoe brüllt etwas von Sicherheitsvorschriften, von

Preßluftatmern, und dann schnappt er sich selbst eine Axt und rennt zu der Wand. Die übrigen Männer aus Inverawe tun es ihm nach. Dick Doody läßt den Schlauch fallen und rast los, gerade als sein Bruder den Hydrantenschlüssel dreht und sich ein Wasserschwall aus dem Hydranten ergießt. Die Kraft des Wassers wirft Dick um und spült ihn quer über den Asphalt, doch er kommt wieder auf die Beine und rennt weiter, während andere Mannschaften den Hydranten übernehmen und mit dem ersten Löschangriff beginnen.

Eddie holt aus und haut die Axt ins Holz. Er holt noch einmal aus, und Cody kommt mit der laufenden Motorsäge in den Händen. Er dreht auf, und die Säge frißt sich ins Holz; Späne fliegen auf, und Funken sprühen von den Nägeln, die er durchsägt. Als er fertig ist, fällt eine Platte heraus, so groß, daß man mit einem Laster durch das Loch fahren könnte, und die Männer stürmen durch, stolpern eine Böschung hinunter und laufen durch eine brennende Hecke zu den Gehwegen.

Die Männer rennen die Wege entlang, die wie die Speichen eines Rades zum Mittelpunkt führen, zu einem Teich. Mary hat Miss Germaine und alle Kinder ins kalte Wasser gescheucht. Sie hat den Koch und die Kellnerin fast ganz ins Wasser getaucht und wiegt ihre Köpfe auf den Knien. Die Kinder kauern sich um sie, die kleinen Körper hüfttief im Wasser.

Rauch und Asche treiben um sie her in der Luft, doch die Männer bleiben einen Moment am Rand des Beckens stehen, denn in dem ruhigen, durch den bemalten Beton blau leuchtenden Wasser bietet sich ihnen ein wundersamer Anblick. Die Kinder und Frauen sind umgeben von rosa Flamingos und weißen Ibissen, einem Graureiher, Gänsen, Schwänen und ihren Jungen. Zwischen den Kindern schwimmen Papageientaucher und Krickenten und tauchen die Köpfe ein, um Wasser auf ihr Gefieder zu spritzen.

Die Männer waten in den Teich und nehmen ein Kind in jeden Arm, Väter mit Söhnen, Väter mit Töchtern, Männer mit den Kindern ihrer Freunde. Nach hinten wird die Anweisung gegeben, Tragbahren für den Koch und die Kellnerin zu holen, und sie werden in einen Krankenwagen gebracht. Joe Paquette hilft Miss Germaine auf und sagt zu ihr: «Sie sind vielleicht ein Glückspilz!»

Eileen hält sich am Hals ihres Vaters fest, als er sie hinter Mary und Cody, der Little Eddie auf dem Arm hat, den Weg entlangträgt. Sie klammert sich nicht an ihn, liegt entspannt in seinen Armen.

«Guck mal, Eddie», sagt sie. «Der Himmel brennt.»

Eddie bewegt sich schneller, stapft in den schweren Stiefeln mühsam über den Beton. Er weiß, was sie sieht. Über den besonders heißen Stellen entzündet sich der Rauch, als die Flammen an der schwarzen Rauchwolke hochzüngeln.

Thad Bushnoe ist bei Mary. Das Phoenix-Emblem auf seinem weißen Helm ist an der Stelle zerkratzt, wo er gegen einen Pfosten gelaufen ist. Er ist entschlossen, nach diesem Brand sein Amt als Einsatzleiter niederzulegen. Er nimmt Brände persönlich. Es ist, als würden sie nur entstehen, um ihn zu verhöhnen. Er macht sich Sorgen um seine Männer, seine Freunde. Vor einem Monat ist er in seiner Eigenschaft als Einsatzleiter zur Beerdigung zweier Feuerwehrmänner nach Pennsylvania gefahren, die starben, als die zweihundertfünfzig Jahre alte Steinmauer einer Scheune zusammenstürzte und sie unter sich begrub. Davor war er in Wisconsin, wo drei Männer der Freiwilligen Feuerwehr ums Leben kamen, als sie bei einer Übung plötzlich vom Feuer eingeschlossen waren.

Das Gebälk aus Kiefernholz brennt lichterloh und

schleudert Funken in alle Richtungen. Rauch quillt in dichten Wolken auf.

Eine weitere Pumpe saugt jetzt noch Wasser aus dem Teich, aber das reicht nicht aus. Das Feuer donnert und knistert durch das Gewebe von Gebäuden, Pferchen und Gehegen. Weitere Löschzüge kommen, doch es ist zu spät. Die Bauten sind nur noch schwarzweiße Röntgenaufnahmen ihrer selbst. Elf Morgen Land brennen, rauchend und schwelend, die Everglades, die Kaktusanlage, die Sonorawüste, die lieblichen Haine, die Steppe, die nördlichen Wälder – alles geht in Flammen auf und verbrennt eins nach dem anderen im Weltenbrand dieses kleinen Teils der Erde.

Zwischen den Feuerwehrmännern rennen die Tiere umher, flüchten aus den Gehegen oder kauern unter Flammen, wo sie sich Fell und Lungen versengen, bis sich ihre Kehlen vor Hitze verschließen.

Die Vögel fliegen dem Wald zu – rosa Löffelreiher, Marabus, Schnee-Eulen, Schleiereulen, Papageien, Falken und Fasane.

Ein Okapi bricht mit gesenktem Kopf durch einen Zaun und erwischt Dick Doody am Knie.

Ein Luchs reißt ein Kaninchen und verschwindet Richtung Wald, die Beute in den Fängen.

Japanische Schneeäffchen retten sich in die Bäume, wo schon Gibbons und Siamangs kreischen und schreien, während sie sich an den Armen von Ast zu Ast schwingen.

Mr. Washburn nimmt einen Schlauch, doch der entpuppt sich als Königspython, die sich in seinen Händen windet und sich gerade um ihn herumschlingen will, als Joe Paquette ihr mit einer Axt den Kopf abhackt. Immer mehr Schlangen tauchen aus der Asche auf, Klapperschlangen, Seitenwinder, eine smaragdgrüne Baumschlange. Joe Paquette springt auf und ab wie ein Indianer beim Kriegstanz und erledigt so viele, wie er irgend erwischen kann, während das Reptilienhaus um ihn herum zusammenbricht.

Unter ihnen explodiert der Boden, und verbogene, verschiedenfarbige Leitungen schießen aus der Erde. Pumpen, Drähte, Schalter und Rohre zerplatzen, verbiegen sich, zerspringen und bersten. Der riesige Gasboiler geht hoch wie eine Bombe, und die Klimaanlage schmilzt zu einem Aluminiumsee zusammen.

Die Männer reiben sich entsetzt die Augen, als diese Fontänen von Flammen in den Himmel schießen. Wölfe, Bären, Hirsche, Bisons, Rotluchs, Kamele und Antilopen, alle fliehen zurück in die Wildnis, während Walter Disney durch das Gelände hastet, Türen öffnet, Fenster einschlägt und mit dem Bolzenschneider Vorhängeschlösser knackt.

Nur die Moschusochsen weichen nicht von der Stelle. Schulter an Schulter stehen sie in einem dichten Kreis, die Köpfe nach außen, die Hörner gesenkt. Um sie herum brennt die Welt, doch sie rühren sich nicht. Sie halten die Reihen geschlossen, und die Kälber drängen sich im Innern des Kreises zusammen.

Alle anderen rennen. Die Gazellen und Antilopen Richtung Zaun. Ein Bison setzt Tom Doody nach, jagt ihn in den Teich und rammt dann seinen Kopf in den Gerätewagen, bis er in die Knie bricht.

Am späten Nachmittag ist das Feuer gelöscht. Niemand wird vermißt außer dem Zoobesitzer. Die einzigen toten Tiere, die gefunden werden, sind die in kleine Stücke gehackten Schlangen. Die anderen sind in den Wald und in den Himmel verschwunden. Der Wildhüter ist überzeugt, daß sie binnen weniger Tage den Tod finden werden, wegen des Klimas, durch den Schock, wegen der Sonntagsjäger, die sich eine Safari in Afrika nicht leisten können, aber immer schon mal etwas Exotischeres vor die Flinte bekommen wollten als einen Hirsch.

«Der gute Walter Disney hat sich wohl über die Staatsgrenze verpißt», sagt der Wildhüter.

«Wer ist Walter Disney?» fragt Thad.

«Dem hat das hier gehört. Ich weiß nicht genau, was er auf dem Kerbholz hat, aber ich wette, 'ne ganze Menge.»

«Ich hab gedacht, Walter Disney ist tot», sagt Thad zu Cody.

«Ist er auch, aber du kennst ja diese verdammten Wildhüter. Die müssen sich immer wichtig machen.»

Die Männer sehen sich an. Sie wissen, daß Cody recht hat. Wildhüter kennen bekanntlich keine Schonzeit.

Die Suche nach Walter Disney führt sie schließlich zu den Moschusochsen, deren Reihen noch immer fest geschlossen sind, obwohl ihnen das Feuer gefährlich nah gekommen war.

Dick Doody geht zum Löschfahrzeug. Er fährt es langsam auf den Ring der Moschusochsen zu, und es gelingt ihm, sie auseinanderzutreiben, nachdem sie zunächst den Schutzrost eingedrückt und mit den Hörnern ein paar Löcher in den Kühlergrill gebohrt haben. Die Kälber folgen ihnen, muhen und staksen einige Schritte weiter, wo sie sich wieder formieren.

In der Mitte des Kreises, wo die Moschusochsen vorher gestanden haben, liegt Walter Disney. Um sein Fußgelenk hat sich eine Otter gewunden. Ihr schlanker Körper ist von Hufen zermalmt. Es wird Eddie Ryans Aufgabe sein, ihn von *Sweet Charity Wings*, einem auf Leichentransporte spezialisierten Unternehmen mit Sitz in Houston, in einem Container nach Florida zurückschiffen zu lassen.

Im Herbst werden die Vogeljäger die Hecken nach Fasanen schlagen, die heftig flattern, um mit ihren schweren Körpern vom Boden hochzukommen; wenn sie getroffen sind und im Sonnenlicht zu Boden fallen, werden ihre Federn in allen Spektralfarben schillern, nur feiner, schöner.

Doch was die Jäger aus den Verstecken scheuchen werden, sind Bulwerfasane und Arguspfauen aus den Regenwäldern von Borneo und Glanzfasane aus dem Himalaya.

«Meine Scheiße, hast du den Vogel gesehen?»

«Nein, und du besser auch nicht.»

12

Wenn man selbständig ist, ist das Klingeln des Telefons immer etwas ganz Besonderes. Wenn das Geschäft gut läuft, ist es ein freudiger Klang, die verheißungsvolle Ankündigung des nächsten großen Auftrags, einer bedeutenden Transaktion – und die Welt steht vor der Tür. Wenn das Geschäft schlecht läuft, ist es immer ein wichtiger Gläubiger, ein unzufriedener Kunde, ein lauernder Finanzbeamter. Das Klingeln trifft das Trommelfell wie ein Kanonenschuß, und es fühlt sich an, wie wenn man mit sechzig Meilen für einen Augenblick über eine vereiste Stelle schlittert. Schlagartig dreht sich einem der Magen um, und man denkt, diesmal geh ich nicht ran, aber man tut es eben doch.

In Eddie Ryans Haus steht das Telefon in der Küche. Sein Klingeln kündigt Verlobungen an, Verabredungen, dringende Bitten, Grüße, Klatsch, Geburten und das Geschäft des Todes, das Geschäft, mit dem sich Eddy Ryan in schwachen Momenten vollständig identifiziert. Er merkt es immer, wenn er in diesen Gemütszustand gerät, denn dann ist er etwas vergnügter, etwas mutiger, etwas mitfühlender.

An diesem Maiabend kommen zwei Anrufe. Mary, Eddie, Eileen, Little Eddie und Cody sitzen am Tisch und arbeiten sich durch Mengen von Eintopf und Brot. Während jeder Mahlzeit fängt Cody früher oder später an, alles, was er ißt, in ein Sandwich zu verwandeln. Als würde er sich geschlagen geben und sich auf seine Urinstinkte zurückbesinnen: Gutes Essen wird mit den Händen gegessen, das Leben paßt besser zwischen zwei Scheiben Brot als auf ein Stück Porzellan – für alle Welt sichtbar. Eileen und Little Eddie folgen seinem Beispiel. Sie legen Fleischstückchen, Möhren, Zwiebeln und Kartoffeln auf eine Scheibe Brot, legen noch eine Scheibe oben drauf und quetschen das Ganze zusammen, drücken mit der Hand darauf, bis alles zu den Seiten herausquillt.

Zuerst versuchte Mary, gegen diese Angewohnheit anzugehen, doch als deutlich wurde, daß Cody noch eine weitere Angewohnheit besaß, nämlich alles aufzuessen, woran die anderen herumnörgelten, ließ sie es sein. Wenigstens gab es jetzt keine Reste mehr.

«Cody, bitte sei nicht beleidigt, aber manchmal kommt es mir so vor mit dir, als hätten wir einen Hund», sagt Mary und sieht ihm zu, wie er mit einer weiteren Scheibe Brot die letzten Reste aus Eileens Schüssel zusammenkratzt.

«Das ist doch keine Beleidigung. Verschwendung ist eine Beleidigung. Gegen Verschwendung hab ich was.»

Er drückt das Brot zusammen, schiebt es sich mit beiden Händen in den Mund, beißt ein großes Stück ab und kaut es hinunter.

Als das Telefon zum erstenmal klingelt, erstarrt Eddie. Er ist hin und her gerissen. Seit Walter Disney herrscht Flaute im Geschäft mit dem Sterben. Es gibt nur zwei Möglichkeiten, wie er sich in dieser Situation fühlen soll, gut oder schlecht. Seiner Familie geht es weniger gut, wenn andere leben, und sie gedeiht, wenn andere sterben. Er sitzt zwischen zwei Stühlen. Seine einzige Hoffnung ist, daß ein alter böser Mann mit acht Kindern und vierundzwanzig Enkeln im Schlaf den Löffel abgegeben hat. Damit kann man am leichtesten umgehen. Der Schleier der Trauer senkt sich sanft.

Es ist ein Anruf aus der Schule.

Sie wollen wissen, ob Mary vielleicht an einem Job interessiert wäre, als Aushilfslehrerin bis zu den Sommerferien, für die Förderschüler. Die Frau, deren Arbeit sie übernehmen soll, hat gerade ein Kind bekommen. Es war einen Monat zu früh dran. Ihr und dem Kind geht es gut, aber sie wird erst im September wieder arbeiten können.

Der Schulleiter stellt es Mary so dar, als komme ihm das alles höchst ungelegen. Mary überlegt eine Sekunde, ob sie ihm nicht höflich sagen soll, er könne sie mal, doch sie tut es nicht. Sie kennt die andere Förderlehrerin, Mrs. Hall. Sie weiß, daß diese Frau hart arbeitet und Hilfe braucht. Wenn sie das Angebot des Schulleiters ausschlägt, wird der zu Mrs. Hall gehen und sagen, daß er es versucht hat, aber niemanden bekommen kann, und außerdem sind es sowieso nur noch vier Wochen bis zu den Ferien. Er wird Mrs. Hall fragen, ob sie es nicht doch allein schafft, und zwar so, daß sie nicht nein sagen kann. Mary sagt ja, sie würde die Arbeit gern machen.

Eddie und Cody finden es großartig, selbst als sie ihnen sagt, daß sie für den Rest das Schuljahres jeden Tag von halb acht bis drei auf Little Eddie aufpassen müssen.

«Keine Panik», sagt Cody. «Er ist allein, und wir sind zu zweit. Das kommt ungefähr hin.»

«Das geht schon in Ordnung», meint Eddie. »Aber du weißt, daß du's nicht unbedingt machen mußt. Wir haben immer noch das Geld von Mrs. Huguenot.»

«Ich muß mal raus hier», sagt sie.

Sie wissen beide, daß es in letzter Zeit nicht so gut gelaufen ist. Er drückt ihre Hand, und das macht sie glücklich, jetzt kann sie sich über diese Aussicht freuen. Beide halten es für eine interessante Möglichkeit. Vielleicht öffnet es ihr einige Türen, vielleicht kommt damit für sie die Chance, ihren Abschluß am College nachzuholen. Sein Händedruck sagt ihr, mach dir keine Sorgen, irgendwie ist das schon großartig.

Mary steht auf und räumt die Teller und Schüsseln weg, die sich vor Cody aufgetürmt haben. Sie wirken wie saubergeleckt und brauchen nur noch kurz abgespült zu werden.

«Du und ich, mein kleiner Tiger», sagt Cody und läßt die Finger über die Rippen des Jungen gleiten wie über die Tasten eines Klaviers, und Little Eddie lacht und zappelt mit den Beinen.

«Laß ihn in Ruhe», sagt Eileen. «Sonst macht er sich in die Hose.»

«Das hat er wahrscheinlich schon», sagt Eddie und sieht auf die Uhr. «Zeit wär's jedenfalls.»

«Raus», sagt Mary. «Alle raus. Ich muß aufräumen und einen Termin für die Einstellungsuntersuchung machen. Ein Kleid muß ich mir auch noch bügeln.»

Sie marschieren aus der Tür, in Richtung Sandkasten und Planschbecken. Eddie ist der letzte. Er faßt Mary um die Hüfte und küßt sie auf den Nacken.

«Ich finde das nett», sagt er.

«*Nett*. Was ist denn das für ein Wort?»

«Ein nettes Wort», sagt er, drückt sie noch einmal an sich und geht dann hinaus.

Als das Telefon zum zweitenmal klingelt, ist es schon spät am Abend. Mary und Eddie lesen Zeitung, während Cody auf dem Sofa schläft. Er hat sich ein Kissen unter den Kopf gelegt und zwei weitere unter Rücken und Hintern gestopft. Obwohl er sich solche Mühe gemacht hat, bequem zu liegen, ist er dann auf der Seite eingeschlafen, einen Arm unter dem Körper, eine Hand in der Hosentasche, ein Bein über dem anderen und den Fuß auf dem

Boden, als ob er gleich aufstehen wollte. Er sieht aus, als würde er jeden Moment herunterfallen.

Eddie ist beim dritten Klingeln am Telefon.

Es ist Lionel Bibeau.

Er sagt: «Hier spricht Lionel Bibeau. Mein Vater ist Arthur Bouchea.»

Eddie kennt das schon. So fängt Lionel jedes Gespräch an. Arthur ist alt, und Eddie denkt, jetzt ist er gestorben. Das tut ihm leid, denn Arthur ist ein netter alter Mann. In dem Jahr, als er als Vorarbeiter in der Textilfabrik aufhörte, verfing sich eine der Arbeiterinnen, eine Bibeau, mit ihren langen Haaren in einer Welle, und sie wurden ihr vom Kopf gerissen. Arthur nahm sie mit zu sich nach Hause. Er blieb sein Leben lang unverheiratet, und darum war Lionel, als er geboren wurde, ein Bibeau und nicht ein Bouchea, und er wuchs zum Mann heran, um selbst eine Familie zu gründen.

Doch seine Mutter wurde, nachdem sie ihr Haar verloren hatte und dann erfuhr, daß ihr Sohn nicht getauft werden konnte, etwas merkwürdig; und heute halten die Leute von Inverawe an der Traurigkeit dieser Geschichte fest, als sei es ihre eigene. Sie wissen, daß sie vor einer Weile nach Quebec gezogen ist. Oder vielleicht war es auch Lowell, Massachusetts. Wie dem auch sei, die Geschichte gibt so noch mehr her.

«Meine Tochter ist in Springfield gestorben, und ich brauche jemanden, der sie abholt. Machen Sie so was?»

Lionels Stimme klingt schwach und gespenstisch. Eddie kennt den Tonfall, und sooft er ihn auch gehört hat und egal wie gut er seine Arbeit tut, es nimmt ihn im ersten Augenblick immer furchtbar mit. Dann muß er sich jedesmal an irgend etwas festhalten, am Hörer oder an der Tischkante, und dann geht es vorbei und er tut das, was er am besten kann, macht den Tod ein wenig erträglicher.

«Sie liegt dort in der Leichenhalle. Schon eine ganze Weile. Ich hab nur so furchtbare Angst vor großen Städten, ich werd nie eine betreten. Wenn ich dahin muß, zur Identifizierung, dann weiß ich nicht, was ich tun soll.»

«Natürlich, Lionel. Ich werde das alles regeln. Ist Ihre Frau bei Ihnen?»

«Sie ist hier, und mein Vater auch. Uns geht es gut.»

«Ich komme morgen abend vorbei, und dann können wir miteinander reden.»

Als Eddie wieder ins Wohnzimmer tritt, erklärt Cody Mary gerade, daß er immer und überall schlafen kann, wenn es sein muß.

«Das lernt man», sagt er. «Ich hab schon in Kofferräumen und Lastwagen geschlafen, auf Autositzen, Bäumen, in fahrenden Lastern und in der Schaufel von einem Bagger. Einmal hab ich in einer Schneewehe geschlafen. Da hatte ich allerdings vorher ganz gut Wodka getankt. Das hat mir wahrscheinlich das Leben gerettet.»

Eddie erzählt von dem Telefongespräch, und Cody stellt sofort Spekulationen an über die fehlenden Details der Geschichte. Er sagt, er kann nicht einschlafen, bis er der Sache auf den Grund gegangen ist.

Mary sagt kein Wort. Sie berührt Eddie. Diesmal an der Schläfe. So teilt sie ihm mit, daß sie da ist, ohne sich aufzudrängen. Jedesmal berührt sie ihn an einer anderen Stelle und hinterläßt dort ihren Abdruck. Am Arm, an der Schulter, einem Finger, der Brust. So ist es nicht bloß Gewohnheit. Sie wünschte, er wäre etwas routinierter, gewiefter, und gleichzeitig liebt sie ihn dafür, daß er nicht so ist.

«Nimm Cody mit», sagt sie. «Eileen ist in der Schule, und Little Eddie kann mit mir kommen.»

«Ich glaub, ich muß mich aufs Ohr hauen. Sieht aus, als hätten wir morgen ganz schön zu tun.»

«Gut», sagt Eddie. «Ist in Ordnung.»

In dieser Nacht liegen Eddie und Mary im Bett, haben die Decken ans Fußende zurückgeschlagen, während ein Ventilator mit einer kühlen Brise ihre Körper streift.

«Es ist immer wieder schwer, oder?»

Ihre Stimme ist ein Flüstern, die Worte selbst sind weniger wichtig als der Versuch, die Stille zu durchbrechen. Sie mußte sich dazu aufraffen, überhaupt etwas zu sagen. Es ist schwierig zu ermessen, wie tief es ihn getroffen hat, und wenn er gerade auf dem Weg nach oben ist, möchte sie ihn nicht wieder hinunterstoßen. Das, glaubt sie, hat sie vielleicht gerade getan.

«Ich hab nur an vorhin gedacht, als Cody und Little Eddie das Pferd gefüttert haben und Eileen so still war. Ich hab sie gefragt, was los ist, und sie wollte wissen, ob du jetzt Lehrerin in ihrer Schule wirst. So eine Art, hab ich gesagt.»

«Und was hat sie gesagt?» will Mary wissen.

«Nichts. Ich glaub, sie will erst noch mal darüber nachdenken. Bin gespannt, was ihr so in den Sinn kommt.»

«Und was kommt dir so in den Sinn?»

«Ich hab gerade gedacht, daß es besser ist, wenn ich vor dir sterbe, denn du kannst ohne mich leben, ich aber nicht ohne dich.»

«Da irrst du dich», sagt Mary. «Todsicher.»

Mary steht auf der Veranda und hält Little Eddie auf dem Arm. Sie winken, während Eddie und Cody mit dem alten Cadillac rückwärts die Auffahrt hinunterfahren. Wieder einmal denkt sie, daß sie es nicht erwarten kann, bis sie ihn endlich umlackieren können, alles, nur nicht dieses Graublau.

Cody winkt nicht. Sie weiß, er hat Angst, daß dabei eine Naht an seinem neuen weißen Hemd kaputtgehen oder ein Knopf abreißen könnte. In seinem dunklen Anzug fühlt er sich unwohl, wie in jedem Anzug, und das tut er jedesmal, wenn er ihn anziehen muß, auch deutlich kund. Auf Eddies Geheiß hin hat er das Hemd ordentlich zugeknöpft und den Schlips eng gebunden. Eddie meinte, das hätte einen ungemein zivilisierenden Effekt. So würde Cody weniger quasseln, wäre etwas ruhiger. Sonst würde er immer mit Händen und Füßen reden und sich nach jedem Auto, an dem sie vorbeifahren, und jeder Stadt, durch die sie kämen, den Hals verrenken. Er hat ein Händchen dafür, Kaffeebecher vom Armaturenbrett zu werfen und den Rückspiegel beim Herumfuchteln zu verstellen.

Sie muß jetzt zu ihrer Untersuchung. Dr. Pot ist der Schularzt und führt auch die Untersuchungen für das Lehrpersonal und die Sportschüler durch. Man kann auch zu seinem Hausarzt gehen, aber das bezahlt die Schule nicht. Sie beschließt, mit dem Fahrrad zu fahren. Little Eddie kann im Kindersitz mitkommen.

Cody fängt an zu quatschen, sobald sie den Fluß überquert haben und auf die Interstate 91 einbiegen, nach Süden. Er hat die Karte auf dem Schoß liegen und vergleicht sie stur mit dem tatsächlichen Straßenverlauf. Er beschwert sich über die kleinsten Abweichungen zwischen den Angaben auf der Landkarte und den Ergebnissen, zu denen er kommt. Eddie weigert sich, ihm den Meilenstand zu verraten, sagt ihm nur, daß er im Durchschnitt fünfzig Meilen die Stunde fährt.

Eddie findet es schlimmer, als mit den Kindern unterwegs zu sein. Eileen sagt immer nur zwei Sätze: Wie lange noch? und: Ich muß mal, und Little Eddie meint, im Auto kann man herumspazieren.

Zu jeder Ausfahrt, an der sie vorbeikommen, fällt Cody eine Geschichte ein. Irgendwie erinnert ihn das Schild nach Bernardston an ein erotisches Hörspiel über einen irischen Wildhüter und eine englische Lady, das er auf Kassette gehört hat. Cody, der beide Rollen wiedergibt, verkürzt ihnen damit die Zeit bis nach Northampton.

«Der Russe hat das immer auf dem Weg zur Arbeit gespielt», sagt er. «Ich war fast noch ein Kind, und er hat mich jeden Morgen mitgenommen. Wir mußten bis nach White River Junction. Ich bin jedesmal drüber eingeschlafen, aber irgendwie bin ich immer mit einem Steifen wach geworden. Die ganze Fahrt über haben die beiden aus dem Lautsprecher geschnauft und gekeucht.»

«Warum wurde er der ‹Russe› genannt?»

«Wir haben ein sechsstöckiges Bürohaus für die Telefongesellschaft gebaut. Es steht immer noch da, direkt gegenüber vom Bestattungsunternehmen. Da ist immer einer rausgekommen und hat uns bei der Arbeit zugeguckt. Der Bauleiter hat ihn angeheuert, mit seinem kleinen Bagger ein Stück Straße aufzureißen. Ich war unten im Graben, als er auf ein paar Leitungen gestoßen ist. Keiner wußte, ob Strom drauf war oder nicht. Der Typ hat mir gesagt, ich soll sie mal anfassen. Wenn Strom drauf wär, würde ich Rabatt von ihm kriegen. Wir fanden das damals zum Schreien komisch. Wenn du mich fragst, der war tunterbunt. Du weißt schon.»

«Cody, wie ist der ‹Russe› zu seinem Namen gekommen?»

«Ich hab dich gehört. Meinst du, ich wär taub?»

Cody macht mit der Landkarte herum und beginnt einen ewiglangen Monolog über Basketball, als er sieht, daß sich das amerikanische Basketballmuseum in Springfield befindet. Dann redet er über die Rechte zur Bauholznutzung in den Berkshire Hills und darüber, wie leicht diese Gesetze im Bedarfsfall umgangen werden können.

«Der Russe», sagt Cody endlich, «ist mit vierzehn von zu Hause ausgebüxt und zur Marine gegangen. Seine Mutter hat es rausgekriegt und ist nach Washington gefahren. Das Kriegsministerium hat ihm dann nachgespürt. Er war

Knastwache auf einem Schiff, das in Wladiwostok lag. Die Gefangenen hatten ihm Arme und Schultern tätowiert. Als sie ihn zurückgeholt hatten, haben ihn seine Eltern gleich wieder in die Schule gesteckt. In dem Winter, als wir in White River Junction gearbeitet haben, hat er seinen VW-Käfer immer direkt neben dem Leichenschauhaus geparkt. Und eines Tages ist eine Schneelawine von dem Schieferdach runtergekommen und hat den Käfer zerquetscht. Das war das letzte Mal, daß ich mir diese blöde Kassette anhören mußte.»

Eddie würde am liebsten sagen, die Geschichte kenn ich schon, doch er tut es nicht. Er läßt ihn weiterreden.

Ein paar Meilen vor Springfield faltet Cody die Karte zusammen und legt sie ins Handschuhfach. Er zieht sich den Schlips zurecht und wischt sich mit dem Handrücken den Anzug sauber.

Ganz ruhig sagt er: «Wieso machen wir das eigentlich?»

Eddie erklärt ihm, daß Lionel nicht in die Stadt fahren wollte und ihn gebeten hat, alles für ihn zu regeln.

«Er sagte, er hätte Angst.»

«Das kann ich verstehen», sagt Cody. «Viele Leute haben Angst, manche vor der Dunkelheit, manche vor Höhen, vor geschlossenen Räumen. Wenn eine Tür plötzlich zuschlägt, dann kann einem das Angst einjagen.»

«Oder Donner», sagt Eddie, «und Fehlzündungen.»

«Guck mal», sagt Cody. «Da geht's zum Basketballmuseum.»

Mary und Little Eddie steigen zusammen in die Dusche. Er steht ganz hinten in der Wanne, wo sie bereits etwas ansteigt, gräbt haltsuchend die kleinen Zehen in die Gummimatte. Little Eddie steht gern unter der Dusche. Er lacht, greift in den Wasserstrahl und verreibt das Wasser, das ihm ins Gesicht läuft.

Beim Duschen redet er nicht. Er hebt sich seine Worte für die Augenblicke auf, wo sie nicht erwartet werden. Mary hat gehört, daß das bei zweiten Kindern oft so ist, besonders bei Jungen. Sie halten es oft lange Zeit aus, ohne zu reden. Wenn so viele andere Leute reden, müssen sie sich denken, was soll's, ich hab ja, was ich brauche.

Mary steht mit dem Rücken zum Wasserstrahl, läßt ihn auf die Schultern prasseln und in kleinen Bächen, die sich über den Muskeln und Knochen auf ihrer Haut bilden, den Körper hinunterrinnen. Sie weiß, daß sich der Wasserstrahl weiter unten verbreitert und Little Eddie ins Gesicht spritzt. Sie hält das meiste von ihm ab, läßt ihn sich hinter ihr verstecken und dem Strahl ausweichen, wenn er will. Sie seift sich vorn ein und dreht sich dann um, um die Seife wieder abzuspülen, streckt dabei die Hände aus, wie um Blumen aufzufangen, die auf sie herabgeregnet kommen. Während sie das tut, spürt sie etwas zwischen den Beinen, und als sie nach unten greift, stellt sie fest, daß es ihr Sohn ist. Er hält einen Becher in der Hand, füllt ihn mit dem Wasser, das ihr am Körper herabrinnt und dann aus den Haaren zwischen ihren Beinen läuft.

«Was machst du denn da?» fragt sie ihn und lacht.

Little Eddie zieht den Becher zurück und versucht, daraus zu trinken, doch er rutscht ihm aus den Händen und fällt auf die Matte, so daß das Wasser nur so nach allen Seiten spritzt.

Als sie sich gewaschen hat, setzt sie sich neben ihn auf den Rand der Badewanne. Sie achtet darauf, daß der Vorhang nicht zu straff gezogen wird. Einmal hat Little Eddie ihn heruntergerissen und auf den Kopf gekriegt. Als er losschrie, kamen alle angerannt, und ehe sie ihre fünf Sinne wieder beisammen hatten, war das ganze Badezimmer überschwemmt.

Sie hält ihren Sohn zwischen den Knien und seift ihn von

Kopf bis Fuß ein, und der Schaum macht seine zarte weiße Haut ganz schlüpfrig. Sie wäscht ihn gründlich zwischen Zehen und Fingern, und das kitzelt ihn. Dann macht sie mit seinen Fingern einen Abzählreim, und wieder lacht er. Sie greift ihm zwischen die Beine und wäscht seinen Penis. Danach muß er die Augen zumachen, und sie seift ihm Kopf und Gesicht ein, flüstert ihm dabei ins Ohr, daß es nur eine Sekunde dauert, nur eine Sekunde, damit er auch ja die Augen zuläßt.

Als sie mit dem Waschen fertig ist, schiebt sie ihn unter den Wasserstrahl, hält ihm eine Hand über die Augen, damit es ihm nicht ins Gesicht spritzt. Das ist der Teil, den er nicht leiden kann, und er wehrt sich. Er windet sich und fängt an zu schreien, doch dann ist es schon vorbei, und sie zieht ihn wieder aus dem Wasserstrahl. Beide lachen.

Mary dreht den Hahn zu und schiebt den Vorhang zurück. Sie hebt Little Eddie aus der Wanne, stellt ihn auf den Boden und holt Badetücher. Sie geht damit ins Wohnzimmer, und er geht hinterher; auf ihrem Weg dorthin hinterlassen sie kleine Pfützen auf dem Fußboden. Sie breitet ein Badetuch auf dem Teppich aus, und er legt sich drauf, damit sie ihn darin einwickeln kann. Er liegt da und beobachtet, wie sie sich mit dem anderen Handtuch abtrocknet. Als sie damit fertig ist, hat er sich bereits aus seinem Handtuch befreit und sich dabei selbst trockengerubbelt. Er ist schon wieder auf den Beinen und geht schnurstracks auf Eileens große Spielzeugkiste zu, die sie im Wohnzimmer stehenlassen darf. Aber ehe er sie umwerfen und das ganze Spielzeug auf dem Boden verteilen kann, hat Mary ihn schon geschnappt, und die beiden gehen die Treppe hoch.

Nachdem sie ihren Sohn angezogen hat, gehen sie in Eddies und ihr Zimmer. Sie muß lächeln, als sie in der Schublade mit der Unterwäsche wühlt und ihr Blick auf eine neue Baumwollunterhose fällt, denn ihr kommt in den Sinn, daß ihre Mutter ihr gesagt hat, sie solle immer eine saubere Unterhose anhaben, falls sie mal einen Unfall hätte.

Damals hatte Mary gesagt: «Und wenn ich einen Unfall habe und dabei sterbe? Dann ist es doch wohl egal, oder?»

Ihre Mutter hatte geantwortet: «Für die Hinterbliebenen wird es eine Schande sein, wenn die eigene Tochter in schmutziger Unterwäsche stirbt.»

Mary fragt sich, wann sie Eileen dasselbe sagen wird, von Mutter zu Tochter. Sie weiß, daß sie irgendwann einfach damit herausplatzen wird, ohne nachzudenken. Sie fragt sich, was ihre Tochter sagen wird. Zum Teufel, denkt sie, es ist schon schwer genug, sie dazu zu kriegen, überhaupt was anzuziehen.

Mary schlüpft in Shorts und T-Shirt. Sie beeilt sich, damit sie Little Eddie im Auge behalten kann. Als sie wieder unten sind, sucht sie für beide ein Paar Socken und Turnschuhe heraus und einen Hut für Little Eddie, damit ihm die Sonne nicht auf den Kopf brennt. Dann sind sie draußen und fahren los.

Als Mary die Straße zu Dr. Pot entlangradelt, fühlt sie sich jünger. Das wird seit langer Zeit ihre erste Arbeit sein. Nicht, daß das, was sie für Eddie macht, keine Arbeit wäre, das ist es sehr wohl. Sie beherrscht ihre Arbeit auch sehr gut, hilft Eddie dabei, Gesichter schön herzurichten, aber das ist eine Arbeit, die sie mit ihm zusammen zu Hause macht. Die neue Arbeit ist anders. Die macht sie in der Öffentlichkeit. Auf dem Scheck wird nur ihr Name stehen.

An Dr. Pots Haus, direkt neben dem Platz mit dem Denkmal, stellt sie das Rad ab und nimmt Little Eddie auf den Arm. Sie geht die Stufen zur Tür hoch, wo auf einem Schild steht: BITTE EINTRETEN. Diese Schilder kriegt man in jedem Baumarkt, mit Aufschriften wie BETRETEN VERBOTEN oder ZU VERKAUFEN.

Dr. Pot sitzt in seinem eigenen Wartezimmer und liest

Zeitung. Er steht auf, als sie die Tür öffnet und dabei ein paar Glöckchen in Bewegung bringt. Er lächelt und deutet einen kleinen Diener an. Das Wartezimmer ist sauber und hell. In ihm schwebt ein feiner Geruch, mehr nach Safran als nach Desinfektionsmittel. Mary gefällt das.

Sie ist zum erstenmal hier. Ihr Hausarzt ist in Keene, der Kinderarzt dort hat eine Gemeinschaftspraxis mit anderen Ärzten, darunter auch eine Hebamme, die Little Eddie geholt hat. Sie war selbst im siebten Monat schwanger mit ihrem ersten Kind, als sie ihm auf die Welt half. Durch diesen Zufall sind sie in Kontakt geblieben.

Bilder von Griechenland hängen an den Wänden in Dr. Pots Sprechzimmer, wie man sie in Restaurants sieht. Mary findet auch das ganz nett. Ist mal was anderes.

«Ich bin Mary Ryan», sagt sie. «Sie machen doch die Untersuchungen für die Schule?»

«Die Schule», sagt er, «ja, ja, die Schule.»

Dann erklärt er ihr, daß es da ein kleines Problem gibt. Seine Sprechstundenhilfe ist heute nicht da. Normalerweise hat er immer eine Assistentin dabei, wenn er Frauen untersucht, und bei Kindern sollte immer ein Elternteil dabeisein. Er erzählt ihr, daß seine Sprechstundenhilfe am Sonntag morgen Preßwehen bekommen und gestern nacht ein Kind geboren hat.

«Für diese Untersuchung müssen Sie sich zwar nicht ausziehen, aber ich hätte doch lieber meine Assistentin dabeigehabt.»

Mary erklärt ihm, daß ihr gerade eine Anstellung an der Schule angeboten wurde, weil eine Lehrerin ein Kind bekommen hat, und er nickt lächelnd.

«Mir macht es nichts aus», sagt sie. «Ich würd es ganz gern hinter mich bringen.»

«Wenn Sie also nichts dagegen haben.»

Während sie miteinander sprechen, stellt Mary Little

Eddie auf die Füße, und er marschiert zum Zeitschriftenständer. Der kippt um, und die Zeitschriften rutschen wie Fische über den Teppich. Dr. Pot lacht.

«Ich hab was für ihn», sagt er. «Bitte kommen Sie.»

Mary folgt ihm den Flur entlang, mit Little Eddie an der Hand.

Sie gehen in einen Untersuchungsraum, wo Dr. Pot bereits einen Schrank voller Spielzeug aufgemacht hat.

«Damit kann er spielen, und dann hab ich noch etwas.»

Er verläßt den Raum und kommt mit einem Glas Lollis wieder.

«In Ordnung?» fragt er.

«Ja», sagt sie. «Er hat schon gelernt, sie zu lutschen und nicht zu schlucken.»

«Sehr gut.»

Nachdem er Little Eddie ein Lolli gegeben hat, setzt sich Dr. Pot an seinen Schreibtisch. Er bedeutet Mary, sich ebenfalls hinzusetzen.

«Erst brauche ich einige Informationen», sagt er und nimmt ein weißes Formular. «Wenn Sie nichts dagegen haben. Alter? Größe? Gewicht?»

Mary beantwortet alle seine Fragen. Er fragt sie nach Kinderkrankheiten, Impfungen, ob sie Krebs hat oder hatte, Tb, Geisteskrankheiten, Blutkrankheiten, Nervenkrankheiten, Drogen- oder Alkoholmißbrauch, Herzkrankheiten und Operationen. Er fragt nach ihren Geburten, ob sie problemlos verliefen. Er fragt sie, ob ihre Periode regelmäßig kommt und ob sie damit Schwierigkeiten hat.

«Ersteres ja und letzteres nein», sagt sie. «Aber als ich dreizehn war, waren die Schmerzen so gräßlich, daß ich die Pille genommen habe, und zwar so lange, bis ich schwanger werden wollte, und dann ist es sofort passiert. Wir wollten beide eine natürliche Geburt, aber ich sag Ihnen, ich hatte die Namen aller Medikamente parat, für alle Fälle.»

«Kein Problem», sagt er. «Das brauche ich nicht zu notieren.»

Little Eddie liegt still auf dem Rücken, hat ein Holzklötzchen vor der Nase und dreht es in den Händen. Als er es von allen Seiten angeschaut hat, läßt er es fallen und nimmt ein anderes.

«Wenn Sie nichts dagegen haben, ich brauche eine Urinprobe.»

Er gibt ihr ein kleines Glas, und sie geht damit auf die Toilette. Auf dem Weg bemerkt Mary, daß er ihr ein ausgespültes Senfglas in die Hand gedrückt hat. Sie lächelt und denkt, was soll's. Sie pinkelt hinein und schraubt es fest zu.

Wieder im Untersuchungsraum, sieht sie, wie Dr. Pot Little Eddie Holzklötzchen reicht. Der nimmt sie und läßt sie auf den Boden fallen. Mary gibt Dr. Pot die Probe, und er bedankt sich, wickelt einen Papierstreifen darum und zieht ein Gummiband darüber.

«Jetzt muß ich Ihren Blutdruck messen.»

Mary setzt sich, und er wickelt ihr die Manschette um den Oberarm, pumpt sie auf und liest dann die Werte ab.

«Sehr gut», sagt er, «Ihr Blutdruck ist sehr gut. Und jetzt Ohren, Augen, Nase und Hals.»

Er zieht eine kleine Taschenlampe heraus und leuchtet in sie hinein.

«Sehr gut», sagt er, «sehr gut. Und jetzt Hören und Sehen.»

Dr. Pot steckt die Taschenlampe wieder in seinen Kittel und geht zur Tür hinaus. Er schließt sie hinter sich, und dann hört Mary ihn flüstern.

«Können Sie mich verstehen?»

«Ja», flüstert sie zurück.

«Sehr gut», flüstert er.

Er kommt wieder herein und macht die Tür zu. Er hat eine Tafel voller E, die er mit Leuchtschrift geschrieben hat. Er bittet sie, oben anzufangen und ihm zu sagen, in welche Richtung die Balken der E deuten.

Mary arbeitet sich durch die Tafel durch.

«Sehr gut», sagt er. «Und jetzt sehen Sie bitte geradeaus, strecken die Arme vor und führen den Zeigefinger zur Nasenspitze. Erst den rechten, dann den linken.»

Als sie das geschafft hat, muß sie aufstehen und im Raum umhergehen, erst auf den Zehenspitzen, dann auf den Fersen. Er sagt ihr, sie habe es gut gemacht.

«Jetzt setzen Sie sich bitte», sagt er. «Sitzen Sie gerade und atmen Sie regelmäßig.»

Dr. Pot geht um sie herum und tritt hinter sie. Er berührt sie nicht, aber seine kleinen Hände sind ihrem Körper sehr nahe. Er sagt ihr, tief einatmen, und dann sagt er: «Sehr gut.» Er bewegt die Hände von unten nach oben über ihren Rücken, die Wirbelsäule und die Schultern.

Er tritt vor sie, und sie sieht, daß er die Augen geschlossen hat. Er bewegt die Hände über ihre Schultern, Brüste, Seiten und den Bauch, berührt sie dabei nicht, hält die Augen geschlossen und sagt ihr, sie soll tief einatmen, und dann sagt er jedesmal sehr gut. Sie betrachtet sein ausdrucksloses braunes Gesicht und sieht jetzt das weiße Narbengewebe auf seinen oberen und unteren Augenlidern, dort, wo sie zusammentreffen.

Schließlich öffnet er die Augen und lächelt sie an.

«Bestanden», sagt er. «Tut mir leid, daß diese Untersuchungen so dumm sind, aber das ist nun mal Vorschrift.»

«Ihre Augen», sagt sie, und im selben Moment ist es ihr peinlich.

Zuerst sagt Dr. Pot nichts. Er geht an seinen Schreibtisch und füllt das Formular aus. Als er damit fertig ist, sieht er sie lange an. Dann senkt er den Blick und fängt an zu reden.

«Ich war Dozent an der Universität in Hue», sagt er. «Im

Januar 1968 griff die nordvietnamesische Armee die Stadt an. Sie haben die Stadt mit ihren Raketen unter Beschuß genommen und den kaiserlichen Palast nördlich vom Fluß erobert. Meine Frau und ich hatten ein Haus in der Te-loi-Straße. In dieser Straße gab es viele Studenten, und die Tennisspieler haben sich immer im Cercle Sportif auf einen Drink getroffen. Es war kalt und regnerisch und neblig. Die Raketen schlugen den ganzen Tag über ein. Tote Frauen lagen in den Gärten, Kinder wurden unter Trümmern begraben, und Ratten fraßen an den Leichen.

Am ersten Februar kamen sie mit Megaphonen und riefen uns heraus auf die Straße. Sie hatten meinen Namen. Sie wußten, daß ich Arzt war, deshalb haben sie mich mitgenommen. Sie hatten Tätowierungen, auf denen stand: ‹Geboren im Norden, gestorben im Süden›. Damit ich nicht fliehen konnte, haben sie mir die Augen zugenäht.»

Mary faßt sich an den Hals. Sie bemüht sich, ihr Entsetzen nicht zu zeigen, denn sie möchte nicht, daß er denkt, es sei gegen ihn gerichtet. Doch Dr. Pot sieht sie nicht an. Er schaut auf Little Eddie, der jetzt am Boden schläft.

«Später habe ich erfahren, daß vierzigtausend Mann an dem Angriff beteiligt waren. Dreitausend Menschen wurden hingerichtet. Daran soll auch die CIA beteiligt gewesen sein.

Am vierundzwanzigsten März 1975 ließen sie mich frei, weil ich ihnen gut gedient hatte. Sie brachten mich zurück in den Süden und ließen mich in die Stadt, damit ich vor der Belagerung meine Frau wiederfinden konnte. Am nächsten Tag begann der Granatbeschuß. Ich fand sie in der Kathedrale. Wir sind nach Tan My entkommen und dann auf einem Schiff der Navy nach Da Nang. Die Stadt war voller Flüchtlingsfamilien und verlorengegangener Kinder. Die Nordvietnamesen folgten uns. Wir gingen zu den Docks, um auf einen Frachter zu kommen. Die Boote waren voll. Frauen warfen Australierinnen und Amerikanerinnen, die die Stadt verließen, ihre Kinder zu. Immer wenn die Boote ablegen wollten, packten die Menschen die Taue und banden sie wieder fest, so daß die Boote zurückgezogen wurden. Meine Frau verfing sich in einem Seil und wurde ins Wasser gezerrt. Das Schiff drückte sie gegen die Kaimauer, als die Leute am Seil zogen. Ich habe zugesehen. Ich konnte nichts machen. Also bin ich wieder in die Stadt gegangen. Nach der Eroberung war Ruhe. Von da bin ich zurück nach Hue gegangen. Es ist eine alte Stadt. Die Kiefern in den Bergen sind wunderschön, friedlich. Die Geckos saugen sich an den weißen Wänden fest. Überall waren Tote, ihre Haut war wie Talg.»

«Und wie sind Sie dann schließlich rausgekommen?» fragt Mary.

«Wir waren eine kleine Gruppe guter Freunde. Insgesamt zwanzig. In fünf Jahren haben wir zwanzig Millionen Piaster gespart, genug für ein kleines Boot, Essen, Wasser und Waffen. Wir waren nur Männer.»

Dr. Pot sieht auf den Boden, als suche er etwas, das er verloren hat, dann schaut er wieder hoch. Mary weiß, daß er jetzt dort ist, Tausende von Meilen weit weg, sein Gesichtsausdruck ist leer und zugleich suchend, ein Blick, den sie von ihrem Mann kennt.

«Wir haben uns in der Nacht zum einundzwanzigsten Juni 1980 in der Bucht von Cam Ranh getroffen. Wir kamen aus verschiedenen Teilen des Landes dorthin. Die Nacht war neblig. Wir haben es ins Südchinesische Meer geschafft. Es gab Piraten, aber wir haben sie abgeschüttelt. Nach fünfundzwanzig Tagen sind wir von den Engländern aufgefischt worden und kamen dann später nach Frankreich. Die anderen sind dort geblieben, und ich bin nach Amerika gegangen. Ich habe nie wieder von ihnen gehört, aber sie fehlen mir sehr, *ils me manquent*.»

Mary sitzt wortlos in der Stille, die Dr. Pots Lebensgeschichte hinterlassen hat. Ihr ist, als hätte sie ihr eigenes Leben verlassen, als wäre sie in ein anderes eingetreten, in das von Dr. Pot, seiner Frau und irgendwie auch in das ihres Mannes, in die Jahre, über die er so selten spricht. Sie denkt an die winzigen Hinweise auf dieses andere Leben, an Eddies Vorliebe für Knöpfe, weil die nicht das Geräusch von Reißverschlüssen machen, und an seine Angewohnheit, bei Müllsäcken jede Farbe zu kaufen, nur nicht Schwarz. Der Gedanke an ihn stimmt sie traurig, der Gedanke an ihn und Dr. Pot, an sie alle, denn sie stehen allein da mit ihren Problemen und klagen trotzdem nicht, lassen sich nicht davon aus der Bahn werfen. Sie haben sich offenbar damit arrangiert.

«He», sagt Dr. Pot, «ich erzähle Ihnen einen Witz, den ich gestern im Fernsehen gesehen hab. Kommt ein Mann zum Arzt und sagt: ‹Mein Arm tut immer weh, wenn ich so mache.› Sagt der Arzt: ‹Dann machen Sie nicht so. Fünfzehn Dollar!› Haben Sie verstanden? ‹Dann machen Sie nicht so.› Ich könnte mich totlachen.»

Mary lacht über den Witz. Sie kennt ihn schon, aber sie läßt sich gern von Dr. Pots Freude anstecken.

Er lacht immer noch, als er aufsteht und zum Glasschrank geht. Aus einigen Plastiktüten nimmt er Blätter, Halme, Wurzeln und Samen. Die legt er in einen großen Mörser und bearbeitet sie mit dem Stößel, bis sie fein gemahlen sind. Er kippt alles in einen Beutel und gibt ihn ihr.

«Wenn diese Krämpfe noch mal wiederkommen, machen Sie sich einen Tee daraus. Und nehmen Sie auch ein paar von denen hier mit.» Er gibt ihr eine Handvoll Lollis.

«Vielen Dank», sagt Mary. «Er war so brav. Normalerweise läßt er mich um diese Tageszeit überhaupt nicht zur Ruhe kommen.»

«Ich sage es nicht jedem», flüstert Dr. Pot, «aber ich

habe ein leichtes Beruhigungsmittel in die Lollis gemischt. Funktioniert wirklich gut.»

Eddie und Cody stellen fest, daß die Tochter von Bibeau ohne Papiere eingeliefert und beim Sortieren übersehen wurde. Sie ist schon seit sechs Monaten da.

«Es gibt keine verläßlichen Informationen», sagt ihnen der Mann, der die Akte mit der Aufschrift *Unbekannt* in den Händen hält. «Sie wurde in einem Bach gefunden, lag halb im Wasser, trug eine Armbanduhr und pfeilförmige Ohrringe. Außerdem eine Kette mit einem silbernen Horn und einem silbernen Herzen daran. Sie wurde mit einer Schrotflinte getötet. Wir haben den Täter geschnappt, doch der wußte auch nicht, wer sie war. Es gibt keine verläßlichen Informationen. So was passiert halt.»

Der Mann erzählt ihnen, daß dieses Problem immer schlimmer wird, Jugendliche, die von zu Hause abhauen, junge Mädchen, die in die Stadt kommen, in die falschen Kreise geraten und auf diese Art enden. Eddie weiß, daß er recht hat. Er hört nicht weiter zu.

Nachdem sie die Tochter von Bibeau in den Wagen geladen haben, fahren sie los, in Richtung Interstate.

«Dem Arschloch da war die ganze Sache doch scheißegal», sagt Cody.

Eddie hat ihn noch nie wo wütend gesehen. Er schaut sich nach einem Geschäft oder einem Kiosk um. Er findet, sie könnten jetzt beide eine Cola gebrauchen. Eddie sagt Cody, daß er schnell was zu essen besorgen will, Cody soll im Auto bleiben. Er sagt ihm, daß er jetzt Jackett und Schlips ausziehen kann, vielleicht auch ein bißchen die Ärmel hochkrempeln und das Hemd aufknöpfen. Reg dich ab, sagt er.

Eddie fühlt sich in dieser Situation genauso unwohl wie Cody, aber er kann sich den Luxus der Wut nicht leisten. Er muß den Bibeaus und Arthur Bouchea helfen, wenn er heimkommt, und Mitgefühl ist das letzte, was sie brauchen. Er muß ihnen schon etwas mehr bieten, als nur ihre Trauer zu teilen. Er muß ihnen Kraft geben können.

«Jetzt reg dich wieder ab. Ich glaub, der Typ konnte nichts dafür. Für ihn war die Situation genauso unangenehm wie für dich.»

Eddie geht zum Laden, Codys wütendes Schnauben immer noch im Ohr. Jemand hat einen Spruch auf das Schaufenster gesprüht: «Penner an die Wand und her mit dem Leergut.» Im Laden nimmt sich Eddie ein paar Dosen Cola und eine Schachtel Kekse. Außerdem ein Glas Marmelade, denn er weiß, daß Cody sie gern auf die Schokokekse schmiert. Er greift nach einer Zeitung und bemerkt, daß er von einer Kamera beobachtet wird und der Typ an der Kasse seine Bewegungen auf dem Monitor verfolgt.

Eddie geht zur Kasse und zieht die Brieftasche heraus.

«Was soll 'n das werden? Das letzte Abendmahl oder was?» fragt der Typ mit einem blöden Grinsen.

Eddie gibt ihm das Geld und beugt sich zu ihm rüber.

«Fick dich doch ins Knie», flüstert er.

Sie biegen auf die Interstate und haben die Stadt bald hinter sich gelassen. Sie fahren nach Norden, in die Berge und Kiefernwälder. Cody ißt die Kekse, auf die er mit dem Taschenmesser Marmelade gestrichen hat. Sein Hemd hat schon rote und braune Flecken, aber jedenfalls hat er sich jetzt beruhigt.

Cody stopft die Reste seiner süßen Kreation in den Mund, leert die noch halbvolle Coladose in einem Zug. Die Kohlensäure brennt ihm in der Kehle. Er reinigt deutlich hörbar seine Zähne mit der Zunge.

«Glaub bloß nicht, daß ich mich schon abgeregt hab», sagt er. «Mit ein paar Süßigkeiten kannst du mich nicht kaufen.»

«So war es auch gar nicht gemeint. Wir brauchen nur ein bißchen Ablenkung, und ich dachte, Essen ist da immer gut.»

Cody rülpst und faßt sich an die Brust.

«Kitzelt das Herz», sagt er und rülpst noch mal. «Mann, ich könnt kotzen.»

Eddie reagiert nicht darauf. Das hat er von Cody schon öfter gehört, vor allem, wenn er zuviel getrunken hat.

Sie fahren wortlos weiter, konstant mit fünfzig Meilen die Stunde, und der alte Motor summt ruhig vor sich hin. Cody liest Zeitung. Sie werden von Autos und Lastwagen überholt. Die Leute starren herüber, und Eddie starrt zurück, mit einem ausdruckslosen Blick, den er für derartige Begegnungen perfektioniert hat. Sie kommen wieder durch dieselben Orte, Northampton, Deerfield und Greenfield, sehen ab und zu den Connecticut River, der sich durchs Tal schlängelt, und die flachen Wiesen an seinem Ufer. Sie kommen an Maisfeldern vorbei, an Obstgärten, Kartoffelfeldern, Zwiebelfeldern und Tabakfeldern. Vom Highway aus sehen sie die Scheunen, in denen die Tabakblätter getrocknet werden. Die Holzplanken sind verwittert und geschrumpft, und die Zwischenräume sind noch größer geworden.

Eddie erinnert sich an seinen Wirtschaftsdozenten im ersten Jahr im College. Der promovierte gerade über den Tabakanbau im Tal des Connecticut River, einem der zwei Gebiete, wo Tabak für das Deckblatt von Zigarren angebaut wird. Der Dozent kam aus North Carolina. Guter Gesprächsstoff für Eddie und ihn.

Er denkt an die Tochter von Bibeau, daß sie jetzt tot ist und er daran gar nichts ändern kann. Sie wird nie mehr Gelegenheit haben, mit einem Dozenten über Tabakanbau zu reden. Für sie wird es nie mehr diese Überraschungsmomente geben, in denen man nur sagen kann: Die Welt ist doch ein Dorf. Es wird eine schöne Messe für sie geben, und er wird wieder einmal die Worte Gnade, Gott, Liebe, Ruhe, Frieden, ewig, Tränen und Herz hören.

Doch die harte Wahrheit ist, daß sie tot ist und daß es keinen vernünftigen Grund dafür gibt. Er denkt an seine eigene Tochter und preßt die Hand auf die Brusttasche, drückt fest, bis er zu spüren glaubt, wie die Armbanduhr, die pfeilförmigen Ohrringe und die Kette mit dem Horn und dem Herzen aus Silber gegen seine Brust gedrückt werden. In diesem Augenblick hat er Angst, die Nerven zu verlieren.

«Diese Arschlöcher», sagt Cody. «Heute ist doch echt der Tag der Arschlöcher. Hör dir das an.»

Cody liest ihm vor, daß die Polizei in Paraguay sieben brasilianische Babies aus der Hand von Kidnappern befreit hat, die die Kinder töten und ihre Organe in die USA verkaufen wollten. Die Babies waren zwischen drei und sechs Monaten alt und sollten in amerikanischen Organbanken getötet werden, fünfzehntausend Dollar pro Baby. Die Behörden erklärten: «Wir wurden mißtrauisch, als interessierte Adoptiveltern jede Art von Babies haben wollten, auch behinderte.»

Eddie spürt, wie seine Augen brennen und sich ihm der Magen umdreht. Er setzt die Sonnenbrille auf, und sobald Cody etwas sagen will, bringt er ihn mit einer Handbewegung zum Schweigen.

Die Kinder sind im Bett. Mary und Eddie sitzen am Küchentisch. Sie berichten einander von ihrem Tag, ohne zu wissen, daß der andere etwas zurückhält, ohne zu wissen, daß der andere in Erinnerungen an diesen Tag versinkt.

Cody kommt mit einer blauen Broschüre aus seinem Anhänger.

«Ich brauche zwei Zeugen», sagt er. «Ich will Organspender werden.»

«Wo hast du das denn her?» fragt Eddie.

«Aus Springfield, aus dem Leichenhaus. Ich denk, es wird höchste Zeit.»

Mary nimmt die Broschüre und überfliegt sie. Das meiste, was darin beschrieben wird, kennt sie schon von ihrer Arbeit mit Eddie.

«Warum haben wir nicht solche Ausweise?» fragt sie ihn.

«Ich weiß auch nicht. Bin noch nicht dazu gekommen. Ist eh egal. Das können auch die Angehörigen noch regeln.»

«Und wenn wir zusammen sterben?»

«Mein Gott, dann kann es eines der Kinder tun. Müssen wir unbedingt jetzt darüber reden?» sagt er, steht auf und geht hinaus, doch er geht nicht weit weg, setzt sich nur auf die Veranda. Er hört, wie Cody sagt, daß es heute eigentlich gar nicht so schlecht gelaufen ist, obwohl es verdammt so aussieht, als wäre mit Eddie irgendwas nicht in Ordnung.

«Wir lassen ihn am besten in Ruhe», sagt sie. «Manchmal will er einfach allein sein. Jetzt guck mal her, du hast zwei Kästchen angekreuzt, alle benötigten Organe oder Gewebe und nur die unten angegebenen, und die hast du auch alle angekreuzt – Augen, Nieren, Haut, Leber, Herz, Pankreas und Gehörknöchelchen. Und du hast auch angekreuzt, daß deine Leiche für anatomische Studien genutzt werden darf.»

«Da hab ich wohl Scheiß gebaut, was? Der Arzt wird denken, er hat 'ne chinesische Speisekarte vor sich.»

«Und hier mußt du auch angeben, welche Krankheiten du schon gehabt hast. Leidest du an Allergien, Diabetes, Herzerkrankungen oder Epilepsie?»

«Wenn ja, würde ich es gemerkt haben, oder?»

«Bestimmt.»

«Hier, ich unterschreib jetzt, und du läßt Eddie auch unterschreiben. Ich glaub, er ist draußen auf der Veranda.

Wenn es soweit ist, werden die Ärzte schon damit klarkommen, oder, warte mal, überleg dir, was du ihnen geben willst, und streich dann den Rest durch.»

«Eines kapier ich nicht. Hier steht, wenn man den ganzen Körper zur Verfügung stellt, werden die Überreste verbrannt und die Asche wird in einem speziellen Grab der Gesellschaft für Organspenden beigesetzt.»

«Darüber mußt du halt noch mal nachdenken. Jetzt laß Eddie unterschreiben, und dann kannst du die Sachen durchstreichen, okay? Ich glaub, er ist draußen auf der Veranda. Wahrscheinlich hat er sich schon wieder ein bißchen beruhigt.»

Doch Eddie ist nicht auf der Veranda, er ist auf dem Weg zu Washburns Laden, wo ein Münzfernsprecher steht. Er hat es zu lange aufgeschoben, Lionel Bibeau anzurufen, und jetzt muß er es tun. Es ist an der Zeit. Er wird ihn anrufen, dann eine Münze in den Cola-Automaten stecken und sich eine Dose Pepsi ziehen. Er wird sich auf eine Bank setzen und sie leer trinken, wird sich vorstellen, daß auf dem Platz Mrs. Huguenots Springbrunnen steht, der kaltes Wasser auf Granitplatten spritzt. Später wird er nach Hause gehen, zu seiner schlafenden Familie – Mary, Eileen, Little Eddie, Cody und jetzt auch der Tochter von Bibeau.

13

Mary fährt früh zur Schule. Eileen wollte nicht mit ihr kommen. Sie bestand darauf, den Bus zu nehmen. So wie immer, sagte sie. Mary muß erst ins Sekretariat, dann zum Schulleiter. Sie wünschte, es wären nicht so viele Dinge auf einmal passiert, das mit der Tochter von Bibeau, Dr. Pots blöder Trick mit den Lollis und Eddies Verschwinden. Sie lag im Bett, als er hereinkam, war aber noch wach. Er kroch hinter sie, schlang einen Arm um sie und küßte sie auf die Schulter. Er faßte ihr ins Nachthemd und hielt ihre Brust, mehr nicht, hielt sie einfach nur, und nach einer Weile wurde sein Atem regelmäßiger und dann, glaubt sie, ist er eingeschlafen, zumindest eher als sie.

Im Büro des Direktors wird sie nervös. Zu viele Schuljahre, in denen einem eingebleut wurde, daß das Büro des Direktors der schlimmste Ort auf Erden ist. Sie erinnert sich, daß zu ihren Zeiten in der High School das Flitzen groß in Mode war. Eines Tages stürmten sie und zwei andere Mädchen in hautfarbener Unterwäsche durch die Hintertür der Turnhalle hinaus und schafften eine ganze Runde um die Aschenbahn und wieder zurück, ohne erwischt zu werden. Doch es sprach sich rum, und noch am selben Tag wurden sie ins Büro des Direktors zitiert. Er sagte ihnen, wie entsetzt er sei, weil alle drei doch aus guten

Familien kämen. Aber er sah von einer Bestrafung ab, weil er einen Skandal vermeiden wollte. Seitdem hielten sie nicht mehr viel von ihm.

Mary kann sich bei dieser Erinnerung an ihren einzigen Zusammenstoß mit der Schulleitung ein Lächeln nicht verkneifen. Sie sagt sich, daß sie jetzt erwachsen ist, Mutter zweier Kinder, verheiratet, eine anständige Frau. Scheiß drauf, denkt sie. Es ist nur ein Job, laß dich nicht nervös machen.

Der Direktor ist noch nicht in seinem Büro. Er steht draußen auf dem Gang, grüßt Schüler und scherzt mit den Lehrern. Sie kann seine Stimme hören. Er klingt ganz nett. Sie kennt ihn nur flüchtig, obwohl sie ihn jedesmal sieht, wenn sie zur Schule kommt, zu Ausstellungen von naturwissenschaftlichen Projekten, zu Vorlesestunden, zu Fahrradrodeos und allen Ballspielen. Zu den Sportveranstaltungen gehen sie und Eddie fast immer.

Es ist eine kleine Schule, und sie muß sein Engagement bewundern. Alle zwölf Jahrgänge sind auf demselben Gelände in drei kleinen, voneinander getrennten Gebäuden untergebracht. So wachsen die Kinder von Inverawe miteinander auf. Die drei Gebäude heißen Bigtown, Middletown und Littletown, und jedes Klassenzimmer ist ein ‹Zuhause›. Das gefällt Mary.

Schließlich kommt er herein. Er ist ganz in Weiß, Schuhe, Hose, Gürtel, Hemd und Jacke, alles weiß. Jetzt hat sie nicht mehr das Gefühl, daß sie sich zu schick gemacht hat. Auf seinem Schreibtisch steht eine graue gußeiserne Haubitze. Er läßt seinen Stift in das Kanonenrohr gleiten und nimmt Platz.

«Mrs. Ryan», sagt er, «ich bin Ihnen dankbar, daß Sie uns so kurzfristig aushelfen können. Im Sekretariat ist alles geregelt?»

«Ja», sagt Mary, «alles in Ordnung.»

«Ihre Untersuchung. Ich hoffe, das ist auch gut gelaufen. Dr. Pot ist ein netter Mensch. Als die Methodisten ihn finanziell unterstützt haben, war ein Teil der Abmachung, daß er auch für uns arbeitet, damit Schüler und Lehrer nicht mehr bis nach Keene müssen. Er hat viel für uns getan. Auch bei den Sportfesten ist er immer da und spart der Stadt wirklich eine ganze Menge Geld.»

«Ja, danke», sagt Mary, «alles lief gut. Er scheint ein aufrichtiger Mensch zu sein.»

«Gut», sagt der Schulleiter. «Das wäre das. Mrs. Halls ‹Zuhause› ist in Littletown. Die Sekretärin wird Ihnen den Weg zeigen. Vielleicht können wir uns ja heute nachmittag noch ein bißchen unterhalten.»

Er steht auf, Mary ebenfalls. Sie reichen sich die Hand, und Mary geht. Sie weiß, wo Littletown ist. Dort verbringt Eileen den größten Teil des Tages.

Mrs. Hall ist in ihrem ‹Zuhause›, als Mary dort ankommt. Sie ist freundlich, aber bestimmt. Mary mag sie sofort.

«Heute ist Poissant-Tag», sagt sie. «So steht es auf dem Plan. Die Poissants kommen am Dienstag und Donnerstag, und der Rest am Montag, Mittwoch und Freitag. Sie sind doch Eileens Mutter?»

«Richtig.»

«Sie ist 'ne Wucht. Einmalig. Also, denken Sie dran, seien Sie nicht zu ehrgeizig. Die Kinder brauchen keinen, der Hektik verbreitet. Dieser Raum ist in erster Linie eine Zufluchtsstätte, und alles, was wir darüber hinaus vermitteln können, ist schon ein Gewinn. Sie werden den Kindern helfen, ihnen Arbeitsanweisungen geben, Tests beaufsichtigen, Hausaufgaben durchgehen, all so was. Sie schaffen das schon.»

Und dann endlich gibt ihr Mrs. Hall die Hand und lächelt.

An ihrem ersten Schultag hat Mary zwei der Poissant-Jungen zu beaufsichtigen, Maple und Micah, beide zehn.

Es sind schmutzige Kinder, mit gelblicher Haut und gelblichen Augen mit roten Rändern. Und sie riechen, riechen nach Urin und Schweiß.

Sie sieht sofort, daß diese Jungen keine Mathematiktests brauchen, was sie brauchen, ist ein Bad und eine Portion Haferflocken, etwas Obst und Gemüse. Auf der Stelle beschließt sie, dem Schulleiter bei der nächsten passenden Gelegenheit zu sagen, auch wenn es vielleicht seltsam klingt, ich möchte diesen Kindern ein Bad und was Ordentliches zu essen verschaffen. Jeden Tag. Ich werde das in die Hand nehmen. Ich werde sogar selbst die Seife und die Haferflocken kaufen.

Sie soll ihnen bei einem Mathetest helfen. Da die beiden als Förderschüler eingestuft sind, dürfen sie ihre Tests im Förderraum schreiben, was die Mathematiklehrer gewaltig wurmt.

Mary liest ihnen die Aufgaben vor. Sie sitzt zwischen den beiden. Das einzige Geräusch im Raum ist das Summen der Neonröhre über ihnen.

Sie fragt die beiden, ob sie alles verstanden haben, aber sie sagen nichts. Sie sitzen still da und starren sie an. Sie findet, die beiden sehen aus wie kleine Fuchswelpen, die am Rande einer Wiese auf den Hinterläufen kauern, die trägen gelben Augen dem Schlaf nahe.

Sie gibt ihnen die Blätter und lehnt sich zurück. Es sind einfache Additions- und Subtraktionsaufgaben. Die beiden zählen an den Fingern ab oder malen Punkte auf einen Schmierzettel. Manchmal kombinieren sie beide Methoden, manchmal schreiben sie nur eine Zahl hin. Sie schaut ihnen über die Schulter und ist von den Lösungen verwirrt. Da stehen drei oder vier richtige in einer Reihe, dann eine, die überhaupt keinen Sinn ergibt, dann wieder drei oder vier richtige. Sie bedauert die beiden und dann sich selbst. Es wird ein langer Tag werden.

Mary begleitet Maple und Micah in den Speisesaal und geht dann ins Lehrerzimmer. Es sind eigentlich zwei Räume, einer zum Essen und einer zum Arbeiten, doch sie werden so benutzt, daß die Männer in einem Raum arbeiten und essen und die Frauen in dem anderen.

Mrs. Hall ist schon da. Vor sich hat sie Möhren, Sellerie, Kräcker und Käse ausgebreitet. Mary nimmt ihr Mittagessen aus dem Kühlschrank und setzt sich zu ihr.

«Wie war's?» fragt Mrs. Hall.

Mary erzählt, wie die beiden im Test abgeschnitten haben. Mrs. Hall lächelt. Sie sagt Mary, es freut sie sehr, daß die Jungen auf so viele richtige Lösungen gekommen sind. Mary erkennt, daß sie einige Dinge vielleicht falsch eingeschätzt hat.

«Keine Sorge», sagt Mrs. Hall und tätschelt Mary den Arm. «Die beiden haben ihre Sache gut gemacht. Sie haben sich bestimmt bemüht, Ihnen zu gefallen. Ich mag die Kinder. Was die für Geschichten erzählen.»

«Ich weiß nicht, wie ich es sagen soll, aber könnte man die beiden nicht mal in die Badewanne stecken?»

Mrs. Hall lächelt wieder, und Mary sieht, wie hübsch sie ist. Ihre Augen blitzen, und sie spitzt die roten Lippen.

«Irgendwas ist seltsam hier», sagt sie. «Diese Familie kenne ich nun schon mein ganzes Leben. Da gibt es Inzest, Deformationen, Geisteskrankheiten, Hauttuberkulose, Krebs, Blindheit, plötzlichen Kindstod, Frauen, die im Wochenbett sterben. Und ich kenne sie alle, jedenfalls die, die am Leben geblieben sind. Früher hab ich sie jeden Morgen erst mal mit in den Waschraum genommen. Zähne putzen und Gesicht waschen. Wenn sie richtig dreckig waren, kamen sie ganz in die Badewanne. Die meisten kamen direkt aus dem Stall. Dann sagte mir der Schulleiter, das gehe nicht mehr. Irgendwas mit Gesetzen und Verordnungen. Gute Gesetze, notwendige Gesetze, aber dieser Scheißkerl hat die Gesetze gerade gegen die Förderschüler angewendet. Ich habe diese Kinder schon unterrichtet, da hat es so was wie Sondererziehung noch nicht gegeben. Auch kein besonderes Gesetz. Das Problem ist, die Guten machen die Gesetze, damit die Schlechten sie ausführen.»

Mrs. Hall sieht auf ihr Essen. Einen Moment glaubt Mary, sie betet, weil sie so still ist. Ohne aufzusehen redet sie dann weiter, mit leiser, gedämpfter Stimme.

«Ich werde einfach alt. Früher war es wohl auch nicht besser als heute. Ich hab nur keine Lust mehr auf all das Neue. Vielleicht sollte ich mich pensionieren lassen. Alt genug bin ich ja.»

Am Nachmittag kommt Juanita Poissant in den Förderraum. Marys erster Gedanke ist, so professionell wie möglich vorzugehen und sich die Akte des Mädchens anzusehen, doch sie tut es nicht. Sie setzt sich neben sie und redet.

Sie sagt: «Juanita, was für ein schöner Name. Wie bist du denn an den gekommen?»

Das Mädchen zieht eine Plastikgeldbörse aus der Tasche, öffnet sie und holt ein Kärtchen heraus.

«Mein Vater war in Rita Hayworth verliebt», sagt sie und blickt auf das zerknitterte Papier. «Sie sind am selben Tag geboren. Siebzehnter Oktober 1918. Ihr richtiger Name war Margarita Cansino. Gefällt Ihnen mein Mantel?»

«Ja, sehr hübsch.»

«Er ist aus Hühnerfußleder. Das gibt's nur ganz selten. Mein Vater sagt, Kühe sind die friedlichsten Tiere. Im Zweiten Weltkrieg haben sie ruhig auf der Weide gelegen, und um sie rum hat der Krieg getobt. Haben Sie schon mal was von dem indischen Baby gehört?»

Owen Poissant kommt jeden Tag von der High School herüber, um von halb drei bis drei mit Mrs. Hall zu arbeiten. Er ist einem Förderlehrer in Bigtown zugeteilt, weigert sich aber, dorthin zu gehen. Der Lehrer ist nur an Sport interessiert und scheint der Meinung zu sein, damit ließen sich alle Probleme der Schüler beheben. Er und Owen kommen einfach nicht miteinander aus.

Mary bewegt sich unauffällig durch den kleinen Raum. Sie möchte bei der Unterhaltung zuhören, möchte soviel wie möglich lernen. Sie muß sich den Mund zuhalten, um nicht laut loszulachen.

«Owen, mein Junge, ich weiß, daß man es so nennt, aber in einem Aufsatz kannst du nicht Scheißeschleuder sagen», sagt Mrs. Hall.

«Aber Mrs. Hall, man nennt es nicht nur so, es ist eine.»

«Das haben wir schon mal durchgekaut. Glaub mir doch. Benutz einfach das Wort Dünger für Scheiße, sooft du kannst. Versuch's mal. Dünger.»

Owen sagt das Wort, und dann läßt sie es ihn noch mal sagen und noch mal, bis er jedesmal die Lippen spitzt und die Wangen einzieht.

«Wunderbar. Ist das nicht ein schönes Gefühl im Mund? So klingt es doch gleich viel besser.»

Sie tätschelt ihm die Hand und deutet auf die Wanduhr. Er sammelt seine Hefte und Bücher zusammen. Mary fällt auf, daß sie alle das Ende hinauszögern. Es gefällt ihnen in Mrs. Halls Raum. Sie wollen nicht gehen. Marys erster Tag ist vorbei, und sie ist traurig.

Als Owen weg ist, schließt Mrs. Hall die Tür und knipst das Licht aus. Sie wühlt in ihrer Handtasche und zieht Streichhölzer und eine kleine, dünne Zigarre heraus. Sie bedeutet Mary, sich mit ihr hinter die Trennwand neben das Fenster zu setzen. Von dort aus können sie den Sportplatz sehen. Einige Schulmannschaften trainieren gerade und sind dabei, verschiedene Teams zusammenzustellen. Mrs. Hall zündet sich die Zigarre an, streift die Schuhe ab und legt die Füße aufs Fensterbrett. Sie hält die Zigarre zwischen zwei Fingern, berührt die Spitze mit den Lippen, nimmt einen langen Zug und entspannt sich, gibt sich ganz der Erschöpfung hin.

«Er muß nach Hause gehen, Scheiße schaufeln», sagt sie.

Die beiden Frauen lachen, wie betrunken vom Klang des Wortes.

Am Freitag wird der Stundenplan umgeworfen. Der Schulleiter kündigt eine Vollversammlung für halb eins an. Sie soll eine Stunde dauern. Die Köchinnen im Speisesaal sind sauer und überlegen, ob sie den kleinen Scheißkerl nicht in die Gemüsesuppe werfen sollen. Die Lehrer wissen, daß sie die Schüler nach der Versammlung beaufsichtigen müssen, bis die Busse kommen, keine schöne Vorstellung; andere müssen Abschlußprüfungen verlegen.

Folgendes ist passiert: Ein alter Freund des Direktors von der Nationalgarde hat seine Beziehungen spielen lassen, und eine Band des Marinekorps wird ein Konzert geben.

Das Lehrerzimmer scheint im Moment der Front näher zu sein, als es die Musikanten jemals waren. Das Mittagessen wird hinuntergeschlungen, und dann eilen die Lehrer zur Aula. Die Sache mit dem Konzert sollte eigentlich streng geheim sein, aber wie bei allen militärischen Aktionen sickerte es von der Verwaltung zu einem der Hausmeister durch. Die Verbreitungsgeschwindigkeit eines Gerüchts an einer Schule steht einem Präriefeuer in nichts nach.

«Hört euch das an», sagt ein Biologielehrer. «Auf dem Plakat steht, die Jungs sind eine Mischung aus Earth, Wind and Fire und Blood, Sweat and Tears.»

Der Erdkundelehrer und der Sportlehrer überlegen spaßeshalber, ob sich das Konzert nicht als Grundlage für eine fächerübergreifende Unterrichtseinheit verwenden ließe.

Mary hält sich im Hintergrund. Während die Band spielt, versucht sie, so viele Poissants wie möglich zu erspähen. Sie fühlt sich für sie verantwortlich, und es wäre ihr peinlich, wenn sie Ärger bekämen. Doch von hinten sehen alle Kinder gleich aus. Sie kennt sie noch nicht gut genug, um sie sofort identifizieren zu können, wohingegen andere Lehrer die unheimliche Fähigkeit zu besitzen scheinen, die wibbeligen Kinder, die Flegel, Schwätzer und Raufbolde in den langen, dunklen Reihen auszumachen.

Als diese Kinder während der ersten Viertelstunde einzeln herausgeholt werden, sieht Mary, daß kein Förderschüler dabei ist. Danach wird es ruhiger. Sie bleibt weiter ganz hinten in dem riesigen Raum, aus Angst, in der Dunkelheit zu stolpern und mit wehendem Rock direkt vor der Bühne hinzustürzen. Jemand spricht sie an. Der Sportlehrer.

«Ist Ihnen schon aufgefallen», sagt er, «daß arme Leute einem meistens ihre ganze Lebensgeschichte erzählen, wenn sie die Gelegenheit dazu bekommen?»

Sie dreht sich um und lächelt. Sie sagt, daß sie ihm da zustimmen muß.

«Neulich», flüstert er, «war ich in Keene in der Post, und eine Frau wollte einen Nachsendeantrag ausfüllen. Mehr nicht, aber als sie fertig war, hatte sie alles über ihre Tochter erzählt, die ein Kind bekommen hat und nebenan wohnt. Das Kind ist ein Mädchen, und sie haben alle drei denselben Namen. Auch die Mutter der Frau, glaub ich, überhaupt alle Frauen in der Familie. Irgendwie war da auch was mit Sozialhilfe. Die Schlange wurde immer länger, und schließlich bin ich rausgegangen, um mir nebenan im Zigarrenladen die Sportzeitung zu kaufen. Und diesmal steht eine dicke Frau vor mir. Sie hat die Schuhe ausgezogen und lehnt mit dem Ellbogen auf der Lottokasse. Sie starrt auf ihren Lottoschein, als ob es was nützen würde, über die Zahlen lange nachzudenken, und ich denke nur, aha. Das hatten wir doch gerade erst.»

Mary muß lachen. Sie weiß nicht, ob er es ernst meint oder nicht. Jedenfalls ist es lustig. Die Band spielt ein Medley aus Stücken von den Three Dog Night, und aus irgendeinem Grund sind die Schüler begeistert.

«Woher kennen die Kinder diese Songs?» sagt sie, denn sie spürt, daß er noch neben ihr steht.

«Mich dürfen Sie nicht fragen. Ich bin absolut unmusikalisch.»

Der Keyboardspieler übernimmt den nächsten Song. Die Ähnlichkeit mit Lionel Ritchie ist verblüffend.

«Er ist wirklich gut», sagt Mary.

«Naja, jedenfalls werden die Kinder nicht ins Grab steigen, ohne einen echten Schwarzen gesehen zu haben.»

Er erklärt ihr, daß er in Springfield Sport studiert hat. Er spielte Football, und viele aus dem Team waren Schwarze. Er kam wirklich gut mit ihnen aus.

Mary glaubt, daß er es ehrlich meint. Sie schaut auf ihre Uhr, deren Ziffern im Dunkeln nur schwach leuchten. Das Ende des Konzerts rückt näher, und sie will zurück in den Förderraum. Wenn die Schüler genauso hinausgehen, wie sie hereingekommen sind, befürchtet sie, überrannt zu werden. Außerdem muß sie noch einkaufen.

«Warten Sie mal», sagt der Sportlehrer, «bleiben Sie noch nach der Arbeit?»

Zuerst versteht sie seine Frage gar nicht. Sie will schon sagen, nein, sie muß noch einkaufen, weil Mrs. Hall heute abend zum Essen kommt. Dann wird ihr klar, daß er das nicht gemeint hat.

«Jeden Freitag nach der Schule», sagt er, «bleiben ein paar von uns noch auf ein Bier in der Kneipe um die Ecke.»

«Nein, ich kann nicht. Wir bekommen heute abend Besuch, und ich muß noch einkaufen.»

«Nächste Woche», sagt er.

«Ja, vielleicht nächste Woche.»

Mary geht auf den Hauptgang hinaus. In dem hellen Neonlicht kneift sie die Augen zusammen. Sie ist sich nicht sicher, doch sie glaubt, daß er einen Annäherungsversuch gemacht hat. Dann kommt sie sich blöd vor, weil es vielleicht gar nicht so war. Egal, sagt sie sich, es war jedenfalls eine lange Woche. Die Band spielt jetzt die Hymne des Marinekorps. Der Kollege, der die Ausbildungsberatung durchführt, spricht sie an, als sie an ihm vorbeigeht. Sie bleibt stehen, und er kommt zu ihr auf den Gang heraus.

«Nächsten Montag stehen sie Schlange vorm Rekrutierungsbüro», meint er.

Sie lacht.

«Nein, im Ernst», meint er. «Die Naval Academy verschickt jetzt Werbebriefe an Schüler der Abschlußklasse, und da schreiben sie: ‹Wie wir erfahren haben, sind Sie ein akademischer Top Gun.›»

Hinter ihnen geht die Hymne des Marinekorps jetzt in die Nationalhymne über.

«Und wie läuft's?»

«Gut», sagt sie.

Der Schulleiter kommt aus seinem Büro. Er sieht noch immer ganz frisch aus, ein Traum in Weiß.

«Mrs. Ryan, kann ich Sie einen Augenblick sprechen? Mary, ich meine, Sie haben doch nichts dagegen, wenn ich Sie so nenne?»

Nein, sagt sie und folgt ihm ins Büro. Wieder ist sie beeindruckt, wie ordentlich und aufgeräumt es ist, abgesehen von dem Stift, der aus dem Kanonenrohr der Haubitze herausschaut. Mary setzt sich. Sie hat keine Lust mehr zu lächeln. Ihr tut schon der Mund davon weh. Sie hat keine

Lust mehr, hat es die ganze Woche über getan, immer nur gut, gut gesagt, aber sie weiß nicht, was sie sonst hätte tun sollen. Sie wünschte, sie hätte keine Verabredung zum Abendessen getroffen. Sie möchte nur Eddie, die Kinder und eine Pizza. Sie hofft, daß diese Unterredung nicht lange dauern wird.

«Mrs. Ryan, schön, daß wir uns mal unterhalten können. Ich freue mich sehr, wenn jemand aus dem Ort in der Schule arbeitet. Wie läuft's im Förderraum?»

«Gut», sagt Mary. «Mrs. Hall macht ihre Arbeit großartig.»

«Die Leute kritisieren uns so oft, ohne genau zu wissen, was wir eigentlich tun. Es ist eine sehr wichtige Aufgabe.»

«Das ist mir klar.»

«Wie läuft's denn nun im Förderraum?»

«Die Kinder sind prima. Sie geben wirklich ihr Bestes. Gibt es irgendwelche Probleme?»

«Ich habe eine sehr gute Nachricht für Sie. Ihre Tochter, Irene, wurde für das Begabtenstipendium vorgeschlagen. Das ist wirklich eine Ehre.»

Mary ist überrascht. Sie wußte nicht, daß es ein solches Stipendium gibt. Und es macht ihr auch angst. Zum erstenmal ist Eileens Name in einem solchen Zusammenhang aufgetaucht. Plötzlich sieht sie die Zukunft vor sich, ihre Tochter ist erwachsen und draußen in der Welt. Sie möchte das Leben bremsen, möchte die Dinge etwas verlangsamen. Sie hofft, er meint tatsächlich Irene und hat ihre Tochter mit jemandem verwechselt.

«Oh», sagt sie, «Sie meinen Eileen.»

«Mrs. Hall ist schon sehr lange hier. Sie steht kurz vor der Pensionierung. Noch drei oder vier Jahre.»

Mary glaubt zu verstehen, worauf er hinauswill. Er wird sie dazu ermuntern, wieder ans College zu gehen, ihren Abschluß zu machen und dann Mrs. Halls Arbeit zu übernehmen, wenn sie in Pension geht. Mary fühlt sich geschmeichelt.

«Ich will ganz offen sein, Mrs. Ryan.»

Mary lächelt. Wenn zu Hause jemand diesen Satz sagt, kommt sofort die Antwort: Ganz dicht warst du sowieso noch nie.

«Die Schulen in diesem Bezirk haben die Möglichkeit, Gelder zu beantragen, mit denen wir günstig Software beschaffen können. Eine Auflage ist, daß bestimmte Programme gekauft werden, Mrs. Hall zeigt sich nicht kooperativ, aber ich bräuchte sie dazu.»

«Davon weiß ich gar nichts», sagt Mary, überrascht und enttäuscht von dieser Wendung des Gesprächs. «Ich glaube wirklich nicht, daß ich irgend etwas dazu sagen kann.»

Der Direktor lehnt sich in seinem Sessel zurück, die Sprungfedern quietschen, und aus den Polstern entweicht Luft. Er starrt an die Decke, drückt mit den Fingerspitzen von unten gegen sein Kinn, und dann beugt er sich vor und legt die Hände flach auf den Tisch.

«Mrs. Ryan, wie ich gehört habe, raucht sie im Förderraum Zigarren.»

Mrs. Hall kommt pünktlich zum Abendessen. Mary hat den Tisch gedeckt, und das Essen ist fertig. Eddie hat seine Khakihose und das blaue Hemd angezogen. Mary ist stolz auf ihn. Sie findet, daß er gut aussieht. Eileen hat ein Kleid an und Little Eddie eine saubere Hose. Mary ist auf alle stolz.

Sie schenkt Wein ein.

«Savoir vivre», sagt Mrs. Hall und nimmt einen Schluck. «Versprechen Sie mir, daß wir jetzt nicht darüber reden werden, wie man Einmachgläser richtig verschließt. Das scheint hier in der Gegend das Hauptgesprächsthema zu sein, und außerdem weiß ich schon, wie es geht.»

«Nein», sagt Mary. «Machen Sie sich keine Sorgen.»

Als nächstes kommt Cody herein. Er hat ein sauberes Hemd angezogen und einen Schlips umgebunden.

«Cody», sagt sie, «du hier? Der Brennholzkönig!»

Cody zieht den Kopf ein und wird rot. Mrs. Hall hat ihn in der achten Klasse unterrichtet, was er Eddie und Mary nicht erzählt hat.

«Er war mein erster Förderschüler», sagt sie und kneift ihn in die Wange.

«Das ist ja toll», sagt Mary. «Cody hat kein Wort davon gesagt.»

«Das überrascht mich nicht.»

Mary freut sich. Sie hat die Woche überlebt, und zu guter Letzt noch dieser Zufall. Sie fühlt sich schön in ihrem Kleid und empfindet sogar noch mehr Stolz, weil sie der Mittelpunkt dieser Ereignisse ist.

«Sie sehen so elegant aus», sagt sie zu Mrs. Hall und schaut bewundernd auf ihr rotes Kleid und die Perlen. Außerdem trägt Mrs. Hall Stöckelschuhe und hat sich geschminkt.

«Es kommt nicht oft vor, daß sich eine alte Frau wie ich in Schale werfen kann. Ich dachte, was soll's. Wir sind doch alle schick heute, oder? Wir sollten zum Film gehen.»

Mary zeigt ihr das Haus, während Eddie Käse und Kräkker auftischt und Cody eine neue Flasche Wein öffnet. Eileen und Little Eddie gehen wieder nach oben, wo Mary ihnen einen Imbiß hingestellt und ihr Vater den Videorecorder mit *Das letzte Einhorn* und zwei Kassetten mit Disney-Filmen vorbereitet hat. Eileen ist zum Babysitter ernannt worden, und die beiden dürfen eine Pyjamaparty feiern. Mary und Eddie halten die Daumen.

Zum Essen hat Mary einen Auflauf mit Spaghetti, Artischockenherzen und drei Sorten Käse zubereitet. Sie mag ihre Namen: Gouda, Romano und besonders den dritten,

Bel Paese. Sie hat einen grünen Salat angemacht und ein italienisches Weißbrot besorgt.

«Das sieht ja phantastisch aus», sagt Mrs. Hall. «Sie haben sich so viele Umstände gemacht. Wirklich phantastisch.»

Mary läßt alle Platz nehmen und geht dann nach oben, um nach den Kindern zu sehen. Little Eddie schläft zusammengerollt auf dem Teppich, und Eileen sieht den Teil des Films, in dem der Zauberer das Einhorn aus dem Zirkuskäfig der Hexe befreit. Sie sagt nichts und geht die Treppe wieder hinunter.

Mrs. Hall erzählt gerade: «Ich hatte eben meinen Abschluß in Radcliffe und war bei meiner besten Freundin, als der schönste Mann, den ich je gesehen hatte, den Salon betrat. Es war ihr Bruder Walter. Er arbeitete als Geologe bei der Standard Oil Company. Im Herbst sollte er nach Venezuela versetzt werden. Im August verbrachten wir unsere Flitterwochen in Nova Scotia, und dann fuhren wir mit dem Dampfer nach Caracas. Das war 1947. Ich war einundzwanzig.

Wir hatten eine Villa in der Stadt, doch die Woche über war Walter in Maracaibo oder draußen im Dschungel. Ich hatte ein wunderschönes Haus, weiß verputzt und mit Holzverzierungen. Ich hatte zwei Hausmädchen, *zambos* nennt man sie, eine Mischung aus Indianer und Neger. Am Wochenende gaben wir extravagante Parties. Sozialisten kamen, Kommunisten und Anarchisten. Rómulo Gallegos ging bei uns ein und aus. Er war ein nachdenklicher, sinnlicher Mann, und er war beeindruckt, daß ich seine Bücher kannte. Wenn Walter unter der Woche weg war, kam Rómulo vorbei, und wir redeten über Literatur und Poesie.

Im Februar wurde er zum Präsidenten gewählt. Es war eine aufregende Zeit. Doch im November darauf wurde er durch die Militärrevolte gestürzt, und er mußte sich verstecken. Das brach mir das Herz. Er war der kultivierteste Mann, den ich je gekannt habe. In der Nacht, bevor er wegging, kam er zur Villa und bat mich, mit ihm zu kommen. Er gab mir diese Perlen hier. Ich sagte, das könnte ich nicht, und daraufhin meinte er, Walter und ich sollten das Land so schnell wie möglich verlassen. Um Mitternacht ging er fort. Er sagte, er wäre in der Nähe der großen Wasserfälle, falls ich meine Meinung ändern sollte. Ich war zweiundzwanzig. Was wußte ich schon?

Es dauerte eine Weile, aber schließlich konnte ich Walter überreden, das Land zu verlassen. Einige Jahre später wurde er als Berater wieder dorthin geschickt, nur auf einen Sprung, hieß es. Naja, er ging hin, aber den Sprung zurück hat er nicht mehr geschafft, und das war's dann. Ich war allein mit zwei kleinen Söhnen.»

Die Kerzen zischen und flackern. Cody nimmt sein Messer und verschafft ihnen mehr Sauerstoff, indem er kleine Kanäle ins weiche Wachs gräbt. Alle sehen zu, wie es an den Seiten hinabrinnt und zu weißen Tränen erstarrt.

«Und kurz danach müssen Sie hierhergekommen sein», sagt Mary.

«Und wie ist er so als Chef?» fragt Eddie. «Ist er ein guter Direktor?»

«Ich erzähl Ihnen was», erwidert Mrs. Hall, «obwohl ich sonst nie Klatsch verbreite. Stimmt's, Cody?»

Sie tätschelt seine Hand, und wieder wird er rot. Er war fast den ganzen Abend über schweigsam, in Gegenwart seiner früheren Lehrerin. Mary findet das rührend. Sie verhalten sich wie Liebende oder wie Mutter und Sohn. Mary faßt unter dem Tisch nach Eddies Hand und hält sie in ihrem Schoß.

«Letztes Jahr ging das Gerücht um, daß die Abschlußklasse eine große Bierparty auf dem Butterfield Hill feiern wollte. Sie fahren da mit ihren Pickups hoch. Natürlich darf keiner von ihnen Alkohol kaufen, für Jugendliche ist das ja schon lange verboten.»

«Seit dem Krieg», meint Eddie. «In ein paar Jahren werden sie womöglich noch das Wahlalter raufsetzen.»

«Dagegen hätte ich gar nichts einzuwenden, Mr. Ryan. Die meisten aus dieser Generation nehmen ihr Wahlrecht sowieso nicht wahr, und wenn, dann wählen sie doch immer nur die gleichen Esel.»

Eddie drückt Marys Hand. Zum erstenmal hat Mrs. Hall ihre Lehrerstimme erhoben. Er schaut über den Tisch und sieht, wie Cody ihn angrinst.

«Jedenfalls hat der Schulleiter es mitgekriegt, und am Abend der Party hat er sich seinen Tarnanzug angezogen und das Gesicht geschwärzt. Er beschaffte sich einen Feldstecher und holte die Polizei. Natürlich hatten die Schüler von seinem Plan Wind bekommen, und als er und die Polizei hereinplatzten, saßen sie da mit Kartoffelchips und Cola. Ein Schüler hat mir erzählt, sie wären mit entsicherten Pistolen angekommen.»

«Mein Gott», sagt Mary, «wie konnte er das tun?»

«Das ist ein ziemlich starkes Stück», meint Eddie. «Wenn es stimmt, dann ist das so ungefähr die übelste Geschichte, die ich je gehört habe.»

«Tja, Mr. Ryan, denken Sie darüber nach. Es stimmt, aber lassen Sie mich auch folgendes sagen. Es gibt niemanden an dieser Schule, der dort mehr Zeit verbringt als er. Sieben Tage die Woche. Es fällt mir schwer, das zuzugeben, aber keiner arbeitet härter.»

Eddie schüttelt den Kopf. Er möchte gern erklären, wie hart er arbeitet, damit die Toten einen annehmbaren Anblick bieten.

Zum Glück klingelt das Telefon, und Mary geht hin. Sie hat Schwierigkeiten zu verstehen, wer dran ist. Sie hört den Lärm vieler Menschen und laute Musik.

«Mary, hier ist David.»

Es ist der Sportlehrer. Er scheint betrunken zu sein.

«Mary, hier ist David.»

«Oh, hallo», sagt sie.

«Sie sollten vorbeikommen. Alle sind da. Hier ist wirklich was los.»

«Ich hab Besuch», sagt sie und findet es seltsam, daß dieser junge Mann sie einlädt. Sie denkt, daß es nicht richtig ist, doch ganz sicher ist sie sich nicht.

«Ich muß jetzt auflegen», sagt sie. «Bis Montag dann.»

Sie legt auf und geht ins Bad. Das Licht geht flackernd an. Sie sieht im Spiegel ihre Augen, die so geschminkt sind, daß sie größer wirken, mit Eyeliner an den unteren Rändern und Tusche auf den Wimpern, so daß sie lang und spinnenartig wirken, ein Gesicht, das dem Tod trotzt. Sie hat sich viel Zeit für die Augen genommen, hat zu ihrer braunen Farbe passende Schminke ausgesucht, so daß sie noch brauner wirken, noch tiefer. Sie tupft sich den Nakken mit kaltem Wasser ab und beißt sich auf die Lippen, sieht, wie das Blut in ihnen aufsteigt.

Am Tisch wird sie von niemandem nach dem Anruf gefragt. Alle lächeln wieder. Eddie und Cody hören Mrs. Hall zu, die von Nova Scotia erzählt. Das Blockhaus in Tatamagouche, wo sie und Walter die Flitterwochen verbracht haben, gehört ihr immer noch. Jahre später, als sie das Geld dazu hatten, sind sie noch einmal dorthin gefahren und haben es gekauft. Mary ist erleichtert. Eine Antwort wäre ihr schwergefallen.

Alle lachen. Als es wieder ruhig wird, sehen sie Mary an, als hätten sie erst jetzt gemerkt, daß sie wieder da ist, doch niemand sagt etwas, und sie beugt sich vor, greift nach dem Weinglas und sagt: «Hat jemand von euch schon mal von dem indischen Baby gehört?»

Mrs. Hall sitzt auf der Veranda, Cody auf der Stufe zu ihren Füßen. Mary und Eddie räumen die Küche auf. Sie bewegen sich leise, damit sie dem Gespräch folgen können.

«Sag ruhig Althea zu mir», sagt Mrs. Hall.

«Gern. Althea.»

«Du warst einer von den Jungen, die nicht lernen wollten», sagt sie zu ihm. «Du hast es dir immer schwergemacht. Du hast mich ständig bekriegt, und um ehrlich zu sein, gerade deswegen hab ich dich gemocht.»

«Naja, ich sag Ihnen eins. Manche Sachen hätt' ich wohl doch lieber lernen sollen. Vielleicht wäre ich dann etwas besser dran.»

«Oh, du Dummkopf. Siehst du nicht, was du hast? Du führst das Leben, von dem die meisten Menschen nur träumen. Ihnen fehlt dein Mut und deine Energie. Walter und ich haben zwei Söhne. Der eine ist Anwalt und der andere Arzt. Beide leben in Boston, beide sind unglücklich. Es sind gute Jungen, aber sie sind solch erbärmliche Waschlappen. Sie meinen, man muß etwas vom Leben haben, aber ich sage dir, für sie ist das Leben die Show, und sie sind das Publikum. Sie haben nur bessere Plätze als die meisten.»

Cody beugt sich hinab. Er greift nach etwas, kommt jedoch mit leerer Hand wieder hoch. Er lächelt sie an und hält ihr die offene Hand hin.

«Ich dachte, es wäre ein Stück Papier», sagt er. «Aber es war nur das Licht.»

Es sind noch zwei Wochen bis zum letzten Schultag. Mary fährt die River Road entlang zu Louis Poissants Farm. Owen sitzt neben ihr. Sein Hemd ist zerrissen, die Augen sind blau und geschwollen. Sie biegt in die Auffahrt ein.

«Es ist wunderschön hier», sagt sie, doch Owen gibt keine Antwort. «Diesen Weg bin ich noch nie gefahren.»

Louis geht gerade zum Stall, als sie ankommen. Er ist ein korpulenter Mann, seine Brust hängt im Overall wie die Brüste einer alten Frau. Ein Hosenträger hängt hinten runter, und seine schwarzen Stiefel sind mit Dreck bespritzt.

Mary steigt aus und geht zu ihm, während Owen beim Auto stehenbleibt.

«Owen ist in eine Schlägerei geraten», sagt sie. «Ein paar Jungs haben in der Turnhalle rumgetobt und sind ein bißchen zu weit gegangen. Der Direktor hat mich gebeten, ihn nach Hause zu fahren. Es wird kein Nachspiel geben. Alle haben sich wieder vertragen. Ich soll Ihnen vom Schulleiter ausrichten, daß es am Ende des Schuljahres immer etwas hoch hergeht, und deshalb wollen wir diese Sache vergessen und im September neu anfangen.»

Louis Poissant reibt sich das Kinn. Seine Augen sind rot und wäßrig, er hat kaum mehr Haare auf dem Kopf. Er schaut Owen an, sieht das Gesicht des Jungen, aufgeschürft und geschwollen. Mary beobachtet sie und meint einen Augenblick lang, ein bemerkenswertes, verborgenes Band der Liebe zwischen dem alten Mann und dem Jungen zu spüren. Sie denkt, das Wasser in den Augen des alten Mannes müssen Tränen sein.

«Auch gut», sagt Louis. «Schule hat er genug gehabt für ein ganzes Leben. Ab jetzt kann er bei mir bleiben.»

Mary sagt nichts. Sie steigt ins Auto, wendet und fährt die lange Auffahrt wieder hinunter. In ihrem Herzen weiß sie, daß der Junge nie wieder einen Fuß in ein Klassenzimmer setzen wird, und unwillkürlich denkt sie, vielleicht ist das gar nicht so schlimm.

Als sie zurückkommt, erzählt sie Mrs. Hall davon, die sie bittet, ihre Klasse eine Weile zu übernehmen. Sie sagt, sie möchte ein wenig allein sein.

14

Eddie und Eileen legen die Einkaufstüten auf den Rücksitz, steigen dann ein und fahren nach Hause. Sie kommen an der Keene High School vorbei und fahren auf der Hurricane Road stadtauswärts. Eileen erzählt ihrem Vater, daß sie früher ein Einhorn war, und reibt sich die Knie. Sie hat im Einkaufswagen gesessen, und ihre Beine waren unter den Lebensmitteln begraben.

«Und wann warst du ein Einhorn?»

Eileen antwortet nicht. Sie fängt an, auf dem Kazoo zu blasen. Den «Yankee Doodle».

«He. Du warst gar kein Einhorn.»

«Doch. Vor zweihunderttausendvierzigmillionen Jahren.»

Ihre Stimme würde er gern als Erinnerung festhalten. Es liegt eine Sicherheit und Klarheit darin, die mit zunehmendem Alter wohl verlorengehen wird; sie wird nachdenklicher und wachsamer werden.

«Und du und deine Einhorn-Freunde, ihr seid durch die ganze Welt gereist?»

«Na klar.»

«Was habt ihr gesehen?»

Sie legt das Kazoo nieder und sieht aus dem Fenster. Er weiß, daß sie hinausschaut, um sich etwas auszudenken.

«Wir haben verschiedene Tiere gesehen.»

«Erzähl mir mehr von deinen Einhorn-Freunden.»

«Also, als wir das erste Mal hierhergekommen sind, gingen wir diese Straße hoch, dann hier vorbei, und die Einhörner sind eins nach dem anderen verschwunden, und als ich das Haus da gesehen hab, wollte ich hineingehen und gucken, ob ich was rausfinden kann. Ich war überall in der Welt gewesen und bin zurückgekommen, um rauszufinden, wo die Einhörner geblieben sind und ein Zuhause gefunden haben und sich in Menschen verwandelt haben.»

«Und wie soll ich wissen, ob das stimmt?»

«Also, ich glaub, da muß ich mich wieder in eins zurückverwandeln, aber ich verrate dir was: Mit meiner Macht kann ich nur Gutes tun.»

«Daddy, ich will einen Keks.»

«Was für einen?» fragt Eddie, ohne von der Zeitung aufzusehen.

«Ein Oreo.»

«Na gut.» Er steht auf und geht zur Blechdose, in der die Kekse vor den Ameisen geschützt aufbewahrt sind.

«Nein. Ich will eine Eiswaffel.»

«Du hast Oreo gesagt, und das kriegst du auch.»

Manchmal verliert er die Geduld mit ihr. Sie platzt immer gleich mit dem erstbesten Gedanken heraus. Dann überlegt sie, äußert ihren zweiten Gedanken und schaltet auf stur.

Eileen geht zu ihrer Mutter und erzählt ihr, daß ihr Vater ihr keine Eiswaffel geben will.

«Jetzt reicht's aber», sagt Mary. «Ich bin es leid, daß du immer zu mir gerannt kommst, wenn du dich mit ihm streitest. Das müßt ihr schon selber regeln.»

«Ich kann gar nicht rennen.»

Eddie sammelt die Zeitungen ein und geht hinaus auf

die Veranda. Er setzt sich hin und versucht, sich für einen Bericht über die Wahlen in Frankreich zu interessieren. Nach überraschenden Gewinnen hat die rechtsradikale Partei jetzt Verluste hinnehmen müssen. Er blättert um und findet die Fortsetzung des Artikels zwischen vielen Anzeigen. Er blättert weiter, und da steht ein Artikel über ein vierjähriges Mädchen, das von einem Alligator getötet wurde. Es ist der sechste Todesfall dieser Art seit 1948. Als sie den Alligator fünf Stunden später fanden, hatte er das kleine Mädchen noch im Maul. Eine Mutter wird zitiert: «Die Leute werden jetzt viel vorsichtiger sein.»

«Das ist ja beruhigend», sagt Eddie, und dann denkt er, verdammt beruhigend.

Es wird still im Haus, und er geht wieder hinein. Das geht jetzt schon eine ganze Weile so, daß Eileen mit sich und der Welt uneins ist. Jeden Nachmittag gegen halb fünf sagt sie, das ist nicht mein Tag. Dann weint sie ein bißchen.

Mary glaubt, es liegt daran, daß sie so schnell wächst. Sie erzählt Eddie, wie sie als kleines Mädchen unter Wachstumsschmerzen gelitten hat. Sie sagt, sie konnte es richtig spüren, so blöd das auch klingt.

Eddie schläft auf der Couch ein. Es ist allerdings kein ungestörter Schlaf, denn sein Sohn hat neuerdings Bilderbücher entdeckt. Er möchte dieselben vier Bücher immer wieder vorgelesen bekommen. Es dauert ihm zu lange, alle Wörter abzuwarten, und so fängt er an, die Seiten selbst umzublättern. Seine Vorlesestimmung äußert sich darin, daß er einem das Buch hinschiebt oder es einem aufs Gesicht fallen läßt. Ein dickes Kinderbuch, das einem in die Augen gedrückt oder auf den Mund geknallt wird. Eddie dreht das Gesicht zur Rückenlehne der Couch, so daß nur ein Ohr frei ist. Er legt den Arm über das Ohr und läßt die Hand hinter sich herabbaumeln. Kinder zu haben ist eine Form der Schlaflosigkeit.

Als er aufwacht, ist es dunkel. Mary hat die Kinder ins Bett gebracht und steht jetzt in der Küche und bügelt. Das Abendessen liegt ihm wie ein Stein im Magen. Der Mund ist trocken, und er fühlt sich schlapp und verschwitzt, weil er in Kleidern geschlafen hat. Im Hellen eindösen und im Dunkeln aufwachen scheint gegen die Natur der Dinge zu sein. Tag zu Tag oder Nacht zu Tag oder sogar Nacht zu Nacht ist die Natur der Dinge. Aber so ist es, als hätte man einen Tag übersprungen, oder noch schlimmer, als wäre man gezwungen, für jeden Tag zwei zu leben. Er muß sich das abgewöhnen, denn jetzt wird sein Schlaf unruhig sein, und es ist sogar möglich, daß er heute nacht überhaupt nicht schlafen kann. Er wird die Nacht vor dem Fernseher verbringen oder mit einem Buch, er könnte sogar ein bißchen Tagebuch schreiben. Wenn er das tut, wird seine innere Uhr tagelang durcheinander sein. Er macht sich Sorgen, daß die Leute darauf aufmerksam werden, wenn sie zu oft nachts Licht bei ihm brennen sehen.

Cody redet dauernd davon, nach Nova Scotia zu fahren, zum Lachsfischen am Cape Breton. Eddie geht in die Küche, um bei Mary vorzufühlen. Seit sie nach New Hampshire gezogen sind und das Geschäft übernommen haben, waren sie noch nie voneinander getrennt.

«Hier in der Zeitschrift steht, daß jeder sich selbst wichtig sein muß, damit er auch dem Partner wichtiger wird. Das klingt doch vernünftig, oder?»

«Sicher, Eddie, klingt vernünftig», sagt sie und drückt die Spitze des Bügeleisens um die Knöpfe der Bluse, die sie gerade bügelt. «Wenn ihr ein paar Tage am Cape Breton angeln wollt, du und Cody, nur zu.»

«Woher weißt du das?»

«Cody geht mir damit auf die Nerven, seit Mrs. Hall ihm ihr Blockhaus in Nova Scotia angeboten hat.»

«Wir könnten doch alle zusammen fahren.»

«Wenn ich mit dir fahre, dann möchte ich niemanden dabeihaben. Außerdem fängt dein Sohn mit dem Schwimmunterricht an.»

«Und, findest du, daß es eine gute Idee ist?»

«Cody meint, es ist ein guter Anfang für weitere Reisen. Hat er dir gesagt, wohin er sonst noch möchte?»

«Ich komme mir etwas komisch vor, wenn er alles bezahlt», meint Eddie.

«Du weißt doch, daß du fahren willst, und er will einen Freund dabeihaben. Warum tust du's nicht einfach? Es sind schließlich nur ein paar Tage. Wir haben ja jetzt Geld übrig.»

Also fährt Cody, und Eddie fährt mit. Ein paar Tage später nach dem Abendessen brechen sie auf, von Inverawe nach Osten, fahren die ganze Nacht durch, um gegen sechs oder sieben am nächsten Morgen dort zu sein. Sie wollen Lachse fangen, Fische, die von Natur aus anadrom sind. Sie wachsen im Salzwasser heran und kehren zum Laichen ins Süßwasser zurück, wo sie zur Welt kommen.

Um zehn Uhr abends sind sie in Freeport, wo sie eine Menge Geld für Fliegenruten, Rollen, Watstiefel, Flugschnur, Backing und Darmschnüre ausgeben. Sie besorgen sich auch Lachsfliegen und Streamer. Sie kaufen einen Reiseführer über Nova Scotia und in einem Drugstore noch die neue Ausgabe des *Playboy*, Unterhaltung für Männer. Sie wollen Jessica Hahns neue Nase, Zähne und Busen sehen, doch die Zeitschrift liegt ungeöffnet zwischen ihnen auf dem Sitz, vergessen unter den Dosen mit Schnüren und Fliegen.

Um elf sind sie wieder auf dem Highway, die Räder donnern über den Asphalt der Maine Interstate 95, durch Nebelbänke und über nasse Stellen, die die 15-Zoll-Reifen singen lassen wie zerreißendes Papier. Hinter Bangor nehmen sie die Route 9 nach Calais und fahren geradewegs in eine dreistündige Nebelbank, neunzig Meilen weit über eine zweispurige, unebene Straße, enge Kurven und gelegentliche Schlammrinnen, die das Regenwasser sich gegraben hat. Sie werden völlig durchgerüttelt, und um vier Uhr morgens, als der Zollbeamte sie fragt, ob sie Schußwaffen mitführen, sagt Cody nein, und das ist auch gut so, denn sonst hätte er das Arschloch in Bangor erschossen, das ihnen diesen Weg gewiesen hat.

Zwichen St. John und Moncton erhebt sich die Sonne über niedrige, spitze Kiefern, Gebüsch und Heidelbeeren. Die Bankette sind orange und geschottert, und das Wasser in den Flüssen und Seen ist wie Karamel.

«Sie sieht aus, als hätte sie eins aufs Maul gekriegt», sagt Cody.

Eddie hört es im Schlaf. Er wacht auf und sieht, daß Cody über Jessica spricht, die vom Sitz zwischen ihnen hochstarrt.

«Novocain», sagt er. «Sieht aus, als hätte man ihr grad einen Zahn gezogen.»

Eddie streckt die Beine aus und schaut hinaus auf die Straße, die sich vor ihm abrollt. Er ist verschwitzt und fröstelt in der feuchtkühlen Morgenluft. Er hat geträumt, und jetzt kommt es ihm so vor, als wäre es tatsächlich passiert. Er und Eileen standen in der Dusche, und sie rammte ihm ihren Kopf in den Unterleib. Ihm wurde schwarz vor Augen, als der Schmerz in den Kopf schoß. Als er wieder zu sich kam, fühlte er sich genötigt, ihr den Unterschied zwischen Mann und Frau zu erklären, deshalb fragte er sie, ob sie den Unterschied zwischen Jungen und Mädchen kenne. Eileen stand da mit nassem Haar, das ihr am Kopf klebte, eine Hand erhoben, einen Fuß in der Luft, nur mit den Zehen auf der Gummimatte, und sah ihn an.

«Du hast einen großen Pelz und ich einen kleinen», sagte sie.

Dann wird Eileen zu Mary. Es ist Nacht, und die Kinder schlafen. Er fragt sie, wie lange es wohl noch angebracht ist, daß er zusammen mit seiner Tochter duscht und sie ohne Kleidung sieht. Mary lacht ihn aus und nennt ihn einen Dummkopf. Aber er möchte es wirklich gerne wissen.

«Keine Angst», erwidert sie, «diese Dinge regeln sich von alleine.»

Später ziehen sie sich an, wecken die Kinder und fahren zu MacKenzies Schnellimbiß, ein großes Eis für ihn und ein Vanillefrappé für Mary. Eileen und Little Eddie sind auf dem Rücksitz wieder eingeschlafen, und sie wecken sie nicht auf.

Auf dem Rückweg fahren sie an Green Acres vorbei, einem Campingplatz, und sehen zwei Wohnwagen brennen; Flammenwände flackern zum Himmel empor, jagen Funken und schwarzen Rauch in die Luft, als sich das Metall verbiegt und schmilzt. Eileen wacht auf und fängt an zu wimmern. Eddie versucht, sie zu beruhigen, doch jetzt ist das Feuer ein Magnet, der den Wagen anzieht. Die Bremsen sind schwach, und das Lenkrad dreht sich, aber das Auto ändert die Fahrtrichtung nicht. In diesem Moment begann Cody zu sprechen, und Eddie kehrte aus dem Schlaf zurück.

«Ist wahrscheinlich das Zeugs für die Lippen, wenn sie einem 'ne Spritze geben, um sie voller zu machen.»

Die ausgedünnten, für Papier abgeholzten Wälder machen jetzt weitem Ackerland Platz, weißen Scheunen mit roten Dächern und großen Wiesen, die sich hinziehen bis zu den weit entfernten Bergen, Flüssen oder Schnellstraßen. Eddies Traum kehrt wieder zurück, sie beide unter der Dusche, der Schmerz, der sich vom Unterleib bis in die Zehen und die Schultern ausbreitet, heiß und schwindelerregend.

Jetzt weiß er, daß er damit gar nicht erst hätte anfangen sollen. Es war eine blöde Frage, die nach dem Unterschied zwischen Mann und Frau, weil es Frauen da unten genauso weh tut, wenn nicht noch mehr.

Er weiß, daß nicht alles ein Traum war, denn der Grund, warum er ihr an dem Abend die Eiswaffel nicht gegeben hat, war, daß es die letzte war und er sie selbst essen wollte.

Er möchte nach Hause fahren und ihr sagen, daß es ihm leid tut, möchte gestehen, was er vor ein paar Tagen nicht wußte und eben erst vor sich selbst eingestehen konnte. Er vermißt seine Familie und denkt das Wort *schmerzlich*. Er dreht und wendet es in Gedanken. Er vermißt sie alle schmerzlich, daran gibt es nichts zu rütteln. Jetzt, zwölf Stunden und fünfhundert Meilen von zu Hause entfernt, überlegt er, ob das Vagabundenleben wirklich so angenehm ist, wie Cody es immer darstellt.

«Amherst, Nova Scotia», sagt Cody. «Zeit fürs Frühstück.»

Sie essen Eier, Dosenwurst und Bratkartoffeln. Cody redet nicht beim Essen, er ißt nur, und zwar schneller als jeder andere Mensch. Eddie schmiert noch Marmelade auf seinen Toast, als Cody schon fertig ist. Er grummelt etwas von kleinen Eiern und vom Umtauschkurs. Er steht auf und geht. Eddie ißt allein weiter und denkt darüber nach, wie er hierhergekommen ist, rittlings auf einem Alptraum.

Die Bedienung bringt frischen Kaffee und fragt, ob alles in Ordnung ist. Er weiß, daß sie das im Grunde gar nicht so meint, deshalb lächelt er nur und sagt ja.

Cody kommt zurück, als Eddie fast fertig ist. Er hat drei Zeitungen, einen Plan von Ostkanada und einen Stapel Broschüren dabei.

«Ich hab getankt, Wasser und Öl nachgeguckt. Das Benzin hat fast fünfzig Dollar gekostet. Der Typ meint, weil sie es literweise verkaufen. Kaum zu glauben. Fünfzig Cent für ein paar Tropfen! Wie findest du die Eier – klein, was? Und die Wurst? Nichts als Luft in Häuten! Fertig? Hab schon bezahlt», sagt er und schiebt Eddie die Schlüssel hin. «Hält dich wach.»

Eddie glaubt, Cody will ein bißchen schlafen, doch das tut er nicht; er wühlt sich durch die Zeitungen und Broschüren, liest laut vor, wenn er auf etwas Interessantes stößt.

«In Rangun schneiden sie den Polizisten die Köpfe ab. Hunderte von Toten. Soldaten, Spitzel und Polizisten werden gekidnappt und umgebracht. Die üben Demokratie.» Dann sagt er halb zu sich selbst: «Vielleicht könnten wir von den Scheißkerlen noch was lernen.»

Eddie kurvt durch die Straßen von Amherst, biegt dann auf die Route 6 ab und fährt ostwärts, dem neuen Tag entgegen. In der Nacht haben sie irgendwo bei Calais eine Stunde ihres Lebens verloren, als sie die Grenze zwischen zwei Zeitzonen überquerten. Drei Tage lang werden sie sie nicht wiederbekommen. Eddie fährt weiter, hat beschlossen, seine Uhr nicht umzustellen; er wird im Kopf umrechnen. Als er das erste Mal seine Uhr umstellte, landete er in Saigon. Diese Zeit hat er verloren und nie wieder zurückbekommen.

Cody liest laut vor: «‹Tatamagouche liegt an der Nordküste, von Brule Shore aus sieht man die Meerenge von Northumberland. Hier begann 1775 die Deportation der Frankokanadier. Die Briten überfielen sie, brachten sie in ihre Gewalt und verschleppten sie, viele nach Maine, manche bis zu den Westindischen Inseln. Die Männer wurden zuerst verschickt, Familien wurden auseinandergerissen, Höfe niedergebrannt und das einstmals kultivierte Land verödete.›»

Tatamagouche ist in der Indianersprache ein Ort, an dem sich mehrere Flüsse treffen, und Brule bedeutet ‹verbranntes Land›. Hier wollen Eddie und Cody bleiben, während die Lachse ein paar Stunden weiter flußaufwärts ablaichen, wie schon seit Tausenden von Jahren.

Sie fahren weiter nach Osten, und ein paar Meilen hinter der Stadt biegt Eddie auf einen Feldweg ein und findet durch ein Gewirr von Wegen zurück zum Meer, bis sie auf ein Blockhaus stoßen, das sich direkt an der Meerenge befindet. Auf der Veranda liegen Brennholzscheite und Hummerkörbe, das Holz ist trocken, silbern und brüchig.

Cody marschiert an den Außenwänden entlang, schreitet sie gleichmäßig ab und zählt vor sich hin. Vierundzwanzig auf dreißig, denkt er. Eine gute Größe. So ein Blockhaus könnte er schnell und billig bauen. Eine tolle Idee. Er wird sich ein Stück Land suchen und ein eigenes Blockhaus bauen.

«Siehst du den Aufkleber an der Tür? Diese Gegend wird von der berittenen kanadischen Polizei bewacht.»

Eddie schließt die Tür auf, und sie gehen hinein. Im vorderen Zimmer ist ein Erkerfenster, und in die Dachsparren sind Regale eingearbeitet. Sie sehen Muscheln und Treibholz, eine Sammlung von Flaschenschiffen und Kärtchen, auf denen die Namen der Konstrukteure stehen, alle vom Cape Breton. Es gibt ein Dartboard, ein Service mit Rosenmuster und Porzellanfiguren, Krickenten mit blaugrünen Flügeln, Spießenten, Gänsesäger und eisgraue Murmeltiere.

Eine Couch steht da, auf der eine Tagesdecke liegt, und ein Schaukelstuhl mit ausgefransten Kissen auf Sitz und Rückenlehne. Daneben ein großes Sofa mit zwei Vertiefungen, als ob gerade noch zwei Menschen drin gesessen hätten, dazwischen einige Ausgaben der *Saturday Evening Post* aus den fünfziger Jahren. Außerdem ein Holzofen, daneben eine Holzkiste und eine Axt.

Eddie geht hinaus auf den kurzen Flur. Dort ist ein Bad

mit neuen Armaturen, ein Zimmer mit einem bezogenen Bett, Nachttisch und Lampe, auf dem Regal liegen stapelweise Badetücher. Das andere Schlafzimmer ist ganz offensichtlich das von Mrs. Hall.

Er sieht eine Frisierkommode mit goldumrahmten Schwarzweißfotos, dazwischen ein Luftbefeuchter. Er nimmt an, daß es Walter und der schreibende venezolanische Präsident sind. Im Bücherregal stehen geologische Gutachten und Jahresberichte der *Standard Oil Company*, die 1950 enden. Daneben stehen *Doña Bárbara, Cantaclaro* und *Canaima* neben *Ivanhoe, Evangeline, Der große Gatsby, Zärtlich ist die Nacht, Licht im August* und einem Band mit Tennyson-Gedichten. Auf dem unteren Regal stehen großformatige Aktenordner mit der jeweiligen Jahreszahl auf dem Rücken. Er zwingt sich, wegzusehen.

Über dem Bett hängen Schiffslaternen aus Messing, und an den Wänden so verschiedenartige Bilder und Porträts, daß er den Eindruck bekommt, sie habe sie auf Flohmärkten erstanden. Da hängt ein Bild von John F. Kennedy und ein altes Foto einer Familie, die sich um einen Heurechen versammelt hat. Er sieht einen gerahmten Zeitungsausschnitt und ein Plakat von Anna Swan: «Die Riesin von Nova Scotia». Jemand hat die Worte *Arme Anna, wir lieben dich* in eine Ecke gekritzelt. Die Tinte ist verblaßt, und Eddie wüßte gern, wer es geschrieben hat.

An einer anderen Wand hängen getrocknete Blumensträuße, die mit großen Krampen an den Balken befestigt sind. Sie sind so vertrocknet, daß sie sich schon bei einem Niesen oder einer zarten Berührung in nichts auflösen würden. Zuletzt schaut Eddie aufs Bett, an dessen Fußende eine ordentlich zusammengefaltete Tagesdecke liegt. Er setzt sich auf die Kante und streicht über die dicke Wand, sieht auf die Mitte des Bettes, das dort etwas durchhängt, wo zwei Körper einander begegneten, wo sie sich im Schlaf aneinanderschmiegten. Er steht auf, geht hinaus und zieht die Tür hinter sich zu. Er beschließt, auf der Couch zu schlafen, Cody kann das vordere Schlafzimmer nehmen. Er weiß, Cody wird es verstehen.

An diesem ersten Abend, nach einer Dusche und einem Abendessen in der Stadt, bleiben sie lange auf und lauschen dem Radio, FM 96 aus Charlotte Town, Prince Edward Island. Eddie ist müde, er hat die Nacht zuvor ja nur ein paar Stunden geschlafen, und er ist sicher, daß es Cody genauso geht, weil er letzte Nacht überhaupt nicht geschlafen hat; doch wenn er müde ist, zeigt er es zumindest nicht.

Er sitzt am Boden und spult jede Fliegenrolle mit dreihundert Fuß Backing, neunzig Fuß Flugschnur und Nylonvorfächern auf. Cody hat in einem versteckten Wandschrank den Sicherungskasten und Werkzeug gefunden. Dabei kam er auf die Idee, daß das Dach der Veranda neu gedeckt werden müßte, und damit haben sie den Tag zugebracht. Es sah zuerst nach wenig Arbeit aus, und es war auch dringend nötig, doch dann hat es den ganzen Nachmittag gedauert, und jetzt haben sie schwarze Hände, und die von Eddie schmerzen.

Von der Couch aus können sie aus dem Fenster schauen und den Schein der Lichter auf der anderen Seite der Meerenge sehen, wo der Rundfunksender steht.

Heute abend kommt «Prinz Eisenherz» im Radio. Es ist die Geschichte von Hugh dem Fuchs, der Kundschafter des Königs wird. Douglas Fairbanks ist der Erzähler, und Jeff Chandler die Stimme von Hugh... *eine merkwürdige Truppe, die Eisenherz nach Camelot führt... Wache, ergreift diesen mörderischen Schurken... tapfere Männer haben nur eine Zuflucht: in den Wald zu fliehen und als Gesetzlose zu leben.*

«Neunzehnhundertvierzig», sagt Cody. «Da haben sie es aufgenommen.»

«Woher weißt du das?»

«Der Typ hat's eben gesagt.»

«Oh, da muß ich eingedöst sein.»

«Ich hab Marys *Cosmopolitan* gelesen, da stand, Doug Fairbanks war ein trinkfester Frauenheld, ein Nazikollaborateur und ein Schwuler, der trotzdem eine Schwäche für junge Mädchen hatte. Er hatte ein Dutzend Klagen wegen Vergewaltigung am Hals.»

«Das war doch Errol Flynn.»

«Ich dachte, es wäre Doug Fairbanks gewesen. Na gottseidank. Hast du das über Fatty Arbuckle gelesen und den Typen, der sich an der Duschstange aufgehängt hat, in Handschellen und Damenunterwäsche, den ganzen Körper mit Lippenstift beschmiert, mit lauter schmutzigen Wörtern?»

«Ja», sagt Eddie.

«Mein Gott, ich versteh nicht, wie du so was lesen kannst. Von diesem ganzen Getratsche krieg ich Kopfweh.»

Auf Codys Geheiß sitzen sie am nächsten Morgen um fünf im Wagen, mit Kaffee, Lunchpaketen und Getränken. Sie fahren zum St. Mary's River, zwei Stunden weit weg. Heute ist schönes Wetter, ein weiter Himmel spannt sich zwischen ihnen und der Sonne.

Am Fluß ziehen sie ihre Anglersachen an und verlassen die Straße, waten durch Massen von blauvioletten Lupinen und hängendem Arbutus. Sie nehmen sich zuerst die am weitesten von der Flußmündung entfernten Pools vor – Harrison, Oak Tree, Tower Eddy, Crow's Nest und Graveyard, fast dreißig Meilen nördlich von den Stellen, wo die Lachse ihren Aufstieg beginnen.

Eddie angelt so, wie sein Vater es seiner Meinung nach

getan hat, langsam und bedächtig, serviert die Fliege ganz sachte, und das Vorfach sinkt hinab und verschwindet wie eine Haarsträhne, ohne die Wasseroberfläche in Unruhe zu versetzen.

Eddie hat noch immer das schwarze Fliegenetui aus Leder von seinem Vater; die Fliegen darin, exotisch und farbenprächtig, sollen die Fische anlocken, Fische aus den Gewässern des Westens, Fische aus Alaska, die wild zubeißen, Fische, die nach allem schnappen, was man ihnen hinhält, weil sie so gierig sind.

Eddie hat das Etui von seinem Vater bekommen, als er noch ein Kind war.

Es war an einem Samstag, und Eddie war hinter dem Haus, drosch mit dem Baseballschläger Bälle gegen eine Sperrholzplatte, wobei er versuchte, die Kurve zu sehen, ehe die Bälle in den Zielbereich einschlugen, den er mit schwarzer Farbe auf der Platte markiert hatte. Zehn Bälle hatte er. Es waren harte braune Bälle, die er bei Spielen des Profiteams im Wald hinter dem Spielfeld aufgesammelt hatte.

Sein Vater war im Vorgarten und mähte den Rasen. Eddie übte Wurftechniken, Ausspielversuch zur ersten Base, zur zweiten und zur dritten, Wurf über den Kopf und aus der Hüfte. Der Rasenmäher verstummte, und ein paar Minuten später kam sein Vater hinters Haus, das T-Shirt um die Hand gewickelt, das rote, dicke Blut deutlich sichtbar im Stoff.

«Hol mir den Verbandskasten aus dem Kofferraum», sagte sein Vater. «Wenn das deine Mutter sieht, krieg ich Ärger.»

Eddie ließ den Handschuh fallen und lief zur Garage. Er holte den Ersatzschlüssel aus seinem Versteck, einem Hohlbetonstein, und öffnete den Kofferraum. Der Verbandskasten war in der Vertiefung, wo auch das Ersatzrad lag. Da lag auch eine Flasche Hiram Walker. Eddie nahm den Kasten und die Flasche und ging wieder hinters Haus. Sein

Vater kniete an der Mauer und hielt die Hand unter den Wasserhahn, das kühle Quellwasser rann klar über sein Handgelenk und färbte sich dann rot. Die Daumenkuppe war ab.

Eddies Vater hob das T-Shirt auf, trocknete den Daumen und hielt die Hand hoch. Sie sah aus wie eine Blume, ein Veilchen oder eine Iris.

«Tu Desinfektionsmittel drauf, eine Kompresse und Mull, und wickel dann Pflaster drum.» Der Atem seines Vaters roch süß, und sein Gesicht war blaß.

Eddie reichte ihm zuerst die Flasche und machte sich dann an die Arbeit. Es gelang ihm gut. Er wollte es seinem Vater recht machen. Als er fertig war, besah sich der Vater das Ergebnis und nickte. Er wollte noch etwas Pflaster um das Handgelenk haben, damit der Verband nicht rutschte, stand dann auf und ging fort. Eddie folgte ihm bis zur Hausecke und sah, wie er das T-Shirt in die Mülltonne fallen ließ.

Später am Tag kam sein Vater zu ihm, als er auf der Hintertreppe saß und seinen Baseball-Handschuh einfettete, und gab ihm das schwarze Lederetui, in dem ein rot-gold-bernsteinfarbenes Gewimmel herrschte. Es sah aus, als könnten sich die Fliegen selbst befreien, die Watte hochheben und jeden Moment losfliegen. Sein Vater nickte und gab Eddie damit zu verstehen, daß es ein Geschenk sei.

Er sagte: «Deine Eltern verliebten sich ineinander, und Liebe ist ein tiefes Loch.»

Jetzt sind die Fliegen dünn und zerbrechlich wie verkohltes Papier oder die Schichten eines Wespennests.

Eddie wirft die Angel ein ums andere Mal aus, stellt sich vor, Löcher in die Luft zu schießen, auf der Jagd nach etwas Perfektem; und dann ist plötzlich die Hölle los. Ein großer Lachs hat angebissen. Eddie muß viel Leine geben. Gegen das dunkle Ufer schimmert der Fisch silbern und golden, sein nach oben verdrehter Kiefer spuckt wieder und wieder Wasser aus.

Eddie zieht die Leine ein und watet brusttief ins Wasser, achtet nicht auf Strömung und Untiefen, will nur diesen Fisch landen, und das gelingt ihm auch. Er hält die Rute hoch in die Luft, holt ihn auf kurze Distanz heran, keschert ihn und läßt ihn dann wieder frei.

Als sie wieder beim Blockhaus sind, unternimmt Eddie einen Strandspaziergang. Er verläßt die Veranda und geht einen Pfad entlang, der von süßem rotem Klee, wilden Möhren, Goldrute und blauen Wicken gesäumt ist. Links geht die Erde allmählich in Sumpfland über, das hohe grüne Schilf reicht in langen Reihen bis in das brackige Wasser. Rohrkolben ragen in die Höhe, Landeplätze für kleine Vögel, die er nicht benennen kann.

Als er zum Strand kommt, geht er westwärts, an den hohen Felswänden von Brule Shore vorbei. Dort unten stehen zwei Jungen mit Schaufeln und Rechen und füllen Fässer mit Algen. Als er sie fragt, was sie da tun, sagen die Jungen, das sei Perltang, den die See aufgewühlt hat. Sie sammeln, trocknen und verkaufen ihn dann an die Fabrik in Toney River.

«Und was machen die damit?»

«Er ist für Eiskrem», sagen sie, verblüfft über diese Frage. «Wir haben den besten Perltang auf der ganzen Welt.»

«Das ist gut», sagt Eddie und geht so lange weiter, bis ihm die Felsen den Weg versperren. Er macht eine Zigarettenpause und kehrt um, während die Brandung gegen die Felsen schlägt.

Die Jungen haben einen ansehnlichen Haufen zusammen, als er zurückkommt. Sie arbeiten in aller Ruhe unter den Klippen. Eddie bleibt stehen und rät ihnen, vorsichtig zu sein. Die Felswände sind bröckelig, und ein herabfallender Stein könnte sie töten. Selbst ein kleiner.

Sie schauen ihn komisch an.

«Sein Onkel ist so umgekommen», sagt der eine. «Sein Vetter hat sich von der Versicherungssumme einen nagelneuen Zweiachser gekauft.»

«Das ist schön», meint Eddie und beschließt, zurück zum Blockhaus zu gehen und es lieber wieder mit Cody zu versuchen.

Nach dem Abendessen sitzt Eddie auf der Veranda und starrt hinaus auf die Meerenge. Es ist Sommer, doch er hat Pullover und Jacke an. Hier wird die Temperatur in Celsius gemessen, deshalb weiß er nicht so genau, ob es nun kalt ist oder nicht. Bei diesem Gedanken lacht er.

Cody kommt heraus und setzt sich neben ihn. Sie beobachten die Wellen mit ihren Schaumkronen, die sich westwärts bewegen. Prince Edward Island ist ein dünner kobaltblauer Strich im Norden, unter dem pulvergrauen Himmel.

«Da war gerade jemand im Radio, der eine Hummerpartei gegründet hat. Er will das sinnlose Abschlachten von Tintenfischen stoppen. Er behauptet, ihre Saugnäpfe werden für Badematten verwendet.»

«Also weißt du», meint Cody. «Manche Dinge versteh ich einfach nicht.»

«Cody», sagt Eddie. «Was hat es bloß mit dem Wasser auf sich? Ich könnte es ewig anschauen. Es ist das erste, was ich mir morgens ansehe, und das letzte, bevor ich mich ins Bett lege. Selbst im Schlaf weiß ich, daß es da ist.»

«Ich weiß, was du meinst.»

«Es ist, als würde man ständig am Rand der Erde stehen. Vor etwas Wichtigem. Es scheint größer als die Erde selbst zu sein, und es zieht einen an. Der Strand hier ist wie ein Reißverschluß, und er geht nach allen Seiten auf.»

An diesem Abend bringt CBC ein telefonisches Interview mit einem Reporter, der soeben aus Rangun gekommen ist. Er redet gerade über Jahre der Unruhe, als er plötzlich sagt: «Moment mal, da will mich jemand sprechen. Alles klar, gute Nacht, mein Schatz. Daddy liebt dich auch», flüstert er.

Eddie ist davon gerührt. Er denkt, wie wunderbar es doch ist, daß dieser Mann seine Arbeit tun und seine Familie so lieben kann. Er findet, das ist ein seltener und wunderschöner Augenblick, einer, für den sich der Weg gelohnt hat.

Am späten Nachmittag des nächsten Tages kommen sie über Pictou zurück. Cody möchte sich ein gutes Jagdmesser kaufen. Auf den Pfählen am Damm nisten Kormorane. Sie stehen da, zwei, drei Fuß hoch. Später entdeckt Eddie eine Ansichtskarte mit Kormoranen. Darauf steht, daß sie im Orient Manschetten um den Hals bekommen und zum Fischfang benutzt werden. Er überlegt, ob Ping in Eileens Geschichtenbuch überhaupt eine Ente ist und nicht vielleicht ein Kormoran. Er denkt, wie oft wird doch die Wahrheit den Kindern zuliebe abgewandelt.

Cody sagt, er will einen Beutel Eiswürfel und eine Dose Pepsi kaufen. Er sagt es zwar nicht, aber Eddie weiß, daß er auch eine Tafel Schokolade möchte. Seit der Therapie hat er jeden Abend eine Tafel Schokolade gegessen.

An diesem Abend wandert Eddie ostwärts am Strand entlang und trifft auf drei junge Männer mit einem Massey-Ferguson-Traktor. Sie versuchen, die Felsbrocken wieder aufzusammeln, die von der sechzig Fuß hohen Klippe aus Tongestein heruntergefallen sind, auf der, umgeben von Kiefern, eine leere Hütte steht. Wenn er die Menschen, die er seit seiner Ankunft hier gesehen hat, hätte zählen müssen, dann wären das jetzt die Nummern zehn, elf und zwölf. Er bleibt stehen, um mit ihnen zu reden, denn im

Moment scheinen sie es mit der Arbeit nicht allzu eilig zu haben.

«Was macht ihr da?» fragt Eddie.

Der älteste antwortet. Er sagt: «Dieser Idiot aus Halifax glaubt wohl, man kann verhindern, daß sich Erde und Ozean begegnen. Sie wollen zusammenkommen, und er will es nicht zulassen. Er hat uns angestellt, damit wir hier draußen arbeiten, und da sind wir jetzt.»

Eddie nickt. Er möchte bleiben und sich unterhalten, sagt aber, er müsse jetzt weiter.

Sie sagen: «Mach's gut», und er geht.

Ein Stück weiter, hinter den Männern, reicht der Felsen bis zum Wasser. Steine pflastern das Ufer, über Eddies Kopf ragt der Fels empor, etwa sechzig oder achtzig Fuß hoch. Er arbeitet sich über die glitschige rote Oberfläche voran, vorsichtig, um nicht auszurutschen und aus Versehen baden zu gehen.

Dahinter liegt ein halbrunder sauberer Sandstrand, zu dem es keinen weiteren Zugang gibt, denn am anderen Ende türmen sich lastwagengroße Felsbrocken. Er betrifft den Strand, und als er sich umdreht, kann er nicht mehr erkennen, woher er gekommen ist. Hinter ihm ragt eine Felswand empor, bis zu den Kiefern, die ihre Kante säumen. Sie sind krumm und schief, teils vom Wind, teils von der Bodenerosion.

Er geht weiter, bis er in der Mitte der halbkreisförmigen Bucht steht. Er schaut sich um und kann niemanden sehen, kann keinen Zugang zum Strand erkennen, da er nicht um die Felsvorsprünge herum sehen kann. Er betrachtet die Bucht als seine Entdeckung und stellt sich vor, der erste Mensch zu sein, der seinen Fuß hierher gesetzt hat, obwohl er neulich erst eine Frau und einen Mann aus dieser Richtung hat kommen sehen. Er überlegt angestrengt, ob es schon einmal in seinem Leben einen Augenblick gegeben hat, in dem er die einzige Spur menschlichen Lebens war. Er weiß es nicht, und seine Stimmung steigt und fällt dann wieder, weil er bei solchen Vorstellungen zuerst Glück empfindet und dann Angst.

Er setzt sich hin und sucht in Gedanken die Einsamkeit, doch je mehr er daran arbeitet, desto mehr stellen sich ihm andere Gedanken in den Weg. Jetzt ist es 1947. Europa liegt in Schutt und Asche. In China und Griechenland tobt der Bürgerkrieg. Es ist vermutlich der zweite Jahrestag der Atombombenabwürfe auf Hiroshima und Nagasaki. Israel wird demnächst ein Staat werden, Gandhi demnächst sterben. Und hier auf diesem Flecken Erde stellt er sich eine junge Althea Hall vor, groß und schlank, mit einem kräftigen Körper, wie sie neben ihrem Geologenehemann aus der Ölbranche liegt. Vor so vielen Jahren haben zwei Liebende einen geheimnisvollen Augenblick gefunden, umgeben von einer Welt am Rande der Verdammnis. Was müssen das für Zeiten gewesen sein. Was haben die beiden wohl gedacht, als er ihr den Badeanzug von den weißen Schultern zog und sie der heißen Sonne preisgab? Er hilft ihr aus dem Badeanzug, streift ihn von ihrem Körper und schlüpft dann aus der eigenen Badehose. Sie liegt dort vor ihm, ihr unbedeckter Körper weißer noch als der Sand, und die Liebe ist noch neu für sie, vielleicht sogar schmerzhaft, doch beide wissen, es ist ein Weg hinaus aus der Welt, ein Weg, anders zu sein als alle andern.

Er ist gerade dabei, sie sich einander hingeben zu lassen, als hinter ihm ein paar Steine herabkollern. Er springt auf und dreht sich um, hebt einen Arm, fürchtet, von ein paar Tonnen Gestein zermalmt zu werden. Er sieht, daß es nur wenige Steine sind, und lächelt. Mrs. Hall und ihr Mann verblassen vor seinem inneren Auge, und er ist traurig, weil er sehen kann, daß sie gehen, daß sie Furcht zurücklassen, wo einen Augenblick lang Mut gewesen war. Er fragt sich, ob die Flut gerade aufsteigt oder sich zurückzieht. Er fragt sich, ob er nicht jeden Augenblick in diesem halbkreisförmigen Strand in der Falle sitzen kann, mit dem Rücken zur Felswand, während die Wellen an seinen Schuhspitzen lecken.

Er denkt an Mary und wünscht sich, sie wäre hier. In seiner Torheit träumt er davon, daß sie beide jung sind und sich gerade im Sand lieben wollen, so jung, daß sie sich nicht um Ebbe und Flut scheren. Sie würden einander wollen und brauchen, immer und immer wieder.

Zugleich ist er froh, daß er allein an diesem Ort ist. Er sagt sich, erst durch das Alleinsein erfährt man, warum man zusammen ist. Er verläßt diesen Ort, nicht sicher, ob er wiederkommen wird.

Als er am Blockhaus ankommt, ist Cody wach und läuft auf und ab.

«Verdammte Scheiße», sagt er, «wo hast du gesteckt? Ich hätte beinahe die Polizei geholt.»

«Ich war spazieren.»

«Also weißt du. Ich dachte, das war's. Mach das bloß nicht noch mal. Wir sind hier in einem fremden Land, und man weiß nie, was alles passieren kann.»

Später, als es dunkel und Cody eingedöst ist, geht Eddie in Mrs. Halls Schlafzimmer. Er knipst das Licht an, und der weiche gelbe Schein läßt ihn einen Augenblick zögern, doch er tritt ein. Er setzt sich auf den Fußboden neben das Bett und zieht den Band mit dem Etikett *1947* aus dem Regal, einen der wenigen, die nur ein Jahr beinhalten. Es ist gar kein Aktenordner, sondern ein Tagebuch. Er sucht jenes Datum im August und liest:

Du schläfst noch, und ich bin draußen. Ich weiß, daß du hier warst. Der Aschenbecher steht noch da. Deine Zi-

garre liegt auf dem Rand, und in der Mitte ist ein Häufchen Asche. Die Luft ist kühl und frisch. Richtig anregend. Das Wasser hat drei Farben, Rot, Braun und Blau. Am Ufer Rot, in der Mitte Braun und weiter draußen Blau. Ich denke daran, wie sehr ich dich liebe. Gerade ist eine Möwe vorbeigeflogen. Als ich herkam, sah ich, daß alles so ist, wie es sein sollte, gerade genug Platz für zwei Menschen. So viel ist passiert, und so schnell. Der Gedanke, nach Venezuela zu gehen, jagt mir Angst ein. Ich weiß nicht, ob ich es schaffe. Ich bin schon jetzt ganz außer Atem, ja, eigentlich schon seit ich dich zum ersten Mal gesehen habe. Am Horizont sehe ich ein Boot. Es muß ein Hummerkutter sein. Es ist das Ende der Hummerzeit. Ich weiß nicht mal, was für eine Jahreszeit jetzt in Venezuela ist. Du schnarchst beim Schlafen. Ich habe es mit Watte in den Ohren versucht, weil ich fand, ich sollte danach mit dir zusammensein. Es hat nichts genützt, deshalb habe ich auf dem Sofa unter unseren Mänteln geschlafen. In Wahrheit war es nicht so, als hätte ich mit dir geschlafen. Es war, als hätte ich mit einer Wand geschlafen, oder mit einer anderen Person. In dieser Beziehung sollte ich mich noch bessern, um eine gute Ehefrau zu werden.

Ich wußte, daß ich dich liebe, als du solches Mitgefühl für Anna Swan gezeigt hast und so glücklich warst, daß sie und ihr Captain ihr Glück gefunden haben. Du bist so wütend auf ihren Vater geworden. Ich höre, wie du dich regst. Arme Anna, wir lieben dich.

Eddie schiebt das Tagebuch wieder an seinen Platz. Er sieht das Plakat von Anna Swan und die Zeitungsausschnitte. Er nimmt sie von der Wand und liest die Lebensgeschichte von Anna Swan. Mit vier maß sie bereits erstaunliche vier Fuß, mit neun war sie größer als ihre Mutter. Sie ging mit

P. T. Barnum auf Tournee, war schließlich eine riesengroße Frau und wog vierhundert Pfund. Am 17. Juni 1871 heiratete sie Capt. Van Buren Bates, ebenfalls ein Riese. Sie gebar zwei riesige Mädchen, das eine achtzehn Pfund schwer und mit zwei Fuß ziemlich groß, das andere dreiundzwanzig Pfund schwer und mit fast drei Fuß riesig. Das eine starb bei der Geburt, und das andere lebte zwölf Stunden lang. Anna starb am 5. August 1888.

Eddie setzt sich aufs Bett und versucht, darüber nachzudenken, doch in seinem Kopf dreht sich alles. Er liest noch einmal die Zeile: «Als Anna fünf Jahre alt war, nahm ihr Vater sie mit nach Halifax, um sie auf einer Ausstellung vorzuführen.» Er kann nicht verstehen, warum der Mann das getan hat. Langsam steigt Haß auf Annas Vater in ihm auf.

«Du Scheißkerl», flüstert er. «Ist das Leben nicht schon schwer genug? Ist es nicht schon schwer genug?»

Warum hat er sie überhaupt gezeugt? fragt Eddie sich, und dann weiß er, wie dumm dieser Gedanke ist. Eine Laune des Gehirns, die den Zufall so aussehen läßt wie Schicksal, der Zwang, Sinn in etwas zu suchen, wo es keinen gibt. Er beschließt, zufriedener zu sein, zu genießen, was er kann. Vielleicht wird er mit Gott reden und es in seinem breiten Schoß abladen.

«He», ruft Cody aus dem anderen Zimmer, «heut abend im Radio keine Holly Bridges. Sie ist zur Hochzeit ihrer Schwester gefahren. Aber keine Sorge, um neun gibt's *Audible Ark.*»

Am Morgen brechen sie nach Inverawe auf. Sie wollen einander von den Fischen erzählen, die sie gefangen und wieder freigelassen haben, doch sie tun es nicht, aus Furcht, daß der andere es nicht glaubt.

TEIL DREI

15

Die Poissants leben neben der Welt, auf geweihtem Boden, wo mehr Generationen, als man zählen kann, auf einem Hügel begraben liegen, von morgens bis abends unter den Strahlen der Sonne, bis diese hinter den Bergen von Vermont auf der anderen Seite des Flusses versinkt. Und immer unter dem Gesicht des Mondes, ob er nun im Tageslicht verschwindet oder in tiefschwarzer Nacht hell scheint.

Die neueren Gräber, die weniger als dreihundert Jahre alt sind, haben Poissants von Hand gegraben. Wenn sie auf Steine gestoßen sind, haben sie Brechstangen benutzt. Wenn sie auf Felsen gestoßen sind, haben sie mit Schwarzpulver gearbeitet, und als das Dynamit aufkam, ging es noch besser. Die Erde bebte, der Granit wurde rissig, und das Grab konnte bereitet werden.

Die Gräber sind im Winter gut zu sehen, die Steine trotzen Wind und Schnee, der sich vor ihnen hoch auftürmt und hinter ihnen davonstiebt. Im Frühling ist es der erste Fleck, an dem das Gras grün wird, mit durchsichtigen Halmen wie Haut im Licht, und dann kommen die heißen Sommertage, träge und stumpf, lassen das Gras hart werden, unter dem die Knochen liegen, verschoben und auseinandergerissen durch wandernde Felsbrocken und die ächzende Erde. Schließlich fallen im Herbst die roten und gelben Blätter auf die eingesunkenen kleinen Hügel. Sie verfärben sich kupfern und schließlich dunkelbraun, während die Jäger ihre hellroten Jacken anziehen, die Vögel zum Überwintern ihr Körpergewicht verdoppeln oder wegfliegen, über die Köpfe der Menschen von Inverawe hinweg, die mit gebeugtem Rücken Styropor an den Fensterläden anbringen.

«War das gerade ein Schwarm Gänse?» fragt eine Frau ihren Mann.

«Was weiß ich», sagt der, den Mund voller Nägel. Dann steht er auf, um noch mal zu furzen.

Louis Poissant lebt jetzt dort, zwischen Canoe Meadow und Pow-Wow Rock, mit einer ganzen Horde Kinder und Kay, seiner Nichte.

So wie Kay als Mutter gebrandmarkt ist, sind auch die Kinder gezeichnet, durch fehlende Finger, die ihnen ins Zuggeschirr gerutscht sind oder beim Einhängen einer Deichsel abgeklemmt wurden. Oder durch schief geneigte Köpfe, was sie damit erklären, daß ihnen eine Motorhaube draufgeknallt ist.

Essen ist ein wichtiger Teil ihres Lebens. Sie gehen in den Stall, erledigen ihre Arbeit, kommen dann wieder und kochen sich Dutzende von Eiern, nur, damit sie etwas zu tun haben. Sie essen alle mit Löffeln aus der Schüssel und mögen viel Salz.

Bei den Kindern sind alle Altersstufen vertreten, einige können schon den ganzen Tag arbeiten, und das tun sie auch. Mehr verlangt Louis nicht von ihnen. Sie sind zu ihm gekommen, von seinen Brüdern und Schwestern, die pleite gegangen, verrückt geworden oder gestorben sind. Gelegentlich hat er einige von seinen Kindern dorthin geschickt, oder sie sind von selbst gegangen. So ist es bei großen Familien, man kommt für einen Tag, um beim Heumachen zu helfen, und bleibt den ganzen Sommer über, man kommt zum Abendessen vorbei und bleibt ein ganzes Jahr. Im Winter leben sie alle im großen Haus, im Sommer breiten sie sich auf der Veranda und im Garten aus. Manche ziehen ins Sommerhaus, einen alten gelben Schulbus, der hinter dem Stall aufgebockt ist.

Kay ist gekommen und geblieben. Ihre Eltern sind gestorben, der Mann ist verschwunden, bis auf das Geld, das er ihr zukommen läßt, und außerdem ist sie eine Mutter.

Viel Zeit ist vergangen, seit den Poissants zum erstenmal klar wurde, daß sie neben der Welt leben. Es begann in einer Nacht im Jahr 1649. Paul Champagne, gelegentlicher Freibeuter, Schmuggler, Kavalier, Rundkopf, Königstreuer, Puritaner, Protestant, Katholik und Kenner der Poesie, hatte das Pech, den Bug seines Kutters den Boyne von der Irischen See die vier Meilen hinauf nach Drogheda zu steuern, um einer Ladung Lachse willen, gesalzen und in Fässern gelagert, Eigentum des Königs, für das er, Champagne, keine Handelsgenehmigung hatte. Die Nacht war kühl und ruhig, das Wasser klatschte gegen den Schiffsrumpf, die Balken quietschten und das Segel blähte sich, als er sich stromaufwärts voranarbeitete.

Als er sich Drogheda näherte, roch es nach Verbranntem, und dann ertönten die Schreie der Massakrierten. Einer nach dem anderen huschten seine wenigen Männer übers Schandeck und verschwanden im schwarzen Wasser, um ans Ufer, in das karge Land, zu gelangen. Cromwell und seine Rundköpfe waren vor ihnen angekommen. Sie trieben gerade ihr Unwesen: Köpfe steckten auf Pfählen, Frauen wurden vergewaltigt und ertränkt, Tote lagen herum, Kinder mit eingeschlagenen Köpfen.

Paul Champagne drehte bei, holte eigenhändig das Segel ein und ließ fünfzig Fuß Trosse ab. Er schwang sich ins Wasser und hielt sich am Seil fest, betete, daß die Strömung in Kildare in der Bay of Allen ihn und seinen Kutter wieder auf die See hinaustreiben würde, und verfluchte dabei alle Kavaliere, Rundköpfe und Dichter, insbesondere Milton, Donne, Suckling und Lovelace, während er wie ein Karpfen im brackigen Wasser trieb. Was waren das überhaupt für kindische Namen für erwachsene Männer?

In jener Nacht segelte er zu den Hebriden, besorgte sich Vorräte und machte sich auf nach Island, Grönland, Neufundland, Neuschottland und die Küste Amerikas hinab, auf unentdeckten Gewässern zu unbekannten Orten. Er hatte sich für jemanden mit schlechtem Ruf gehalten, mußte jedoch feststellen, daß er im Vergleich zu den sogenannten «anständigen Leuten» harmlos war. Er brauchte ein neues Land, eine neue Identität und die Chance für einen neuen, besseren Anfang.

In Newport, Rhode Island, beteiligte er sich an dem blühenden Dreieckshandel Rum für Sklaven, Sklaven für die Herstellung von Melasse, Melasse für die Herstellung von Rum. Er machte sich aus dem Staub, stahl seinen Kutter von dem Mann, an den er ihn verkauft hatte, und segelte südwärts nach Old Saybrook und den Connecticut River hinauf, um sich tief im Herzen der Wildnis zu vergraben.

Es war in dem Monat, in dem die Lachse zu den Great Falls aufsteigen, als Paul Champagne sich nach Norden wandte; ganze Schwärme der dicken, silbrig-roten Fische mit ihren hakenförmig gekrümmten Unterkiefern schossen neben seinem Kutter durchs Wasser, durchbrachen die Oberfläche und hinterließen große Ringe darauf, während sie flußabwärts verschwanden. Bei den Great Falls warteten mit Netzen und spitzen Speeren die Abnaki-Indianer, die ihre alljährliche Reise von Quebec hierher unternommen hatten, um den Fisch zu fangen, der auf dem Schwanz im weißen Wasser tanzt, um abzulaichen. Sie hielten Paul Champagne für ein Geschenk, das der Fisch mitgebracht hatte, und als er ihnen sagte, er besitze all dies Land, lächelten sie, weil sie wollten, daß er es behielt. Sie hielten Besitz für eine ungewöhnliche Idee.

Sie lächelten auch, weil sie an Deck seines Kutters eine Milchkuh sahen, die er in Deerfield erstanden hatte. Er hielt einen Arm um ihren Nacken geschlungen, als er mit ihnen sprach. So etwas hatten sie noch nie gesehen, Paul Champagne, den Kutter, die Milchkuh und die Lachse, die durch die Lüfte schnellten.

Um den Handel zu besiegeln, gab er ihnen Angelhaken, die sie sich sofort durch die Ohrläppchen stachen, und eine Kiste mit Polsternägeln, die den ganzen Weg von England hierher überstanden hatte und dann spurlos verschwand und bis zum heutigen Tag nicht wieder aufgetaucht ist.

Die Abnakis nahmen ihn mit nach Süden, nach Canoe Meadow, zu einem Flecken Erde, wo sie ihr Lager aufgeschlagen hatten, ihre Beute trockneten und räucherten und ihre Kanus in einer Schlucht versteckt hielten, die sich das Eis vor vielen Jahren gegraben hatte. Sie brachten ihn und seine Kuh zum Pow-Wow Rock, einem riesigen heiligen Felsbrocken, wo sie Versammlungen abhielten und ihre Toten begruben. Hier, erklärten sie, sollte er sein Haus bauen, das Land bewachen und mit den Tieren in Eintracht leben. Sie dachten, die Milchkuh wäre seine Frau, aber sie war nur eine Holsteinkuh.

Mit den Jahren ging es Paul Champagne immer besser. Er gefiel sich in der Vorstellung, der erste Weiße zu sein, der Mais anbaute, und eines Tages im Frühling entdeckte er, wie man Ahornsirup herstellt, als er den Wald niederbrannte, um die Anbaufläche für Mais zu vergrößern. Ebenso erfand er das Kanu aus Birkenrinde, Mokassins aus Hirschleder, Schneeschuhe und Schlitten. Durch rigoroses Kreuzen verschiedener Arten züchtete er Kürbisse, Schwarzwurzeln und Pastinaken.

Und all das teilte er mit seinen Freunden, den Abnakis, die sich freuten, wiederzuentdecken, was sie schon lange wußten. Paul Champagne wurde Schamane und erweckte den Geist wieder, der in ihrem Leben geschlummert hatte.

Fünfzehn Jahre ging das so, und dann starb die Kuh. Paul Champagne nahm sich im Frühling eine der Abnaki zur Frau, die Tochter eines zum Katholizismus bekehrten Häuptlings, der den Namen Poissant angenommen hatte. Er nannte seine Frau Goody und nahm selbst den Nachnamen Poissant an. Die Hochzeitsfeier dauerte bis 1689, als der Kolonialkrieg um die Vorherrschaft in Nordamerika ausbrach. Hier begann das dreihundert Jahre währende Prinzip der Neutralität unter den männlichen Poissants, während die Welt neben der ihren weitertobte.

In seinem Leben wurde Louis Poissant, direkter Nachfahre von Paul Champagne Poissant, als Brandstifter, Viehdieb, Steuerhinterzieher, Tierschänder, Wasser- und Umweltverschmutzer und Gesetzesverächter verdächtigt. Vor Jahren führten er und sein Bruder die Kühe auf eine Weide im nächsten Dorf, die sie gepachtet hatten. Dies taten sie immer in der Nacht, ehe der Steuerprüfer zum Viehzählen kam. Frühmorgens tauchte er auf, und Louis führte ihn durch die Ställe und zeigte ihm die Kälber und die paar Milchkühe, die den Weg zur Weide nicht mehr schafften. Der Steuerprüfer war zwar sechs Meilen über die vom Kuhmist verdreckte Straße zur Farm der Poissants gekommen, doch er sagte nie etwas. Er verriet beiläufig, wo er am nächsten Tag auftauchen würde, damit es sich herumsprechen konnte. Dann trank er mit Louis einen Kaffee und erzählte ihm, wieviel Geld doch im Geschäft mit koscherem Fleisch stecke, man brauche nur einen frommen Juden zu finden, der die fachgerechte Tötung vornehmen könne. Da sei wirklich eine Menge Geld drin. Und auch bei Osterlämmern, meinte er. Verkauf sie direkt von der Weide, aber nimm dich in acht vor den Griechen, die schlitzen dem Lamm vor deinen Augen die Kehle auf und fragen dich dann, wieviel dir ein totes Lamm wert ist, in dessen Blut schon die Fliegen herumkrabbeln.

Es wird behauptet, Louis wäre früher außerhalb der Urlaubszeit um den See herumgefahren, hätte an den Sommerhäusern angehalten und die Kinder aussteigen lassen. Im Handumdrehen wären sie durch Kellerfenster oder ein schlecht verschlossenes Fenster gehuscht und durch den Vordereingang wieder herausgekommen, mit soviel Zeug, wie sie tragen konnten, mit allem, was nicht niet- und nagelfest war.

Doch das alles hatte nie gerichtliche Folgen, nur der Ruf blieb. Die meisten Leute kommen ganz gut mit Louis aus. Die meisten mögen ihn sogar ziemlich gern, auch wenn er fast nur von Kaffee und Aufputschmitteln lebt.

Die Poissants sind die ganze Woche damit beschäftigt, Zäune zu flicken. Morgen werden sie zu Eddie Ryan gehen, eine alte Weide neu einzäunen, die Louis für seine Färsen von ihm gepachtet hat, doch heute werden sie den ganzen Tag auf dem Rattlesnake Mountain verbringen, den Louis' Vater im Krieg spottbillig erstanden hat. Die Leute lachten ihn deswegen aus, denn das Gebiet galt als verseucht mit Waldklapperschlangen.

Innerhalb weniger Tage brannte der ganze Hügel, große Rauchwolken verdüsterten den Himmel, und Flammen erleuchteten die Nacht. Sobald die Freiwillige Feuerwehr die Flammen unter Kontrolle gebracht hatte, loderten sie an einer anderen Stelle des Berges wieder auf, schienen sich ihren Weg durch die Erdspalten zu bahnen, eine halbe Meile weit, um dann wieder Luft zu holen und aufzuflakkern.

Überall wurden Waldklapperschlangen gesichtet, gelb und braun, die aus Felsklüften hervorkrochen, sich mit ihren flachen Köpfen und ihren vier Fuß langen Körpern zwischen den Beinen der Männer durchschlängelten und über die Straßen und durch die Bäche, die den Berg umgaben, verschwanden.

Die Erzählungen von Klapperschlangen vermehrten sich in den ersten paar Jahren jedesmal, wenn die Feuer ausbrachen. Immer wieder kam es zu Bränden, gerade dann, wenn die Gefahr eines Waldbrandes eigentlich am niedrigsten war. Die Ursache blieb ungeklärt, und an besonders schlimmen Tagen schien das Feuer an fünf Stellen gleichzeitig zu brennen. Die Leute fuhren hinaus, um es sich anzusehen, fuhren langsam die Straßen um den Berg herum ab.

Nach zehn Jahren wurden keine Waldklapperschlangen mehr gesichtet, und die Feuer hörten auf. Wildes Gras breitete sich auf den üppigen Wiesen aus, Heidelbeeren und Brombeeren wuchsen die Felsen an der Südseite des Berges empor, und von Mai bis August fand man Fingerhut und Pflanzen mit kleinen Blüten und farnförmigen Blättern; alles wurde kurz und sauber gehalten durch die Kälber, die Louis' Vater dort weiden ließ.

Owen ist schon mit der Mähmaschine unterwegs. Er wird die Brandschutzstreifen entlangfahren, das harte Gras mähen und das Gebüsch stutzen, so daß die jungen Triebe herauskommen können, zart und grün. Am liebsten fährt er die 3-Punkt-Hydraulik des Hubsteigers ganz aus, so hoch wie möglich. Dann schwebt er in vier, fünf Fuß Höhe über Bäume hinweg oder läßt sich auf hochaufragenden Wacholder herab, und die kurzen, schwirrenden Sägeblätter des Freischneidegerätes zerhacken alles, was ihnen unterkommt. Louis hat ihm einen Weg vorgezeichnet, den er zu säubern hat und auf dem sie dann mit dem Pickup folgen werden.

Rodman und Perley tragen angespitzte Zaunpfähle aus Zedernholz zum Pickup und stapeln sie auf die Ladefläche. Sie sind beide vierzehn und wetteifern immer, wer am meisten tragen kann. Sie haben die Aufgabe, mit einer Eisenstange ein Loch in die Erde zu bohren, den Pfahl hineinzustecken und ihn dann mit dem dreißig Pfund schweren Vorschlaghammer in den Boden zu treiben.

Maple und Micah holen Hämmer, Nägel, Krampen, Drahtscheren, Farmerzangen und Handschuhe.

Puss und Boots kommen mit einer Spule Stacheldraht, der auf einem Stahlrohr aufgewickelt ist; jeder hält mühsam ein Ende des Rohrs. Puss ist elf und Boots ist zwölf.

Juanita und Kay bringen zwei Tragetaschen mit Butterbroten und zwei Flaschen mit Getränken. Sie stellen die Taschen auf den Beifahrersitz. Kay fragt Puss, ob sie nicht bei den Frauen zu Hause bleiben möchte, doch sie sagt nein, sie will bei Bootsie bleiben.

Louis kontrolliert alles, ehe es auf den Pickup gelegt wird. Micah hat ihm einen verzinkten Eimer mit Nägeln gebracht, die ein einziger rostiger Klumpen sind.

«Meine neue Kiste», sagt er. «Habt ihr meine neue Kiste mit Nägeln gesehen?»

«Krampen sind hier und Nägel sind da.»

«Bring das wieder zurück. Geh die Nägel suchen. Rodman, mein Junge, hol mir ein paar Bretter. Ich will ein paar neue Eckpfähle setzen. Perley, sei so gut und hol mir etwas blanken Draht. Den kann man immer gebrauchen. Und dann noch eine Axt und die kleine Kettensäge.»

Puss stolpert und fällt hin, hält aber immer noch ihr Ende des Rohrs fest. Der Stacheldraht rutscht herunter, fällt ihr auf den Arm, rollt zu Boden und zerkratzt ihr dabei den Unterarm.

«Verdammt», sagt sie, und Boots sagt dasselbe.

Kay hilft ihr auf die Beine. Boots sieht das Blut in dunkelroten Rinnsalen laufen, bis in ihre Hand. Kay zögert keine Sekunde. Sie wickelt den Arm in ihren Rock, damit Boots nichts mehr davon sieht.

«Ihr ist nichts passiert, mein Schatz», sagt sie und tätschelt Boots den Kopf.

Louis kommt herüber, und Kay wickelt den Arm wieder aus, damit er ihn sich ansehen kann.

«Juanita, hol ein sauberes weißes T-Shirt aus meiner Kommode. Das wird schon wieder», sagt er zu Puss. Dann bittet er Kay, den Arm zu verbinden und Puss rüber zu Dr. Pot zu fahren, damit er ihr eine Tetanusspritze gibt. «Du fährst auch mit», sagt er und klopft Boots auf die Schulter.

Sie warten, bis Kay mit dem Cadillac wegfährt.

«Aufladen», sagt Louis. Maple, Micah und Perley springen auf die Ladefläche. Rodman fährt heute den Pickup, Louis sitzt neben ihm und wühlt schon jetzt in der Tragetasche nach einem Eiersandwich.

Der Zaun hat den Winter gut überstanden, ein umgefallener Baum muß weggetragen, zwei verrottete Pfähle müssen erneuert werden. Gegen Mittag holen sie Owen ein, und alle machen eine Pause. Owen sagt nicht viel während des Essens. Er meint, er hat in den Bäumen einen Schimpansen herumhüpfen sehen.

Louis erzählt ihnen eine Geschichte von diesem Berg, vom Rattlesnake Mountain, und daß er sich eines Nachts zusammen mit einem seiner Arbeiter, dem jungen Clifford Manza, hier oben verirrt hat, als sie einige verlorengegangene Kälber wieder einfangen wollten.

Die Jungen verziehen spöttisch das Gesicht bei dem Gedanken, daß man sich verirren könnte. Sie können sich nicht vorstellen, daß jemand nicht wieder dorthin zurückfindet, wo er hinwill.

«Also, ich sag euch, das war das erste und letzte Mal in meinem Leben, daß ich mich verirrt hab, und solange euch das nicht passiert ist, habt ihr keine Ahnung, wie das ist. Und deshalb bauen wir gute Zäune. Ich hab keine Lust, irgendwann mal nachts einen von euch kleinen Scheißern hier rauf auf den Berg zu schicken, nur weil die Färsen ausgebrochen sind.»

«Und wie hast du wieder zurückgefunden?» fragt Micah.

«Ich bin durch den Wald gestolpert, war schon fast in Panik, als ich plötzlich keinen Boden mehr unter den Füßen gespürt hab und in einem Fluß gelandet bin. Clifford ist auf mich draufgefallen. Wir sind den Fluß langgegangen, bis er in den Connecticut mündet. Dann sind wir einfach flußaufwärts bis zum Highway gelaufen. Mein Onkel hat da auf uns gewartet und ein Hot dog gegessen. Er hat mir erzählt, daß er immer wieder gehupt hat, und als ich nicht gekommen bin, hat er sich was zu essen geholt.»

«Hat er dir auch ein Hot dog geholt?» will Maple wissen.

«Nein, aber das war mir auch egal. Ich war froh, daß ich im Auto saß.»

«Hast du Schlangen gesehen?»

«Nein, aber ich kann mich noch daran erinnern, als es hier gebrannt hat. Da sind die Klapperschlangen aus der Erde geschossen gekommen, einem direkt zwischen die Beine. Eine oder zwanzig. *Wusch*!»

Louis wirft einen Stock, der so am Boden entlangschlittert, daß die Jungen aufspringen.

Dr. Pot hat zugeschaut und zugehört, versteckt im kühlen, feuchten Wald. Er hat nach Augentrost gesucht, nach Berufkraut, Herzgespann, Bergamotte, Brunelle, Poleiminze und Wachslilie, nach Ginseng und Blutwurz. Einige davon stehen unter Naturschutz. Er trocknet sie, versiegelt sie in Beutel und schickt sie nach Singapur. Dort werden sie als Heilmittel für Augenkrankheiten verkauft und als Diuretika; gegen Menstruationsbeschwerden, Erkrankungen der Atemwege und Halsschmerzen; als Abtreibungsmittel; zur Behandlung von Gangränen, als Aphrodisiaka und Insektenschutz; doch von allem behält er immer ein bißchen für sich selbst.

Er kommt auch in den Wald, um allein zu sein, um sich die Schuhe auszuziehen und auf dem nackten, feuchten Boden zu laufen. Er kommt gern frühmorgens her, wenn es noch ein paar Nebelfelder gibt, kalten weißen Dampf, in den er hineingehen kann. Diese Augenblicke zieht er dem Leben, das er lebt, vor, weil er sich dann wieder jung fühlt, voller Erwartung, der Frau zu begegnen, die er lieben wird, diese Augenblicke, wenn alle weltlichen Dinge beseelt sind.

Von den Schlangen hat er nichts gewußt. Er beschließt, sich zu seinem Auto zurückzuziehen. Er möchte nicht unbedingt mit Louis Poissant reden. Einige der Pflanzen in seiner Tasche sind selten und stehen unter Naturschutz, und außerdem befindet er sich auf Louis' Grund und Boden. Louis weiß, daß er da ist. Er hat es die ganze Zeit gewußt. Er nickt kurz, und die Jungen schauen auf, sind erstaunt, als sie eine Gestalt im Wald verschwinden sehen.

«Ein kleiner Hirsch», sagt Louis.

Sie beenden das Mittagessen und gehen wieder an die Arbeit, Owen fährt vor durch das Wirrwarr der Wege, Louis und sein Trupp folgen ihm und flicken den Zaun, erneuern Pfähle und Stacheldraht, wo es notwendig ist.

Maple und Micah streiten sich darüber, wer nach Mrs. Hall ihr Lieblingslehrer ist.

«Mrs. Ryan», sagt Maple, aber Rodman sagt ihnen, daß sie keine richtige Lehrerin ist, nur eine Hilfslehrerin.

Perley wirft die Kettensäge an, um ein paar herabhängende Äste abzusägen.

«Sie ist mit einem Bestatter verheiratet», erzählt Rodman den beiden Jungen.

«Was ist ein Bestatter?» will Micah wissen.

«Wenn man stirbt, dann bringt er einen unter die Erde.»

Perley hebt die Säge hoch über seinen Kopf und drückt auf den Gasknopf. Er hat sie zu hoch gehoben, seine Kraft reicht nicht aus, um die Säge festzuhalten, und sie tanzt herum und saust dicht an seinem Oberschenkel vorbei. Die Säge läuft weiter, entgleitet seiner Hand und surrt durch die Luft, bis sie zu Boden fällt und ausgeht.

Die Jungen starren auf sie hinab, die heiße Säge dampft auf dem feuchten Boden, und die stumme Kette glänzt scharf.

«Einen Bestatter», sagt Louis, «brauchst du auch bald, wenn du dich weiter so dämlich anstellst.»

Die Jungen stehen da, und jeder weiß in seinem Herzen, wie es ist, wenn man etwas lernt.

An diesem Abend schickt Louis sie alle in den Stall, sie müssen alleine melken. Sie wissen warum, und obwohl es eigentlich nur Perleys Unfall war, beschweren sie sich nicht. Als Kay ihm Dr. Pots Rechnung vom Vormittag gibt, steckt er sie in seine Tasche. Er hat beschlossen, sie zu übersehen.

16

Während die Poissant-Sippe bei Eddie Ryan mit Zaunflicken zugange ist, steigt Cody in seinen Pickup und fährt die Straße hinab, der Sonne entgegen, deren Licht zwischen weißen Wolkenknäueln hindurch vom Mittagshimmel herabfällt, als wäre da ein Stück Wäsche zum Trocknen aufgehängt. Sieht aus, als würde da oben was Großes passieren, denkt Cody, als würden sich die alten Himmelsmächte treffen, um den Himmel neu unter sich aufzuteilen. Das gibt ihm ein Gefühl von Dringlichkeit, als wenn die Zeit immer knapper wird.

Cody lacht. Für eine so große Welt wie die jenseits der Wolken ist es wahrscheinlich einfach nur ein neuer Tag, transparent, voller Farben, eine Versammlung riesiger Motten. Als er sich fragt, warum man ihn nicht zum Wolkenschieben geholt hat, muß er wieder lachen.

Er fährt am Bezirksgefängnis vorbei und biegt nach links ab in die River Road, die zum nächsten Ort führt. Von der Straße aus, die sich den Berg entlangschlängelt, kann er ab und zu den Fluß sehen, strahlend weiß, wo sich das Sonnenlicht spiegelt, und tiefschwarz in den Stromschnellen und Strudeln, tief unter ihm. Dann wieder ist der Weg von Bäumen überdacht, die den Tag aussperren und eine Dunkelheit erzeugen, in der man sich am liebsten verlieren würde.

Eileen möchte einen Hund haben, den sie Luke nennen und mit Knochen füttern will. Dieser Gedanke spukt ihr schon länger im Kopf herum, und Cody denkt beim Fahren, das kann doch nicht schaden, aber ihre Eltern sind dagegen. Hat mit dem Geschäft zu tun. Cody wünscht, er könnte sich daran erinnern, was genau sie gesagt haben, aber manche Gedanken finden in seinem Kopf keinen Platz. Ein Vorhang zieht sich vor sein Gedächtnis und sagt, mach dir nichts draus, manche Sachen kann man nicht verstehen. So reagiert er öfter, besonders in letzter Zeit, wenn es um die Frage geht, wie man besser leben kann, wie man weiterkommt im Leben. Er bewundert Eddie, weil der beide Welten so gut im Griff hat, die der Quicklebendigen und die der Toten. Er überlegt stets, wie es war und wie es sein wird, seine Hände richten die Toten her wie Geschenkpakete, und dieselben Hände spenden Trost und Hilfe.

Cody fühlt sich jetzt ein wenig verwirrt, ein bißchen erschöpft, weil er so viel auf einmal herausgedacht hat, weil er seine Gedanken zum Poetischen, zum Romantischen hat abschweifen lassen. Doch er weiß, daß es gar nicht daran liegt. Er weiß, es liegt daran, wohin ihn diese Straße führen wird. Er hat sich auf ein großes Abenteuer eingelassen, und die Gedanken in seinem Kopf spielen verrückt. Ihnen ist schwindlig geworden bei dem Versuch, die Welt geradezurücken, nett zu allen zu sein und Frieden mit allem zu schließen, so wie er seinen Frieden mit den Sternen geschlossen hat, in jener letzten Nacht mit G. R. auf dem Berg. Er weiß ganz genau, wen er am Ende der Straße vorfinden wird, hat jedoch keine Ahnung, in welchem Zustand. Er fragt sich, ob er sie überhaupt wiedererkennen wird oder sie ihn.

Er verläßt die River Road und fährt hinunter zum Fluß. Bei jeder Kurve denkt er, vielleicht öffnet sich dahinter die Erde, ein gähnender Abgrund, in dem das Wasser lauert, mehrere hundert Fuß unter ihm, oder vielleicht wird der Berg ihn gleich abschütteln wie ein wütender Bulle und ihn mitsamt dem Pickup in einem Blättergewirbel hinabstürzen lassen. Er sieht sich schon in die Eisen steigen, doch nicht rechtzeitig genug, und dann ist er weg, schlittert über den Schotterweg auf den Abgrund zu, bleibt dort einen Augenblick lang hängen, und dann ist er für immer weg. Er lacht über sich selbst, daß er solche Gedanken hat, und hofft, in jenem allerletzten Augenblick genug Mut zu haben, um einen Finger in die Höhe zu strecken und zu schreien: «Leck mich, ich komme!»

In der letzten Kurve kann er nur den Fluß sehen und ist in Bann geschlagen von seiner schrecklichen Schönheit. Der Fluß scheint sich auszuruhen, liegt flach da und glänzt so hell wie Chrom oder Edelstahl, und gleichzeitig macht er deutlich, daß er tief innen ein pechschwarzer Wirbel ist, der ohne weiteres riesige Urweltfische beherbergen könnte, die einen mit Haut und Haaren verschlingen und dann als kleine braune Kötel wieder herausscheißen.

Seine Hände umklammern das Lenkrad, während seine Augen auf das Wasser starren, das ihm Mut und Entschlossenheit raubt. Er übersteuert den Pickup; das Geräusch, mit dem die vordere Stoßstange am Gebüsch entlangstreift, und das Schaukeln der Federung holt ihn wieder zurück. Er reißt das Lenkrad herum, und dann ist er auf geradem Weg zu einem Farmhaus, das aus dieser Entfernung winzig aussieht. Es steht am Ende des Weges, der von einer riesigen Pfote herausgekratzt zu sein scheint. Da will Cody hin.

Auf halbem Weg klappert er über eine Holzbrücke, links rauscht ein kleiner Wasserfall, zitternd und dünn zwischen der Felsplatte, von der er herabstürzt, und den schäumenden Wirbeln, die er beim Aufprall verursacht, ehe er dann unter der Brücke durchfließt und immer weiter fließt und endlich in den Fluß mündet.

Er parkt neben einem Pickup und zwei Pkws, die entweder gerade auseinandergenommen oder wieder zusammengebaut werden, eines von beidem. Eine Spur von Ersatzteilen, Kabeln und Schläuchen verbindet sie miteinander. Vielleicht werden Teile ausgetauscht, eine Metalltransfusion. Vielleicht ist das eine ein Spenderauto.

«Mein Gott», flüstert er, «reiß dich zusammen.»

Der Wind frischt jetzt von Westen auf, doch Cody weiß, daß er von Osten kam, über den Berg zum Fluß hinab wehte und hier wieder hochsteigt. Rechts von sich sieht er in einiger Entfernung eine Frau in ihrem Garten stehen. Der tückische Wind, der sich gerade gedreht hat, spielt mit dem Saum ihres Hauskleides und mit den grünen Pflanzen um sie herum, von denen manche zum Essen sind, manche zum Ausreißen und manche ganz einfach in Ruhe gelassen werden wollen. In seinem Herzen weiß er, daß es Kay ist, auch wenn er ihr Gesicht nicht sehen kann.

Sie richtet sich auf und reckt sich, läßt dann die Arme herabhängen. Sie dreht die Handgelenke, streckt die Hände aus, spreizt die Finger und bewegt sie, so daß die Erdkrumen wieder zu Boden fallen. Bei dieser Bewegung dreht sie sich um, um zu sehen, wer da gekommen ist. Sie schirmt die Augen vor der Sonne ab und reckt den Hals. Cody glaubt, ein Lächeln zu sehen, zweifelt dann aber, ob er sich das nicht nur gewünscht hat.

Sie kommt langsam auf den Pickup zu, schlendert fast, und dann erkennt sie ihn, und er ist sicher, sie lächelt, freut sich, ihn zu sehen. Sie kommt näher, ihr Gang wird bestimmter, als sie über die frischgemähte Wiese zur Auffahrt geht, über die regenbogenschillernden Benzinflecken, die auf den Wasserlachen treiben, und schließlich vor seinem Pickup ankommt.

«Cody», sagt sie und legt beide Hände auf den Arm, mit dem er sich im offenen Fenster aufstützt. «Du bist es tatsächlich. Ich hab gehört, daß du hier wohnst, und dann hab ich dich bei der Beerdigung von Mrs. Huguenot gesehen, aber du warst so schnell weg, und dann war ich doch nicht ganz sicher, ob du's wirklich gewesen bist. Louis hat mir erzählt, daß dein Partner weg ist. Ich hab mich schon gefragt, ob du nicht mal vorbeikommen würdest.»

Kay hatte nie viel für G.R. Trimble übrig. Vor langer Zeit hatte sie sich angewöhnt, seinen Namen nicht mehr zu erwähnen. Cody weiß nicht, ob ihr auch jetzt bewußt ist, daß sie ihn nicht ausgesprochen hat; früher war es jedenfalls immer so, ich bin deine Frau, aber er ist dein Partner.

«Das war halt so 'ne Sache», sagt er, «je länger ich weggeblieben bin, um so schwerer wurde es, bei dir vorbeizukommen.»

«Das hätte dich nicht abhalten sollen. Du hättest trotzdem kommen sollen.»

«Na ja, so ist es halt gewesen mit uns beiden. Aber jetzt hab ich drüber nachgedacht, und da mußte ich kommen. In letzter Zeit hab ich ziemlich viel nachgedacht. Ich versuche, mit den meisten Dingen meinen Frieden zu schließen.»

Sie schaut zwischen ihren Armen zu Boden und kratzt sich mit dem nackten Fuß an der Wade des anderen Beins.

«Worüber hast du nachgedacht?» fragt sie. Das Haar umrahmt ihr Gesicht.

«Ich hab nachgedacht, ob wir noch verheiratet sind.»

Cody bringt die letzten vier Worte kaum heraus, seine Stimme wird dünn und schwach dabei.

«Ich weiß nicht. Ich bin irgendwie davon ausgegangen, daß wir es nicht sind.»

«Das leuchtet mir ein.»

Sie steht da, hält noch immer seinen Arm fest, und ihre Berührung wird warm und schwer auf ihm, als sei es etwas viel Schwereres als die Hände einer Frau.

«Ich hab deinen Sohn heute gesehen», sagt er. «Er ist drüben bei Eddie Ryan und flickt mit Louis und dem Rest der Sippe den Zaun.»

«Du meinst Owen. Er ist siebzehn. Er ist ein guter Junge. Er liebt seine Mutter. Und seinen Onkel Louis.»

Eine Windbö trägt den schweren, vollen Geruch vom Fluß herüber. Es ist der Geruch ganzer Erdschichten, die abgetragen wurden und sich mit dem Wasser vermischt haben. Wie von einem Teich, nur ist es der kräftige Geruch von Treibgut, von allem, was das Wasser mit sich führt. Es ist der Geruch von Schlaf, Geburt und Tod. Kay faßt nach dem Saum ihres Kleides.

«Es gibt nichts, das alles so berühren kann wie der Wind», sagt sie.

«Ich kann mir vorstellen, daß es immer wieder anders ist.»

«Kommt auf die Jahreszeit an, aber nach einer Weile gibt es nichts Neues mehr. Ich kenne jeden Luftzug hier», meint sie.

Wieder greift sie nach seinem Arm und läßt den Wind mit ihrem Kleid spielen. Sie legt den Kopf schief und sieht ihn an, spricht die Worte aus, als hätte sie sie eben erst gedacht, eben erst gebildet.

«Weißt du», sagt sie, «manchmal kommt es mir vor, als würde der Fluß mitten durch mein Herz fließen. Er nimmt mir den Atem.»

Sie sehen sich an wie zwei Fremde. Er spürt, wie sie ihn am Arm zieht, ziemlich fest, und dann streichelt sie ihn.

«Bleib doch ein bißchen», sagt sie. «Ich mach dir was zu trinken. Eistee oder Limonade.»

Sie faßt sich ans Haar, schiebt es hinter die Ohren zurück und streicht es glatt.

«Ja, aber nicht lang», sagt er.

Sie tritt zurück, damit er die Tür öffnen kann, und als er aussteigt, hakt sie sich bei ihm unter und drückt ihre Schulter fest gegen ihn.

Sie gehen ins Haus, und drinnen ist es kühl und dunkel. Codys Augen müssen sich erst daran gewöhnen. Er sieht, daß die Küche ganz anders ist als die von Eddie und Mary. Am Fenster stehen keine Blumen, und das Linoleum ist an manchen Stellen abgewetzt, durchgetreten, und darunter sind Holzdielen und glänzende Nagelköpfe zu sehen. Längs einer ganzen Wand türmen sich Stiefel und alle möglichen Schuhe. Sie sind aufeinandergeschichtet, ein ganzer Berg Fußbekleidung, in den man hineinfallen könnte. Es gibt auch eine Waschküche, die Spuren von Scharnieren in der Wand zeigen an, wo einmal die Tür war. Im Waschraum türmt sich ein Berg Wäsche, so hoch, daß man darauf herumlaufen muß, um sie auszusortieren, ganze Fluten von Wäsche.

Doch die Küche ist sauber gefegt, die Teller sind weggeräumt und die Arbeitsflächen trocken. Der schwere Geruch von Hefe und Kreosot vom Holzofen liegt in der Luft.

«Setz dich», sagt sie. «Ich hol dir was zu trinken.»

Gläser klirren gegeneinander, als sie sie aus dem Schrank holt. «Möchtest du ein Stück Kuchen? Letztes Wochenende hatte ich Geburtstag. Ich bin achtunddreißig geworden. Das meiste ist schon weg, aber ein Stück hab ich aufgehoben. Ich möchte, daß du es ißt.»

Sie wartet seine Antwort nicht ab. Sie geht in die Waschküche, und er hört, wie quietschend die Tür eines Gefrierschranks aufgeht. Sie kommt mit einem zellophanbedeckten Stück Kuchen auf einem Pappteller zurück.

«Er wird gleich aufgetaut sein, aber bei dem Wetter weiß

man nie. Einen Moment regnet es, dann ist es heiß, und dann wieder kalt und windig. Das einzige, was wir in den letzten achtundvierzig Stunden nicht hatten, war Schnee. Vielleicht schneit's ja gleich noch.»

Sie nimmt einen Krug aus dem Kühlschrank, an dessen Seiten Wasser herabperlt, als sie damit in die Küche kommt. Dann ertönt als einziges Geräusch das Glucksen beim Einschenken der Limonade und das Klirren der Eiswürfel.

«Hier», sagt sie und reicht ihm ein Glas, dann zieht sie einen Stuhl heran und setzt sich neben ihn, schlägt die Beine übereinander und zupft am Kragen ihres Kleides. «Bei dem Wetter krieg ich Kopfschmerzen. Im Moment hab ich noch keine, aber wenn ich nicht aufpasse, krieg ich noch welche.»

Sie trinkt einen Schluck und hält das Glas an die Stirn. Nach einer Weile setzt sie es ab, fischt einen Eiswürfel heraus und preßt ihn sich gegen den staubigen Nacken. Braunes Wasser rinnt unter ihrer Hand hervor und den Oberkörper hinab.

«Du trägst einen Ring», sagt er.

Sie sieht auf ihre Hand, als wäre sie erstaunt.

«Cody», flüstert sie, «können wir ein bißchen langsamer machen? Wir haben uns über zehn Jahre nicht gesehen.»

Ihre Stimme klingt, als würde sie jeden Moment zu weinen anfangen. Sie ist zerbrechlich, wie altes Glas, das jeden Moment Risse kriegen oder zerspringen kann. Vorhin waren ihre Worte fröhlich, und jetzt weiß er, daß sie eine Art Lüge waren.

«Erzähl mir von dir. Nicht von den ganzen zehn Jahren, von jetzt. Von heute. Was machst du?»

«Na ja, ich hab mir in den Kopf gesetzt, herumzureisen, was von der Welt zu sehen. Ungebunden zu sein.»

«Du bist ein Wanderer», sagt sie. «Du bist immer rastlos gewesen. Ein richtiger Herumtreiber.»

«Nein, Kay, das bin ich nicht.»

«Ich weiß», sagt sie und tätschelt ihm die Hand. «Ich finde es gut. Du hast immer so hart gearbeitet.»

Die Vergangenheit, die sie für ihn darstellt, läßt ihn nachdenklich werden. Ihre gemeinsame Zeit war kurz, doch sie hat ihn verstanden wie sonst niemand. Diese Fähigkeit hat ihn schon immer verblüfft, ihre Fähigkeit, eher durch das, was er nicht zeigt und nicht sagt, als durch das, was er zeigt und sagt, aus ihm schlau zu werden.

«Hast du mich sehr gehaßt, als ich nicht mehr zurückgekommen bin?»

Zuerst sagt sie nichts. Er sieht, daß sie den Mut aufbringen muß, den die Wahrheit verlangt. Er weiß, es wird der Mut sein, zu lieben oder zu hassen.

«Ich hab dich mehr gehaßt als jeden anderen auf der Welt. Aber jetzt weiß ich, wie Männer sind, und ich nehm es dir nicht übel. Ich weiß, daß die Guten wie du sich ein Leben lang damit quälen, daß sie so sind, wie sie sind.»

Cody möchte aus der Küche rennen. Er verspürt in diesem Moment den Drang, in die Wälder zu flüchten und seine Ohren mit dem Geräusch einer Kettensäge zu betäuben. Und zu jedem anderen Zeitpunkt hätte er das auch getan, aber nicht jetzt, denn jetzt scheint für ihn die Zeit gekommen zu lernen, die Zeit, den Dingen ins Auge zu sehen und alte Schulden zu begleichen. Der Boden scheint sich seinen Füßen zu entziehen, und nur Kays Gegenwart hält ihn davon ab, durchs Dach hinauszuschießen, ins Blaue und immer weiter, bis dorthin, wo es schwarz wird und kalt und leblos.

«Ich hab deine Hände auf mir vermißt», sagt sie, und ihre Stimme dringt zu ihm, als wäre er ein kleiner Junge, der eine Dose an sein Ohr preßt und Worten lauscht, die durch einen straffgespannten Draht fließen. Keine gute Verbindung, aber etwas, woran man sich festhalten kann. «Ich weiß noch, wie rauh sich deine Hand in meiner angefühlt hat. Ich hab mir immer vorgestellt, ich wäre weich, wenn du mich angefaßt hast, so weich, daß es dir Schmerzen bereitet. Ist das nicht verrückt, wo du immer so aufgepaßt hast, daß du meine Strümpfe nicht kaputtmachst und mir nicht weh tust. Aber ich hab genau das Gegenteil gedacht. Komisch, wie man manche Dinge so verschieden sehen kann.»

«Der Junge», sagt Cody.

«Jetzt nicht. Es ist so viel passiert. Ich bin irgendwie tot da drinnen. Ich brauch eine Weile, um wieder zum Leben zu finden.»

Cody und Kay sitzen am Tisch und trinken Limonade, der bittere Geschmack rinnt ihnen durch die Lippen und den Hals hinab. Immer wenn er etwas sagen will, hebt sie die Hand und flüstert, jetzt nicht, noch nicht. Ihre Geduld wird zu seiner, und er stellt fest, daß er zufrieden ist, einfach nur dazusein, in der Küche zu sitzen, in der sie die meiste Zeit verbringt.

Große Schatten verdunkeln das Haus, und das Sonnenlicht wird hinter den großen weißen Wolken begraben, die sich so gern am Flußufer aufzuhalten scheinen. Das Telefon klingelt, doch sie rührt sich nicht. Keiner von beiden will wissen, wer anruft, keiner von beiden hat jemanden, der an ihrem gemeinsamen Leben teilhatte, an diesem Leben, das schon mehr als zehn Jahre zurückliegt. Damals waren sie verliebt, verheiratet, Eltern, und dann getrennt, vielleicht tatsächlich geschieden, doch in Wirklichkeit verwitwet. Dieser Augenblick ist für sie eine Zeit der Abrechnung, eine Zeit, über Dinge nachzudenken, die sie versucht, aber nicht geschafft haben, Dinge, über die sie auch heute noch nachdenken.

So sitzen sie am Tisch, trinken Limonade und lassen vor ihrem inneren Auge die Jahre vorbeiziehen, eins nach dem anderen. Cody denkt diese Dinge für sich selbst und hofft, daß auch sie es tut. Er sieht ihr ins Gesicht, möchte, daß ihm die Vergangenheit verziehen und ein Zeichen für eine Zukunft gegeben wird, nicht unbedingt für eine gemeinsame Zukunft, sondern nur ein Zeichen, daß es eine Zukunft für beide gibt, ein Zeichen, das ihm zu verstehen gibt, die Last der Vergangenheit wiegt nicht so schwer, daß ihr sie nicht tragen könnt.

Kay steht auf, nimmt seine Hand und zieht daran, doch er ist wie benommen. Sie zieht noch mal daran, und langsam steht er auf. Dann führt sie ihn einen Flur entlang und die Treppe hinauf. Keines der Zimmer, an dem sie vorbeigehen, hat eine Tür, außer dem Bad, und davor hängt ein Duschvorhang. Oben ist noch ein Zimmer, diesmal mit Tür. Sie führt ihn hinein, und es ist dunkel drinnen, bis auf das Licht, das durch das Rollo hereinfällt. Sie zieht es auf halbe Höhe, und er sieht ihren Schreibtisch und das Bett, eine Vase mit weißen, durchsichtigen Blättern auf dem Tisch daneben. In diesem Licht sieht er den nußbraunen Schimmer in ihrem Haar, und einen Augenblick lang ist das alles, was er sieht. Er ist gefesselt von der Schönheit ihres Haares und will es durch seine Finger gleiten lassen, um seine Hand wickeln.

Dann sieht er die Poster an der Wand, Poster von Marilyn Monroe, auf dem Rücken und mit schwarzen Netzstrümpfen, Marilyn am Strand, Marilyn im Bett, Marilyn mit weißen Stöckelschuhen. Sie schaut über ihre nackte Schulter.

«Das da ist von Bender, aus einer seiner Zeitschriften», sagt Kay und setzt sich aufs Bett.

«Wer ist Bender?»

«Ein Schweißer. Er kommt ab und zu. Immer wenn er

einen neuen Pickup hat, macht er den Tank voll und den Reservekanister auch. Dann fährt er so lange, bis der Sprit alle ist, nur, um die Benzinuhr zu prüfen. Seit dem Ölembargo traut er keiner Benzinuhr mehr.»

«Scheint ein vorsichtiger Mensch zu sein.»

Cody fragt sich, ob sie ihn mit hierhergenommen hat, um ihn mit diesem Bender zu verletzen. Wenn ja, denkt er, dann ist es ihr gelungen.

«Er streicht seine Pickups mit Rostschutzfarbe an. Ihm gefällt die Farbe, die ändert sich nie. Früher ist er immer mit einer losen Gleitschutzkette rumgefahren. Man konnte ihn meilenweit hören. *Bum, bum, bum.* Die Kette ist ständig gegen die Karosserie geschlagen.»

«Ich glaub, den kenn ich. Hab ihn schon öfter gesehen. Er hat Schweißbrenner und einen Lichtbogenschweißer auf der Ladefläche.»

«Du mußt vorhin an ihm vorbeigefahren sein.»

«Ich hab niemanden gesehen», sagt Cody und sieht sich im Zimmer um, fragt sich jetzt, warum sie ihn hergebracht hat, überlegt, wo hier die Notausgänge sind, lächelt, weil er noch nie vor einem Mann weggelaufen ist, und denkt dann, daß das gar nicht witzig ist.

«Er ist im Gefängnis, sitzt da acht Monate ab. Er war drüben in Keene, betrunken, hat seinen Pickup im Parkverbot abgestellt, und da haben sie ihm so eine Eisenkralle ans Rad gehängt. Er hatte sowieso jede Menge Strafzettel ausstehen. Keine Inspektion. Keine Registrierplakette. Und als er am Morgen rauskommt und die Eisenkralle sieht, hat er seinen Brenner rausgeholt und sie abgeschweißt. Letzten Monat haben sie ihn geholt. Es hat eine richtige Schlägerei gegeben. Zwei hat er krankenhausreif geschlagen. Sein Pickup steht da, neben deinem.»

Cody schaut hinaus zu dem Pickup, neben dem er geparkt hat. Nur das Steuerrad ist blitzblank. Es ist eine kreisförmig zusammengeschweißte Kette für den Holztransport, doch auf der Ladefläche liegen keine Schweißgeräte, sondern nur ein paar große Tüten, wahrscheinlich Hundefutter, und an den Stellen, wo sie naß und weich geworden sind, wächst Gras aus ihnen.

«Was ist mit seiner Ausrüstung?»

«Er hatte kein Geld für einen Anwalt. Eines Tages sind ein paar Männer gekommen und haben alles mitgenommen. Mit dem Pickup fahren die Jungs auf der Farm rum.»

«Liebst du ihn?» fragt Cody, und die Worte klingen härter, als er eigentlich will.

«Ich weiß nicht. Scheint irgendwie auch nicht mehr so wichtig. Was ist Liebe überhaupt? Feuer und Rauch. Nichts, was man essen könnte. Nichts als eine schöne Geschichte.»

Sie seufzt und faltet die Hände.

«Tut mir leid», sagt sie, «damit wollte ich gar nicht erst anfangen, aber manchmal kann ich es einfach nicht für mich behalten.»

Cody geht zum Bett, wo sie sitzt, bleibt vor ihr stehen und legt ihr die Hände auf die Schultern.

«Als ich mich umgedreht und dein Gesicht gesehen hab», sagt sie, «dachte ich, da ist er. Er ist wieder zu sich gekommen. Aber ich weiß, daß der Gedanke verrückt war.»

Cody gräbt seine Finger in ihre Schulter, knetet sie, spürt ihre Stärke. Sie neigt den Kopf gegen seinen Gürtel, und er berührt die Sehnen in ihrem Nacken. Sie fühlen sich so straff an, daß er fürchtet, sie könnten reißen. Zärtlich bearbeitet er sie. Das mit dem Mann namens Bender hat er nicht erwartet, aber andererseits hat er überhaupt nichts erwartet. Das mit Bender leuchtet ihm sogar ein.

«Wenn ich einkaufen geh», sagt sie, «rede ich mit den Männern, mit den Jungs, die im Lager arbeiten, mit dem

Verkäufer, mit den Männern, die auch einkaufen gehen. Ich frag sie einfach irgendwas. Manchmal tu ich so, als würde ich einen Schuh verlieren. Und immer gucken sie her zu mir. Dann denk ich, wie anders ich doch bin als die anderen, aber eigentlich will ich doch genauso sein wie sie. Ich versuche, mir einzureden, daß es doch wohl nicht zuviel verlangt ist, wenn man so sein will wie die anderen.»

Sie macht seinen Gürtel auf, dann den Knopf und zieht den Reißverschluß herunter.

«Komm her», sagt sie und schaut lächelnd zu ihm auf. «Leg dich zu mir. Ich werd's dir leichtmachen.»

Cody legt sich neben sie und paßt dabei auf, daß er mit den Schuhen nicht aufs Bett kommt. Sie arbeitet sich vor, bis sie auf dem Rücken liegt und er auf der Seite und sie seinen Kopf in ihren Armen wiegt.

«Du wohnst beim Bestatter?»

«Ja.»

«Und wie ist das so?»

«Wir haben uns angefreundet. Sein Vater ist vor ein paar Jahren gestorben, und damit kommt er nicht klar.»

«Kannst du ihm da nicht raushelfen?»

«Ich bin auch nur ein Mensch.»

«Ach, komm schon. Du doch nicht», sagt sie, als hätte sie gemeint, was sie gesagt hat, und wäre jetzt enttäuscht von seiner Antwort.

Sie schiebt ihren Oberschenkel zwischen seine Beine und erweckt ihn zum Leben. Er faßt nach dem Saum ihres Kleides und versucht, es ihr über die Hüften hochzuziehen.

«Es hat Knöpfe», flüstert sie, also läßt er los und knöpft einen nach dem anderen auf, bis ihr Hauskleid offen ist, und dann sieht er, daß sie darunter nichts anhat. Er berührt sie und denkt, daß sich ihre Haut wie etwas anfühlt, das er nie zuvor berührt hat.

«Ich bin am ganzen Körper braun», sagt sie. «Ich

schleich mich raus auf die Wiese und leg mich in die Sonne. Ich weiß, daß man Hautkrebs davon kriegt, aber ich finde, es ist nicht so schlimm, solange ich es nur mir selbst antue. Weißt du was? Einmal hab ich hochgeguckt, und da haben mich drei Murmeltiere angestarrt.»

Sie lachen, und Cody läßt die Hand auf ihrem weichen, runden Bauch liegen, der sich seiner Bewegung entgegenwölbt. Er denkt, die Poster von Marilyn Monroe werden lebendig, und so muß sich ihre Haut angefühlt haben.

«Deine Hose», sagt sie, und er schiebt sie hinab bis zu den Füßen, wo sie an den Schuhen hängenbleibt. Dann kommt er hoch auf Hände und Knie, sieht sie an und küßt sie zum erstenmal, und sie lächeln beide, weil sie wissen, daß sie nach Limonade schmecken.

«Mach dir keine Sorgen», sagt sie, «es kann nichts passieren», und dann zieht sie ihn zu sich herab. Er beugt den Rücken, und dann ist er in ihr, und es ist, als würde sein ganzer Körper durch die Wasseroberfläche in einen tiefen Teich eintauchen, auf dem schwarze Staubwirbel treiben, und er kann nur noch denken, daß er dort so lange wie möglich bleiben will und dann etwas Leben mitnehmen will, etwas Lebendiges. Sie muß das gleiche denken, denn sie hält ihn noch lange nachdem ihre Finger sich in seinen Rücken gegraben haben, lange nachdem ihr Atem wieder ruhiger geworden ist und ihre Körper vor Schweiß glänzen, lange nachdem sie eingeschlafen sind.

Cody hält bei der Bootsanlegestelle an und schaltet das Fernlicht ein, läßt es über den Zementweg aufs Eis hinaus leuchten. Der helle Schein macht ihn beinahe blind für das Licht des Mondes und der Sterne, das die eisige Nachtluft durchdringt. Es ist schon Jahre her, und er hat Geld wie Heu, weil die Araber den Ölhahn zugedreht haben. Alle Welt braucht Brennholz, und Cody hat jede Menge davon.

Er hat einen ganzen Berg, schickt die Holzstücke einen riesigen Heulader hoch und läßt sie am Ende herunterfallen, bis der Stapel so hoch ist, daß nichts mehr herunterfallen kann. Dann rückt er alles ein Stück weiter und macht wieder Brennholz, vom Baumstamm zu kleinen Stücken, zum Heulader, und wieder auf den Holzstapel, und je länger die Araber durchhalten, desto reicher wird er.

Cody steigt aus dem Wagen und läßt ihn mit offener Tür und laufendem Motor stehen. Er rennt im Scheinwerferlicht zu der Stelle, an der es auf dem Eis eine weiße Fläche bildet, und da stellt er sich hin und hat das Gefühl, es ströme aus der Dunkelheit heraus und sammle sich zu seinen Füßen.

Kay sieht ihm zu, eine Hand auf dem kalten Schaltknüppel und die andere auf dem Oberschenkel. Sie wünschte, er hätte die Tür zugemacht, denn die kalte Luft weht um ihre Beine und unter ihr Kleid.

Als Cody wieder zurück ist, löst er die Halterung des Verdecks und läßt das Kabriodach nach hinten klappen. Der Wagen ist ein Cougar, Baujahr 66, tiefblau mit weißem Verdeck. Er hat ihn vor einem Monat erstanden, und der Tacho zeigte nur fünftausend von den hundertfünftausend Meilen, die der Wagen in den neun Jahren auf Highways und Feldwegen zurückgelegt hatte. Aber es liegt satt auf der Straße, dieses 8-Zylinder-Kraftpaket mit frisiertem Doppelvergaser, enormem Durchzug in allen Gängen und reichlich Reserven im Fahrwerk.

Cody greift nach dem Schaltknüppel, legt seine Hand auf ihre Hand. Er haut den ersten Gang rein, gibt Vollgas und läßt die Kupplung kommen. Der Cougar hebt vorn an, dann greifen die Räder, und die beiden werden erst nach hinten und dann nach vorn geworfen. Der Cougar schießt los, drückt sie in den Sitz, und dann haben sie die spiegelglatte Bootsrampe bereits hinter sich und rasen über den gefrorenen See, mit fünfzig Meilen, und die Tachonadel klettert weiter.

Kay starrt nach vorn, hat die Arme jetzt vor der Brust verschränkt, ihre Mütze ist weggeblasen, und das Haar flattert hinter ihr im Wind. Zuerst brennt ihr Gesicht vor Kälte, dann wird ihr warm. Von den Fußgelenken bis zu den Oberschenkeln spürt sie, wie das Blut Wärme in ihre Beine pumpt. Sie rutscht hin und her, damit sich ihr kariertes Kleid enger an den Körper schmiegt, greift dann nach oben und zieht den Mantelkragen enger um den Hals.

Als sie fünfundsechzig Meilen erreicht haben, macht Cody die Scheinwerfer aus, und es kommt ihnen vor, als blieben sie auf der Stelle stehen und die ganze mitternachtsschwarze Welt fliege schweigend an ihnen vorbei, obwohl sie mittlerweile mit siebzig Meilen im vierten Gang fahren.

«Wie zwei Hunde auf Urlaub», schreit Cody. Seine Worte werden vom Wind abgeschnitten und verschwinden im Dunkel. «Doppelseitiges Klebeband», brüllt er grundlos, «die beste Erfindung aller Zeiten!»

In der Mitte des Sees reißt er das Steuer herum, und sie drehen sich um sich selbst, ein dutzendmal, wie ein Schlittschuhläufer nach einer Pirouette. Die Spikes schneiden eine spiralförmige Linie ins Eis, die sich wie eine Schlange hinter ihnen herzieht.

Cody und Kay lachen, als ihre Körper aneinandergepreßt werden. Er legt den Leerlauf ein, läßt das Lenkrad los und legt den Kopf auf ihren Schoß. Er starrt hoch zu ihr und zum Mond, während sie gemeinsam herumwirbeln.

Als der Cougar langsamer wird, setzt er sich wieder auf, arbeitet sich durch die Gänge und gewinnt an Tempo. Im Rückspiegel sieht er, wie hinter den Rädern Eisstaub hochwirbelt, eine ganze Wolke im Rot der Rücklichter und im Weiß des Mondes.

Sie schlittern zum Ufer, an den Bootshäusern, Anlegestellen, Veranden und Stränden vorbei. Während er fährt, plappert er über das Eis, seine Farben und was sie bedeuten. Weiß ist gut, Schwarz ist gefährlich, Eis hat eine Maserung wie Holz, man kann sie sehen, und es kann wie Holz modern und hat dicke und dünne Stellen, da muß man ganz schön aufpassen. Es ist nie flach oder ruhig oder immer gleich tragfähig. Es macht auch Geräusche, es stöhnt und kracht und dröhnt.

Kay sagt, sie kennt sich auch mit Eis aus, und sie lachen, denn im Sommer arbeitet sie in der Imbißstube am Eisstand, und da haben sie sich im Juli kennengelernt. Cody kam eines Abends auf dem Heimweg dort vorbei, mit einer schweren Ladung Abfallholz, rotem Ahorn und Buche. Er hielt an, um sich ein Frappé und einen Eiswürfel zu gönnen. Am späten Nachmittag war ihm ein Zweig ins Gesicht geschlagen, über dem rechten Auge, und jetzt fing es richtig an zu brennen.

Vom Fenster aus sah sie ihn kommen. Er war nicht älter als siebzehn, ging aber wie ein Mann, der ein Ziel vor Augen hat, mit schwingenden Armen und breiten Schritten. Seine Kleider waren voller Benzin- und Ölflecken, seine Arme kräftig und das Haar voller Sägemehl. Sein Bart war dünn und kurz geschnitten. Unter dem Motorengeruch lag ein anderer, der scharfe, stechende Geruch von Wald und Schweiß.

Kay stand aufrecht da in ihrer weißen Baumwollbluse und dem schwarzen Rock. Als er auf sie zuging, sagte er nichts, starrte nur auf ihre Brust und zupfte sich am Bart. Schließlich grinste er und sah ihr ins Gesicht.

«Ich hätt gern ein bißchen von dem da», sagte er und zeigte auf ihre rechte Brust.

Sie schaute hinab zu der Stelle, auf die er deutete, und sah einen Schokoladenfleck. Daneben war einer mit Erdbeere, und daneben einer mit Vanille. Das passierte ihr ständig. Wie sehr sie sich auch anstrengte, am Abend trug sie die meisten Geschmacksrichtungen auf der Brust, weil sie die Waffeln gestreift oder sich zu tief hinabgebeugt hatte. Es war eine Speisekarte, die ein Junge gern las, aber erst jetzt, sieben Monate später, hatte er sie auf eine Spritztour in seinem brandneuen gebrauchten Cougar eingeladen.

Am Nordende des Sees lenkt Cody nach links, und sie gleiten im Schatten hoher Kiefern dahin, die sich dunkel neben ihnen erheben; darunter stehen hohe Heidelbeersträucher und, noch näher am Ufer, windschiefe Pappeln und Birken mit geneigten, vereisten Kronen.

An dieser Stelle scheint Farbe in die Luft geschnitten zu sein, Dunkelblau und Dunkelgrün. Es sieht aus, als wären diese Büsche und Bäume und auch der Himmel nur da, um sie dort festzuhalten, diese Farbe, die so scharf ist, daß sie sich an ihr schneiden würden, wenn sie hinfahren und sie anfassen wollten.

«Es ist schon toll, aber ich frier saumäßig.»

«Ja, es ist wirklich toll», sagt Cody. «Manchmal, wenn es aufs Eis regnet und dann wieder festfriert, sieht es aus wie Spinnweben und Blumen unter Glas. Manchmal kann man sein Spiegelbild direkt unter sich im Eis sehen, wenn die Sonne richtig einfällt. Manchmal sogar noch mehr. Vier oder fünf Spiegelbilder direkt im Eis.»

«Das ist schön, Cody. Aber mir wird wirklich kalt. Meinst du nicht, wir könnten das Verdeck wieder hochklappen und ins Kino gehen?»

Cody läßt das Lenkrad los, dreht sich um und greift hinter den Sitz. Er kommt mit einer Decke für sie wieder hoch.

«Wickel dich da rein. Dann ist es wie eine Schlittenfahrt.»

Cody lenkt noch einmal nach links, zurück zur Mitte des Sees, und hält an. Er legt den Leerlauf ein und macht dann den Motor aus. Sie sitzen da und schauen hoch zu den Sternen.

«Vor langer Zeit hab ich mir mal vorgenommen, die Namen all dieser Sterne zu lernen», sagt er.

«Davon kannst du nur träumen», erwidert sie. «Weißt du, wie viele es gibt?»

«Nein, ich mein es ernst. Ich hab große Pläne.»

«O ja, großer Brennholzkönig. Ich dachte, wir würden miteinander ausgehen. Ich hab mir extra ein Kleid und Stöckelschuhe angezogen.»

«Ich hab doch gesagt, daß wir angeln gehen.»

«Ich weiß», sagt sie, «aber ich hab nicht gedacht, daß wir wirklich angeln gehen würden. So hab ich mir unsere erste Verabredung nicht vorgestellt.»

«Es wird ganz toll», sagt er, steigt aus dem Cougar und öffnet den Kofferraum. Er kommt zur Beifahrerseite und reicht ihr eine grüne Wollhose, dicke Stiefel und einen schwarzrot karierten Mantel. Er sagt ihr, sie soll das anziehen, damit sie nicht friert.

«Der kluge Mann baut vor», sagt sie, doch er hat sich umgedreht und steht schon wieder am Kofferraum.

Kay streift die Schuhe ab und schlüpft in die Wollhose, zieht sie unter dem Kleid hoch und knöpft sie zu. Sie steigt in die Stiefel und zieht den Mantel über. Die Hosenbeine sind steif wie Ofenrohre, und die Wolle fühlt sich an wie eine Hand auf ihrer Haut. Jetzt ist ihr ein bißchen wärmer.

Sie steigt aus dem Wagen und schlurft vorsichtig zum Kofferraum, damit sie die Stiefel nicht verliert. Die Nacht scheint jetzt wärmer zu sein, das Licht des Mondes und der Sterne nicht mehr so weit weg, nicht mehr so kalt. Cody hat seinen Mantel ausgezogen und holt die Angelausrüstung aus dem Kofferraum.

«Ich werd verrückt», sagt sie, «du willst ja wirklich angeln.»

Er nimmt den Handbohrer und dreht die Bohrerschneide mit der Flügelschraube fest. Zehn Schritte von der Fahrertür entfernt setzt er den Bohrer aufs Eis und dreht die Kurbel. Fünf Minuten später hat er einen Fuß tief in Richtung auf das schwarze Wasser gebohrt. Plötzlich drängt es durch das Loch nach oben, bis auf halbe Höhe, und steigt dann in dieser Säule auf und nieder.

Er bohrt fünf weitere Löcher, jedes zehn Schritte vom Cougar entfernt, in einem Halbkreis um das vordere Ende des Wagens. Kay folgt ihm.

«Bohr doch ganz ums Auto rum, und dann spielen wir Punkteverbinden.»

«Ha ha», erwidert Cody.

«Warum macht ihr Männer das?»

«Was?»

«Was du gerade gemacht hast. Männer riechen die ganze Zeit an ihren Achselhöhlen.»

«Das hab ich gar nicht gemacht. Ich hab mir den Schweiß von der Nase gewischt.»

Sie sieht den Schweiß auf seiner Stirn und dort, wo sein Haar bereits gefroren ist. Dampf steigt aus seinem Hemdkragen auf, und am Rücken ist ein Stück Hemd bereits ganz hartgefroren, von den Schultern hinab zum Gürtel.

«Du bist ganz durchgeschwitzt. Du erfrierst mir noch.»

Er geht zurück zum ersten Loch und schabt dann überall die Eisspäne weg und setzt die Köder mit Fähnchen, die als Bißanzeiger dienen.

«Geh doch bitte ins Auto», sagt sie. «Du bist ja verrückt.»

«Deine Schuld. Wenn du mich so ärgerst.»

«Nein», sagt sie leise. «Hab ich doch gar nicht. Geh ins Auto, mach das Verdeck hoch und die Heizung an. Wir können im Warmen sitzen und trotzdem sehen, ob was anbeißt.»

Der erste Luftzug aus dem Gebläse ist kalt, und er fröstelt. Kay legt ihm die Decke über die Brust, und dann kommt Warmluft.

«Im Handschuhfach ist eine Flasche Brombeerschnaps», sagt er.

Sie trinken schluckweise, und es fühlt sich im Mund warm an, im Hals noch wärmer und im Magen richtig heiß und feurig.

«Hält die Kälte vom Leib», sagt Cody und läßt die Decke von der Brust hinabgleiten. Kay schält sich aus dem karierten Mantel und knöpft dann ihren eigenen auf. Sie holt Zigaretten und eine Schachtel Streichhölzer aus der Tasche und versucht, eines anzuzünden, doch der Ventilator bläst die Flamme jedesmal wieder aus. Cody drückt auf den Zigarrenanzünder, doch sie wartet nicht, und diesmal hält sie das Streichholz zu nah an ihre Kleider. Die Flamme scheint von ihren Fingern auf den Pullover zu springen, erwischt eine Fluse und schickt kleine Stichflammen die Brust hinauf.

«So was hab ich noch nie gesehen», sagt Cody, als sie die Flammen erstickt haben. «Wie kleine Feuerzungen an deinem ganzen Körper. Irgendwie war es schön.»

«Ach ja?» sagt sie. «Schön erschrocken hab ich mich.»

Sie zupft an ihrem Pullover herum. Schwarze Aschefäden rieseln heraus und schweben in der warmen Luft davon. Dann vergißt sie für einen Moment, daß er da ist, bedeckt ihre Brüste mit den Händen und stößt einen tiefen Seufzer aus.

«Du hast keine Ahnung, wie ich mich erschrocken hab», sagt sie und starrt durch die Windschutzscheibe hinaus. «Weißt du, nach ihrer Operation konnte meine Mutter nachts ihre Brüste abnehmen. Sie hat mir erzählt, daß sie sie immer in die Nachttischschublade gelegt hat, weil mein Vater manchmal wach wurde und mit ihr schlafen wollte, und dann wollte sie sie immer in der Nähe haben, weil sie es ohne Brüste nicht konnte.»

Cody sagt nichts. Er schaut sie an und dann auch nach draußen, um zu sehen, was sie sieht.

«Ist schon in Ordnung», meint sie, «schließlich bist du ein Mann. Von euch wird ja erwartet, daß ihr ein bißchen gefühllos seid. Mach besser den Motor aus. Vielleicht hat der Auspuff ein Loch. Wir könnten ersticken. So was gibt's.»

Cody macht den Cougar aus, und sie beobachten die Bißanzeiger und warten darauf, daß einer anspricht. Sie reichen die Schnapsflasche hin und her und atmen die schwere Luft mit ihrem Geruch von Wolle, Kiefern und warmer, feuchter Hitze.

«Was sind denn nun deine großen Pläne?» fragt Kay und schaut zu den Lichtern in der Ferne, zu den Ferienhütten, in denen Winterurlauber wohnen, zu einem Auto, das am Seeufer entlangfährt und dessen Scheinwerfer durch die Bäume leuchten.

«Holz», antwortet Cody. «In Holz steckt immer Geld, und jetzt, wo der Ölhahn zugedreht ist, sind die Holzvorräte, die ich im Frühling und Sommer angelegt hab, so gut wie bares Geld.»

«Nicht schlecht», sagt Kay.

Sie denkt an all die Abende, an denen er nach der Arbeit auf dem Nachhauseweg zur Imbißstube kam. Er brachte den Geruch von Holz und so viele Sägespäne mit, daß sie danach immer fegen mußte.

Jeden Abend nahm er das gleiche – zwei Cheeseburger, Pommes, Zwiebeln und, soweit sie es sehen konnte, etwa eine halbe Flasche Ketchup. Wenn sie seine Bestellung erledigt hatte, machte sie Grill und Friteuse sauber und löschte das Außenlicht. Dann lehnte sie sich an die Theke und redete mit ihm, während er aß. Er fing an, sie zu fragen, was in der Welt so passiert war, während er in den Wäldern gearbeitet hatte, und sie konzentrierte sich auf die Nachrichten im Radio, um sich alles zu merken, und notierte sogar hin und wieder etwas auf einer Serviette. Jeden Abend erfuhr er von ihr den Wetterbericht und die wichtigsten Nachrichten aus der Region, dem Land und der ganzen Welt.

«Nicht schlecht», sagt sie noch mal. «Meine Mutter hat immer gesagt, einen Reichen kann man genausogut lieben wie einen Armen.»

Draußen dröhnt das Eis, das Echo klingt wie weit entferntes Artilleriefeuer. Sie setzt sich so schnell auf, daß ihr der Schmerz in Nacken und Arme fährt.

«Verdammt. Das klang aber gar nicht gut.»

«Es ist nur das Eis», sagt Cody. «Das macht es, wenn sich die Temperatur ändert, wenn es kälter wird, oder wärmer. Ich meine es wirklich ernst. Ich hab große Pläne.»

«Bist du sicher, daß du da nicht nur Luftschlösser baust?» meint sie und massiert sich die schmerzenden Arme und Schultern. «Meine Güte, ich hab mich vielleicht erschrocken.»

Wieder dröhnt das Eis. Diesmal klingt es näher, das Echo scheint von tief unter ihnen zu kommen, in den Cougar zu dringen, um dort zu verhallen.

«Es gibt Leute, die sagen, der See hat keinen Grund», meint Cody. «Er geht bis rüber nach China. Als Kind hab ich hier immer geangelt.»

Sie will ihn unterbrechen, ihm sagen, daß er noch immer ein Kind ist, aber sie weiß, das wäre gemein, und überhaupt, sie ist ja selbst erst dreiundzwanzig.

«Eigentlich ist das noch gar nicht so lange her. Ich bin mit einer Axt und einer Angelschnur hergekommen. Einmal hab ich die Axt hingeschmissen, und sie ist über das Eis geschlittert und in ein Loch gefallen, das ich gehackt hatte.

Plonk. Ich hab mich auf den Bauch gelegt und gesehen, daß sie senkrecht dastand, mit dem Stiel nach oben, und der ist immer hin und her geschwungen, wie wenn sich das Wasser bewegt. Immer hin und her. Da hab ich einen langen Stab geholt, ein Seil mit Schlaufe drangebunden und ihn ins Wasser gelassen. Hat geklappt. Ich hab meine Axt wiedergekriegt. Und da hab ich gemerkt, daß ich in so was ganz gut bin. Kann mir aus einer Klemme raushelfen.»

Cody schaut hinüber zu Kay und sieht, daß sie ihn beobachtet. Er sagt: «Tut mir leid, das mit deiner Mutter.»

«Sie ist jetzt Zeugin Jehovas. Sie und mein Vater und andere Zeugen Jehovas fahren in einem blauen Auto durch die Gegend und verteilen den *Wachturm* und *Erwachet!* Wenn die Leute nicht zu Hause sind, lassen sie die Zeitungen vor der Tür liegen. Er heißt Harold.

Diesen Monat geht es im *Wachturm* ums Kinderkriegen in Gottes Volk und um Baylon, die dritte große Weltmacht. Die Zeitung wird in hundertdrei Sprachen rausgegeben, in manchen Sprachen monatlich und in manchen alle zwei Wochen. In *Erwachet!* geht es um die Obdachlosen, das Universum, und mein Lieblingsartikel ist ‹Wie kann ich gegen die Masturbation ankämpfen›?»

«Und was steht da?»

«Lies die Bibel, denk an Gott, nimm wenig Fleisch zu dir, nichts Scharfgewürztes und keinen Alkohol, und bete wie der Teufel. Ich kann dir sagen, die machen mich ganz schön fertig.»

«Na ja, ich bin sehr keusch», sagt Cody und greift nach der Flasche. «Hundert Prozent.»

«Das glaub ich dir.»

Wieder dröhnt das Eis unter ihnen, das Geräusch steigt langsam empor, erhebt sich zwanzig Fuß hoch in die Luft, ehe es die Nacht wie ein Donnergrollen erfüllt. Als er ihr aus der Wollhose und dann aus den Netzstrümpfen hilft, kann er sich nicht verkneifen, ihr zu sagen, daß das Erdölprodukte sind und daß ihr Preis in die Höhe schnellen wird. Sie bringt ihn mit einem *psst* zum Schweigen.

«Jetzt nicht», sagt sie, «erzähl es mir später. Hilf mir jetzt.»

Codys rauhe Hände hinterlassen eine Laufmasche, einen kleinen Riß am Fußgelenk, aber das stört sie nicht. Sie sagt ihm, wenn er erstmal Brennholzkönig ist, kann er ihr ein neues Paar kaufen.

Cody schiebt sich auf die Knie hoch und setzt sich zurück auf die Waden. Kay hat die Hände übers Gesicht gelegt und atmet tief. Ihre Knie und Beine schimmern weiß im Mondlicht, das sanft durch die Windschutzscheibe dringt, ein klein wenig Helligkeit in das Dunkel rings um sie bringt. Die dünne rote Linie einer Narbe läuft über ihren Bauch, ganz nah am Haaransatz.

Er fährt die Linie mit dem Finger ab, und sie fängt an zu weinen. Es ist das erste Mal mit einer Frau für ihn, und jedesmal, wenn sie einen Laut von sich gibt, denkt er an Schmerzen.

«Tut mir leid», sagt er, etwas anderes fällt ihm nicht ein.

«Es braucht dir nicht leid zu tun. Ich wollte es so.»

Doch sie hört nicht auf zu weinen. Mit einer Hand greift sie nach unten, tastet nach ihrer Unterhose, und mit der anderen Hand bedeckt sie immer noch die Augen. Cody hilft ihr beim Anziehen.

«Du Scheißkerl», sagt sie. «Warum bist du erst jetzt mit mir ausgegangen? Warum hast du so lange gewartet? Nie hast du mich angerufen. Warum hast du so lange dazu gebraucht?» Sie zieht jedes Wort der letzten Frage in die Länge, als wären die Worte in ihrem Kopf verschlossen gewesen, eingefroren, und erst jetzt wieder aufgetaut.

«Das hab ich nicht gewußt», flüstert er.

«Ist es etwa, weil ich einen Sohn habe?»

«Das ist mir neu.»

Er lächelt, freut sich für sie, daß sie einen Jungen hat. Das hätte er auch gern.

«Du bist mir vielleicht einer», sagt sie.

«Ein harter Brocken.»

«Ja, und der hat mich voll erwischt.»

«Wird schon schiefgehen.»

Er hilft ihr, sich fertig anzuziehen, geht dann hinaus aufs Eis und knöpft sich die Hose zu. Er ist sicher, daß er sich verliebt hat. Er geht von Loch zu Loch und nimmt die Bißanzeiger ab. Kay sieht ihm vom Cougar aus zu. Er hat kein Hemd an und merkt es nicht mal, denkt sie, und das gefällt ihr, der Gedanke, daß er es nicht merkt, wenn er sich selbst weh tut. Sie sieht zu, wie er die Leinen aufspult, weiß und schweigend steht er da im Mondlicht, und seine Bewegungen wirken gespenstisch.

Er geht an ihr vorbei, sie hört die Heckklappe zufallen, und dann ist er wieder im Auto, neben ihr.

«Du hast dein Hemd vergessen», sagt sie und legt ihm die Hand auf die Schulter. «Deine Haut ist fast gefroren.»

«Ich weiß, aber ich spür es nicht mal.»

Ihre Hand gleitet an seinem Arm entlang, und was sie für Kälte hielt, ist Nässe. Es ist Blut, das schimmernd seinen Arm hinabläuft. Sie hält den Arm hoch, damit sie ihn beide sehen können.

«Muß ich mir irgendwo aufgerissen haben. Es hat gezogen, als ich den Kofferraum zugemacht hab. Ich bin wohl an einem Angelhaken hängengeblieben.»

«Ist nicht so schlimm», sagt sie und tupft die Wunde mit einem Taschentuch ab. «Zieh ein Hemd über, und dann fahren wir.»

Doch der Cougar springt nicht an. Cody steigt aus und macht die Motorhaube auf. Er sagt ihr, sie soll den Motor anlassen, wieder und wieder, bis die Batterie schließlich leer ist. Er kommt zu ihr zurück, seine Hände sind schwarz vor Dreck und verbranntem Öl.

«Vergiß es», sagt er. «Wir müssen laufen. Die Nacht ist wunderschön.»

So laufen sie, über den gefrorenen See und dann die Straße entlang zur Stadt. Codys Haus ist näher, deshalb nehmen sie seinen Pickup, und er fährt sie heim. Er fragt sie nach ihrem Sohn, doch nicht nach dem Vater, und sie weiß nicht, ob er höflich oder unsensibel ist. Aber es gefällt ihr.

An der Haustür gibt er ihr einen Kuß, und dann ist er wieder zu Hause in seinem eigenen Bett, schläft tief, während sein Arm schwach pulsiert.

Am frühen Morgen geht er hinaus in eine Welt voller Wolken und Nebel, der sich über das Land gelegt hat. Die Luft ist dick wie Baumwolle, läßt sich anfassen, faßt einen an. Er wirft die Abschleppstange auf die Ladefläche und fährt dann die Straße hinab, die er und Kay erst vor wenigen Stunden entlanggelaufen sind, und die Scheibenwischer wischen die Feuchtigkeit weg, die sich auf der Windschutzscheibe bildet.

An der Bootsrampe hält er an und steigt aus. Er geht bis ans Ende und bleibt stehen, stemmt die Hände in die Hüften und stellt einen Fuß vor. So weit er sehen kann, ist da nur tiefgraues Wasser, und selbst das verschwindet in den aschgrauen Wolken und dem Nebel.

Er sieht nach unten, zum Wasser, das an seine Stiefel spritzt und fängt an zu lachen. Wenn man darüber nachdenkt, ist es eigentlich alles ganz witzig.

«Hast du versucht, dich an mich zu erinnern?» will sie wissen.

«Einmal konnte ich mich nicht an die Farbe deiner Augen erinnern, und da hätte ich am liebsten geheult.»

Und dann weint er wie ein Mann, nicht sehr gut. Er schämt sich, denn es kommt ihm vor, als würden alle Marilyn Monroes ihn ansehen.

«Ich streng mich so an», sagt er, «aber ich krieg es einfach nicht auf die Reihe. Ich weiß nicht, was mit mir los ist.»

«Komm abends mal vorbei, dann sag ich's dir. Ich weiß, was los ist.»

«Sag's mir.»

«Jetzt nicht. Du mußt jetzt gehen. Aber vergiß es nicht.»

17

Mary steht an der Spüle und füllt einen großen Krug mit Wasser, um Zitronentee zu machen. Dicke Zitronenstücke hüpfen wie Seeotter im Wasser, das sich im Glas dunkel verfärbt. Mit der Hand taucht sie die Teebeutel ein und läßt dabei den eiskalten Wasserstrahl über ihr Handgelenk fließen; das Wasser, das erst über ihre Haut und dann in den Krug läuft, läßt ihren Arm sich bläulich verfärben, kühlt und betäubt ihn wohltuend.

Sie findet sich hübsch an diesem Tag, ihr Bauch ist fest und flach, die vollen Hüften sind etwas schmaler. Sie verlagert das Gewicht, spürt den klebrigen Linoleumboden unter den nackten Füßen und seufzt, weil sie das Putzen mal wieder zu lange aufgeschoben hat. Aber heute wird sie es nicht tun, denn die Kinder und Cody sind am frühen Morgen losgezogen, den Berg hinauf, dorthin, wo sich die Hochspannungsleitungen ihren Weg durchs Land bahnen, und deshalb wird sie heute nachmittag die Shorts anziehen und das T-Shirt unter der Brust zusammenknoten. Sie wird sich in die Sonne legen, sich bräunen lassen und die Zeitschriften durchblättern nach einer Anzeige für einen Schlauchring, den man um den Liegestuhl legen kann, und wenn das Wasser dann angestellt ist, wird man von einem feinen Nebel berieselt, der sich in der Luft erwärmt, ehe er sich auf der Haut niederläßt. Klingt ganz nett. Vielleicht wird sie auch den Bikini anziehen.

Durch das Fliegengitter strömt der Geruch toter Fliegen herein. Er kommt von dem Fliegenvernichter, den Louis Poissant ihnen gegeben hat. Es ist eine Kanne mit einer Flüssigkeit, die Fliegen anzieht, und mit einem Deckel, durch den sie zwar rein, aber nicht mehr raus können. So füllt sich die Kanne mit Fliegen. Sie müßte demnächst ausgeleert werden.

Das Wasser tröpfelt jetzt nur noch. Mary dreht den Hahn zu und schraubt die Kappe mit dem Sieb ab. Das Sieb ist total verkalkt. Mit einem kleinen Messer kratzt sie es sauber und hört, wie die Kalkbröckchen ins Spülbecken fallen, freut sich über diese kleinen Dinge, die Bewegungen, die Geräusche, das Gefühl, Messer und Sieb in der Hand zu spüren. Das liegt wohl daran, daß es im Haus so still ist. Eddie ist den Tag über fort, die Kinder sind mit Cody wandern gegangen, und der junge Mann unten im Kühlfach wird sich wohl auch eher ruhig verhalten. Der ist kein ganz alltäglicher Fall, ein Toter, der an der Interstate aufgefunden wurde. Keine Schuhe, kein Hemd, keine Papiere. Sein Gesicht ist verstümmelt. Das ist in den letzten Jahren schon ein paarmal vorgekommen, und immer an der Interstate. Man munkelt, sie werden in Hartford von bezahlten Killern ermordet und dann nach Norden geschafft. Klingt einleuchtend.

Sie schraubt die Kappe wieder auf den Wasserhahn und dreht ihn auf. Das Wasser strömt jetzt voll heraus, klatscht in den Krug und spritzt wieder hoch.

Sie denkt an letzte Nacht, als sie und Eddie sich geliebt haben, eine Sache, die immer häufiger hintangestellt wird, wohl aus berufsbedingtem Streß. Sie lacht.

Der Ventilator im Schlafzimmer hält den dunklen Raum kühl und frisch. Sie weiß nicht mehr, wie es gestern nacht dazu kam. Offenbar hat es ihr Innerstes im Schlaf so gewollt, und das tritt in solchen Momenten stärker hervor als am Tag. Aber sie haben es gut gemacht, sie haben es gelernt, als die Liebe noch jung war, haben es gut gelernt und deshalb nicht vergessen. Ein bißchen ungeschickt zuerst, aber das hat sich schnell gelegt. Wie beim Fahrradfahren oder wenn man Namen und Gesichter einander zuordnet. Langsam zuerst, aber dann kam die alte Vertrautheit wieder auf.

Dann, als er schließlich in ihr war, erschlaffte er schnell, und sie fingen wieder von vorn an, bis er sagte: «Das Bett. Es hört sich an wie Schritte.»

Sie sagte ihm, er solle die Schlafzimmertür verriegeln, und nachdem er das getan hatte, war es in Ordnung. Aber sie hatte es auch gehört, nur störte es sie nicht, und jetzt fragt sie sich, warum er ihr ein wenig leid tut.

Sie schüttelt den Kopf, aber nur ganz leicht. Sie zuckt mit den Schultern und sieht dann durchs Küchenfenster, wie Cody sich einen Weg durch die Hecke bahnt. Er hat Little Eddie unter den Arm geklemmt, und Eileen geht hinterher, hält seine andere Hand und macht große Sprünge, um nicht hinzufallen.

Das Wasser spritzt aus dem Krug, und sie dreht den Hahn zu, ihr kaltes, blaugeädertes Handgelenk sendet einen dumpfen Schmerz in ihren Arm. Sie hofft, daß alles in Ordnung ist, und dann denkt sie, wie lange es doch dauert, einen Teekrug zu füllen.

Bei Tagesanbruch geht Cody um die Hecke herum und watet durch das tiefe Gras dahinter. Eileen folgt ihm, Little Eddie sitzt im Traggestell auf seinem Rücken. Am Rand der Wiese geht es dann leichter durch Frauenhaarfarn, Phlox und Tigerlilien. Ein kleiner Bach läuft hier entlang, ehe er in den Mill Brook verschwindet, und oft kommen die Rehe zum Trinken hierher, stehen steifbeinig auf den nassen

Steinen, die zwischen dem Moos und den Wurzeln hervorragen.

Eileen bleibt stehen und streichelt die Adern der geriffelten Blätter, findet, sie sehen durch die Farbe aus wie Haut. Die Blütenblätter der Lilie biegen sich zurück zum Stengel. Sanft umschließt sie den Stengel mit der Hand und zieht die Blüten hoch, bis sie geschlossen sind.

«Guck mal», sagt sie, «wie wenn man einer Banane die Schale wieder anzieht.»

«Pssst», flüstert Cody. «Du verscheuchst die Rehe.»

Heute wandern sie den Berg hinauf. Gestern haben sie mit Feuer gespielt.

Wie bei allen kleinen Jungen sind Little Eddies Lieblingsspielzeuge sein Penis, Benzin und Streichhölzer, wenn auch nie alles auf einmal. Hätte sein Vater nur die Hunderte von Dollar gespart, die er in Tonka Toys, Lego und Schlitten angelegt hat.

Ein paar Kanister Benzin und eine Schachtel Streichhölzer kosten nicht mehr als fünfzehn Dollar, nicht mal in den schlimmsten Zeiten. Dazu ein paar Plastiksoldaten aus irgendwelchen Kriegen, vielleicht noch ein paar wohlorganisierte Ameisen, rote oder schwarze, und dann ist man Onkel Cody mit den tollen Ideen.

Eileen hat nichts gegen dieses Spiel. Ihr gefällt es, die Hitze des Feuers zu beobachten, die man nur an den allerheißesten Tagen sehen kann. Dann flimmert sie um die Flammen wie wogende Glasscheiben, Glas, das sich wie eine Schlange beim Tanz bewegen kann.

«Guck mal her», hatte Cody gesagt und einen Flecken trockenes Gras unter einem Glas roter Ameisen angezündet.

Sie sahen zu, wie die Ameisen hin und her rannten und sich schließlich unter Zischen und leisem Pfeifen in der harten Schale ihres Hinterleibs aufrollten.

«Du bist abartig», sagte Eileen.

Cody ging mit einer Flasche Benzin auf den Ameisenhügel los. Er bespritzte den Hügel und zündete ihn dann an. Ameisenkörper knackten in der Sommerhitze. Einige versuchten, auf einen Stein zu flüchten, aber die Hitze war einfach zu groß.

«Ich fand es besser, als sie im Glas waren», meinte Eileen. «Das Pfeifen waren ihre Seelen, wie sie in den Himmel geflogen sind.»

«Leck mich», sagte Little Eddie, ein Wort, das er von Cody aufgeschnappt hat.

«Du bist abartig», sagte Eileen zu ihm. «Du bist ein abartiger Nazi.»

Cody hielt in der Bewegung inne.

«Was sagst du?» fragte er.

«Du bist abartig», sagte Eileen.

Cody nahm die Flasche und bespritzte einen hervorstehenden kleinen Felsen mit Benzin. Dann ließ er die Kinder ein Stück zurücktreten. Er drehte langes trockenes Gras zu einer Fackel, zündete sie an und schleuderte sie zum Felsvorsprung. Als die Flamme auftraf, explodierte das Benzin in den feinen Felsspalten wie ein Kanonenschuß. Einen solchen Knall hatte Cody nicht erwartet. Die Kinder waren begeistert, aber ihm jagte es einen kleinen Schrekken ein. Gott sei Dank sind die Eltern nicht dabei, hatte er gedacht.

Sie warten, bis Cody schließlich sagt: «Scheiß drauf», durch den Bach watet und am anderen Ufer stehenbleibt und nach Eileen sieht, die sich von Stein zu Stein voranarbeitet. Sie geht ganz vorsichtig, denn auf dem Rücken hat sie einen Rucksack mit Thunfisch, Butterbroten, Keksen und einer Feldflasche. Sie will nicht, daß das Essen naß wird.

Als sie den Wald erreicht haben, bleiben sie stehen, biegen die Äste eines Strauches zurück und stehen vor ihrem geheimen Garten voller Frauenschuh.

«Alles klar», sagt Cody, schiebt Little Eddie etwas höher und zieht die Träger fester. Er mag diese Blumen nicht. Sie erinnern ihn an einen Versuch, den er in der Schule durchführen mußte. Im Biologieunterricht bekamen die Schüler verstrahlten Maissamen, den sie aussäen sollten, um dann die Auswirkungen zu beobachten, die radioaktive Strahlung auf den Samen hat. Die Samen in den einzelnen Päckchen waren einer immer höheren Strahlendosis ausgesetzt, bis hin zu Zehntausenden von rad. Die Schüler ließen die Samen keimen, pflanzten sie dann in Plastikbecher und sahen zu, wie sie wuchsen.

Nach einiger Zeit nahmen die Sprößlinge, die der höchsten Dosis ausgesetzt worden waren, die Farben ihrer Malkästen an. Die Schüler waren sich einig, daß es wunderschöne Pflanzen waren. Es war, als wüchsen Buntglasfenster im Klassenzimmer. Die Schüler zogen die Vorhänge zu und machten das Licht aus, stellten sich dann um den Tisch und beobachteten die Blumen, die, wie sie alle fanden, im Dunkeln glühten.

Nach wenigen Tagen jedoch rollten sie sich zusammen und verwelkten, neigten sich wieder der Erde zu und starben. Cody erinnert sich, wie traurig sie waren über diesen Verlust, den Verlust von Schönheit. Der Frauenschuh erinnert ihn an jene Zeit, und mit seiner fleischigen rosa Farbe erinnert er ihn auch an das erste Mal mit Kay, der einzigen Frau, mit der er jemals zusammen war. Es hat ihn angst gemacht damals, weil es aussah, als sei etwas zwischen ihren Beinen explodiert. Explodiert oder plötzlich erblüht.

«Alles klar», sagt er. «Du hast es doch keinem erzählt, oder? Du weißt ja, daß man sie nicht pflücken darf. Wenn du jemandem davon erzählst, wird er sie stehlen, und sie müssen sterben.»

Er wartet ihre Antwort nicht ab. Er geht weiter, klettert auf dem Weg, der jetzt parallel zum Bach verläuft, den Berg hinauf. Ihr Ziel liegt oben am Himmel, wo die Hochspannungsleitungen den Bergkamm überqueren, der Weg sich unter den Kabeln entlangwindet und die Sonne sich in den staubigen Stahltürmen spiegelt. Sie wollen den Motorradfahrern zusehen, die mit ihren zusammengeschusterten Hodakas, Huskies und Kawasakis auf dem Schotterweg dahinbrausen, zwischen Baumstümpfen und Felsbrocken hindurch, während über ihren Köpfen der Strom fließt, der noch vor kurzem, drüben in Kanada, nichts als wirbelndes Wasser war.

Eine Geländemaschine hätte Cody auch gern. Ihm gefällt die Vorstellung, auf einer zweihundert Pfund schweren und sechzig PS starken Maschine durch die Luft zu fliegen. Wie auf einer geflügelten Motorsäge. Vielleicht wird er es lernen und dann die großen Rennen fahren – die Baja 1000, Unadilla oder sogar die Trans-Sahara-Hölle Paris–Dakar. Man kann nie wissen. Er möchte Eileen nach ihrer Meinung fragen. Vielleicht wird er mit einem der Fahrer reden, ihn fragen, ob er seine Maschine mal ausprobieren darf.

Der Bach liegt immer tiefer unter ihnen, je höher sie hinaufsteigen. Auf seinem Weg durch Steinschluchten klingt das Rauschen gedämpft, und wo er sich verbreitert, wird es leiser. Ab und zu dringt eine Lichtsäule schräg durch das Blätterdach, erleuchtet hier einen Felsvorsprung und da ein Büschel Efeu. Manchmal trifft das Licht auf Muskoviteinschlüsse und sendet Strahlen in alle Richtungen und allen Farben aus. Cody sieht es und versucht, sich immer wieder klarzumachen, daß es nicht aus dem Stein selbst kommt. Eileen sieht es und weiß ganz sicher, daß das Licht im Innern des Steins lebt, und sie findet es phantastisch.

Als sie mitten auf dem Weg einen umgestürzten Baum

sehen, gibt Cody das Zeichen zum Anhalten. Das Holz ist grau und hart und klingt wie Stein, als er mit der Faust draufklopft.

«Laßt uns was essen», sagt er, «und einen Schluck Wasser trinken.»

Er stellt das Traggestell ab, hebt Little Eddie heraus, hält ihn hoch in die Luft und schnuppert an seinen Windeln. Er sagt: «Noch keine größeren Geschäfte», stellt den Jungen auf die Beine und sieht zu, wie er erst mal in der Gegend herumstolpert, bis er richtig Halt gefunden hat.

Sie lassen die Feldflasche rumgehen, erst trinkt Cody, dann Eileen. Als sie fertig ist, hält sie die Flasche ihrem Bruder an den Mund, doch der besteht darauf, allein zu trinken, und macht dabei die Vorderseite seines T-Shirts ganz naß. Cody hat es ihm geschenkt, und vorne drauf steht: *Auch Zwerge haben klein angefangen.*

Eileen wischt ihm einen Tropfen vom Hemd, als könne sie es so wieder trocken machen. Cody schaut den beiden zu. Er hat das schon öfter gesehen. Diese Art, wie sie miteinander umgehen, wie er zu ihr aufschaut, fast verzückt, und wie sie sich um ihn kümmert, als sei sie davon überzeugt, er wäre auch ihr Kind. Er sieht Eileen mit einem Apfel auf sich zukommen, den Blick darauf geheftet, während sie ihm den Apfel auffordernd hinhält.

«Was ist?»

«Schneid ihn auf, so wie immer.»

Cody nimmt sein Taschenmesser, schneidet einzelne Scheiben heraus und verteilt sie.

«Ich hab gerade an meinen Großonkel Ott gedacht», sagt er und schneidet durch das weiße Fruchtfleisch des Apfels auf sein Handgelenk zu. «Er war Bergarbeiter in Nova Scotia. In Springhill, Nova Scotia.»

Cody gibt sich Mühe, seit er erfahren hat, daß Eileen zum nächsten Schuljahr für ein Begabtenstipendium vorgeschlagen wurde. Viel Trara um Computer, kreative Problemlösung und ganz allgemein um die Fähigkeit, schon in frühem Alter geistige Höhenflüge zu starten. «Eröffnen Sie den Kindern Möglichkeiten, Neues zu entdecken», war ein Satz, der ihm in Kopf und Magen hängengeblieben ist, auch weil er zuerst gedacht hatte, man würde Eileen in das Förderprogramm zu den Lernbehinderten stecken.

«Sag mal», hatte er ihren Vater gefragt, «das mit der kreativen Problemlösung. Wenn sie so verdammt kreativ sind, wie sollen sie dann überhaupt Probleme kriegen?»

Eddie zuckte die Schultern und meinte, das sei doch schon eine gute Einstiegsfrage für die Begabten.

«Also», sagt Cody zu Eileen, «im Herbst 1956 mußten dreißig von ihnen bei einer Explosion im Bergwerk dran glauben. Unten in der Grube, dreitausend Fuß tief. Aber er hat's geschafft. Dann, im Herbst 1958, sind sechsundsiebzig bei einer Erderschütterung umgekommen. Nachdem man eine ganze Woche lang gegraben hatte, wurden neunzehn gerettet. Vom Grabe auferstanden. Er war einer von den neunzehn, die das Licht der Welt wieder erblickten.»

Eileen schlägt mit einem Tannenzweig nach einer Pferdebremse. Der Zweig ist trocken und spröde und zerbricht ihr in der Hand. Little Eddie hebt das abgebrochene Stück auf, nagt die Rinde ab und läßt Teilchen davon mit seiner Spucke zu Boden tropfen. Dort liegt auch sein Apfelstückchen, direkt vor seinen Turnschuhen.

«Ich hab mal gesehen, wie Jim Rice das mit einem Baseballschläger gemacht hat», meint Cody. «Ein abgebrochener Schwung. Er hat so schnell geschwungen, daß ihm der Schläger in der Hand kaputtgegangen ist.»

«Und was war mit deinem Onkel Ott?»

«Tja», sagt Cody und klopft sich auf die Schenkel. «Zwei Jahre später, also 1960, wurde er vom Milchmann überfahren, und da war er hin. Eine Minute steht er da und unterhält sich, und in der nächsten liegt er unter den Rädern, mausetot. Was halten Sie davon, Miss Eileen?»

«Es wird für immer der Herbst der Trauer sein», sagt sie und beobachtet die Pferdebremse, die in der Luft fliegt. «Paß bloß auf, oder ich krieg dich doch noch.»

«Wie steht's mit Bomben?» fragt Cody. «Weißt du, wie man aus Backpulver und Essig eine Bombe baut?»

Little Eddie sitzt gern im Traggestell auf Codys Rücken. Er schiebt die Finger in Codys Locken und bettet das Kinn auf seinen Kopf. Sie bewegen sich vorwärts in einem gemächlichen Gang, schaukeln nach links und dann wieder nach rechts. Er fühlt sich auf Codys Rücken wie in dem Meer in Mutters Bauch.

Er wird bald drei, steht kurz davor, die Welt zu erobern, seinen großen Schritt zu machen. Schon jetzt weiß er, daß er sich allein anziehen kann, aber wozu der Streß. Ihm gefällt es, wenn seine Mutter es tut. Sie riecht immer so gut, und ihre Haut ist kühl, selbst an den allerheißesten Tagen.

Zweige hängen im Weg. Er sieht sie genau auf seine Augen zukommen und fängt an zu weinen, drückt sich mit den Händen die Augen in die Höhlen. Sein Onkel Cody bleibt nicht stehen, scheint es aber gemerkt zu haben, denn jetzt duckt er sich und weicht aus, nimmt Rücksicht auf den zusätzlichen Kopf, der über seinem schwebt.

Das Gerede um den Topf geht ihm auf die Nerven. Andererseits glaubt er, daß er wohl soweit ist. Jetzt, wo es warm ist, schwitzt er fürchterlich in den nassen Windeln. Und dann kriegt er schreckliche Ausschläge.

Vor einiger Zeit hatte er die Scheißerei. Viel hat er davon nicht zu sehen bekommen, aber es lief aus ihm raus wie Wasser, und die Windeln waren ständig voll. Das war der Anlaß für eine heftige Tirade seiner Mutter auf Cody, als der ihm einen Löffel Schokoladeneis in den Mund schob.

«Ich hab's genau gesehen», sagte sie. «Kapierst du nicht, daß er keine Schokolade essen darf?»

«Keine Panik», meinte Cody. «War ja nur 'n Teelöffel. Das wird der kleine Kerl schon verkraften.»

«Schon verkraften, wenn ich das nur höre! Kapierst du's wirklich nicht? Es läuft direkt durch ihn durch. Du mußt ja auch nie die Bettwäsche waschen oder ihn frisch wickeln. Du siehst auch nie, wie er das Gesicht verzieht, wenn er in der Badewanne sitzt, weil ihm da unten alles weh tut!»

Er liebt seine Mutter. Sie hat Cody aus dem Haus gejagt und seinen Vater dazu, als der versuchte, Frieden zu stiften.

«Wenn dir's hier nicht friedlich genug ist, dann hau ab. Ich hab die Nase voll!»

Er liebt seine Mutter. Meistens weiß er nicht, wo sie aufhört und er anfängt. Er denkt darüber nach und fängt wieder an zu weinen.

«Cody, paß auf die Zweige auf», sagt Eileen. «Sie schlagen meinem Bruder ins Gesicht.»

«Ich hab ihm noch keinen einzigen ins Gesicht schlagen lassen. Kümmer dich um deinen Kram, oder *du* kannst den Packesel spielen.»

Little Eddie hört auf zu weinen. Er denkt darüber nach, was er alles schon geschafft hat. Laufen und Abstillen. Das erste war problemlos, und das zweite war fürchterlich. Es ist auch noch nicht ganz vorbei. Ab und zu mag er immer noch die Flasche, besonders wenn er müde ist. Aber die Brust hat er für immer aufgegeben, und das wird er sein Leben lang vermissen. Er hat mitbekommen, daß als nächstes das Töpfchen dran ist. Die Großen reden dauernd von Blasentraining, vom Trockenbleiben in der Nacht und davon, daß man lernen muß, sich den Hintern alleine abzuwischen.

Ihm wird der Kopf schwer. Er wird sich in seinem Sitz zusammenrollen, das Gesicht in Codys Nacken graben und unter dem grünen Dach des Waldes ein Nickerchen halten, dem Wiegenlied lauschen, das ihm die Vögel singen. Und dann ist er eingeschlafen.

«Ist die Natur nicht großartig», sagt Cody. «Ich könnt ewig so weiterlaufen, immer nach Norden. Bis dahin, wo das Land aufhört und das Eis anfängt. Mich dahin stellen, wo ich die Wölbung der Erde sehen kann.»

«Ich werd langsam müde», sagt Eileen.

«Nur noch ein kleines Stück. Wir sind schon fast da. Nicht verzagen.»

Sie kommen an eine Stelle, wo eine Schneise im Wald die Sicht auf Vermont freigibt, das fünfzehn Meilen entfernt liegt. Dort drüben wütet ein Buschbrand. Sie sehen es an den riesigen Rauchwolken, die sich aus einer Bodensenke erheben. Zu breit für ein Haus. Signallichter auf Autos brausen die Interstate entlang, schlagen winzige rote und blaue Funken in die Luft und verschwinden dann.

«Ich hab Angst», sagt sie.

«Brauchst du nicht», meint er, legt ihr die Hand auf die Schulter und drückt sie an sich.

«Es könnte hier rüberkommen.»

«Nein. Dazu müßte es über den Fluß springen und dann ganz viele Meilen Wald abbrennen, ehe es uns kriegen könnte.»

«Aus kleinen Sachen können große werden.»

Cody sagt nichts, zieht sie nur fester an sich. Eine Zeitlang sehen sie dem Rauch und dem Feuer zu, und Cody denkt über die Angst des Mädchens nach, fragt sich, warum das Feuer eigentlich nicht groß werden und über den Fluß springen, ihn vielleicht sogar ganz verbrennen und in einer Dampfwolke zum Himmel schicken könnte. Er weiß, Feuer kommt schneller voran, als ein Mensch laufen kann.

«Komm», sagt er, «jetzt ist es nicht mehr weit.»

Der Wald wird lichter und immer mehr von Felsbrocken durchsetzt. Sie kommen an Stellen, wo Bäume entwurzelt und beiseite geschafft wurden, und dann hören sie die Motoren der Geländemaschinen heulen, die kleinen kompakten Zweitakter, die genau zwischen die Beine passen. Sie hören, wie sie erst aufheulen, dann beim Schalten nahezu verstummen, dann wieder losdröhnen und alles hergeben, was in ihnen steckt.

«Was für ein irrer Klang», sagt Cody. «Motorsägen auf Rädern. Ist die Natur nicht großartig.»

Es ist dunkel im Haus, denn jeder weiß, Licht ist heiß und Dunkelheit kühl. Nur das flimmernde Licht des Fernsehers wirft Schatten. Little Eddie döst auf dem Fußboden, versucht wohl herauszufinden, wie es kommt, daß er jeden Abend dort, wo er gerade liegt, einschläft, aber jeden Morgen in seinem Kinderbett aufwacht.

Eddie und Mary sitzen auf dem Sofa, Cody hat sich im Fernsehsessel breitgemacht. Sie sehen das *National Geographic Special* über die Wikinger, doch sie hören Eileen zu, die noch mal die Geschichte der Kinder von Izieu erzählt. Es geht um vierundvierzig Kinder, die, eins ans andere gekettet, deportiert und schließlich nach Auschwitz gebracht wurden, wo sie starben. Sie kennt die Geschichte auswendig und hat sie letzte Woche jeden Abend erzählt, seit die Sommerferien angefangen haben, seit dem Tag, an dem sie sie zum erstenmal gehört und beim Gedanken an diese Kinder alle getrockneten Blumen aus der Bibel genommen und weggeworfen hat. Insgeheim stellt sie sich vor, sie sei eines von ihnen, und nennt sich oft Liane oder Renate. Manchmal auch beide Namen, und dann ist sie alle beide.

«Und so», schließt sie, «werden die Nazis in Paraguay heute nacht nicht zur Ruhe kommen.»

«Das ist eine so ergreifende Geschichte», sagt Mary, «aber kannst du den letzten Satz nicht doch weglassen? Der ist so melodramatisch.»

Den Satz hat Eileen von dem Sportlehrer aufgeschnappt, der sich Marys Zorn zuzog, als sie herausfand, daß die Kinder Ballspiele mit Namen wie *Nigger Boppers* und *Death Ball* spielen.

«Immer langsam», hatte er gesagt, «das sind doch nur Namen.»

«Und Sie», hatte sie geantwortet und ihm einen vernichtenden Blick zugeworfen, «Sie sind ein Arschloch.»

«Melodramatisch, so 'n Scheiß», sagt Cody und stapft aus dem Zimmer. Seine schweren Schritte klingen dumpf auf dem Teppich und werden dann zu einem hohlen Klopfen, als er in der Küche verschwindet. Die Fliegentür schlägt zu, und einen Augenblick lang ist alles still. Little Eddie fängt an zu weinen. Mary nimmt ihn auf den Arm, und sie gehen die Treppe hinauf.

Eddie steht auch auf, geht zum Fernseher und dreht den Ton leiser. Es wird still im Zimmer. Eileen steht da und zieht an ihrem Haar, so daß Oberkörper und Kopf sich zur Seite neigen.

«Komm her», sagt Eddie. «Komm, setz dich zu mir.»

Doch sie bewegt sich nicht. Sie spielt weiter mit ihrem Haar, verknotet es, wickelt es um die Finger. Eddie geht zu ihr, umarmt sie von hinten und hebt sie hoch. Er denkt, wie groß sie doch ist, mit ihren langen, dünnen Knochen und den starken Muskeln. Er trägt sie zum Sofa und setzt sich mit ihr hin, schaukelt sie auf dem Schoß hin und her. Sie hat die Knie zum Kinn hochgezogen.

«Du hast die längsten Beine, die ich je gesehen hab», flüstert er. «Ich versteh gar nicht, wie sie unter dir Platz finden. Ich weiß nicht, wo du sie her hast. Vielleicht von deinem Opa Jim.»

«Opa Jim hab ich noch gekannt.»

«Ja, den hast du noch gekannt. Er lag im Krankenhaus, als du ihn zum erstenmal sahst. Da warst du ein Jahr alt. Du bist auf seinem Bett rumgekrabbelt. Er war sofort in dich vernarrt.»

Eileen steckt zwei Finger in den Mund und lehnt sich gegen die Brust ihres Vaters.

«Opa Jim hatte lange Beine», sagt er. «Du hast sie bestimmt von ihm. Er war auch dünn. Wie eine Latte.»

Sie saugt hörbar an den Fingern, sagt aber nichts. Sie hört nur zu.

«Ich hab gehört, du hast heute einiges erlebt mit deinem Onkel Cody.»

«Ja, Cody ist vom Motorrad gefallen.»

«Davon hab ich nichts gehört. Wie ist das denn passiert?»

«Cody hat einen von den Leuten gefragt, ob er sein Motorrad mal ausprobieren darf. Little Eddie und ich, wir haben im Gras gelegen und zugeguckt. Da oben gibt's die allergrößten Kratzdisteln auf der ganzen Welt. Sie sind lila. So groß wie Bäume. Wie in der Wüste. Cody hat versucht, so zu fahren wie die anderen, aber er ist runtergefallen, auf den Rücken. Das Motorrad ging *wups* in die Luft, und da lag Cody, platt wie ein Pfannkuchen.»

«Ich hab noch von was anderem gehört.»

«Ja, auf dem Heimweg meinte Cody, der Berg ist so groß, der sieht aus, als wenn er gleich auf uns drauffallen würde. Er ist immer schneller gegangen und hat meine Hand genommen, und dann sind wir gerannt. Es hat wirklich ausgesehen, als wenn der Berg auf uns drauffallen würde. Richtig unheimlich. Aber wir haben's geschafft.»

Eddie hält sie fest, die Finger vor ihrem Brustkorb verschränkt. Er denkt immer wieder, daß er es eigentlich schon aufgegeben hat, sich zu fragen, wie die Dinge in ihren Kopf hineinkommen, überhaupt, wie Dinge in die Köpfe anderer Menschen hineingelangen. Aber das stimmt nicht. Er kann es nicht lassen.

«Du weißt doch, daß dein Onkel Cody Angst davor hat, unter der Erde zu sein. Große Angst. Manche Leute haben Angst, wenn's ganz, ganz hoch ist, andere haben Angst, wenn's ganz, ganz eng wird. Cody hat Angst davor, unter der Erde zu sein. So was nennt man Phobie. Da gibt's zum Beispiel die Agoraphobie. Das ist die Angst, nach draußen zu gehen, und Zoophobie die Angst vor Tieren, und Terraphobie ist, glaub ich, die Angst vor der Erde.»

«Also, ich mag's auch nicht, wenn's eng wird.»

«Ich wollte nur sagen, für Cody hat's wohl so ausgesehen, als könnte er auf einmal unter der Erde begraben werden.»

Eileen sagt kein Wort. Er weiß nicht, ob sie ihm das abnimmt. Er weiß nicht, ob er es selbst tut. Mary kommt die Treppe herunter und stellt sich vor die beiden.

«Zeit zum Zähneputzen», sagt sie, «Zähneputzen und dann eine Gutenachtgeschichte.»

Eileen folgt ihrer Mutter ins Bad, Eddie schlendert ihnen nach. Er beobachtet die beiden im milchigen Licht des Badezimmers, das die Fliesen schimmern läßt. Wenn Mary und Eileen zusammen sind, ist er ausgeschlossen. Ihre Stimmen werden anders, der Rhythmus ihrer Worte wird langsamer, weicher. Die Worte selbst sind ein Code, den nur sie kennen, ein Code, bei dem er sich mit jedem Wort, das sie sagen, immer dümmer vorkommt.

Jetzt macht er sich Sorgen, daß die Kinder so oft mit Cody allein sind. Das ist albern, aber er erinnert sich daran, wie er selbst noch ein Kind war und mit seinem Vater nach Fort Ticonderoga fuhr. Da war er zum letztenmal mit seinem Vater alleine. Danach hat seine Mutter es ihm verboten, weil sie spät zurückkamen und sein Vater getrunken hatte.

Eddie kann sich noch gut daran erinnern, daran, daß er die Scheiben herunterkurbeln, sich vorne oder hinten hinsetzen und sogar beim Fahren den Sitzplatz wechseln durfte. Er erinnert sich auch daran, daß er geschlafen hat, daß er im Hellen eingeschlafen und im Dunkeln wach geworden ist. Sein Vater war gut gelaunt. Eddie durfte das Portemonnaie tragen und die Scheine für eine kleine gußeiserne Kanone herausziehen. Vor dem Kerker hatte er Angst, und dann haben sie im Bundesstaat New York ein echtes Gefängnis gesehen, umgeben von Wiesen.

Als er schon fast ein Mann war, erzählte seine Mutter ihm, daß sein Vater oft trank, und er war böse, daß sie es ihm gesagt hatte.

Eddie geht hinaus auf die Veranda. Cody sitzt dort und raucht. Wie sehr er sich auch anstrengt, er schafft immer nur ein paar Züge, ehe das Papier von seinen Fingern ganz feucht ist. Er zündet sich eine neue an, und im Schein des Streichholzes sieht Eddie, wie der Schweiß von Codys Hals und Stirn perlt und in kleinen Bächen die Schläfen hinabrinnt.

«Eileen hat mir von eurem Ausflug erzählt. Muß ja ganz schön was los gewesen sein.»

«Verdammt noch mal, Eddie. Ich weiß auch nicht. Im Fernsehen haben sie mal gesagt, wenn ein Mann in 'nem Haus stirbt, dann spukt er in dem Haus rum. Ich schwör dir, der Mann spukt in den Bergen, im Wald, im Wasser. Ich schwör dir, ich hab gespürt, wie sich der Berg bewegt hat. Jeden Moment hätte es losgehen können, jeden Moment hätte der Berg einstürzen können. Und uns alle begraben.»

Cody fingert an der Zigarette herum, bis sie ihm auf den Schoß fällt. Er wischt die Asche mit der Hand weg, und sie fällt zu Boden. Er ist überzeugt, daß er die Stimme von

G. R. gehört hat, aber das sagt er nicht. Er lenkt vom Thema ab.

«Und wen hast du heute reingekriegt?»

«Einen von den *Naked Men.* Er ist nach rechts geflogen. Sein Motorrad nach links, und ein Volvo hat ihm den Rest gegeben.»

«Was zum Teufel sind *Naked Men*?»

«So 'ne Motorradgang.»

Cody schüttelt den Kopf. Eddie will ihm erzählen, daß dieser Mann ein Organspender gewesen sein muß, so wie Cody es auch sein will, aber er sagt es nicht.

«Man lebt, und dann stirbt man», sagt Cody. «Das eine dauert länger als das andere, und im Moment bin ich mir nicht sicher, was, und im Moment bin ich mir auch nicht sicher, was schöner ist von beidem.»

«Das muß man durchleben», sagt Eddie.

«Oder durchsterben», erwidert Cody.

«Red bitte nicht so», sagt Eddie, «bitte nicht.»

18

Es ist ein Sommer voller Dampf und Goldrute. Raudabaugh arbeitet im kühlen Keller, im Heizungsraum neben Eddie Ryans Präparationsraum. Er nimmt den ölgefeuerten Dampfkessel auseinander, während draußen die Luft schwer ist vom Dunst, der von Tagesanbruch bis in die Nacht hinein über der Stadt liegt und über dem Flußtal Nebelschwaden bildet.

Little Eddie spielt zwischen den vierzehn Heizkörpern, die sein Vater und Cody nach draußen geschleppt haben. Die Hälfte mußte vom oberen Stockwerk heruntergetragen werden, ein ziemliche Tour mit hundertfünfzig Pfund silbern angestrichenem Gußeisen. Der letzte steht noch in der Küche, fünf Fuß hoch und vier Fuß breit. Den müssen sie kaputtschlagen oder auf ein paar kräftige Hände zum Anpacken warten, auf jüngere Hände als die von Raudabaugh.

Der Kleine schlängelt sich zwischen den Heizkörpern durch und zieht einen kaputten Golfball an einer Schnur hinter sich her. Mit seinen beinahe drei Jahren ist er ein richtiger kleiner Draufgänger geworden, was auf den Einfluß seines Onkel Cody zurückzuführen ist. Er gibt wortähnliche Laute von sich, während er o-beinig durch das feuchte Gras stapft, ab und zu stehenbleibt und mit einem Stock gegen die Metallrippen schlägt, damit sie singen.

Hinten auf der Wiese rennt Eileen durch die hüfthohen gelben Blumen, die sich auf ihren dünnen Stengeln hin und her biegen. Ganze Täler wogender gelber Blumen, die im Überfluß in den Gräben wachsen und die Straßenbankette zuwuchern, bis an den Rand der nassen schwarzen Wälder. Sie rennt Schmetterlingen hinterher: Monarchen, Schwalbenschwänzen und Perlmutterfaltern. Sie stellt sich vor, daß sie alle früher ein anderes Leben hatten. In einer anderen Zeit waren sie alle etwas anderes. Etwas Menschliches. Sie reißt die Knie hoch, als sie durch das gelbe Gebüsch läuft, und stellt sich vor, ein Pferd zu sein, mit grünen Beinen, doch es sind nur die Flecken von Staubpollen und Wasser, die ihre Beine sprenkeln.

Es ist ein Sommer, von dem die Leute noch in vielen Jahren sprechen werden, einer, der in Erinnerung bleibt wegen der überall wuchernden feuchten, samtblauen Schimmelpilze, einer, der in Erinnerung bleibt, weil so viel Gras wächst, das einfach nicht zu Heu trocknen will, einer, der in Erinnerung bleibt, weil es Raudabaughs letzter ist und weil das Wetter so schön ist.

Raudabaugh singt bei der Arbeit, keine richtigen Lieder, sondern er singt, was er tut. Seine Stimme ist kehlig, bleibt im Halse stecken, klingt immer noch deutsch. Er preßt die Worte heraus, während er die gußeisernen Kniestücke mit dem Vorschlaghammer bearbeitet, sie zertrümmert und Rohrstücke losschlägt, die aus der Decke herausrutschen und vor ihm zu Boden fallen. Und dann fängt er an zu husten, seine Schultern zucken ein ums andere Mal nach vorn. Er spuckt grünen Schleim auf den Boden, Schleim, der an den Rändern schaumig und rosa ist.

«Scheißhusten», sagt er und fingert in der Brusttasche nach einer Zigarette.

Eddie und Cody kommen die Kellertreppe herunter und räumen die letzten Rohrstücke weg, die Raudabaugh losgeschlagen hat. Außen sind sie silbern, doch an den scharfkantigen Enden braun, und rostiges Wasser tropft heraus.

Raudabaugh tritt zurück und lehnt sich gegen die Wand vom Präparationsraum. Eddie und Cody warten darauf, daß sie den Schutt wegräumen können, den Raudabaugh gleich herausschlagen wird, wenn er wieder Luft kriegt.

«Mein Gott», sagt Cody, «hast es wohl eilig, da rüberzukommen, was?»

Raudabaugh greift nach oben und holt sich seine Tasse Kaffee vom Fenstersims, wo er sie zwischen zwei Trägern abgestellt hat. Er rührt um und schaut in die Tasse. Der Kaffee ist fleckig und grau von der Staubschicht, die immer noch oben schwimmt. Doch ihn scheint das nicht zu stören. Er trinkt ihn auf einen Schluck aus und zieht dann wieder an der Zigarette, bis nur noch ein kurzer Stummel übrig ist, und er merkt nicht, wie die Glut seinen Daumen und Zeigefinger berührt.

«Die Kosten für eine Beerdigung, eine richtige, die können einen unter die Erde bringen, laß dir das gesagt sein, Cody.»

Eddie sagt, er muß nach den Kindern sehen, und geht die Treppe hinauf. Er weiß, daß das nicht nötig ist; er brauchte nur einen Grund, um aus dem Keller zu kommen. Er findet es nicht richtig, Raudabaughs Hilfe gegen seine Beerdigung aufzurechnen, aber er scheint der einzige zu sein, den das stört. Mary, Cody und vor allem Raudabaugh halten die Idee für gut, für einen Gedanken, auf den eigentlich mehr Leute kommen sollten.

Eddie steht auf der obersten Stufe, im nassen, hellen Licht. Er denkt daran, daß sie eine neue Kellertreppe brauchen, eine neue Kellertür, einen größeren Kellereingang. Mary hat sich hingekniet, bindet Little Eddie einen Schuh zu und redet mit ihm. Er sieht die Falten in ihrer Kniekehle und wie sich die Wadenmuskeln anspannen, als sie den

Jungen hochhebt. Er hört nicht, was sie sagt, sieht aber, wie sie auf die Straße deutet und dann wieder auf ihren Sohn. Sie bewegt den Zeigefinger vor seinem Gesicht hin und her. Sie schärft ihm etwas ein.

Wenn eines der Kinder so nahe bei ihr ist, versucht Eddie sich vorzustellen, wie sie aus ihr herausgekommen sind, und je größer sie werden, desto schwerer fällt es ihm, obwohl er bei beiden Geburten dabei war. Eddie ist größer als seine Mutter, und wenn Little Eddie so weiterwächst, wird auch er größer als seine Mutter werden.

Die beiden schauen zu ihm herüber, und er winkt ihnen zu; dann geht er wieder die Treppe hinunter. Auf halbem Weg bleibt er stehen und dreht sich noch mal um, so weit, daß er gerade noch durch die offene Holztür hinaufsehen kann. Mary sitzt auf einem Heizkörper, hat die Beine ausgestreckt und stützt sich mit den Armen hinten ab, damit sie aufrecht sitzen kann. Sie sieht über die Schulter hinweg zur Wiese, auf der Eileen in Unterwäsche zwischen den Blumen tanzt. Little Eddie hebt seinen Golfball auf und geht zu seiner Mutter. Er legt den Kopf in ihren Schoß. Ohne hinzusehen fängt sie an, seinen Rücken zu streicheln.

Eddie zupft an dem verschwitzten T-Shirt, das ihm am Körper klebt. Er wirft einen letzten Blick zu Mary und Little Eddie zwischen den Heizkörpern auf der feuchten Erde und zu Eileen auf der Wiese, die sich gerade das Unterhemd über den Kopf streift. Was er sieht, ruft Müdigkeit in ihm hervor. Er wünschte, es wäre sein Rücken, den Mary streichelt, und denkt das Wort *Traurigkeit*, aber das kann es eigentlich nicht sein. Also seufzt er und geht die letzten vier Stufen hinab, in den kühlen Raum, in dem die anderen Männer sind.

Cody und Raudabaugh hocken mit dem Rücken an der Wand. Sie trinken frischen Kaffee und haben sich gerade eine Zigarette angezündet. Neben ihnen an der Wand sieht Eddie Kreidezeichnungen, die die Kinder gemalt haben. Strichmännchen, Häuser und Blumen. Neben Raudabaughs Ellbogen ist ein Baum und über Codys Schulter ein Büschel Farn. Einen Augenblick lang wirken die beiden wie ein Teil der Mauer, wie aus ihr herausgewachsen, wie eine perspektivische Zeichnung.

«Jetzt erzähl schon», sagt Cody.

«Was denn?» will Eddie wissen.

«Ich glaub nicht, daß es Ihnen gefallen würde, Mr. Ryan.»

«Zum Teufel», sagt Cody. «Er war im Krieg. Gibt nicht viel, was ihn schockieren könnte. Er hat Sachen gesehen, wo ganz andere Männer Alpträume kriegen würden.»

«Drüben in Vietnam?» fragt Raudabaugh.

«Hm», sagt Eddie.

«War wohl ziemlich hart.»

«Ziemlich», sagt Eddie. «Aber macht nichts. Erzählen Sie mir die Geschichte. Ich will sie hören.»

Raudabaugh stellt die Tasse auf den Boden und reibt sich die Hände. Er winkt Cody und Eddie näher zu sich. Er räuspert sich, läßt einen Faden Speichel zwischen den Füßen auf den Boden tropfen. Cody hat sich angewöhnt, nach der Farbe zu schauen, deshalb reckt er den Hals vor. Ein teigiges Weiß.

«Letztes Jahr, da hatte die Bürgermeisterin von Ware Probleme mit der Klospülung. Also ruft sie mich an und läßt mich rüberkommen. Sie ist schon älter, hat nie geheiratet. War wohl schon fast seit ihrer Schulzeit Bürgermeisterin, bestimmt schon seit fünfzig Jahren. Sie regelt alles. Setzt die Steuern fest. Bestimmt, wann welche Straße aufgerissen wird.

Also, ich fahr rüber und schieb die Abflußspirale ins Klo. Nichts. Ich meine, alles total zu. Ich sag ihr, wir müssen das

Ganze auspumpen und Ram Goerlitz anrufen. Der hat den Honigwagen.»

«Den kenn ich», sagt Eddie. «Groß und dick. Einer von der Freiwilligen Feuerwehr in Hindsdale. Hat das Führerhaus und den Tank wie eine Biene angemalt.»

«Ja, genau der. Er sagt, er kann sofort kommen, aber ich soll die Senkgrube freischaufeln und aufmachen. Entweder so, oder er braucht zwei Tage. Ich leg die Hand auf die Muschel und sag ihr das, sag ihr auch gleich dazu, daß ich die Senkgrube auf keinen Fall selbst ausgrabe. Ich soll ihm sagen, daß er kommen soll. Sie will Jan Weiner fragen, ob der nicht seine Pfadfinder zusammentrommeln kann. Sie und Jan kennen sich schon etwas besser, falls ihr wißt, was ich meine.»

Raudabaugh hält inne, um einen Schluck Kaffee zu trinken und sich noch eine Zigarette anzuzünden. Er zieht tief durch, verschluckt sich am Rauch und hustet ihn wieder heraus. Die Schwaden fliegen den Männern ins Gesicht. Sie sehen einander an und zucken mit den Schultern. Eddie versucht, sich die Nummer für den Notarztwagen in Erinnerung zu rufen, während Cody dem alten Mann auf den Rücken klopft.

«Mann», sagt Cody, «du kannst ja ruhig sterben, ehe der neue Ofen fertig ist, aber erzähl wenigstens die verdammte Geschichte zu Ende.»

«Hör auf, Cody. Wenn jemand hustet, darf man ihm nicht auf den Rücken klopfen.»

«Weiß ich», sagt Cody, «aber besser das als gar nichts.»

«Alles in Ordnung», sagt Raudabaugh. «Kannst aufhören.»

«Wir haben schon gedacht, das war's», sagt Cody und blinzelt Eddie zu. «Aber Gott sei Dank war ich ja da.»

«Also, ich erzähl euch keinen Scheiß, Jan und die Pfadfindertruppe, die sind schon im Anmarsch, und ich schwör euch, sie hat den Hörer nicht mal aufgelegt. Ich sag zu Jan und den Jungs, grabt, was das Zeug hält. Der Lehm fliegt nur so durch die Luft, und es dauert nicht lang, da sind sie schon am Deckel. Sie schaufeln ihn frei, und wir sitzen zwanzig Minuten da, trinken Limonade und warten auf den Honigwagen, und dann kommt er um die Ecke gequietscht.»

«Ich weiß, was du meinst», sagt Eddie. «Die Feuerwehrleute drüben haben richtig Angst, wenn er als erster da ist. Einmal hat er auf halbem Weg zu einem Feuer das Getriebe ruiniert.»

«Das ist Ram», sagt Raudabaugh. «Das ist typisch Ram. Das erste, was er von sich gibt, ist: ‹Pfadfinder. Ach du Scheiße, Pfadfinder.› Und das sagt er immer wieder, wie wenn er mal irgendwo was davon gelesen hätte und hätte sich immer gewünscht, so was mal zu sehen. ‹Pfadfinder. Ach du Scheiße, Pfadfinder.› Er sagt: ‹Raudabaugh, Pfadfinder. Wo hast du die denn her?›

Na gut, Jan kommt und erzählt, wo er sie her hat, und Ram sagt: ‹Ein Pfadfinderführer. Ach du Scheiße, ein Pfadfinderführer.› Er braucht 'ne ganze Weile, bis er sich wieder beruhigt hat, und gafft die Jungs die ganze Zeit an.»

«Und was soll das?» fragt Cody.

«Weiß auch nicht. Vielleicht hatte er gerade 'nen Witz über Pfadfinder gehört, und dann waren sie auf einmal da.»

«Kann gut sein», sagt Cody und zuckt mit den Schultern.

«Also, Jan trommelt die Jungs wieder zusammen, und Ram und Jan heben die Stahlplatte hoch und klemmen ein Vierkantholz dazwischen. Die Pfadfinder fangen fast an zu kotzen, wie der Gestank von den Gasen hochkommt. Jan, der ist so weiß wie 'ne Wand, und Ram stochert im Rohr rum, und da kommt 'ne ganze Ladung Wasser angerauscht und Ram, der sagt: ‹Tja, Ma'am, da haben Sie Ihr Problem.

Sie sollten die Pariser nicht immer ins Klo werfen.› Ich und sie, wir gehen rüber und gucken, und da schwimmen Hunderte Pariser auf der Oberfläche. Ein paar sind aufgeblasen von den ganzen Gasen und sehen aus wie Pilze. Die Bürgermeisterin, die guckt Jan an, und ich sag euch, wenn Blicke töten könnten. Jan dreht sich auf der Stelle um, schnappt sich die Pfadfinder, stellt sie in Reih und Glied auf, und dann ab im Laufschritt durch den Wald, daß die Fahne nur so flattert. Ich sag euch, irgendwie ist die Frau schon in Ordnung. Wir haben alle drei gelacht, so hab ich im Leben nicht gelacht. Und so, wie sie's aufgenommen hat, da hab ich mir geschworen, daß ich das immer geheimhalte, und das hab ich auch getan. Hab nie ein Sterbenswörtchen davon gesagt. Und jetzt geht ihr zwei raus, und ich schlag die Isolierhaube kaputt. Die ist mit Asbest verkleidet, und das ist nichts für euch. Ich ruf euch, wenn sich der Staub gelegt hat.»

Eddie und Cody gehen die Treppe hinauf und warten oben. Unter sich hören sie Raudabaugh gegen die Haube schlagen, hören, wie er einzelne Teile der Isolierverkleidung vom Kessel losreißt. Die stopft er dann in einen Müllbeutel und bindet ihn zusammen, wenn er voll ist.

«Das ist nicht gut», sagt Eddie.

«Natürlich ist es nicht gut, aber willst du ihm das sagen? Er wird dich nur auslachen. Er ist alt. Er ist wie G. R. Die Alten, die sind anders als du.»

Eddie macht einen Schritt auf die Verandatür zu, und Cody hält ihn am Arm fest.

«Wo willst du hin?»

«Ich werd das Gesundheitsamt anrufen. Das mit dem Asbest hab ich gar nicht mehr gewußt.»

«Nein, das wirst du nicht tun», sagt Cody und hält den Arm weiter fest.

«Dann geh ich runter und sag ihm, er soll aufhören.»

«Das wirst du auch nicht tun, und du wirst ihm auch nicht helfen. Die ganz Alten und die ganz Jungen, die haben Rechte, die du nicht hast. Wenn du ihn aufhalten würdest, dann würde er dich dafür hassen. Siehst du denn nicht, daß das zu seinem Sterben dazugehört? Manchmal bist du der dämlichste Mensch, der mir je begegnet ist.»

«Laß mich los, oder es setzt was», sagt Eddie.

Cody läßt Eddies Arm los und tritt einen Schritt zurück. Er will nicht mit seinem Freund kämpfen, aber andererseits hat er auch nichts gegen einen Kampf.

«Du wirst genau wie er», sagt Eddie und starrt Cody an. «Manchmal wirst du genauso, wie er gewesen sein muß. Kannst du ihn nicht gehen lassen? Kannst du ihn nicht aufgeben?»

«Ich geb nie etwas auf. Ich trag es in mir, die ganze Zeit. Und ich hab noch keinen Tag bereut. Es ist wie ein langer Zug, der ankommt. Ich brauch das. G. R. war mein Freund.»

Die beiden gehen in Kampfstellung und warten ab, keiner will zuerst zuschlagen, obwohl Cody zu jedem anderen Zeitpunkt auf seinen Gegner losgegangen wäre.

Eddie findet es albern, wie er jetzt dasteht und sich mit Cody schlagen will. Es ist der Dunst, sagt er sich. Es liegt am Dunst. Er läßt die Arme sinken, schiebt die Hände in die Hosentaschen. Er weiß, er hat recht, und er weiß, Cody hat auch recht, vielleicht sogar noch ein bißchen mehr als Eddie. Und jetzt will er wütend werden. Er wünscht sich, daß in seinem Leben einmal eine schwierige Situation auf ihn zukommt, die er dann mit Würde und etwas Mut angehen wird. Keine Kompromisse schließen müssen. Nicht leiden müssen.

«Tut mir leid», sagt Cody.

Doch Eddie hört ihn nicht. Er erinnert sich, wie er noch ein kleiner Junge war und einmal das T-Shirt eines anderen Jungen zerrissen hat. Sie haben rumgetobt, und er hat das T-Shirt des anderen hinten aufgerissen. Der Junge hatte nicht viel zum Anziehen. Er lebte mit seinen vielen Geschwistern in einem Wohnwagen. Eddie zog sein T-Shirt aus und gab es dem Jungen, zwang ihn, es anzunehmen. Es war ein Moment der Reinheit für die beiden, und den ganzen Sommer über blieben sie Freunde.

Und jetzt, denkt er, muß er lernen, dieser Junge zu sein, muß er lernen, alle beide zu sein, er selbst und jener Junge mit dem zerrissenen T-Shirt und dem neuen T-Shirt, das er von demselben Menschen bekommen hat, der ihm das alte zerrissen hat. Das hat er gerade gelernt, oder vielmehr, er lernt es gerade.

«Tut mir leid», sagt Cody.

«Nein. Hör mal», sagt Eddie. «Hörst du das?»

Kein Ton kommt aus dem Keller. Die beiden gehen die Treppe hinunter und finden Raudabaugh schlafend, vor der Wand mit den Kreidezeichnungen von Bäumen, Farnen und Blumen, die über ihm wachsen, den Kopf auf einem zugeschnürten Müllbeutel voll Asbest.

«Gehen wir was essen», flüstert Cody, und er und Eddie steigen leise die Treppe hinauf.

Sie essen draußen, am Campingtisch. Es gibt Thunfischsalat, eingelegte Gurken und Chips. Es gibt Limonade, Eistee und Milch. Cody trinkt Ingwerwasser: ein großer Krug Wasser, ein halber Teelöffel Ingwer, eine Tasse Zucker und eine dreiviertel Tasse Apfelessig. Er behauptet, das Gebräu erwecke Kräfte, von denen er selbst noch nichts gewußt hat.

Little Eddie kann Milch durch die Nase blasen, ohne daß es weh tut. Cody ist davon begeistert und schlägt sich jedesmal auf die Oberschenkel. Die Sonne ist rausgekommen und hat die Heizkörper erwärmt. Sie liegen um den Campingtisch herum.

«Ihr zwei seid abartig», sagt Eileen.

Sie sitzt in Unterwäsche da. Vor Pollen und Schweiß ist sie ganz grün. Sie möchte nichts darüber sagen, um die Aufmerksamkeit nicht darauf zu lenken. Sie hofft, die Farbe bleibt für immer auf ihrer Haut.

Sie reden über den Jahrmarkt in Rutland. Cody möchte zu den Autoscootern, und die Kinder wollen die Zwergponies sehen und das tanzende Schwein.

Sie schmieden Pläne. Eddie und Mary waren noch nie dort. Cody kann das gar nicht glauben. Er sagt ihnen, daß es da noch viel mehr gibt. Da gibt es Knackwürste, Krakauer, Belgische Waffeln, Pommes, gebratenen Blumenkohl, Yankee Boy Hot dogs, Milchshakes, Bier und Zuckerwatte.

«Klingt richtig international», sagt Mary.

Sie sieht Eddie an und lächelt.

«Da gibt's die *Hurricane Hell Drivers,* das Wundermesser, Schneemobile, Bücher, Werkzeuge, eine Massagecouch, Namensschilder, Hängepflanzen, Schuhe, das kleinste Pferd der Welt, den größten toten Wal der Welt, das größte Pferd der Welt und Hitlers Mercedes. Hab ich in der Zeitung gelesen.»

Little Eddie läßt einen Strahl Milch aus der Nase spritzen.

«Nein, Little Eddie», sagt Mary. «Du trinkst deine Milch ordentlich, und du, Miss Eileen, du stiftest ihn nicht an.»

«Einmal war ich da, und wir haben die Gorillafrau gesehen. Wie wir reingekommen sind, war's ganz dunkel, aber dann haben sie alle Lichter angemacht und die Ausgänge gezeigt, weil es 'ne richtig gruselige Vorstellung werden sollte. Dann ein Gong, und ein Mädchen im Bikini kommt rein. Sie hat Angst, verzieht das Gesicht, und dann gehen die Lichter aus. Und gleich wieder an, und da steht die Gorillafrau in einem Käfig. Der Typ sagt, keine Panik, das Gitter steht unter Strom. Aber dann springt der Käfig auf. Sie haben vergessen, das Vieh einzusperren. Himmel steh uns bei, schreit eine Frau. Alles schreit und tobt. Zwei Männer mit Tropenhelmen kommen angerannt, aber der Gorilla schlüpft zwischen ihnen durch.

G. R. ist aufgesprungen und hat ihm voll ins Gesicht geschlagen. Der Gorilla ist umgefallen wie ein nasser Sack.»

«Iiih», sagt Eileen. «Wahnsinn!»

«Fragestunde», sagt Eddie. «Die Fragestunde fängt an.»

«Also, schieß los», sagt Eileen.

«Warum hat es im Winter in den Rohren immer *peng* gemacht?»

«Weil Zwerge mit kleinen Hämmern dagegen geschlagen haben», sagt Eileen. «So ’ne blöde Frage.»

«Es war die Wärme, die durch die kalten Rohre gezogen ist», sagt Cody.

«Glaub ich auch», sagt Mary. «Wie wenn man Eiswürfel unter heißes Wasser hält. Das knackt.»

«Richtig», sagt Eddie. «Es knackt, aber es macht nicht peng.»

Little Eddie hält seine Gurke wie eine Pistole und schreit: «Peng, peng!»

«Wir geben uns geschlagen. Sag’s schon», meint Eileen.

«Also gut. Dampf bildet sich und schießt dann das Rohr hoch. Er nimmt Wasser, das zurückläuft, mit und bildet eine Welle. Und wenn diese Welle gegen ein Knie im Rohr gedrückt wird, dann macht es *peng.*»

«Wirklich ’ne tolle Frage», sagt Eileen.

«Stimmt aber. Raudabaugh hat es mir gesagt.»

«Sollten wir nicht mal nach ihm sehen?» fragt Mary.

«Ach was», meint Cody. «Er ist genau da, wo er sein will.»

Eddie zupft sich am T-Shirt. Er spürt, wie die Mayonnaise vom Thunfisch in seinem Magen sauer wird.

«Wir brauchen ein Schwimmbecken», sagt er.

«Au ja», schreit Eileen. «Ein Schwimmbecken und eine Rutsche, aber die Abartigen dürfen da nicht rein.»

«Wie wär's mit 'nem kleinen Stausee?» schlägt Cody vor. «Drüben, auf der anderen Straßenseite. Wir könnten Fische reintun und ein Sprungbrett bauen.»

«Ich will keinen See», sagt Mary und sieht Eddie an, doch der schaut schon zur Straße hinüber.

«Was meinst du, Cody? Kriegen wir das hin?»

«Da drüben links war's schon immer sumpfig, solange ich denken kann. Wir legen den See mitten in den Rohrkolben an. Zwei Tage Arbeit. Ist schon so gut wie fertig.»

Ein Hammerschlag ertönt aus dem Keller, und dann noch einer.

«Er ist von den Toten auferstanden», sagt Cody. «Also wieder an die Arbeit.»

Die beiden essen zu Ende und gehen in den Keller. Dort ist es dunkel, und ihre Augen müssen sich erst wieder dran gewöhnen. Dann sehen sie Dutzende von Müllbeuteln, vollgepackt und zugeschnürt, doch im gelblichen Licht schweben noch ein paar Fasern Asbest, reiten auf Luftströmen, wenn sich jemand bewegt, oder wirbeln herum, wenn man sich umdreht.

Raudabaugh tritt zurück, als er Eddie und Cody sieht. Er lehnt sich gegen die Wand und sieht die beiden an, als versuche er sich zu erinnern, wer sie sind.

«Schön, dich wiederzusehen», sagt Cody. «Hab schon gedacht, du bist tot.»

Raudabaugh bringt ihn mit einer Handbewegung zum Schweigen und starrt ihn an.

«Bist du das, Cody? Ich hab gedacht, *du* bist tot. Die ganze Zeit hab ich gedacht, *du* bist tot.»

«Ich doch nicht», sagt Cody und schüttelt die Hand des alten Mannes ab.

«Dann war's G. R. Trimble. Was ist überhaupt mit dem alten Hund?»

«Er ist gestorben und hat sich verpißt.»

«Eine Schande», sagt Raudabaugh, zündet sich eine Zigarette an und spuckt und hustet eine halbe Minute lang.

«Vor ein paar Jahren hat er mir eine saublöde Geschichte mit Parisern erzählt», sagt er schließlich. «Hatte einen Vetter, Mike, 'n Polacke aus Pennsylvania. War Zimmermann und hatte in einem Bürohaus zu tun. Sah aus wie 'ne Arztpraxis, aber die Räume waren für so 'nen Sexdoktor. Dieser Typ, Mike, der erzählt dem Jungen, der an der Trokkenmauer am Arbeiten ist, für was die Räume gebraucht werden. Und dieser Junge geht her und bringt seine gebrauchten Pariser mit, hängt sie an die Holzdübel und holt sich davor einen runter. Habt ihr so was Saublödes schon mal gehört?»

«Raudabaugh, du bist so voll Scheiße, daß es dir schon zu den Ohren rauskommt.»

«Meinst du, Cody? Frag doch G. R. Trimble, wenn du ihn das nächste Mal siehst. Der hat mir die Geschichte neulich erzählt und sagt, sie stimmt. Und jetzt hol den Vorschlaghammer und hau auf den Brenner, da, wo ich hinzeig. Die Schrauben sind schon ab, er zerplatzt wie ein Ei. Jede Wette.»

«Ich werd ihn fragen», sagt Cody und greift nach dem Vorschlaghammer.

«Da», schreit Raudabaugh, und Cody schwingt den Hammer wie einen Baseballschläger, setzt einen Fuß vor, spannt die Beinmuskeln an und versucht, Raudabaughs Hand zu treffen, ehe der sie wegzieht. Der Hammer trifft auf den Ofen und spaltet das Gußeisen mit einem Schlag. Einen Augenblick später ertönt über ihren Köpfen ein Krachen, das die Balken erzittern läßt, und die Männer ducken sich und springen seitwärts weg.

Mary schreit los. Das Geräusch erfüllt das Haus, doch in ihrer Benommenheit sehen die Männer erst mal zum Brenner. Das Geräusch scheint aus der innersten Wasserkammer zu kommen, die sie soeben freigeschlagen haben. Die Männer starren die beiden Hälften an, als läge dort die Ursache. Mary schreit noch einmal, und dieses Mal scheinen sie es zu kapieren.

Eddie ist als erster in der Küche. Mary zieht an dem Heizkörper, der auf Eileens grüne Schienbeine gefallen ist. Das Mädchen liegt auf dem Rücken und starrt schweigend zur Decke, mit weitaufgerissenem Mund und riesengroßen Augen, aus denen die nackte Angst leuchtet.

«Zieh das Ding weg!» schreit Mary. «Zieh das Ding weg!»

Eddie beugt sich nach unten, holt tief Atem und hebt den Heizkörper an. Er kriegt ihn hoch, strengt sich dabei so sehr an, daß er hofft, seine Halsvenen werden die Haut durchbrechen und lange Blutseile in die Luft hinauspressen, Seile, die ihn erdrosseln, weil er so dämlich ist. Dann sind auch Cody und Raudabaugh da, und sie heben den Heizkörper von den Beinen des Mädchens und lehnen ihn wieder gegen die Wand.

Als Eddie aus dem Krankenhaus zurückkommt, ist es kurz vor Mitternacht. Cody und Raudabaugh sitzen auf der Veranda. Er sieht sie erst, als er direkt vor ihnen steht. Alle drei sind erstaunt, aber keiner sagt etwas. Eddie setzt sich zu ihnen. Nach einer Weile fangen sie an zu reden. Sie erzählen ihm, daß sie die ganze Zeit gearbeitet haben, daß Little Eddie oben schläft, daß sie jetzt fertig sind und schon sechs Gläser von Codys Spezialgebräu intus haben, nach einem Rezept, das er von Freddy Clough bekommen hat.

Morgen werden sie mit der Installation des neuen Brenners anfangen.

«Schmeckt zu stark nach Malz», sagt Raudabaugh und reicht Eddie ein Glas, «aber nach dem zweiten Glas wird's schon besser.»

«Arschloch», sagt Cody. «Wenn kein Malz drin ist, schmeckt's noch viel mehr danach.»

Cody ist angetrunken, aber im Moment ist Eddie das egal. Er hat das Gefühl, als Vater versagt zu haben, als Mann versagt zu haben. Das geht ihm jedesmal so. Er fühlt sich schuldig an der kleinsten Unannehmlichkeit, die seinen Kindern zustößt, macht sich Vorwürfe, wenn sie Mittelohrentzündung haben, wenn sie sich schämen müssen, Unwissenheit und Unschuld verlieren und jetzt auch noch fast erschlagen werden. Sein Herz ist eine Faust in der Brust, die das Leben aus ihm herauspreßt.

«Das hab ich noch nie kapiert», sagt Raudabaugh. «In den ganzen Jahren hab ich nie kapiert, wie was mehr rausschmecken kann, wenn weniger drin ist. Salziger, wenn kein Salz drin ist. Trockener, wenn's gar nicht trocken ist. Fettiger, wenn kein Fett drin ist. Süßer, wenn's gar nicht süß ist. Es mag ja so sein, aber erklären kann ich mir's nicht.»

Eddie leert schnell sein Glas und stolpert fast über die beiden, als er an die Flasche will. Cody fängt ihn auf, will ihn aufrichten und schlägt ihm dabei das Glas aus der Hand. Die drei sehen zu, wie es zu Boden fällt und in einem langsamen Halbkreis auf die Stufe zurollt. Das bißchen Licht, das da ist, spiegelt sich im Glas, und die flüssige Spur, die herausrinnt, wirkt wie Lack auf den Holzdielen. Das Glas rollt zum Treppenansatz, kullert die Stufen hinunter auf den Gehweg, wo es innezuhalten scheint, ehe es schließlich zerspringt.

«Jetzt ist es hin», sagt Cody. «Hier, nimm.»

Eddie nimmt die braune Bierflasche in beide Hände und setzt sich wieder hin. Das Bier ist warm und riecht wie Sauerteig. Als er trinkt, spürt er ein Pochen über seinem rechten Auge. Er hält einen Finger an die Stirn, als wollte er den Puls messen, und leert die Flasche.

«Ist schon das zweite Mal Vollmond in diesem Monat», sagt Cody. «Das kommt nur alle paar Jahre vor. Sieht irgendwie richtig blau aus.»

«Woher weißt du das?»

«Hat mir 'ne Frau erzählt.»

«So was wissen Frauen.»

«Kann sein, daß sie hinken wird», sagt Eddie, der den Alkohol langsam spürt. Aus ihm unerklärlichen Gründen sieht er sie in einem Abendkleid mit Stöckelschuhen auf ein Flugzeug zugehen. Er möchte es später aufschreiben, damit er dann darüber nachdenken kann. Doch im Moment ist sie da draußen und geht auf dieses Flugzeug zu. Durch den Schlitz ihres Kleides sieht er die Beine, ihre wunderschönen Beine, doch sie geht etwas seltsam.

«Mary ist bei ihr im Krankenhaus geblieben», sagt er.

«Mach dir keine Sorgen», meint Cody. «Sie ist jung und stark. Sie wird bald wieder rumhüpfen.»

«Für den Rest ihres Lebens», sagt Eddie. «Kann sein, daß sie für den Rest ihres Lebens hinken wird.»

Es wird still auf der Veranda. Das bißchen Licht reicht gerade aus, daß sie alles sehen können, was zu sehen ist. Es reicht sogar aus, um Schatten aufs Gras zu werfen und Farben erkennen zu lassen. Schatten mit Farben. Raudabaugh hustet, und es klingt wie rauhes Sandpapier auf rauhem Sandpapier. Er hustet so lange, bis er schwarzen Schleim hochwürgt und ihn in sein Taschentuch spuckt.

«Scheiße», sagt er und reibt sich die Tränen aus den Augen, «das tut manchmal verdammt weh.»

«Kann ich mir vorstellen», sagt Cody.

Fledermäuse schwirren über ihnen durch die Luft, jagen nach Mücken und Motten, schlagen beim Fressen im Mondlicht Purzelbäume.

«Blind wie eine Fledermaus», sagt Raudabaugh.

Eddie hält die Flasche am Hals gepackt, mit der Öffnung nach unten. Er hält sie wie eine Keule und spürt, wie ihm die letzten Tropfen übers Handgelenk rinnen.

«Nein, kannst du dir nicht vorstellen», sagt er. «Das kannst du dir nicht vorstellen. Ärzte haben Fähigkeiten, von denen du keine Ahnung hast. Ich kann selber nicht glauben, daß ich hier sitze und die Mediziner verteidige, während meine Tochter im Krankenhaus liegt. Außerdem braucht sie vielleicht doch nicht zu hinken, wenn wir genug dagegen tun.»

Raudabaugh reibt sich noch mal die Augen und fängt wieder an zu husten. Diesmal so stark, daß es ihm die Füße hochreißt und die Schultern zusammenzieht.

«Mr. Ryan», sagt er mit einer Stimme, die nur ein schwaches Flüstern ist, als drücke ihm jemand die Hände an die Gurgel, «Mr. Ryan, kann ich mal den Raum hinter der Wand sehen? Den Raum, wo Sie arbeiten.»

Eddie kommt sich blöd vor, weil er wieder auf Cody losgegangen ist. Er wünschte nur, daß sein Freund nicht immer bei allem so verdammt sicher wäre, oder er selbst wenigstens ein bißchen selbstsicherer. Ich bin jetzt achtunddreißig, denkt er, und kämpfe immerzu gegen das Leben an, gegen etwas, von dem ich jeden gottverdammten Tag weniger verstehe.

«Mr. Ryan», sagt Raudabaugh.

Eddie streckt die Hand aus und berührt Raudabaugh am Ellbogen. Er spürt, wie dünn und knochig er unter dem Hemd ist. Er überlegt, ob er die Hand zurückziehen soll, doch er tut es nicht. Er verstärkt den Griff noch.

«Das kann ich wirklich nicht. Nicht heute nacht. Nicht

nach all dem, was passiert ist. Es ist wirklich kein Ort, den ich anderen zeige.»

«Wir alle haben so einen Ort», sagt Raudabaugh.

Die Brust des alten Mannes hebt sich sachte, als er zu weinen anfängt. Eddie sieht, wie die Tränen auf dem staubigen Gesicht Spuren hinterlassen. Cody packt ihn am anderen Arm, und die beiden halten Raudabaugh, lange, bis sein Atem so flach wird, daß er kaum noch zu hören ist. Er starrt nach vorn in die Bäume. Sie haben die Farbe von Kanonenrohren, und die Blätter die Farbe von Dingen, die tief in einem Teich liegen. Die beiden jungen Männer starren in dieselbe Richtung und versuchen zu sehen, was er sieht.

«Jetzt, wo ich schon so weit bin», flüstert Raudabaugh, «will ich einfach sehen, wo es endet.»

19

Der Mill Brook fließt in einem Bogen durch Inverawe, ehe er in den Connecticut River mündet. Er nimmt Bäche und Rinnsale, Regen und Schmelzwasser auf und erreicht eine Kraft, die lange Zeit ausreichte, Getreidemühlen, Walkmühlen, Leinsamenmühlen, eine Pulvermühle und Sägemühlen anzutreiben; alte Kiefern, Hemlocktannen, Eichen, Ahorne und Birken wurden zu Zehntausenden von Brettern zersägt, zu Kippwagen, Rädern, Stühlen, Schindeln, Werkzeugstielen, Latten, Kisten und Kübeln verarbeitet, zu Scheunen und Häusern und Kirchen.

Am Fluß gibt es überall Bohrlöcher, aber keine Widerlager für Dämme, keine Zulaufkanäle oder mit Steinen befestigte Ablaufstollen oder Grundmauern mehr. Nichts, was das Wasser noch zum Sägen, Mahlen und Hämmern nutzbar machen würde.

Der Bach verläuft parallel zur Straße, knickt an der Brücke gleich hinter Eddie Ryans Haus ab und mündet dann, zwei Meilen weiter, in den Fluß. Genau unter dieser Brücke werden sich die Männer und Maschinen versammeln. Am Tag nach dem zweiten Vollmond wurde die neue Heizung installiert, und am darauffolgenden Tag werden alle Männer von Inverawe, die dabei mitgeholfen haben, wiederkommen und mit dem Badesee anfangen.

Und genau hier, an dieser Stelle, weckte vor zweihundert Jahren der junge Shadrack Wheel, Sohn von Meshach und Zilpha und verheiratet mit Luna, mitten in der Nacht seine Familie und rief sie zur Pulvermühle, damit sie sich seine allerneueste Mischung aus Salpeter, Holzkohle und Schwefel ansahen. Er hatte bis spät in die Nacht gearbeitet und war einer großen Sache auf der Spur. Doch sein raffiniertes Gemisch ging in jener Nacht verloren und in die Geschichte ein als Errungenschaft des französischen Chemikers Antoine Laurent Lavoisier, des Direktors der französischen Pulverkommission, und seines Assistenten Éleuthère Irénée du Pont de Nemours, weil Meshach an jenem Abend dem Rum zugesprochen hatte und der Meinung war, er brauche etwas Licht, um besser sehen zu können. Die Pulvermühle der Wheels flog mitsamt der Familie dem himmlischen Jerusalem entgegen. Lavoisier stieg aufs Schafott, und Éleuthère eröffnete eine eigene Pulvermühle, die das Kernstück des Unternehmens Du Pont werden sollte, aber das ist eine andere Geschichte.

Es ist nur recht und billig, daß an diesem Morgen ein entfernter Verwandter, Ferris, jetzt hier auf seinem Case 880 D Raupenbagger sitzt und darauf wartet, daß es losgeht.

Cody steht in seinen Anglerstiefeln im Bachbett des Mill Brook. Das glasklare Wasser umspült seine Füße und klatscht gegen das steinige Ufer. Er raucht eine dicke, rumgetränkte Zigarre. Er dreht sie zwischen den Fingern, benutzt sie als Zeigestock und klemmt sie sich dann, himmelwärts gerichtet, zwischen die Zähne. Little Eddie sitzt im Traggestell auf seinem Rücken. Es hat Steigbügel, so daß er sich hinstellen und das Kinn auf Codys Mütze legen kann, und das tut er fast den ganzen Tag lang.

Dome parkt seine Harley in Eddies Auffahrt und geht zu Cody und Ferris hinunter. Cody geht ihm bis zum Bagger entgegen. Er deutet auf einen Plan, den er in den Schotter gezeichnet hat. Ferris achtet nicht darauf. Er ist der beste Baggerführer der Gegend, kann eine Fundamentgrube nach Augenmaß bis auf Fingerbreite in den gewünschten Abmessungen ausbaggern. Weil er so gut ist, arbeitet er nur, wenn er Lust dazu hat.

«Ein Monster mit zwei Köpfen», schreit Dome, tut, als hätte er fürchterliche Angst und wollte fortlaufen, und Little Eddie hüpft in seinen Steigbügeln und lacht.

«Zwei Köpfe sind besser als einer», sagt Cody. «Bist also wieder zurück von deiner Reise.»

«War ganz schön aufreibend», sagt Dome.

«Was hast du dir denn aufgerieben?» fragt Ferris.

«Na was wohl», gibt Dome zurück und wirft einen Blick ins Führerhaus des Baggers.

Cody ist für Little Eddie verantwortlich, während seine Eltern im Krankenhaus sind. Es paßt ihm nicht recht, daß der Kleine solche Gespräche mitbekommt, aber dann findet er sich damit ab. Scheiß drauf, irgendwann wird er es eh' hören, und außerdem ist er nicht auf der Welt, um ein kleiner Lord zu werden. Nicht, wenn sein Onkel Cody da irgendwas mitzureden hat.

«Tolle Sache», sagt Dome. «Ein kleiner Stausee, damit alle Kinder darin schwimmen können. Wenn ich noch jung wäre, wißt ihr, was ich dann machen würde?»

Cody und Ferris fragen ihn nicht.

«Ich würde Spielplätze bauen, diese Sorte aus druckimprägniertem Bauholz. Die sehen aus wie kleine Burgen. Sehen aus wie diese Dinger für Hamster und Springmäuse, nur viel größer.»

«Von dem druckimprägnierten Holz kriegt man aber Krebs», meint Ferris.

«War dieser Malcolm Forbes mit seiner Maschine auch da? Hat er Liz Taylor dabeigehabt?»

Von der Straße ertönt der Lärm von einem halben Dutzend Dieselmotoren. Er nimmt bedrohlich zu in der kühlen Morgenluft. Er kommt näher, wird ein Konzert aus Pferdestärken, krachend eingelegten Gängen, hohen Umdrehungszahlen, aufheulenden Motoren und knirschenden Getrieben. Die restlichen Maschinen kommen, ein Heckbagger mit Gummireifen, ein kleiner Greifbagger, ein D-6-H Catdozer mit Turbolader und ein HD-700 Kato Trockenbagger von Mitsubishi, was den Besitzern der amerikanischen Maschinen Anlaß zu etlichen herablassenden Bemerkungen gibt. Cody watet in den Bach und schwingt die Arme, als stünde er an Deck eines Flugzeugträgers. Die Baggerführer biegen schon weit vor der Brücke auf einen Seitenweg ab und kommen zwischen Pappeln und Wacholderbüschen hindurch zum Bach hinuntergefahren. Ketten und Räder werden naß von dem schlammigen, morastigen Grund, aber nicht so sehr, daß es sie aufhalten würde. Löwenzahn, Sauerampfer und Disteln – alles wird zermalmt, als eine Maschine nach der anderen darüber hinwegfährt, doch irgendwie sieht das, was jetzt platt gedrückt am Boden liegt, noch genauso herrlich und lebendig aus wie vorher, als es aufrecht dagestanden hat.

«Rechts runter, zum Flußbett», schreit Cody. «Wir heben hunderttausend Kubikfuß aus, und bis heute abend sind wir fertig und haben überall frisches Gras gesät.»

Niemand hört ihn. Die Maschinen sind zu laut. Kettenfahrzeuge setzen Anhänger ab und dröhnen los. Der Lärm von über siebenhundert Pferdestärken erfüllt die Luft. Ihnen allen kommt es vor, als würden sie gleich aus den Sitzen gehoben. Sie schalten in den Leerlauf und springen direkt aus dem Fahrersitz hinunter auf die Erde, insgeheim erstaunt über die Stärke des Aufpralls. Cody kommt aus dem Wasser und geht ihnen bis an die Stelle neben Ferris' Bagger entgegen, wo er den Plan in den Schotter gezeichnet hat. Alle klopfen Dome auf die Schulter und fragen ihn nach Liz Taylor.

«Hunderttausend Kubikfuß», sagt Cody.

«Hunderttausend Kubikfuß», wiederholt Dome.

Die Männer fangen an zu lachen und meckern, weil Sonntag ist.

«Was zum Teufel wollt ihr denn sonst am Sonntag machen?» fragt Dome. «Einen schieben oder was?»

«Vielleicht sind ein paar von uns auch gern zu Haus bei Frau und Kindern», sagt Coonie.

Coonie ist bei der Stadt angestellt. Im Herbst ist er abends in den Wäldern unterwegs, mit seinen Jagdhunden, die kleine Sender am Halsband tragen. Er macht Geschäfte mit Waschbärfellen, daher sein Spitzname. Weil der Badesee der Feuerwehr im Bedarfsfall als zusätzliches Wasserreservoir dienen könnte, hat er auf eigene Verantwortung den städtischen Heckbagger mitgebracht. Coonie hat weder Frau noch Kinder.

«Oder ein kleines Grillfest veranstalten», sagt Dick Doody, und sein Bruder Tom nickt zustimmend. Die beiden sind Alleininhaber der Baufirma Doody Brothers Construction.

«Ach was», sagt Dome, «wenn wir erst mal fertig sind, war alles halb so schlimm. Sonst bleibt ihr ja doch nur den ganzen Tag zu Hause und werdet müde vom Nichtstun. Da könnt ihr genausogut arbeiten. Ich find nichts ermüdender als Nichtstun.»

Die Männer nicken. Sie wissen, daß Dome recht hat. Ihr Leben und ihre Arbeit gehen ineinander über. Das Führerhaus wird ihr Zuhause, wenn sie ein paar Sachen zum Anziehen, etwas zu lesen, eine Flasche und ein Taschenmesser dabeihaben. Die Zeit auf der Straße, die Zeit, die man weit weg von zu Hause verbringt, macht die Arbeit zu einer Art Zuhause.

«Ihr müßt erst mal lernen, euch zu erholen. Das hier ist keine Arbeit, schließlich kriegt ihr kein Geld dafür. Das hier ist Erholung.»

Die Männer lachen über Domes Worte. Wieder fragen sie ihn, ob es nun mit Liz Taylor geklappt hat.

Als die Nachricht von Eileens Unfall durch die Stadt ging, kamen die Leute einer nach dem anderen vorbei. Einen neuen Ofen installieren und einen Stausee anlegen, das können diese Männer. Es ist genauso, wie wenn man einen Auflauf oder einen Kuchen mitbringt. Sie tun es auch für sich, nicht nur für die andern.

Durch den Lärm der Maschinen im Leerlauf hören sie einen Dreiachser mit kaputtem Auspuff, der zu schnell fährt. Sie wissen, das ist Joe Paquette. Er arbeitet auf der Müllhalde, sammelt Abfälle, betreibt einen Schrottplatz und trainiert mit Gewichten. Er kommt mit einer Ladung abgefahrener Reifen, mit denen der Damm und der Zulaufkanal befestigt werden sollen. Die Druckluftbremse zischt, und der Laster wird langsamer. Er rollt noch immer, als Joe Paquette herunterspringt. Der Laster kommt immer näher, bis er schließlich neben Joe stehenbleibt, der über das Schutzgeländer neben der Straße springt und zu den anderen Männern hinuntergeht. Sein Gesicht ist blaß und angespannt. Er erzählt ihnen, daß er die ganze Nacht nicht geschlafen hat.

«Sie ist weg», sagt er. «Hat das Geld genommen und ist abgehauen. Hat gesagt, sie hätte das mal im Kino gesehen, und genau das würde sie auch mit mir machen. Das ist wie Selbstmord.»

Die Männer starren auf ihre Füße. Joe und seine Frau waren nicht zimperlich, haben sich auch schon mal geprügelt. Ihre Streitereien waren das Hauptthema, wenn sie sich mit anderen unterhielten. Marie konnte an der Lottostelle als erste in einer langen Schlange stehen und Mr.

Washburn in aller Ruhe erzählen, wie Joe ihr fast einen Zahn ausgeschlagen hätte. Joe erzählte allen an der Tankstelle, daß sie mehr mit ihm zusammen unternehmen wolle und daß er ihr deswegen ein Heimtrainer-Fahrrad gekauft und neben seinen Fernsehsessel gestellt habe.

Die jungen Männer wollen das, was er sagt, nicht hören, denn sie wissen nicht, ob es stimmt oder nicht. Sie sind noch unsicher, ob sie Mitleid mit seinem gebrochenen Herzen haben sollen, während die älteren schon lange keine Geduld mehr aufbringen für den ganzen Scheiß mit Joe und Marie.

«Sie ist abgehauen», sagt er. «Hat das Scheckheft genommen und ist auf und davon. Das Haus ist wie ein Sarg, nur größer.»

«Du kannst eine so junge Frau auch nicht einfach mitten in der Wüste allein lassen», sagt Dome und wirft die Arme hoch. «Links hat sie die Müllhalde, rechts den Schrottplatz, und hinter dem Haus fängt der Sumpf an.»

Joe Paquette wird wütend. Die Muskeln unter seinem T-Shirt schwellen an. Er will gerade zu einer Antwort ansetzen, als Raudabaugh kommt, sich wie ein Blinder von einer Maschine zur anderen tastet. Er fängt sofort mit seinen Parisergeschichten an. Die Männer kennen sie schon, lachen aber trotzdem, sogar Joe Paquette. Als sie mit Lachen fertig sind, tritt Cody in ihre Mitte, und Little Eddie hüpft in seinen Steigbügeln auf und ab. Cody sagt ihnen, was zu tun ist, und alle nicken und sagen, daß das gut klingt.

«Dann mal los», sagt Cody, boxt Joe Paquette in den Magen und zwinkert ihm zu. Die Männer fangen an zu graben.

Um die Mittagszeit ist der Mill Brook praktisch versiegt. Die beiden Bagger schaufeln den Kies so schnell heraus, daß das Wasser keine Chance hat, das Loch zu füllen. Die

Bulldozer bearbeiten das Ufer, walzen platt, was die Bagger herausbefördert haben, fahren hin und her auf dem Damm, der mit Reifen befestigt wird. Die Leerräume werden mit Steinen und Kies aufgefüllt, sobald eine neue Schicht Reifen liegt. Ein zwanzig Fuß langes verzinktes Rohr, das die Gemeinde für einen anderen Zweck bestellt hatte, wartet im Gebüsch darauf, als Überlauf eingesetzt zu werden, wenn die richtige Höhe erreicht ist. Raudabaugh fährt Codys Catdozer. Seit dem Abend auf der Veranda ist er etwas empfindlich, deswegen stellt Cody das Gas fest und läßt ihn an einer Stelle den Boden platt fahren, wo er niemandem im Weg ist.

Leute kommen vorbei und schauen zu. Die Frauen und Freundinnen der Männer bringen ihre Grills mit und schüren Holzkohlefeuer an. Die älteren Kinder helfen beim Auslegen der Reifen. Das Baggern wird zu einem Wettkampf zwischen Ferris und dem Kato, den ein Neuer namens Diamond fährt.

Cody und Dome gehen hinüber ins Haus und wechseln Little Eddie die Windeln. Sie witzeln über seinen winzigen Pimmel. Der Kleine lacht mit, als würde er verstehen, was sie sagen, sich aber einen Teufel drum scheren. Na und, denkt er wohl, mein Pimmel ist eben winzig.

«Guck dir das mal an», sagt Dome. «Der Kleine ist noch nicht beschnitten. Zieh die Haut zurück und mach ihn gut sauber.»

«Ich weiß», sagt Cody. «Ich versteh das nicht. Seine Eltern sind weiß Gott nicht dumm. Eigentlich sollten sie über so was Bescheid wissen. Ist doch das Sauberste, was man tun kann.»

«Da hast du recht. Meine Eltern haben keine Ahnung davon gehabt, und ich mußte es mir machen lassen, wie ich bei der Armee war.»

Kater Max springt auf den Wickeltisch. Sein Fell ist voller Kletten und Spinnweben. Vorsichtig schleicht er um den Kopf des Jungen, der zu lachen anfängt.

«Hau ab, du alter Hurenbock», sagt Cody und greift nach dem Schwanz der Katze.

Max schlägt mit der Pfote nach Cody, springt dann auf den Boden und verschwindet durch die Tür.

«In Afrika machen sie es auch mit den Frauen.»

«Red keinen Scheiß.»

«Doch. Mir haben sie's bei der Armee gemacht. Mir ist ein Sandkorn unter die Vorhaut gekommen. War wie ein Holzsplitter im Auge. Das tut vielleicht weh, Mann. Ich bin 'ne ganze Woche rumgelaufen und hab mich darauf konzentriert, keinen Steifen zu kriegen. Was meinst du, wie oft einem das passiert, einfach so. Und Eis für den Notfall war auch nicht da. Willenskraft, sag ich dir. Reine Willenskraft. Später haben wir dann Spraydosen gekriegt. Mit Zeugs zum Vereisen. Eine tolle Sache, die uns der Krieg gebracht hat: Spraydosen. Ist sein Vater beschnitten? Vielleicht ist das der Grund.»

«Weiß ich nicht. Hab weder Lust noch Gelegenheit, das rauszukriegen. Wenn ich allerdings überleg, wie ich so zu seinem Onkel geworden bin, dann sollte ich das wohl mal ansprechen. Wäre wirklich zu seinem Besten.»

Cody und Dome ziehen Little Eddie an und setzen ihn wieder in sein Traggestell.

Inzwischen sind noch mehr Leute gekommen. Cody und Dome bleiben auf der Veranda stehen. Der Geruch von Hamburgern und Brathähnchen weht ihnen um die Nase. Eine Frisbeescheibe kommt vorbeigeflogen, und dann ein Football. Vom Haus aus wirken die Menschen viel kleiner.

«Wie im Zirkus», meint Dome. «Das einzige, was noch fehlt, ist die ‹Hottentottenvenus›. Die hatte Schamlippen, die hingen ihr halb die Oberschenkel runter.»

«Klar doch. Ein toller Anblick.»

Eine nach der anderen werden die Maschinen abgestellt. Die Männer springen heraus und kommen zum Essen. Man kann Joe Paquette mit einer neuen Ladung Reifen angebraust kommen hören. Die Männer klettern schnell die Böschung auf der anderen Straßenseite hoch und drükken sich in die Sträucher, nur um ihm aus dem Weg zu gehen. Sie sehen, wie er sie auslacht, als sie weglaufen. Die Leute auf dem Rasen stehen auf, damit sie besser sehen können.

Die Luftdruckbremsen zischen, und der Laster erbebt, als das Führerhaus im Graben landet. Joe Paquette schaltet hin und her, sucht nach dem Rückwärtsgang. Als er ihn gefunden hat, setzt er zurück und läßt gleichzeitig die Kippmulde hochgehen. Die Reifen fallen langsam von der Ladefläche. Er fährt rückwärts weiter, versucht, sie so nah wie möglich an die Stelle zu bringen, wo sie gebraucht werden.

Dann rutscht der Laster, beinahe sanft, nach hinten weg, verfängt sich in den Drahtseilen der Straßenbegrenzung, reißt Pfosten heraus und rutscht immer weiter hinunter. Es sieht aus, als würden die Drahtseile irgendwann zurückfedern und ihn nach vorn schleudern, den Berg hinauf, vielleicht sogar darüber hinweg, vielleicht auf den Mond.

Raudabaugh kommt von unten mit dem Catdozer an. Eine Lawine abgefahrener Gürtelreifen, Geländereifen und Allradreifen rollt am Catdozer vorbei und fliegt durch die Luft. Er starrt auf das Ende des Lasters und die Flut von Reifen direkt vor sich, bis er schließlich seine fünf Sinne zusammennimmt und genau in dem Moment anhält, als Joe Paquettes Laster seine Rutschpartie beendet und Baggerschaufel und Laster einander berühren.

Es wird still, nachdem die Motoren abgestellt sind, nachdem der Lärm der Maschinen davongeweht ist. Es bleibt eine Zeitlang still, bis noch ein Auto aus derselben Richtung kommt wie vorher Joe Paquette. Der Keilriemen quietscht, und die ausgeschlagenen Lager klappern. Das Auto wird langsamer, dann platzt eine Bremsleitung, und es rollt unter das himmelwärts gerichtete Führerhaus von Joe Paquettes Lastwagen.

Marie Paquette steigt aus. Sie geht um den Wagen herum, damit sie Joe sehen kann, stemmt die Hände in die Hüften und schreit ihn an.

«Joe Paquette, du bist genauso dumm wie alle Männer unter der Sonne. Du bist das größte Arschloch, das mir je untergekommen ist.»

Alle freuen sich darüber, daß Marie vielleicht schwanger ist. Joe hatte davon gesprochen, sich woanders eine Arbeit zu suchen. Irgendwie hatte er sich vorgestellt, daß er dabei wie bisher alle anderen Nebenjobs auch noch weitermachen könnte. Aber jetzt, wo sie schwanger ist, finden alle, das wäre verrückt von ihm. Einhellig ist man der Meinung, daß ein Mann, der sich anderswo eine Arbeit sucht und eine schwangere Frau zurückläßt, erschossen gehört. Joe findet das auch. So ein Mann gehört erschossen. Wenn er es nur schon früher gewußt hätte. Wie oft hat er ihr schon weh getan.

Ferris und der Mann namens Diamond sitzen schweigend am Campingtisch und essen Hamburger, Pommes und Kartoffelsalat. Die anderen sitzen daneben, und man diskutiert über die Vorzüge des Kato und des Case. Die Doody-Brüder und Coonie halten zu Ferris und Joe Paquette zu Diamond. Marie Paquette ist mit Little Eddie ins Haus gegangen und legt ihn schlafen, deshalb können Dome und Cody bei der Unterhaltung zuhören. Der Case hat mehr PS, eine größere Aushubmenge und ein größeres Drehmoment, der Kato hat die größere Reichweite.

«Letzten Endes kommt es immer auf den Baggerführer

an», sagt Cody. «Sieht so aus, als wärt ihr beiden gleich gut. Eure Maschinen auch. Nichts gegen Sie, Mr. Diamond, aber ich bin einfach aus Prinzip für amerikanische Produkte.»

«Den Kato haben die Jungs von Mitsubishi gebaut, und was die in Pearl Harbor gemacht haben, weiß jeder. Die haben die ganzen Flugzeuge gebaut. Da muß man mitschwimmen. Da liegt die Zukunft.»

«Kamikaze. Der göttliche Wind», flüstert Raudabaugh mit rasselnder Stimme. «Alles Nullen. Sag mir mal, Joe Paquette, wer hat denn den Scheißkrieg gewonnen?»

Raudabaughs Einwurf beendet die Diskussion. Jetzt wissen sie alle, daß vor ein paar Tagen viel mehr kaputtgegangen ist als nur die Beine eines kleinen Mädchens.

Raudabaugh erzählt von einem Job, den er mal in Manchester hatte. Es war im Winter, vor langer Zeit. Sie arbeiteten oben im vierten Stock, und es war ganz schön lästig, immer bis runter zum Klowagen zu gehen, deshalb haben sie in ein Lüftungsrohr gepißt. Na ja, es war Frostwetter, tagelang, und jeden Tag stieg es höher und höher, bis aus diesem Lüftungsrohr schließlich eine Pissefontäne wurde.

«Eine Pissefontäne», sagt er, schlägt sich auf die Schenkel, und vor Lachen rollen ihm Tränen die Wangen herab. Die anderen lachen auch, bis Raudabaugh aufsteht und wieder auf die Veranda geht.

«Er ist einfach müde», sagt Dome. «Die Welt wird immer größer. Und das Leben immer kleiner. So geht's eben.»

«Da hast du recht», sagt Dick Doody. «Man kann nicht mehr richtig leben. Nicht mehr so, wie ihr es gewohnt wart. Ich wollte einen Waffenschein haben, und die Frau auf der Behörde hat mir gesagt, sie schränken das jetzt sehr ein. Meinte, ich krieg vielleicht einen für einen Zweiundzwanziger, aber nicht für einen Vierundvierziger.»

«Das versteh ich nicht», meint sein Bruder. «Harry hat doch einen Vierundvierziger gehabt, und der war Bulle.»

«Wißt ihr, was ich mach», sagt Joe Paquette, «immer wenn Maries Mutter kommt, fang ich an, meine Gewehre zu reinigen.»

Die Männer lachen, bis sie Cody und Raudabaugh wieder zu den Maschinen gehen sehen, die Arme um die Schulter des anderen gelegt.

«An die Arbeit», sagt Dome und starrt den beiden nach.

Die Maschinen sind wieder in Bewegung. Joe Paquettes Dreiachser wird wieder auf die Straße gehievt, und er und ein paar Schuljungen schleppen Reifen, während ein anderer Trupp sich an das Widerlager für den Damm und den Kanal am Anfang des Stausees macht. Diamond und Ferris arbeiten einander gegenüber, sechzig Fuß entfernt, sie baggern, drehen sich dann und laden die Erde hinter sich wieder ab, während die anderen Maschinen den Boden bearbeiten, das Bankett und den Damm bauen.

Vor Eddies Haus haben sich jetzt die Frauen um den Campingtisch versammelt. Sie drängen sich um Marlene Doody, Dicks Frau, und Tom Doodys Frau, Jeri. Einer der beiden Brüder hat sich anscheinend sterilisieren lassen, sie sagen aber nicht, welcher. Das hat einen fürchterlichen Familienkrach ausgelöst.

«Nehmen wir mal an, es wär Dick», sagt Marlene. «Ich ruf in der Werkstatt an, und Tom sagt, er ist im Krankenhaus, sagt mir aber nicht, warum. Und ich denke, er hat einen Herzanfall gehabt.»

«Wenn das alles rauskommt», meint Jeri, «sagt der andere bestimmt, er hat jetzt keinen Bruder mehr. Ich hab gesagt: ‹Was willst du denn machen? Schließlich ist er dein Bruder. Das mußt du doch respektieren.›»

Bei dem städtischen Heckbagger, den Coonie fährt, geht die Hydraulikpumpe kaputt. Coonie bringt ihn zurück und läßt sich von Dr. Pot wieder herfahren, der von der Brücke aus zusieht. Joe Paquette winkt dem Doktor zu, und er winkt zurück, klopft sich auf den Bauch und zuckt die Schultern. Die Männer lachen, und je lauter sie lachen, desto heftiger klopft er sich auf den Bauch.

«Vielleicht ist er der Vater», schreit Dome, und Joe zeigt ihm den ausgestreckten Mittelfinger.

Dr. Pot lacht auch und fährt weg. Cody geht noch mal zum Haus, um nach Little Eddie zu sehen. Der ist eingeschlafen, aber Marie hält ihn noch im Arm, und in ihrem Bauch schläft vielleicht ihr eigenes Baby. Cody schleicht aus dem Zimmer und geht zurück zur Brücke. Dort bleibt er stehen und sieht von oben herunter. Die riesigen Maschinen sind alle am Arbeiten, nur wenige Fuß voneinander entfernt, sie schwenken aus, schieben, heben, schaufeln und schleppen. Er will G. R. holen, um ihm das alles zu zeigen, doch dann fällt ihm wieder ein, daß der ja tot ist, und er wird traurig. Trotzdem ist er froh, daß ihm sein Gedächtnis dieses Schnippchen geschlagen hat, wenn auch nur einen Moment lang.

Als er aufschaut, sieht er, wie Louis Poissant seinen Cadillac hinter ihm parkt. Louis kurbelt die Scheibe herunter und läßt seinen Arm raushängen.

«Richtiges Gemeinschaftsprojekt», sagt er.

Cody geht zu ihm hinüber, lehnt sich an die Tür und legt den Arm aufs Dach.

«Und wie geht's so auf der Farm der Tiere?» fragt er.

«Eins der verdammten Kinder hat die Kaninchen ins Haus gelassen, und die sind in einen Beutel Marihuana gekrochen. Sind total durchgedreht. Jetzt versuchen sie, sie wieder einzufangen. Die Scheißviecher rennen überall rum. Im ganzen Haus.»

Cody möchte nach Kay fragen, tut es aber nicht. Auch nach dem Jungen, aber der ist ja schon fast ein Mann. Sein Verstand will ihn all die Möglichkeiten absuchen lassen, die er gehabt hätte oder vielleicht noch haben wird, doch er läßt sich nicht darauf ein, sondern findet sich einfach damit ab und steht nur da, gegen Louis Poissants Cadillac gelehnt. Er weiß, es wird ihn das ganze Leben begleiten, dieses Gefühl, das niemals weiter weg von ihm ist als seine Fingerspitzen, wenn er den Arm ausstreckt. Nie weiter als eine Armlänge entfernt. Immer in greifbarer Nähe.

«Wie geht's dem kleinen Mädchen?» fragt Louis.

«Sie ist jung.»

«Allerdings.»

Louis Poissant reicht Cody eine Zigarre. Dann streift er das Zellophanpapier von einer zweiten ab, für sich selbst. Er zieht ein Streichholz über das Armaturenbrett, zündet seine Zigarre an und hält dann die Hand vor die Flamme, damit sie nicht ausgeht, für Cody.

«Dieser Ferris, kann der auch sprengen?» will Louis Poissant wissen.

«Scheint so.»

Dome kommt die Böschung hoch und klettert über die Straßenbegrenzung. Er sieht, mit wem Cody redet, und geht hinüber.

«Hast du noch so 'ne Fehlfarbe für mich, Dicker?»

«Was denn, rauchst wohl wieder, jetzt wo deine Frau nicht mehr da ist?»

Louis Poissant reicht noch eine Zigarre aus dem Fenster, gibt Dome aber kein Feuer. Mrs. Huguenot hat immer fürchterliche Tiraden auf ihn losgelassen, darüber, wie er mit seinen Tieren umgeht.

Cody reißt am Autodach ein Streichholz an und hält es Dome hin.

«Sag mal», fragt Louis ihn, «weißt du, ob dieser Ferris sprengen kann?»

«Hör mir bloß mit dem auf», sagt Dome. «Der soll sich ja verpissen. Der hat 'ne Art, die macht mich nervös.»

«Na, ich muß jetzt los», sagt Louis Poissant und läßt den Motor an. «Rüber nach Bolton, mit jemandem reden, wegen ein paar Kühen. Viel Erfolg bei eurem Gemeinschaftsprojekt. Hoffentlich kriegt ihr die Naturschützer nicht an den Hals. Die können einem ganz schön auf den Zeiger gehen.»

«Du mußt's ja wissen», sagt Dome und klopft auf die Motorhaube. «Du kennst hier ja jedes Schwein.»

«Klar.»

Louis Poissant fährt langsam weg, dreht sich immer wieder um, will sehen, was neu ist, was anders ist, was so los ist.

Die Frauen räumen auf. Marie kommt aus dem Haus und sagt Cody, daß Little Eddie in seinem Kinderbett schläft, wahrscheinlich bis zum Abendessen, dann fährt sie mit Marlene Doody weg.

Unten hieven die Männer das verzinkte Überlaufrohr an seinen Platz. Es hängt an Diamonds Kato. Sie lassen es in den Graben hinab, und dann machen die Bulldozer den Damm fertig. Während sich der Graben langsam mit Steinen und Kies füllt, fließt immer mehr Wasser in den See. Es wird noch etwas dauern, bis er ganz voll ist, doch die Männer warten nicht so lange. Nach getaner Arbeit laden sie ihre Ausrüstung auf und fahren fort, bis nur noch Raudabaugh auf Codys D-7 da ist und hin und her fährt, damit die Oberfläche des Damms ganz eben und glatt wird.

Graues Licht fällt vom Berg herab. Cody und Dome sehen Raudabaugh von der Brücke aus zu, unter der das klare, dunkle Wasser durchfließt.

«Ich werd wohl alt», meint Dome. «Ich fürchte, wir haben uns selbst übertroffen. Wir sind zu weit gegangen und wissen jetzt nicht mehr, wie es zurückgeht, wissen nicht mal, ob wir es überhaupt noch wollen.»

«Immerhin haben wir was geschafft», sagt Cody, läßt

die Zigarre ins Wasser fallen und wartet darauf, daß sie zischend erlischt.

Es ist dunkel, als Eddie das Krankenhaus verläßt. Im Schein der Halogenlampen überquert er den Parkplatz. Ganze Wolken von Motten werden von dem Licht angezogen und stoßen flügelschlagend gegen die Lampen. Er bleibt stehen und schaut hinauf, sieht das Licht auf ihren schuppigen Flügeln, und unter seinen Füßen knacken die Körper der Motten, die auf die Straße gefallen sind, noch warm vom Licht der Sonne.

Am Morgen wird er wieder hierherkommen, aber er wird dann nicht mehr allein nach Hause fahren. Sie werden Eileen zum Fahrstuhl rollen und zum Auto hinaus. Sie werden sie auf den Rücksitz heben, und auf dem Heimweg werden sie ihr ein Eis kaufen, Vanille und Schokolade mit Streuseln. Die Beine sind wieder eingerichtet und heilen schon. Sie wird noch lange unter ärztlicher Beobachtung stehen. Krankengymnastik wird sie wohl auch machen müssen.

Am Boden ist die Luft ruhig und kühl, doch durch die Bäume geht ein Wind, bewegt die dunklen Kronen im fahlen Mondlicht. Er muß zwölf Meilen weit fahren, aber es wäre ihm auch egal, wenn es fünfzig wären. Er ist gern allein im Auto, spürt gern, wie es sich über die Straße bewegt.

Heute abend widersteht er dem Verlangen, Bilanz zu ziehen. Er wird das Radio anstellen und den Wind genießen, der durch das offene Fenster hereinbläst. Er wird sich Zeit lassen, vielleicht in East Granger Hollow links abbiegen und über die Hurricane Road nach Hause fahren. Diese Straße ist eine Art Berg-und-Tal-Bahn, voller Kurven und Buckel. Auf dem Weg gibt es zwei Holzbrücken, und wenn der Mond günstig steht, spiegelt sich der Signalturm am

Highland Hill im Wasser. Er ist diese Strecke schon oft gefahren.

Doch er biegt nicht nach links ab und läßt sich auch keine Zeit. Er fährt direkt nach Hause, so schnell es geht. Er will sich vergewissern, ob sein Sohn, der zu Hause schläft, in Sicherheit ist, sein kleiner Junge, der noch nicht sehr alt ist, der noch keinen Wachstumsschub gehabt hat. Er wird Cody ausfragen nach jeder Minute dieses Tages, obwohl er ganz genau weiß, wie mürbe es ihn manchmal macht, sein eigenes Leben und das seiner Kinder gleichzeitig zu führen.

Als er noch eine halbe Meile von seinem Haus entfernt ist, knirschen die Räder über Schotter und schleudern kleine Steine gegen den Unterboden. Die Straße wird uneben und lehmig, und er fährt langsamer. Im Scheinwerferlicht sieht er große Erdklumpen und die schlammigen Spuren von großen Rädern. Direkt vor seiner Einfahrt ist der Weg ein Stück weit völlig von den Ketten einer großen Maschine zerfurcht.

Cody sitzt auf der Veranda, raucht und trinkt ein Bier. Nur eine Dose. Mülltüten, voll mit schmutzigem Plastikgeschirr, Pepsidosen und Bierflaschen liegen zu seinen Füßen. Eddie fragt sich, woher wohl der Müll kommt. Er hofft, daß Cody nicht wieder mit dem Biertrinken anfängt.

«Wie geht's ihr?» fragt Cody.

«Ganz gut. Sie ist müde», sagt Eddie, und nach einer langen Atempause redet er weiter. «Ich bin müde. Mary auch. Aber es geht uns gut.»

«Alle Welt ist müde.»

«Es hilft, müde zu sein.»

«Ich weiß, was du meinst», flüstert Cody, als würde er zum Sohn und nicht zum Vater sprechen. «Wenn es nach mir ginge, wäre ich immerzu müde, weißt du, die gute Sorte, so wie man's nach getaner Arbeit ist.»

«Genau. Genau das.»

«Komm mal mit», sagt Cody und steht auf. «Sieh dir mal an, was ich für dich hab.»

Eddie folgt ihm die Straße hinunter zur Brücke. Sie klettern über die Straßenbegrenzung und die Böschung hinunter, aber es ist kein schneller Abstieg, sondern ein langsamer, mühevoller, auf festem Boden; keine Gräser, keine Goldrute und keine Brombeersträucher ziehen an den Hosenbeinen. Eddie folgt Cody einen breiten Damm entlang, der sich über dem neuen Ufer des Mill Brook erhebt. Unter ihm im dunklen, ruhigen Wasser spiegelt sich der Nachthimmel, und in der Ferne hört er das Plätschern des Rinnsals, das aus dem Überlaufrohr fließt.

«Ein richtiger Stausee», sagt Eddie.

«Was du nicht sagst, Sherlock», sagt Cody und lacht.

«Ein Badesee.»

«Ein richtiger Badesee. Ist das nicht toll.»

Die beiden Männer stehen da, die Hände in den Hosentaschen, und scharren im Kies. Einer von ihnen kickt einen Stein ins Wasser.

«Guck mal», sagt Cody. «Da wächst schon wieder Gras.»

20

Eddie hilft Eileen in Mrs. Huguenots Kinderwagen. Er hat hohe Seiten, Ballonreifen und einen Rahmen mit fester Federung. Das Verdeck läßt sich wie bei einem Kabriolet zurückklappen, und die Vorderwand kann man abklappen, sie hängt an kurzen Ketten.

Dome nennt ihn Eileens Kutsche. Er hat ihn vor zwei Tagen vorbeigebracht und wollte danach Raudabaugh besuchen, um sich den neuen Osmose-Apparat anzusehen, doch Raudabaugh saß tot in seiner neuen Sirupküche, starrte auf die Maschine, die den Saft mit einem Druck von fünfhundert Pfund durch die Membranen drücken sollte, saß da, als wolle er sich nur einen Augenblick lang ausruhen, mal kurz Luft holen. Jetzt liegt er in Eddie Ryans Haus im Präparationsraum und ruht sich bei 30 Grad Fahrenheit aus.

«Wenn du mich so hältst, sind unsere Herzen ganz nah beieinander.»

«Weiß ich», sagt Eddie, setzt sie auf die Kissen und legt dann ihre Beine so hin, daß sie nicht aneinanderschlagen können.

«Ich will runter zum Stausee und dann zum Cola-Automaten.»

Eddie schiebt den Kinderwagen die Einfahrt hinunter.

Eileen legt sich in die Kissen zurück, die eingegipsten Beine gerade vorgestreckt. Mit dem linken wird es keine Probleme geben, aber das rechte muß weiter beobachtet werden; der Knöchel macht Schwierigkeiten. Ihre Freundinnen kommen sie alle besuchen. Sie teilt ihnen Farben aus ihrem Tuschkasten zu. Beide Gipse werden damit bearbeitet. Eileen will nicht, daß sie ihre Namen draufschreiben, sondern etwas malen. Lange bunte Striche überziehen das linke Bein, und Kleckse lassen das rechte wie einen bunten Flickenteppich aussehen. Jetzt gibt es fast keine freie Stelle mehr, aber das macht nichts, denn fast alle ihre Freundinnen haben sich schon verewigt.

«Sieht richtig elegant aus, was, Eddie?»

Seit dem Unfall nennt sie ihren Vater beim Vornamen.

«Find ich auch. Was meinst du denn, was elegant bedeutet?»

«Bunt und fröhlich.»

Der Kinderwagen hat riesige Reifen. Sie rollen leicht über Risse in der Straße, kleine Erhebungen werden von den Sprungfedern geschluckt, anders als bei dem Sportwagen, den Eddie und Mary gekauft hatten, als Eileen noch ein Baby war, ein zusammenklappbares Ding mit vier Doppelrädern aus Plastik und einem großen Beipackzettel mit Bedienungsanweisungen und Warnungen vor eingeklemmten Fingern. Eddie hat das Gefühl, daß sich die Kinderwagen von kleinen Wohnwagen zu richtigen Rennautos entwickelt haben.

Auf der anderen Seite der Straße ist der neue Badesee, und sie bleiben stehen. Eddie geht neben dem Brückenkopf in die Knie. Er reicht Eileen Steine, die sie einen nach dem anderen ins Wasser wirft. Sie trifft jedesmal und läßt kleine Fontänen aufsteigen, wo das Wasser über dem sinkenden Stein zusammenschlägt.

«Du wirfst wie ein Junge.»

«Weiß ich», sagt sie. «Ich kann gut werfen.»

«Die meisten Mädchen stoßen mehr, als daß sie werfen. Du machst es richtig aus der Schulter heraus.»

«Was meinst du, wann wir die Fische kriegen?»

«Weiß nicht. Dein Onkel Cody regelt das. Vielleicht kommen sie in Fässern. Er hat letzte Woche einen Haufen Briefe weggeschickt, und die ersten Antworten müßten bald kommen. Ich weiß nicht, ob es wirklich so eine gute Idee ist.»

Dome möchte auch Fische haben. Vielleicht kriegen sie tatsächlich welche.

«In Alamo gibt's Riesengoldfische. Das hat Mrs. Hall in der Schule erzählt. Die Goldfische leben in kleinen Kanälen.»

Eddie steht auf und klopft sich den Staub von der Hose. Er hofft, daß er sich am nächsten Morgen um Raudabaugh kümmern kann. Er weiß immer noch nicht, ob er begraben oder eingeäschert werden soll. Vielleicht wird er sogar woanders beerdigt. Raudabaughs nächste Verwandte wohnen in Nova Scotia, doch sie haben sie noch nicht erreichen können. Mary versucht es schon seit zwei Tagen. Sie hat sich sogar schon an den Veteranenverband gewandt, doch die haben keine Unterlagen darüber, ob er beihilfeberechtigt ist. Sie haben nicht einmal welche über seine Dienstzeit bei der Armee.

Jetzt ist sie mit Cody und Little Eddie in Rutland, auf dem Rummelplatz. Sie sind am späten Nachmittag losgefahren und werden erst wiederkommen, wenn es dunkel ist. Rutland liegt ein paar Autostunden weit weg. Eileen hat darauf bestanden, daß sie hinfahren, und ihnen eine Liste von Dingen diktiert, die sie mitbringen müssen: Zukkerwatte, eine große Brezel, einen Liebesapfel und einen Preis, den Cody gewinnen muß, am liebsten einen riesengroßen Pandabären.

Eddie schiebt sie auf der Straße weiter. Die Sonne geht langsam unter, und es wird kühler. Schwalben tanzen durch die Luft, behende und anmutig, lassen sich von Dachsparren oder Vorsprüngen fallen, wo sie ihre Nester gebaut haben. Sie schweben vom Kirchturmdach herab, wo sie unter dem Gesims nisten, während die Fledermäuse weiter oben im Glockenturm leben. Sie werden erst später herauskommen.

Die Schwalben schießen vor ihnen durch die Luft, während die Sonne im Westen versinkt, wie ein großes Feuer am Horizont, ein riesiger Waldbrand.

Genau das wär's auch, wenn es kein Sonnenuntergang wär, denkt Eddie.

«Guck mal, wie die fliegen», sagt Eileen.

«Schwalben können bis zu sechshundert Meilen am Tag zurücklegen», sagt Eddie, «auf der Suche nach Futter für ihre Jungen.»

Eileen sagt nichts mehr, und er fragt sich, ob sie ihn überhaupt gehört hat. Das macht sie oft, läßt sich schweigend die Dinge durch den Kopf gehen, die sie gerade gehört hat.

Solche kleinen Informationen über die Natur kann er ihr weitergeben, und damit scheint er auch etwas für sich selbst zu tun. Es ist, als würde er diese Dinge auch sich selbst sagen, immer wieder. Dieses Gefühl hat er auch bei den Geschichten, die er ihr vorliest, Geschichten, die ihm vorgelesen wurden, als er noch ein Kind war; doch hatte er die meisten davon wieder vergessen, und erst jetzt, wo er sie vorliest, erinnert er sich wieder daran.

Neulich war es *Black Beauty*. Sie sind bis zehn Uhr aufgeblieben, bis er ihr das ganze Buch vorgelesen hatte. Genau wie sie wollte auch er unbedingt wissen, wie das Buch ausging.

«Ich bin so trübsinnig, Eddie.»

«Wieder wegen der Kinder?»

«Ja», sagt sie und seufzt. »Erzähl du die Geschichte. Ich bin zu müde.»

«1944 gab es vierundvierzig Kinder», fängt er an. «Sie lebten in einem Steinhaus, von dem aus man auf die schneebedeckten Alpen sehen konnte. Man hatte sie dorthin gebracht, weil in ihrem Land Krieg herrschte, aber der Krieg hat sie eingeholt. Sie wurden von den Nazis gefangengenommen und nach Auschwitz gebracht, und dort sind sie gestorben.»

Die Geschichte war wieder einmal in den Nachrichten gekommen, die Geschichte der Kinder von Izieu. Sie hat sich wieder in Eileens Kopf festgesetzt, und sie verzehrt sich vor Trauer bei der Erinnerung an die Kinder. Sie kennt die Namen zweier Schwestern. Sie ist davon überzeugt, daß sie den beiden im Himmel begegnen wird, und dann wird sie ihnen sagen, wie sehr sie diesen Augenblick herbeigesehnt hat, seit dem Tag, an dem sie ihre Geschichte zum erstenmal gehört hat.

«Warum sind sie nicht einfach weggerannt?» fragt Eileen, nachdem sie einen Augenblick über die Geschichte nachgedacht hat.

«Einige haben es bestimmt versucht, aber sie sind eingefangen worden.»

«Ich wäre weggerannt. Ich wäre weggerannt und hätte mich in einer Höhle unter der Erde versteckt.»

Eddie schiebt den Kinderwagen am Straßenrand entlang. Der Geruch eines toten Tieres hängt in der Luft. Es sieht aus wie ein Murmeltier, ein plattgewalzter Körper, vor ihnen mitten auf der Straße.

«Ich kann seine Zähne sehen», sagt sie.

«Da sind auch seine Pfoten. Dem ist nicht mehr zu helfen.»

«Warum sterben eigentlich so viele Tiere auf der Straße?»

«Diese Tiere haben schon seit Hunderten von Jahren immer denselben Weg genommen. Sie begreifen einfach nicht, wie gefährlich das jetzt ist. Sie sind da schon langgegangen, bevor es Straßen gab, und irgendwas in ihnen treibt sie, immer wieder denselben Weg zu benutzen. Das ist wie bei den Schwalben. Ein paar von den Vögeln, die wir eben gesehen haben, verbringen den Winter in Argentinien. Klapperschlangen sind auch so. Manche nehmen schon seit dreißig Jahren denselben Weg. Gänse auch. Sie fliegen im Winter nach Süden.»

Eileen zwirbelt ein paar Strähnen ihres Haares, bis sie sich verknotet haben. Sie stemmt die Ellbogen auf die Seitenwände des Kinderwagens, hebt den Hintern an und legt sich wieder zurück. Eddie geht weiter, an dem Zaun vorbei, den Louis Poissant um seine Kälberwiese gezogen hat. Hinter dem Stacheldraht grasen die Tiere und sehen ihnen nach.

«Na ja, was immer es war, es ist auf jeden Fall völlig platt.»

«Völlig», sagt er.

Sie nähern sich dem Platz, kommen an weißen Häusern mit schwarzen Fensterläden vorbei. In einigen der Zimmer brennt Licht. Die Fenster haben kleine Scheiben, vier, sechs oder acht. Die Blumenbeete und Rasenflächen reichen bis an den Straßenrand. Auf der Rückseite der Häuser sieht es unterschiedlich aus. Hinter einigen stehen Schuppen oder verfallene Scheunen. Einige haben neue Terrassen und blaue Schwimmbecken. Überall hinter den Häusern fällt das Gelände zum Mill Brook hin ab.

«Hoffentlich kommt Juanita mich noch mal besuchen. Sie kennt das indische Baby.»

«Sie ist nett.»

«Sie hat einen Mantel aus Hühnerfußleder.»

Die Straße wird breiter, als sie zum Platz kommen. Eddie

geht auf der rechten Seite entlang, an der Feuerwache, am Rathaus und an Mr. Washburns Laden vorbei. Er ist geschlossen, doch der Cola-Automat summt noch. Mr. Washburn überlegt, ob er nicht einen von den Automaten anschaffen soll, die mit einem reden, wenn man das Geld hineingesteckt hat.

«Weißt du was», sagt Eileen. «Keiner, wirklich kein Mensch weiß, wie alt Juanita ist. Nicht mal in der Schule.»

«Irgend jemand muß es doch wissen.»

«Nee. Kein Mensch.»

Eileen will, daß Eddie den Wagen vor dem Automaten dreht, so daß sie die Münzen einwerfen und sich selbst ihr Getränk aussuchen kann.

«Ich zieh dir deins auch», sagt sie. «Gib mir dein Geld.»

«Such mir was aus.»

Sie drückt auf den Knopf, und noch eine Dose Orangenlimonade kommt angescheppert. Sie nehmen die Getränke und gehen hinüber auf den Platz. Eddie stellt mit dem Fuß die Bremse fest und setzt sich auf die Stufen, die das Denkmal umgeben. Es ist still hier, und sie hören das Summen der Lampe, die vor dem Rathaus steht.

«Bist du noch immer trübsinnig?» will Eddie wissen.

«Ja.»

«Wegen den vierundvierzig Kindern?»

«Auch wegen dem indischen Baby.»

«Was ist das für ein Baby?»

«Darf ich dir nicht sagen.»

Eddie sagt nichts. Er versucht sich daran zu erinnern, wo er schon mal von dem indischen Baby gehört hat. Er hat gelernt, bei solchen Dingen nicht nachzufragen. Kann auch sein, daß sie sich das gerade ausgedacht hat und selbst noch nicht weiß, was es ist. Er trinkt seine Limonade aus und drückt die Dose in der Mitte zusammen, biegt sie hin und her. Sie sieht ihm zu und lauscht dem Knacken der

Aluminiumdose und dann einem anderen Geräusch, dem Motor eines Pickup, der von der River Road auf sie zukommt. Die Räder rutschen auf dem Schotter und quietschen, als sie auf den Asphalt treffen.

Die Scheinwerfer erhellen die Nacht, kommen näher. Eddie packt den Kinderwagen fester, ist schon auf dem Sprung, doch der Pickup schafft die Ecke und hält vor dem Laden an. Es ist ein Ford mit übergroßen Reifen. Vier Jungen in Baseballuniformen springen von der Ladefläche, ein weiterer Junge und zwei Mädchen steigen vorn aus. Sie schubsen und stoßen sich, lachen und kichern, hauen sich gegenseitig auf den Hintern.

«Hol ein paar Dosen Cola», sagt eines der Mädchen, «und dann gibt's Cola-Rum.»

Es ist ein großes Mädchen mit blonden Haaren, die zu einem langen Zopf geflochten sind. Sie sieht zu, wie einer der Jungen den Automaten bearbeitet. Er drückt mehrere Knöpfe gleichzeitig und ganz schnell hintereinander, um die Maschine auszutricksen. Zwei, manchmal sogar drei Dosen fallen durch, zum Preis von einer.

Das Mädchen, das Cola haben wollte, schüttelt eine Dose, reißt sie auf und bespritzt die anderen mit dem Inhalt. Zwei der Jungen zahlen es ihr heim, bis sie selbst ganz naß ist, Kopf, Gesicht und T-Shirt. Eddie beobachtet sie. Er weiß, daß sie harmlos sind, Jugendliche, die ihren Spaß haben. Wahrscheinlich zwanzig Jahre jünger als er. Dann denkt er, er sollte vielleicht doch etwas sagen. Mr. Washburn verdient nicht besonders viel mit seinem Laden. Und Eileen ist auch dabei. Er fragt sich, ob sie nicht darauf wartet, daß er etwas sagt, daß er ihnen sagt, sie sollen sich anständig benehmen, so wie er es zu ihr sagen würde.

Der Junge, der fährt, und das andere Mädchen sind jetzt zum Pickup gegangen, ein Stück weg von ihren Freunden, stehen aber noch so, daß Eddie und Eileen sie sehen können. Sie lehnt sich gegen die Fahrertür, und er lehnt sich gegen sie. Sie küssen sich, er hat das Knie zwischen ihre Beine geschoben und reibt dagegen.

Das blonde Mädchen kommt zu ihnen herüber, drei Dosen Cola gegen die Brust gedrückt und eine Flasche Rum in der anderen Hand.

«Nehmt mal», sagt sie, «die frieren mir die Titten ab.»

«So kalt kommen sie mir gar nicht vor», sagt der Junge und kneift sie.

Sie tritt nach ihm, und er lacht, dann nehmen der Junge und das Mädchen jeder eine Dose. Sie trinken einen Schluck daraus und füllen sie mit Rum auf.

«Was macht ihr zwei denn da? Rumknutschen?»

«Verpiß dich bloß», sagt der Junge, und sie lachen wieder.

«Da drüben hockt einer und guckt uns zu.»

Eddie sieht, wie sich alle umdrehen und ihn und Eileen anstarren. Jetzt wünscht er, er hätte etwas gesagt, anstatt so entdeckt zu werden. Er will, daß sie wieder verschwinden, zurück in die Stadt, aus der sie gekommen sind.

«Ein Spanner», sagt einer von ihnen.

Das Mädchen mit dem Rum meint, sie sollten lieber die Klappe halten und abhauen, ehe sie Ärger bekommen. Sie steigen ein und werfen verstohlene Blicke auf Eddie und Eileen. Der Fahrer dreht den Schlüssel, doch der Motor springt nicht an. Die Jungen auf der Ladefläche springen herum und schlagen auf das Dach der Fahrerkabine.

«Ihr müßt mich anschieben», schreit der Fahrer, den Kopf aus dem Fenster gestreckt.

Zwei springen herunter, schieben den Pickup an und springen dann wieder auf.

«Ein Perverso», schreit einer der Anschieber. «Der steht auf Kinder.»

Der Pickup ruckelt, doch der Motor stottert nur. Die Jungen auf der Ladefläche werden ganz schön durchgerüttelt, bis der Wagen schließlich richtig anspringt und mit Vollgas die Straße entlangschießt. Leere Coladosen fliegen durch die Gegend.

Das Aluminium in Eddies Händen verbiegt sich unter lautem Knacken, rutscht ihm aus der Hand und schneidet ihm in den Handballen.

Eddie und Eileen sitzen auf der Veranda, in dem neuen Liegestuhl. Er ist lang und ganz aus Holz, hat ein zusätzliches Fußteil und dicke, harte Kissen. Es ist jetzt richtig dunkel, und sie haben beschlossen, hier draußen zu warten, bis Mary, Little Eddie und Cody aus Rutland wiederkommen. Sie wollen sehen, was für Preise sie gewonnen haben, und hören, wie es war mit dem tanzenden Schwein und mit den Autoscootern.

Eddie lehnt tief in den Kissen, und Eileen sitzt zwischen seinen Beinen, den Kopf an seiner Brust. Sie haben sich in eine Wolldecke gewickelt, die bis an Eileens Kinn reicht. Die Luft ist anders. Es wird jetzt kühler, und sie reden darüber, daß dann hoffentlich alles besser wird. Vielleicht werden die Beine nicht mehr so jucken. Vielleicht braucht sie nicht mehr so oft mit dem schmalen Lineal in die Gipsschalen hineinzufahren, um sich zu kratzen.

«Ich hab Angst, daß meine Beine verschwinden, wenn ich sie nicht sehen kann», sagt sie.

«Das scheint vielleicht so», sagt er, «aber du kannst sie dir ja vorstellen. Dein kleiner Bruder, wenn der etwas nicht sehen kann, dann weiß er nicht, daß es da ist. Er hat noch nicht gelernt, daß etwas trotzdem dasein kann, auch wenn man es nicht sieht. Aber du kannst es dir ja vorstellen.»

«Ich kann mir vorstellen, daß sie nicht da sind.»

Am Unterlauf des Connecticut River, in Ware, tobt ein Sturm, mit Donnern und Blitzen, Regen und Hagel. Der

Himmel bekommt eine gelbliche Farbe, wie bei einem Tornado. Durch die Taleinschnitte in den Bergen hören sie die Musik aus *Santa's Land* drüben in Vermont. Es ist eines dieser akustischen Phänomene, wie Stimmen über dem Wasser oder wie Töne, die lauter ankommen, als sie ausgesandt wurden, aber doch irgendwie anders. Es ist die Art und Weise, wie sich Töne in den Bergen und um sie herum fortpflanzen. Das Klimpern der Schlittenglocken, über einen Lautsprecher verstärkt, tönt hohl durch die Luft, meilenweit, bis zu ihrem Haus.

Sie waren noch nie in diesem Freizeitpark. Er ist im Sommer geöffnet, und es gibt dort Rentiere, Ziegen und Schafe, Karussells und Kinofilme, Dinge, die Kindern Spaß machen. Santa Claus kommt mit einem Schwarm von Elfen, und es gibt einen Kiosk mit Souvenirs. Sie wollten eigentlich schon immer mal hin und sind ein paarmal dran vorbeigefahren, haben aber nie angehalten. Irgendwie scheint es weiter weg zu sein, als es in Wirklichkeit ist, weiter weg als der Nordpol. Eddie denkt, je länger sie warten, desto unwahrscheinlicher wird es, daß sie überhaupt jemals hinkommen. Und dadurch klingen sie noch viel seltsamer, diese Töne, die schwach bis zu ihnen dringen – die Melodie von «Jingle Bells».

Es wird noch dunkler; die Nacht dehnt sich aus wie ein riesiges Meer. Die Blätter beginnen sich zu verfärben, rascheln leise im lautlosen Wind. Die Musik von drüben kommt und geht, kommt und geht. Das Gewitter, das in Ware tobt, zieht vielleicht nach Norden.

«Guck mal», sagt sie. «Jeder Stern ist ein See. Da oben ist ganz viel Wasser.»

Eddie fühlt sich, als würde er haltlos umhertreiben, und er weiß, daß sie es auch spürt, denn sie drückt sich an ihn, so fest es geht, zieht die Beine nach, schlägt sie unter der Decke gegeneinander. Es kommt ihm vor, als würde sich das Haus bewegen und die Blätter in der Nacht wären still. Das Haus hat sich dem Erdboden entwunden und ist ein Schiff auf hoher See, schaukelt auf den Wellen, einen Augenblick lang zornig, im nächsten sanft.

Eddie hält dieses Gefühl fest. So ist er weniger ein Betrachter der Erde als vielmehr ein Teil davon. Vielleicht ist die Hölle in Aufruhr, denkt er, versucht, Platz zu schaffen für Raudabaugh, doch der lacht sie alle aus und schimpft sie einen Haufen von Arschlöchern und kleinen Idioten. Solche Gedanken kommen einem, wenn man Kinder hat. Diesen hier wird er aufschreiben.

«Das ist wie in *Der geheime Garten*», sagt Eileen. «Dickon und Mary bringen Colin dazu, daß er geht. Sie haben Krokusse, Anemonen, Rosen, Iris und Narzissen.»

Sie zählt die Blumen an den Fingern ab; ihre Stimme ist ein Singsang.

Sie sagt: «Colin hatte Angst, daß er sterben könnte, bevor er groß ist. Daddy, sag mal: Zwischen zwei Zwetschgenzweigen zwitscherten zwei Schwalben.»

Eddie sagt es und lacht. Er sagt ihr, daß sie doch ein tolles Paar sind, er mit einem Taschentuch um die Hand und sie mit ihren eingegipsten Beinen.

«Wir zwei sind ein tolles Paar», sagt Eileen.

Der Wind wird stärker, er bläst jetzt ganz ordentlich. Das paßt nicht zur Jahreszeit, ist eher wie das Geschenk eines Märztages. Jetzt fallen auch Regentropfen. Sie sind so groß, daß man sie fast durch die Luft fallen hören kann. Es sind nicht viele, doch die paar, die fallen, sind dick und fett und platschen auf die Erde wie Frösche in einen Teich. Oben knallt eine Tür zu, und ein blechernes Scheunendach im Ort scheppert und klappert. Dann ist es wieder still.

«Das war knapp», sagt Eddie.

Sie sagt das gleiche, ihr Körper entspannt sich, und dann ist sie eingeschlafen.

Eddie sitzt da und überlegt, was er tun soll. Er hätte gern ein Buch oder eine Zeitschrift oder sein Tagebuch da, will sich jedoch nicht bewegen und sie aufwecken. Es hatte ein ruhiger Abend werden sollen, nur sie beide allein, doch dann ist soviel dazwischengekommen: der Stausee, die Tiere, die Jugendlichen am Cola-Automaten, seine Hand und das Gewitter. Er möchte darüber nachdenken, ist aber zu müde, nicht körperlich, sondern im Kopf. Er kann nicht mehr denken und möchte nur noch schlafen. Eileen bewegt sich in seinem Arm, spricht im Schlaf.

«Sie hat ausgesehen wie Mary.»

«Mary? Wen meinst du?»

«Mary, deine Frau.»

«Seit wann nennst du deine Mutter Mary?»

«Oh, Eddie, du weißt doch, wie das ist.»

«Nein, ich weiß nicht, wie das ist.»

«Das Mädchen, das die Cola im Haar hatte. Sie hat ausgesehen wie Mary.»

Eddie sagt nichts. Er hält die Hand geschlossen, damit sich das weiße Taschentuch nicht löst, und bildet sich ein, daß er gerade eben noch einmal die Musik aus *Santa's Land* gehört hat.

«Wer ist das indische Baby?» fragt er.

«Ein kleines Mädchen mit dunklen Haaren und dunkler Haut. Mit schwarzen Augen. Es lebt in einer Decke.»

Eine Erinnerung steigt in ihm hoch. Er ist ein kleiner Junge und liegt auf dem geknüpften Teppich im Haus seiner Eltern. Sie hatten eine Dampfheizung, und im Winter war die Luft immer ganz trocken. Der Fernseher läuft, erhellt den dunklen Raum, flackernde Schwarzweißbilder, die sich bläulich verfärben, bis sie bei ihm ankommen. Sein Vater ist im Sessel eingeschlafen. Alle Sessel sind zur Mitte des Zimmers gerichtet, doch der Fernseher steht an der Wand, und rechts daneben geht es auf den dunklen Flur hinaus, zu den Schlafzimmern. Seine Mutter schläft in dem Zimmer am Ende des Flurs.

Sie hat darauf bestanden, die Sessel so zu stellen, damit Besucher nicht denken, daß sich ihr ganzes Leben um den Kasten dreht, wie sie es nennt, aber sie haben nur selten Besuch, und deshalb müssen die, die dem Fernseher am nächsten sitzen, über die Schultern sehen.

Es gibt nur ein Programm, und das bringt immer wieder einen bestimmten Werbespot. Man sieht eine Marionette, eine Puppe, deren Glieder an Fäden hängen. Sie tanzt auf der leeren Bühne herum, doch ihre hölzernen Füße machen keine Geräusche. Eine schwarz behandschuhte Hand, die eine schwarze Schere hält, kommt ins Bild und schneidet einen Faden durch. Ein Arm fällt herab und baumelt an der Seite der Puppe, doch sie tanzt weiter. Dann wird noch ein Faden durchgeschnitten, und auch der andere Arm fällt nach unten. Dann die Beine, eines nach dem anderen, und dann hängt die Marionette nur noch regungslos da. Kurz davor hatte man einen Impfstoff gegen Kinderlähmung entdeckt, und man wollte die Menschen darauf aufmerksam machen.

Es war dunkel im Zimmer, richtig schwarz, so wie es ist, wenn nur das Fernsehen läuft und sich in dem großen Wohnzimmerfenster das spiegelt, was gerade gezeigt wird. Er lag auf dem Teppich und sah sich den Werbespot an, und sein Vater schlief im Sessel, den Kopf zur Seite auf die Schulter gekippt, was eine reichlich unbequeme Stellung zum Schlafen sein mußte.

Später, erinnert er sich, mußte er in der Schule einen Hausaufsatz schreiben. Jeder suchte sich eine Krankheit aus der Liste aus, die der Lehrer herumgehen ließ. Er wählte Kinderlähmung.

Er schrieb über die graue Substanz in der Wirbelsäule, über Kinder im Sommer und im Herbst, über Fieber, Magenbeschwerden, steife, schmerzende Nacken, plötzliches Kältegefühl und Übermüdung und darüber, daß Krankengymnastik der früher üblichen Ruhigstellung vorzuziehen sei. Dann schrieb er über die warmen Quellen in Georgia und darüber, wie das Wasser des Pine Mountain Franklin D. Roosevelt gutgetan hatte, so daß er die *Georgia Warm Springs Foundation* gründete, damit anderen auch geholfen werden konnte, und daß er eine Hütte hatte, die Little White House hieß, in der er 1945 starb. Die Indianer wußten lange vor den Weißen über die Krankheit Bescheid. Der letzte Satz seiner Arbeit lautete: «Eine Heilung ist derzeit nicht möglich, aber die Wissenschaft unternimmt weiter große Forschungsanstrengungen.»

Die Enzyklopädie war schon alt gewesen, und das hatte er nicht gewußt. Als ihn der Lehrer darauf hinwies, wußte er nicht, wem er glauben sollte.

Im nächsten Jahr wurde dieses Aufsatzthema nicht mehr gestellt, weil so viele Kinder Alpträume davon bekamen, weil so viele Kinder dachten, sie hätten selbst die Symptome der Krankheit, über die sie schreiben sollten.

«Oh, Eddie, Amerika ist so wunderschön. Die Flüsse und die Berge. Heute liebe ich dich. Heut hab ich dich ganz lieb.»

Er denkt an Kinderlähmung und fühlt sich wieder völlig haltlos, als schwebe er in der Luft, ganz ruhig, und es gefällt ihm. Er erinnert sich, wie er in einer langen Schlange von Kindern und Müttern stand, einer Schlange, die sich die ganze Straße bis zum Platz entlangzog. Sie rückten langsam voran, an den Gaswerken vorbei, der Bank, der Kirche, der Schuhmacherwerkstatt, dem Lebensmittelladen und dem Friseurgeschäft. Schließlich standen sie vor einem Arzt, der kleine Becher mit Zuckerwasser verteilte. Er paßte auf, daß man seinen leer trank, und tätschelte einem danach den Kopf.

Sein Vater war am anderen Ende der Stadt in der Fabrik. Er verarbeitete Draht, der auf riesige Spulen aufgewickelt war, zu Schrauben, Muttern und Bolzen.

Es war heiß, und als sie wieder ins Auto stiegen, war es wie in einem Backofen, und er mußte sich auf den Boden hocken, weil er sich am Sitz die nackten Beine verbrannt hätte.

Als an diesem Abend die Marionette wiederkam, stieß er seinen Vater mit dem Fuß an, um ihn aufzuwecken, doch er wachte nicht auf, und Eddie fühlte sich ganz allein gelassen. Dann bekam er plötzlich Angst, sein Vater hätte es auch bekommen, und er trat nochmals nach ihm, damit er sich rührte. Diesmal bewegte er sich im Schlaf und grunzte: «He, was zum Teufel willst du?», und Eddie fühlte sich besser.

Erst Jahre später verstand er den Zusammenhang zwischen all diesen Dingen, verstand, wie Worte an die Stelle von Taten treten, wie sich die Vergangenheit als dicke Schicht über die Gegenwart legt.

Mary schüttelt ihn an der Schulter. Er sieht auf, und da steht sie. Hinter ihr steht Cody, hat Little Eddie auf dem Arm und lächelt. Eileen schläft immer noch, den Kopf zur Seite gelegt, die Wange an Eddies T-Shirt gedrückt, das ganz feucht ist an der Stelle, wo ihr Mund war.

«War es schön?» flüstert er.

«Ja, ganz toll, besonders für die Jungs», flüstert sie und küßt ihn auf die Wange. «Holst du mal eben den Pandabären aus dem Auto?»

TEIL VIER

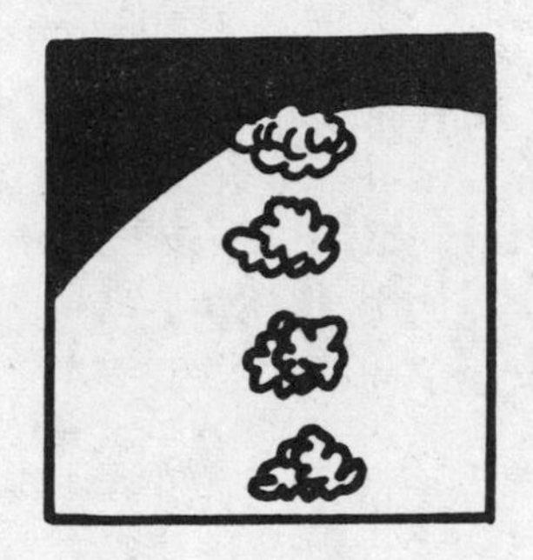

21

Ende August wird Joe Paquette das Opfer seiner rasanten Fahrweise und schlampigen Wartung. Er ist mit einem Laster voller Kälber nach Derby Line unterwegs. Er ist zugedröhnt mit *No Doz*, kleinen weißen Pillen, die einem die Augenlider nach oben ziehen und sie an die Stirn nageln. Pillen, die einem jede Vorstellung verdrehen, die man sich jemals von Raum und Zeit gemacht hat. Pillen, bei denen sich Körper und Geist wie ein Jojo fühlen. Bei diesen Pillen, da geht das Licht an in einem, aber das heißt noch lange nicht, daß jemand zu Hause ist.

Er nickt ein, und der riesige Diamond Reo knallt gegen die Drahtseile der Straßenbefestigung wie ein Zugpferd, das durch eine Wäscheleine galoppiert, reißt die Pfosten heraus. Der Laster segelt durch die Luft in den Connecticut River, pflügt eine zweihundert Fuß lange Furche in die schlammigen Fluten, das Wasser schlägt über dem Wagen zusammen, bedeckt Joes Leiche und ertränkt die Kälber im vorderen Teil des Anhängers, die es nicht schon vorher erwischt hat. Joes letzter Gedanke: eine große Katze auf dem gelben Mittelstreifen.

Sie kommen mit schwerem Gerät, mit genug Ketten und Kabeln, um ein Haus aus den Angeln zu heben. Codys D-7 Catdozer und sein Rückeschild kommen wieder zum

Einsatz. Die Doody-Brüder kommen mit ihren Maschinen, und Ferris und Coonie mit den städtischen Lastern. Es ist eine Nacht der rotflackernden Signallampen, die im Boden stecken, der Warnleuchten und Scheinwerfer und Flutlichter. Die Männer machen ihre Arbeit gut. Das müssen sie auch. Sie bauen die Maschinen, sie arbeiten mit ihnen, warten sie, und wenn etwas mit den Maschinen schiefgeht, dann bügeln sie es mit anderen Maschinen wieder aus.

Rose Kennedy bleibt im Haus, während Mary zu Marie geht.

Es mußte ja so kommen, ist alles, was sie sagt, während sie dasitzen und warten.

Louis Poissant und Owen kommen vorbei. Es waren Louis' Kälber, jetzt ist es sein Kalbfleisch. Er sagt nichts, aber es ist ganz praktisch, daß Joe auf dieser Seite in den Strom gefahren ist, denn er hatte keine Genehmigung, die Kälber aus New Hampshire auszuführen.

Thad, Eddie und Dr. Pot stehen im Schlamm, als das Führerhaus herausgezogen wird. Alle anderen sind weiter weg. Wenn ein unter so starker Spannung stehendes Kabel reißt, kann es einen Menschen entzweischneiden. Sie klettern aufs Trittbrett, doch Dr. Pot tritt daneben und versinkt bis zur Hüfte im Schlamm. Beinahe wäre er in das Loch gerutscht, das Joes Laster hinterlassen hat, doch Eddie fischt ihn aus dem schwarzen Wasser und reicht ihn an Thad weiter, der ihn zu dem zertrümmerten Fenster hochhebt.

Dr. Pot klettert hinein und kommt nach einer Minute wieder heraus.

«Er ist tot», sagt er.

Dr. Pot steigt herunter und versinkt erneut bis zur Hüfte, doch Eddie zieht ihn wieder raus. Die Männer, die sich an den Kabeln entlang zum Laster hangeln, helfen ihm die Böschung hinauf.

Die Doody-Brüder kommen mit dem Amkus-Triebwerk. Ferris ist bei ihnen. Er trägt Ramme, Schneidemaschine, Spreizer und die hydraulische Rettungszange. Ein hundert Pfund schwerer Stahlapparat, der einen Druck von 120000 Pfund ausüben kann, Kraft zum Rammen, Schneiden und Spreizen. Barkley folgt mit Ketten, und Cody überprüft alle Maschinen noch einmal, geht von Kabel zu Kabel, zieht an jedem, um zu sehen, ob die Zugkraft gleichmäßig verteilt ist, lauscht den Motoren, ob sie auch rund laufen, ohne Aussetzer, ohne verstecktes Stottern.

Die Männer im Wasser machen sich daran, das Führerhaus aufzuschneiden und Joe Paquette herauszuholen. Thad zentriert die Dreiwegeventile und stellt das Gas auf maximale Leistung ein. Er hält das Triebwerk mit einem Fuß fest und faßt nach dem Überrollbügel. Er reißt den Motor an, schnell und hart, und der dröhnt los, treibt die zweistufige Axialkolbenpumpe an, die den Druck bis auf zehntausend Pfund pro gottverdammten Quadratzoll aufbaut. Es ist eine Wahnsinnsmaschine.

Sie rollen den Druckschlauch mit der doppelten Stahlumhüllung aus und verbinden ihn mit den hydraulischen Werkzeugen. Die Flüssigkeit strömt in die Zylinder, und sie fangen an zu arbeiten, drücken die Tür ein, reißen sie aus den Angeln. Sie drücken den Boden nach unten und heben das Lenkrad an. Die, die nah genug sind, hören das Kreischen und Knirschen von Stahl. Sie gehen behutsam vor, wissen, daß ihnen bei soviel Kraft schnell ein Werkzeug abrutschen kann.

Weitere Helfer sind angekommen. Sie stehen vierzig Fuß höher an der Unfallstelle auf der Straße, die so weit weg ist, daß der Laster in der Luft das Sechsfache seiner eigenen Länge zurückgelegt haben muß, bevor er in den Fluß eintauchte. Louis Poissant und Owen kommen an einem lose herabhängenden Kabel der Seilwinde die Böschung herunter. Louis sagt zu Thad, er soll ein kleines Loch in den Anhänger schneiden, damit Owen hineinklettern und die Kälber, die noch leben, erschießen und möglichst vielen von ihnen die Kehle durchschneiden kann. Thad gefällt diese Vorstellung nicht, er kann aber nicht abstreiten, daß es im Grunde das Vernünftigste ist. Er schickt Ferris hinüber zur Rückseite des Anhängers, um den verklemmten Riegel aufzuschneiden. Louis zieht einen 22er Revolver aus der Tasche und gibt ihn dem Jungen, zusammen mit einer Schachtel Patronen. Sie öffnen die Tür, und die Männer auf der Böschung sehen, wie Owen im schwarzen Schlund des Anhängers verschwindet, eine Taschenlampe zwischen die Zähne geklemmt. Sie meinen, dumpfe Schüsse zu hören. Es knallt immer wieder und klingt eher nach Platzpatronen als sonstwas. Ein Polizist kommt herüber und fragt, was los sei. Als er es erfährt, rennt er so schnell er kann die Böschung hinab und packt Louis beim Arm.

Die Männer auf der Straße können nicht verstehen, was gesagt wird, sehen aber, wie Louis sich losreißt und in den Schlamm fällt. Die Scheinwerfer sind auf die Männer unten an der Böschung gerichtet, und Louis redet. Die Zuschauer stellen sich vor, wie er dem Polizisten auf nicht sehr freundliche Art sagt, er soll sich gefälligst verpissen. Der packt ihn wieder und versucht, ihm Handschellen anzulegen, doch dann hält er inne. Die Männer sehen, warum. Owen ist aus dem Anhänger herausgekommen und hat den Revolver auf den Polizisten gerichtet. Sie warten darauf, daß er schießt.

Thad und Eddie sehen es auch. Sie arbeiten sich zu den beiden vor und erklären dem Polizisten, was los ist, während Owen mit einem Messer wieder im Anhänger verschwindet. Der Polizist beschlagnahmt den Revolver und klettert die Böschung wieder hinauf.

Ferris fängt an, die Dachträger zu zerschneiden und das Dach zurückzubiegen. Dann muß er die Lenksäule wegschneiden, das Brems- und das Kupplungspedal und den Schaltknüppel. Dick Doody kommt mit der Ramme und arbeitet sich durch Sitz und Armaturenbrett und alle möglichen Stahlteile durch, um Joe freizubekommen.

Die Männer schauen zu, beobachten die anderen Männer bei der Arbeit, wie sie durch den hüfttiefen Schlamm waten, wie sie in den Fluß fallen und wieder herausgefischt werden. Sie erzählen einander Geschichten, die sie einmal gehört haben, Geschichten über Treibsand, über Strudel und über Karpfen, die so groß sind, daß sie einen am Stück auffressen könnten. Sie erzählen von bissigen Wasserschildkröten und von Aalen. Sie reden vom Winter und davon, wie schnell man beim Angeln ins Eis einbricht. Und die ganze Zeit leuchten die gleißenden Scheinwerfer nach unten, lassen die Wasseroberfläche hell und schimmernd erscheinen, lassen die Männer sehen, was die anderen tun, was sie freiwillig tun, und das Wasser unter ihnen ist schwarz und kalt.

Die Männer im Wasser nehmen die Farben des Lichts an, und die Farben glänzen vor schlammig-glitschiger Nässe. Sie trampeln über Gräser und Sträucher hinweg. Sie schieben Schilf beiseite, Riedgras und Rohrkolben; und über ihnen, im Dunkel der Erde versteckt, sehen die Nachttiere, Schleiereule, Graufuchs, Puma und Rhesusäffchen, Otter, Schneeleopard und mandschurischer Kranich, mit trägen, schweren Augen zu.

Als sie Joe schließlich rausziehen, geben sie sich keine Mühe, das Blut zu stillen, das langsam aus ihm herausfließt. Das Blut fließt auf den Boden und in das Wasser, das sich dort sammelt, wo er eine Furche in den Erdboden gepflügt hat. Sie packen ihn in einen Plastiksack mit Reißverschluß, doch der verhakt sich am Hals. Sie kriegen ihn nicht ganz zu. Sie binden ihn auf eine Bahre, und Cody rollt ein Kabel vom Rückeschild ab. Es wird von Hand zu Hand weitergereicht bis zum Fahrerhaus, wo Thad und Eddie und die Doody-Brüder die Bahre hochheben und halten. Ferris befestigt das Kabel am Rahmen und gibt ein Zeichen, daß es losgehen kann. Cody holt das Kabel mit den Männern langsam ein. Sie halten sich an den Griffen der Bahre fest und sorgen dafür, daß sie nicht über den Boden schleift. Auf dem Weg nach oben greifen weitere Männer zu, und als an der Bahre kein Platz mehr frei ist, halten sie sich an Gürteln und Rockschößen fest, und Cody zieht die Männer mit ihren Werkzeugen die Böschung hinauf.

Oben setzen sie die Bahre ab. Barkley Kennedy sieht Joes Christophorusmedaille an der Kette baumeln, die sich im Reißverschluß verfangen hat. Alle anderen sind zurückgewichen, unfähig, den Anblick des Todes zu ertragen, wenn er mit Stahl- und Kunststoffteilen, Glas, Eisen, Gummi, Geschwindigkeit und Kraft zu Werke gegangen ist.

Barkley sinkt auf die Knie und umschließt die Medaille mit der Hand.

«Wir brauchen einen Geistlichen», sagt er, aber nicht laut. Er sagt es leise zu sich selbst, und seine Stimme und seine gebeugten Schultern lassen sein Alter deutlich werden.

Niemand tritt vor. Niemand sagt etwas, und es wird still. Barkley behandelt Joe, als habe er einen Herzschlag vernommen, einen schwachen Puls oder einen Atemzug, und es den Männern gesagt, die ihn umringen zwischen schweren Dieselmaschinen und dem Summen der Generatoren, die den Strom für die Scheinwerfer erzeugen.

Barkley sieht sich im Kreis um. Sein Blick verharrt bei jedem der Männer; konzentriert starrt er einem nach dem anderen ins Gesicht. Er schaut auf Cody, der in seinem Käfig auf dem Rückeschild steht, und faßt einen Entschluß.

Er geht zu ihm, klettert die Leiter hinauf und kommt mit einer Dose Motoröl wieder herunter. Mit seinem Taschenmesser ritzt er ein Loch hinein und gibt Joe die Letzte Ölung, öffnet den Reißverschluß und salbt, was von seinen Augen, Ohren und Lippen, der Nase, den Händen, Füßen und Lenden noch übrig ist.

Er spricht ein kleines Gebet. Er sagt: «... der allmächtige Gott helfe dir in seinem reichen Erbarmen. Er stehe dir bei mit der Kraft des Heiligen Geistes. Er richte dich auf in seiner Gnade. Aufladen, Jungs. Zeit zum Gehen.»

Doch niemand bewegt sich. Sie sehen an Barkley vorbei zum Fluß hinunter. Barkley dreht sich von Joe weg und sieht Owen, der, überzogen mit einem roten Blutfilm, die Böschung heraufgeklettert kommt ins Licht der Scheinwerfer, das Messer zwischen die Zähne geklemmt. Von seinen Fingern tropft Blut, glänzend und rot wie rubinrote Tränen.

«Du lieber Gott», sagt Eddie, «ich brauch 'nen Whiskey.»

«Einer wird's kaum tun», sagt Thad.

Louis kommt mit einem Armvoll Lumpen, damit Owen sich abwischen kann. Eddie und Thad treten vor und laden Joe in den Gerätewagen. Dr. Pot springt hinten auf, und sie schlagen die Tür hinter ihm zu.

Louis und Cody unterhalten sich. Louis fragt ihn, ob er am Morgen mitkommt, um die Kälber rauszufischen. Cody sagt ja.

«Ich würd es jetzt gleich machen», meint Louis, «aber wir sind noch nicht mit dem Melken fertig.»

«Kein Problem», sagt Cody und geht mit ihm zum Cadillac. Louis besteht darauf, daß Owen die Rückfahrt im Kofferraum macht.

Cody geht wieder zurück und hilft den Männern, die Ausrüstung auseinanderzunehmen und einzupacken. Als genug Platz zum Wenden ist, steigt Eddie in den Rettungswagen und fährt los. Er wird Pot absetzen und sich dann von Marie die Erlaubnis holen, Joe mit zu sich zu nehmen.

Die Doody-Brüder überlassen Cody den Dreiachser für morgen, weil sie ihn nicht brauchen. Sie sind die letzten Helfer, die gehen, dann verschwindet auch die Verkehrspolizei, und Cody ist allein in der Stille. Er beginnt ein Gespräch mit G. R. Er erzählt ihm, daß vor ein paar Stunden alles genauso still gewesen ist wie jetzt. In der Zwischenzeit ist die Nacht von Getöse zerrissen worden, von rasendem Getöse, in dem ein Mensch und eine Ladung Kälber gestorben sind und in dem einige Männer wie wild gearbeitet haben; bei all den Seelen, die zum Himmel aufgefahren sind, muß es einen ganz schönen Verkehrsstau gegeben haben. Er erzählt G. R., wie stolz er auf den Jungen ist, auf Owen, weil er sein Blut verteidigt hat, und dann geht er schlafen.

Am frühen Morgen, als es noch kein Licht außer dem des Mondes und der Sterne gibt, spritzt Eddie Joe Paquette ab. Er geht um ihn herum, überlegt, was zu tun ist, versucht, sich zu einer Entscheidung durchzuringen, ob er ihm ein neues Gesicht machen soll oder nicht. Er sieht alte Narben, alte Spuren, die zeigen, daß Joe, wenn es nötig war, seinen Mann stehen und auch einstecken konnte.

Er sieht auch frische Nähte, direkt unter der Brustwarze, die einen handbreiten Einschnitt verschließen. Den gleichen Schnitt hat Eddie auch bei Clifford Manza gesehen, der eine Massage am offenen Herzen bekommen hatte.

Er arbeitet sich zu Joes linkem Arm vor. Er wird ihm eine neue Hand machen müssen, eine aus Gips. Die Beine müssen geschient werden, und vielleicht kann er ihm auch das Gesicht wieder zurückgeben, aber das wird nicht einfach sein, eine Aufgabe für einen Künstler.

Er legt den Arm wieder hin und sieht sich den Einschnitt an. Merkwürdig, denkt er. Das paßt doch nicht. Er rollt ihn in den Kühlraum und knipst das Licht aus. Jetzt braucht er nichts dringender als einen ordentlichen Drink. Einen doppelten Whiskey, der ihn gerade soweit beruhigt, daß er darüber nachdenken kann.

Draußen in der taufrischen Luft überlegt er es sich noch mal, ehe er an die Tür zu Codys Pferdeanhänger klopft. Es ist wirklich ein schöner Platz hier draußen, unter freiem Himmel. Codys Anhänger steht in einem Birkenwäldchen, gleich neben dem Weg, der den Berg hinaufführt, dem Weg, den Eddie vor so vielen Monaten hinaufgestiegen ist, um seinen neuen besten Freund zurückzuholen. Der Anhänger steht wie ein Wärterhäuschen an der Straße.

Drüben in seiner Box schnaubt Buck und klopft mit dem Knie gegen die Holzwand. Eddie stellt sich das Pferd als ein sinnenhaftes Wesen vor, ein Wesen, das durch seine Sinne weise geworden ist. Diese Vorstellung gefällt ihm. So schnaubt Buck für ihn. Das ist mehr, als sich einfach nur die Nase freizuprusten.

Noch ehe Eddie anklopft, steht Cody vor der Tür und zieht sie hinter sich zu. Seit Cody in ihrem Garten wohnt, war Eddie noch nie bei ihm drinnen. Er hat nie daran gedacht, ihn darum zu bitten.

«Wollen wir ein bißchen reden?» fragt er.

«Klar», sagt Cody und geht aufs Haus zu.

Eddie folgt der Spur, die Cody im weißen, glitzernden Tau hinterläßt, einer Spur, die er selbst schon zur Hälfte gelegt hat, als er hierhergekommen ist, und Cody zieht jetzt die andere Hälfte.

Eddie holt für Cody eine Limonade und eine Flasche Jim Beam für sich. Sie sitzen im Wohnzimmer, neben Colleen Gunnip, einer Toten, die aus dem Pflegeheim rübergebracht wurde. Rose Kennedy hat für sie unterschrieben.

«Wer ist das?» will Cody wissen.

«Sie kommt aus dem Altersheim. Sieht auch so aus.»

Cody lacht. «Hoffentlich stürzt der Laden bald ein», sagt er. «Du wirst mich hoffentlich erschießen, bevor du mich an so einem Ort verrotten läßt.»

«Keine Panik», sagt Eddie, leert sein Glas, nimmt die Flasche, die er zu seinen Füßen auf den Boden gestellt hat, um das Glas wieder zu füllen. Er hat vor, den gleichen Pakt mit seinem Sohn zu schließen, wenn der alt genug ist, diese Worte zu verstehen, und noch jung und unbesonnen genug, das Leben und den Tod leichtzunehmen und ihm sein Wort zu geben.

Eddie will Cody von dem Einschnitt erzählen.

«Was macht sie hier?»

«Rose war hier bei den Kindern. Als sie sie brachten, hat sie ihnen erlaubt, sie hierzulassen, während wir weg waren. Eileen hat ihr gesagt, daß wir es immer so machen. Sie waren beide ganz stolz.»

Cody klopft sich auf die Schenkel, und diesmal lacht Eddie auch. Ihm gefällt die Vorstellung, sich alle Zeit der Welt zu nehmen, hier zu sitzen und zu trinken und mit seinem Freund Cody herumzualbern.

«Joe kann noch 'ne Zeitlang liegenbleiben», sagt Eddie. «Dagegen wird er wohl nichts haben. Warst du auch mit unten, als wir ihn rausgezogen haben?»

«Ganz oben», sagt Cody. «Und wie geht's sonst so?»

«Ganz gut», sagt Eddie. «Ganz gut. Sind alle ein bißchen beunruhigt, daß so etwas passiert ist. Morgen abend ist unser Feuerwehrfest.»

«Du meinst heute abend.»

«Ach ja, du hast recht. Manchmal bin ich ein bißchen durcheinander. Gerade in letzter Zeit kommt's mir manchmal vor, als würde ich ganze Tage nicht mehr zusammenkriegen.»

«Vergiß es», sagt Cody. «Ist eh' nicht so wichtig.»

«Weißt du was? Die Leute hätten den Tod lieber ein bißchen menschlicher. Sie haben es gern, wenn er still und leise in ein Krankenzimmer kommt, am besten abends, wenn ein paar Kerzen brennen. Sie haben es gern, wenn man den Tod erklären kann, wenn man Fakten hat, Gründe und Ursachen, das Warum und das Wie kennt. Und sie haben ihn gern sauber, so sauber wie möglich. Sie sagen technisches Versagen oder Krebs und meinen, damit sei alles erklärt. Sogar die Ärzte lernen, daß das Erklärungen sind. Sie sagen ‹Krebs›, und alle nicken mit dem Kopf. Doch sie haben keinen Platz in ihrer Vorstellung für jemanden, der von einem Zementblock erschlagen wurde, oder für ein Kind, das an der Ampel steht und von Spikes durchsiebt wird, die aus einem überhitzten Winterreifen fliegen.»

«So was ist wirklich mal passiert?»

«Und ob das passiert ist.»

«G. R. ist stolz darauf, wie er gestorben ist. Das weiß ich genau.»

«Das glaub ich gern», sagt Eddie.

Eddie möchte die ganze Flasche leer trinken, möchte spüren, wie der Bourbon durch seine Adern jagt wie kleine Wildpferde.

«Viel Arbeit mit Joe? Ich meine, weil ich Louis versprochen hab, daß ich ihm nachher mit den Kälbern helfe.»

«Nein», sagt Eddie, «ich krieg's schon hin. Im Moment will ich einfach nur ein bißchen dasitzen. Und Gesellschaft haben.»

«In der Therapiegruppe haben sie gesagt, daß man ein Problem hat, wenn man allein trinkt.»

«Haben sie gesagt, was für ein Problem?»

«Eigentlich nicht. Sie haben es nur angedeutet.»

«Aber sie haben nicht gesagt, was es ist.»

«Nein.»

Die beiden Männer lächeln sich an. Aus dem Sack, in dem Colleen Gunnip liegt, ertönt ein Geräusch. Luft entströmt dem Körper, wie ein Schnarchen.

«Ich kann diese Scheißsäcke nicht ausstehen», sagt Eddie. «Früher, ganz früher, als Peggy Fleming noch hübsch war, hatten wir tausend Leichen im Monat. Ich hab sechs pro Tag gemacht. Wir haben in Zwölfstundenschichten gearbeitet, sieben Tage die Woche, haben sie so gut es ging hergerichtet. Die kamen rein und waren voller Geschosse, Granatsplitter und Maden. Mit allem, was man sich nur vorstellen kann. Völlig zerfetzt von Granaten, hingen so gerade noch zusammen. Totenschein, dreizehn Kopien. Wir konnten herzlich wenig tun.»

«Ich nehm mir auch einen Schluck von dem Zeug, wenn du nichts dagegen hast.»

«Klar, nur zu. Ich trink eh' nicht gern allein.»

Eddie reicht ihm die Flasche, und Cody schüttet sich vier Fingerbreit in seine Dose, schwenkt sie langsam hin und her, damit sich der Whiskey mit der Limonade vermischt.

«Wir hatten drei Kategorien. ‹Nicht zum Anschauen geeignet› hieß, es war ein versiegelter Sarg, keiner durfte reingucken. Dann gab's noch ‹Nur zur Identifikation›, da durfte ein Familienangehöriger reingucken, aber es wurde davon abgeraten. Und dann gab's noch ‹Für die Öffentlichkeit freigegeben›.

Meine ersten beiden waren ein Gefreiter und ein Korporal. Der Gefreite war von der Brust an abwärts total zerfetzt. Er trug einen Umhang. Der Korporal hatte keine Spur von einer Verletzung, nicht die kleinste gottverdammte Spur. An diesem ersten Tag hab ich was gelernt. Tot ist tot ist tot.»

Eddie nippt an seinem Glas, bis es leer ist, doch Cody trinkt nicht. Er schwenkt weiter die Dose hin und her.

«In Khe Sanh gab es Ratten. Wir haben unter der Erde gelebt. Nachts sind sie einem auf der Brust rumgesprungen. Wir mußten die Leichen auf ein Gestell legen, sonst hätten sich die Ratten durch die Säcke durchgefressen zu den erhöhten Stellen, Nase, Hände und Zehen. Wir hatten einen Kühlraum für die Leichen. In einer Nacht hatten wir sechs Leute drin und wurden bombardiert, es hagelte Granatsplitter, und die drangen durch die Wände. Wir mußten die Leichen rausholen und die Totenscheine neu ausstellen. Noch mehr Verletzungen. Die Toten wurden noch mal umgebracht.

War aber irgendwie gut. Hielt einen auf Trab. Es war, als hätte der Krieg schon hundert Jahre früher angefangen, ehe man hinkam, und würde auch hundert Jahre weitergehen, wenn man wieder weg war. Dann, als ich da rauskam, war es gerade Zeit, das normale Leben wiederaufzunehmen. Aber ich sag dir was. In New York State, wo wir gewohnt haben, haben wir keinen Grundsteuernachlaß gekriegt, aber ein Veteran aus dem Zweiten Weltkrieg hat ihn bekommen. Das war das einzige Mal, wo ich wirklich sauer war. Ich hab gesagt, das ist doch alles Scheiße, und dann sind wir weggezogen. Grundsteuer hin oder her, sie sind in dem einen Krieg genauso verheizt worden wie im andern.»

«Und was war mit dem Korporal?»

«Welchem Korporal?»

«Deiner zweiten Leiche. Dem, der keine Verletzung hatte.»

«Innerlich war er total zerfetzt. Die Eingeweide waren ein einziger Brei, aber er hat ausgesehen, als würde er nur ein Nickerchen halten.»

«Wie ist das passiert?»

«Tja, wie passiert so was? Wer weiß das schon?»

Cody sagt nichts. Er weiß, daß sie jetzt eigentlich über etwas ganz anderes reden, über etwas, womit er sich nicht so gut auskennt. Er vertraut darauf, daß sein Freund Eddie Ryan eine Antwort weiß, drängt ihn aber nicht, aus Angst, er könnte vielleicht doch keine wissen.

«So was passiert eben», sagt Cody schließlich.

«Ja. So was passiert.»

Als Eddie aus seinem Rausch aufwacht, weicht im Osten gerade die Dunkelheit dem Licht. Er stellt fest, daß ihm eine Decke übergelegt wurde. Er weiß, daß es warm ist im Zimmer, doch sein Schweiß ist kalt, sein Mund trocken und pelzig. Er reibt sich mit den Fäusten die Augen und versucht, dem Tag ein wenig klarer ins Auge zu sehen.

Eileen und Little Eddie sitzen im Schlafanzug auf dem Sofa. Zwischen ihnen sitzt Colleen Gunnip in ihrem Nachthemd.

Die drei unterhalten sich, wobei Eileen am meisten redet. Sie sehen zu ihm herüber.

«Ich glaub, er ist wach geworden», sagt Eileen, die mit gefalteten Händen dasitzt und eine Decke über ihre Gipsbeine gebreitet hat.

Little Eddie krabbelt vom Sofa herunter und geht zu Eddie. Er stößt die leere Flasche um, als er seinem Vater auf den Schoß klettert und sich an seine Brust schmiegt, den Kopf hin und her bewegt, bis er eine bequeme Stellung gefunden hat.

«Guten Morgen», sagt Colleen Gunnip. «Ich hab die Kinder von oben runtergeholt. Ich hoffe, das ist in Ordnung. Ihre kleine Tochter hat nach jemandem gerufen.»

«Guten Morgen», sagt Eddie.

«Ich glaube, hier liegt ein kleines Mißverständnis vor.»

«Da muß ich Ihnen recht geben.»

Mary kommt ins Wohnzimmer. Sie ist eben erst heimgekommen. Sie war die ganze Nacht bei Marie Paquette und hat darauf gewartet, daß Maries Schwester aus Vergennes ankommt. Sie ist müde und will nur noch duschen und dann ins Bett, kann sich aber noch dazu aufraffen, Colleen zu begrüßen, als würde sie sich freuen, sie kennenzulernen.

Colleen Gunnip sagt, daß die Kinder Hunger haben, und fragt, ob sie ihnen Frühstück machen soll. Mary sagt ihr, wo sie die Cornflakes und die Tabletts findet, die die Kinder mit vor den Fernseher nehmen, und dann gehen sie und Eddie nach oben. Er erklärt ihr alles, so gut er kann, und als Mary etwas sagen will, hebt er die Hand und schüttelt den Kopf.

Mary weiß nicht recht, ob sie lachen oder weinen soll. Sie entscheidet sich fürs Lachen.

«Du stinkst», sagt sie. «Du mußt dringend unter die Dusche.»

Und dahin gehen sie und bleiben so lange drin, bis das heiße Wasser alle ist.

An diesem Abend findet das alljährliche Feuerwehrfest statt, mit Bohneneintopf und einer Auktion, damit neue Geräte angeschafft werden können. Sie haben noch eine Menge vor sich. Der gebrauchte Feuerwehrwagen, den sie 1970 für dreißigtausend Dollar erstanden haben, kostet jetzt neu dreihunderttausend.

Die Bewohner von Inverawe haben ihre Speicher und Schuppen leergeräumt. Es gab Spendenaufrufe im Radio, und Flugblätter wurden unter die Scheibenwischer der Autos auf den Parkplätzen in Keene und Bolton geklemmt.

Für vier Dollar bekommt man Bohneneintopf, Würstchen, Sauerkraut, Kartoffelsalat und braunes Brot, soviel man essen kann. Danach wird zum Tanz aufgespielt.

Der Platz ist voller Menschen. Jeder trägt ein Tablett mit Essen oder einen Topf mit Bohnensuppe oder Sachen für die Versteigerung. Barkley steht am Denkmal und erzählt vom heiligen Florian, dem Schutzpatron der Feuerwehr, als dröhnender Lärm vom schweren Dreiachser der Doody-Brüder die Straße erfüllt.

Die Leute drehen sich um, um zu sehen, wer da kommt. Sie rechnen mit einem Laster, doch was sie über den Hügel herankommen sehen, ist Louis Poissants Cadillac, den offenen Kofferraum voller dreck- und blutverschmierter Kinder. Sie haben es sich bequem gemacht, haben die Arme umeinandergeschlungen oder lassen sie aus dem Wagen baumeln. Sie haben sich rote Streifen und Pfeile ins Gesicht gemalt und tragen Federn im Haar. Sie fühlen sich sauwohl in Louis' Wagen und sind auf dem Weg, um Schokolade und Cola zu kaufen.

Louis hält mitten auf der Straße. Eigentlich wollte er vor dem Laden parken oder auf dem Platz, wie er es immer tut, doch die Straße ist zugestellt mit Autos und Lastern. Hinter ihm wird der Lärm des Dreiachsers immer lauter, während er den Hügel hochkommt. Dann wird der Motor leiser, bis der Fahrer mit Zwischengas in einen niedrigeren Gang geschaltet hat; da wächst der Lärm erneut an. Das Geräusch kommt näher, und jetzt hört Louis es auch. Er weiß, wer es ist, doch ehe er den Fuß wieder aufs Gaspedal setzen kann, ist der Dreiachser schon über den Hügel und kommt heruntergerast.

Cody sieht den Cadillac auf der Straße stehen, mit einer lachenden und winkenden Horde Kinder im Kofferraum. Er steigt in die Eisen, daß die Räder blockieren. Er bringt den Laster dort zum Stehen, wo Louis gerade weggefahren ist, doch der Anhänger macht nicht mit. Er rutscht aus der Anhängerkupplung und rollt weiter, und die Deichsel des Anhängers gräbt eine tiefe Furche in den Asphalt.

Cody fährt weiter und läßt sechzig Rinderhälften zurück, aufgestapelt wie Brennholz, gutes, rohes Fleisch, dessen Knochen im Sonnenlicht schimmern, und ganz hinten liegen dreißig Häute, ausgebreitet wie Teppiche, und dreißig Köpfe. Der unverwechselbare Geruch von frischem rohem Fleisch strömt aus dem Anhänger. Die Stille, die einen Moment lang herrscht, wird bald durch das Geräusch unterbrochen, mit dem das Blut auf den Asphalt tröpfelt.

Nach der Auktion stellen sie Stühle und Tische wieder zusammen. Die Leute sind vollgestopft mit Bohnen und Würstchen, und die Bill Starr Family Band spielt Squaredance und später dann Musik, bei der die Tanzpaare sich etwas näherkommen können.

Der Abend ist ein voller Erfolg. Sie mußten die Türen der Feuerwache aufmachen, und die Feier hat sich auf die Straße und den Platz ausgebreitet. In fast jeder Kühltruhe der Stadt liegt ein halbes oder ein Viertel Rind. Antiquitätenhändler sind aus Boston und Hartford gekommen und haben die Preise für die ausrangierten Sachen in die Höhe getrieben – alte Töpfe, Federbetten, Zinnspielzeug, Dreiräder, Korbmöbel und Gläser. Zwei Wetterfahnen werden zu einem Spitzenpreis verkauft, und ein alter Eichenschrank bringt die Rekordsumme. Hölzerne Werkzeuge, verrostete Werkzeuge und kaputte Werkzeuge gehen für gutes Geld weg, um später die Wände in Arbeitszimmern und Küchen zu schmücken.

Swing 'em, boys, and do it right,
Swing those girls till the middle of the night,
All eight balance, all eight swing,
Now promenade around the ring.

Barkley ist stolz auf sich. Er hat die Auktion organisiert, und als die Versteigerungsobjekte hereinkamen, hat er ihren Wert taxiert. Er hat mitgeboten, um die Preise hochzutreiben. Jetzt steht er mit Rose hinten bei den Kindern und unterhält sie mit Geschichten, damit sich die jungen Leute und die Erwachsenen auf der Tanzfläche austoben können, bei Squaredance und Foxtrott und Polka. Viele Leute sind noch dageblieben, Leute aus Bolton und Keene und Walpole und Chesterfield; darunter viele Feuerwehrmänner, alle zupackend und herzlich, wie hart sie auch arbeiten müssen. Sie haben ihre Sonntagskleider an, dazu die Arbeitsschuhe. Die Piepser tragen sie in der Tasche. Die sommerliche Wärme und der Genuß der vielen Bohnen hat die Abendluft voll und schwer werden lassen. An dieses Fest werden sie sich noch lange erinnern.

Duck for the oyster and on you go,
Four hands half around and don't be slow.
Duck for the oyster, duck!
Dig for the clam, dig!
Duck on through and home you go...

Barkley hat Little Eddie auf dem Schoß und erzählt den Kindern von einem Mann, der Christophorus hieß und eines Tages am Ufer eines Flusses saß und ein Schinkenbrot aß, als ein kleiner Junge vorbeikam und hinüber ans andere Ufer wollte.

Rose sitzt neben ihm. Sie starrt über den Gang hinweg Colleen Gunnip an. Sie ist sicher, daß sie diese alte Frau kennt, vielleicht von einer Tagung, vielleicht von früher, aus ihrer Zeit in Boston. Sie möchte sie gern fragen, weiß jedoch, wie schnell so etwas peinlich werden kann.

«Also hat Christophorus ihn hochgehoben, auf seine Schultern gesetzt und ist losgegangen. Er sank immer tiefer ein, und der kleine Junge wurde immer schwerer.»

Eileen sitzt in ihrer Kutsche, schaut zur Tanzfläche und versucht, einen Blick des jüngsten Gitarristen der Bill Starr Family zu erhaschen. Sie weiß, daß sie ihn liebt. Sie wünschte, er würde ihr etwas auf den Gips malen und sie auf der Tanzfläche im Kreis drehen.

«Er sagte zu dem Jungen, daß er bald untergehen würde, und der Junge sagte: ‹Nein, das wirst du nicht. Geh nur weiter.›»

Das Lied ist zu Ende, und Bill Starr tritt ans Mikrophon. Er grinst und starrt auf die Rückwand, auf den grauen Zement und die schwarzen Fenster.

«Wir leben zwar im Zeitalter der Technik», sagt er. «Aber ich sag euch was, auch wenn wir aus Scheiße Strom machen können, klopfende Herzen am Valentinstag finde ich immer noch schöner.»

Alle lachen, doch Bill Starr reagiert nicht darauf. Er hat seinen Tausendmeilenblick aufgesetzt, den Blick, den Heilige manchmal kriegen, Heilige, Betrunkene und Verrückte. Der Rest der Band hört aufmerksam zu. Bill Starrs Jüngster steht da mit seiner Gitarre, der mittlere am Baß, der Älteste am Schlagzeug, und Bill Starr selbst mit der Fiedel. Bill Starr und sein ältester Sohn sehen aus, als seien sie bereits durch den Trichter des Lebens gezogen worden, während die beiden Jüngeren noch oben auf dem Rand sitzen.

«... und als Christophorus am anderen Ufer ankam, sah er hinunter zu den Bäumen, die weit unter ihm waren, die Wipfel gingen ihm bis ans Knie, und er sah auf seine Arme, und die waren wie ...»

But I'm giving up our dream house and roses by the door,
But that's all in the past, I don't live there anymore...

Barkley sucht nach Worten für sein Bild.

«Wie He-Man», sagt eines der Kinder.

«Oder wie Hulk», sagt ein anderes.

«Quatsch», sagt Eileen und streicht sich das Kleid über den Knien glatt, wo ihr Gips anfängt.

«Seine Arme waren riesig und vollgepackt mit Muskeln, und wißt ihr was?»

«Was denn?» fragen sie.

«Das Kind war Jesus, und er war so schwer, weil er die ganze Welt in seinen Händen trägt.»

«Das Jesuskind», sagt Eileen.

«Das Jesuskind», wiederholen sie alle.

Then down the center you go once more
and promenade right off the floor…

Die Kinder dösen eins nach dem andern ein und werden nach Hause getragen oder mit Schlafsäcken zum Rathaus gebracht. Colleen Gunnip ist dort und paßt auf sie auf. Ihre Haut schimmert weiß im mitternächtlichen Licht, nahezu durchsichtig. Sie hütet die Kinder, paßt auf, daß sie im Schlaf nicht die Decke wegstrampeln. Wenn sie es doch tun, gibt sie ihnen Milch und deckt sie wieder richtig zu. Die Decke des Raumes ist aus Blech, weiß gestrichen, hoch und gewölbt. Die Wände sind taubenblau und die Fenster acht Fuß hoch. Eileen liegt im Licht des Monds, die Gipsbeine unter einer leichten Decke.

«Heute ist Vollmond», sagt sie zu Colleen Gunnip.

«Ja, mein Schatz.»

«Das bedeutet, daß meine richtigen Eltern heute nacht kommen», sagt sie und schläft wieder ein.

In der Feuerwache ist Mitternacht schon vorbei, aber morgen ist Sonntag, und es sind nicht mehr allzu viele Leute, die die Kirche bevölkern. Sie werden ausschlafen, am Auto herumbasteln, ein bißchen Baseball spielen, ein Hähnchen grillen und das Rasenmähen auf nächste Woche verschieben.

Als das Lied zu Ende ist, nimmt Bill Starr wieder das Mikrofon in die Hand. Er hat eine besondere Nummer für sie, erzählt er, eine, an der sie schon länger arbeiten und die sie hier in Inverawe zum erstenmal bringen möchten. Bills Jüngster geht nach vorn und übernimmt das Mikrofon. Sie geben ihre Version von «Hound Dog» zum besten, und dann kommt «Teddy Bear». Das zieht alle auf die Tanzfläche. Sie tanzen Rock 'n' Roll, versuchen mit ihren Körpern, die für die Arbeit gemacht sind, Verrenkungen, die bisher der Jugend oder dem Schlafzimmer vorbehalten waren. Bill Starrs Jüngster röhrt weiter ins Mikrofon, und die Feuerwehrmänner und anderen Gäste tanzen immer ausgelassener.

Als sie schließlich mit «Heartbreak Hotel» beim Blues angelangt sind, möchte Eddie mal kurz nach Cody sehen.

«Laß ihn doch», sagt Mary. «Wahrscheinlich amüsiert er sich gut.»

«Dann geh ich mir ein Bier holen.»

«Bring mir auch eins mit, wenn du dran denkst», sagt sie. «Ich seh nach den Kindern.»

Eddie geht zu den Pickups, wo die Doody-Brüder auf einer Ladefläche eine Bar aufgebaut haben. Thad und Barkley sind auch da. Eddie fragt nach Cody, und sie sagen ihm, daß er mit der Frau weg ist, die mit Louis Poissant gekommen ist. Sie sind in seinem Pickup weggefahren. Eddie fragt, wer sie ist.

«Sie heißt Kay. Wohnt drüben bei den Poissants. Ist irgendwie mit Louis verwandt. Sie ist ein bißchen komisch.»

«Wer ist sie?» fragt Eddie.

«Ich hab's doch grad gesagt», erwidert Dick. «Sie ist vor ein paar Jahren aus Winchester rübergekommen. Ich glaub, sie hat mal in der Imbißstube gearbeitet, aber, du meine Güte, das muß schon fünfzehn, zwanzig Jahre hersein.»

Eddie nimmt sich ein Bier aus der Kühlbox.

«Laßt uns anstoßen», sagt Barkley.

«Quatsch, sag uns lieber, wieviel wir eingenommen haben», meint Thad.

Sie lachen, denn Thad wird nach ein paar Bier immer etwas großkotzig.

«Wenn das mit Joe nicht passiert wär, wär's viel weniger», sagt Coonie traurig.

«Ich kapier's immer noch nicht», sagt Dick.

«Wie's genau passiert ist, werden wir nie wissen», meint sein Bruder.

Eine Zeitlang versuchen die Männer sich vorzustellen, wie es zu Joes Unfall gekommen ist. Sie reden über Bremsflüssigkeit, Verschleißerscheinungen, Bremsleitungen, Abschleppstangen, Kolbenfresser, Kugellager und Trunkenheit am Steuer.

«Wißt ihr, selbst wenn wir es rauskriegen, dann könnt ich es immer noch nicht kapieren», sagt Tom. Die anderen stimmen ihm zu.

Eddie öffnet noch ein Bier und nimmt einen Schluck.

«Was meint ihr, warum es verunglücken heißt», sagt er.

Die Männer sehen ihn an. Sie sind sich nicht ganz sicher, glauben aber, daß nie ein wahreres Wort gesprochen wurde.

«Meine Scheiße, du hast recht», sagt Tom. «Hast den Nagel auf den Kopf getroffen.»

Eddie zuckt die Schultern und geht wieder zur Feuerwache. Er geht zu Mary und umarmt sie von hinten.

«Du siehst ganz toll aus», flüstert er ihr ins Ohr.

Sie will ihn abschütteln. Er hat ihr Bier vergessen, das sie eigentlich gar nicht wollte, und er hat nicht nach den Kindern gefragt, die tief schlafen.

«Ich hab dich noch gar nicht gefragt, wie's bei Marie war.»

«Wann denn auch? Nach deinem nächtlichen Besäufnis, oder als Mrs. Gunnip von den Toten auferstanden ist? Wann denn auch?»

«Vielleicht in der Dusche?»

«Da hatten wir was anderes zu tun.»

«Also, wie war's denn nun?»

«Sie hat gesagt: ‹Er hat mich immer nur fertiggemacht.›»

«Sonst nichts?»

«Sonst nichts.»

Bill Starrs Jüngster singt jetzt «Love Me Tender». Mary faßt nach Eddies Arm und zieht ihn auf die Tanzfläche. Sie wendet sich ihm zu, und die beiden tanzen. Sie möchte, daß die Musik sie von der Erde wegträgt, dahin, wo die Luft kühl und reinigend ist. Sie überlegt, ob sie Eddie dabeihaben will, ist sich aber nicht sicher.

«Und wie war's bei dir? Du warst ganz schön lange unten im Keller.»

Eddie schüttelt den Kopf. Er will nicht darüber reden, kann jedoch nicht verhindern, daß der vergangene Tag noch einmal vor seinem inneren Auge vorbeizieht, dieser Tag, an dem er verletztes Gewebe herausgeschnitten, Einschnitte vernäht, Hautschichten von unten aufgebaut, an dem er gebleicht und geschminkt hat. Er hat ihm sogar die vorstehenden Zähne hergerichtet.

Er denkt über Joes Zähne nach. Maries einzige Bitte war, daß von Joes vorstehenden Zähnen nichts zu sehen sein sollte. Sie hatte sie lang genug ansehen müssen, und er hatte sich, solange er lebte, geweigert, sie in Ordnung bringen zu lassen. Deshalb hat sie Eddie darum gebeten.

Mary zieht ihn fester an sich. Ihr fällt ein, wie gern sie so tanzt und wie lange sie es schon nicht mehr getan hat. Sie vergißt ihren Körper, ihre Beine und klammert sich an ihn, als hinge ihr Leben davon ab. Während sie so tanzen, sind sie fast da, wo sie hin will, und dann hört Eddie, wie Tom neben ihm zu seiner Frau Jeri sagt: «Was meinst du, warum es verunglücken heißt?»

Eddie fängt an zu lachen, leise zuerst und dann immer lauter. Er läßt Mary los und krümmt sich vor Lachen. Er läßt sie auf der Tanzfläche stehen und geht hinaus, über die Straße. Er versucht, in die Dunkelheit zu entkommen, schafft es aber nicht und bleibt schließlich vor einer Mülltonne stehen, würgt und kotzt.

Mary steht allein da, zwischen ihren Freunden und den Fremden, und sieht beschämt zu, während Bill Starrs Jüngster singt: *«I'm so hurt.»* Und sie denkt, ja, das stimmt, ich bin zutiefst verletzt.

Im Hintergrund sagt jemand: «Weißt du, ich hätte nie gedacht, daß die Hühnchenrupfmaschine so viel bringen würde.»

Am Montag bei der Messe für Joe sagt der Priester, daß Hoffnung wie die Sonne ist, die alles erleuchtet, damit wir unsere Last abwerfen können. Er redet von den heilenden Kräften des Glaubens und spricht die Lobpreisungen. Dann stehen Bill Starr und sein jüngster Sohn auf und fangen an, Gitarre zu spielen. Der Priester kommt vom Altar herab, mit wehendem Talar, so daß die Kerzen flackern, und geht schnurstracks auf Eddie zu.

«Was zum Teufel soll das?» flüstert er. «Was soll das werden?»

«Klingt wie ‹The Last Thing on My Mind› von Tom Paxton.»

«Diese verdammten Gitarren habe ich noch nie in meine Kirche gelassen. Gott noch mal, mir sagt auch nie einer was.»

An diesem Abend schreibt Eddie in sein Tagebuch:

Für alle anderen wurde dieser Tod dadurch leichtgemacht, daß es eines so ausgeklügelten technischen Einsatzes bedurfte, Joe auf eine angemessenere Weise endgültig unter die Erde zu bringen. Marie war sehr tapfer. Wie ich gehört habe, war Joe bis über beide Ohren versichert. Und obendrein hat sie das ganze Rindfleisch zu einem guten Preis bekommen.

Er schaut an, was er geschrieben hat, und überlegt, ob er sich nicht den Stift durch die Hand jagen soll, doch stattdessen schreibt er hin: *Irgendwo hat Joe sein Herz verloren.*

22

Manchmal fährt Cody nachts zu Kays Haus. Vorher hält er bei Washburns Laden und kauft ein paar Dosen Bier und eine Schachtel Pralinen und nimmt dann die Straße über den Berg. Es ist immer dunkel, immer schon nah am neuen Tag, wenn er dorthin fährt, und Kay sitzt immer auf der Veranda und wartet auf ihn; das Haus ist dunkel, abgesehen vom blauen Schimmer aus dem Fernseher, vor dem jemand eingeschlafen ist.

Sie sagt: «Die Tage, die ich lebe, werden irgendwann nichts als Erinnerungen für mich sein, und es ist nur richtig, daß der Tag in der Dunkelheit anfängt und aufhört.»

In den Nächten, die er mit ihr verbringt, ist sie ihm sehr nahe und doch weit weg, kommt und geht sie wie in einem Traum.

«Halb vier morgens ist die schönste Tageszeit.»

«Ja», sagt Cody, «es hat was Besonderes.»

«Ist dir schon mal aufgefallen, daß es unheimlich viele Fotos von Sonnenuntergängen gibt, aber kaum welche von Sonnenaufgängen? Daraus kann man doch was lernen. Daraus kann man lernen, daß Fotografen faul sind.»

Cody denkt über den Jungen nach. Das tut er ständig. Er wird dieses Thema jetzt zum allerletztenmal anschneiden.

Aber er will unbedingt Bescheid wissen über Kays Sohn, über Owen. Er war das Kind eines anderen Mannes, doch Cody hat sie geheiratet. Sie hatten eine Wohnung in Winchester gefunden, und nach den ersten paar Jahren blieb Cody immer öfter im Wald, schlug sein Holz immer weiter weg von zu Hause. So verschwand er langsam aus ihrem Leben; schon vor so vielen Jahren, daß er sie jetzt nicht mehr zählen kann.

Er erinnert sich daran, wie sie das Kind stillte. Immer, wenn er nach Hause kam, hielt sie das Baby im Arm und ließ es an ihren Brüsten saugen, während sie redeten, während sie aßen.

Und dann wachte er eines Nachts auf, und sie saß auf der Bettkante, ihr weißer Rücken schimmerte wie Milch, und das Haar umrahmte ihr Gesicht. Er hörte ein Schmatzen, und als er sich hinüberbeugte, sah er den Jungen zwischen ihren Beinen stehen und an ihrer Brust saugen. Sie streichelte ihm den Rücken und flüsterte ihm etwas ins Ohr.

Am nächsten Morgen kam es zu einem Streit. Cody sagte ihr, nun sei es genug, ein Dreijähriger brauche die Brust wirklich nicht mehr. Sie fing an zu weinen und erwiderte, durch das Stillen würde sich die Gebärmutter schneller zurückbilden. Das habe ihr der Arzt gesagt.

Cody ging und kam nie wieder zurück.

G. R. sagte, sie sei eine Raubkatze, die ihr Junges frißt.

«Owen ist ein guter Junge», sagt sie. «Nachdem meine Eltern gestorben sind, sind wir hierhergezogen. Onkel Louis ist wie ein Vater zu ihm. Er hat sich gut hier eingelebt, mit all den anderen Kindern.»

«Hat er auch was von mir?»

«Nein, aber als wir noch woanders gewohnt haben, war er immer ganz wild auf Flugzeuge. Jeden Tag ist er zur Landebahn geradelt und hat stundenlang zugesehen. Einmal hat er mich angerufen und gefragt, ob er mit nach Albany, New York, fliegen dürfte. Er hat mich mit der Pilotin sprechen lassen. Sie flog einen Lear Jet, der einer Elektronikfirma hier in New Hampshire gehörte. Also ist er nach Albany geflogen. Das ist doch was. Ich war noch nie in Albany.»

Sie sitzen gemütlich in der Hollywoodschaukel. Kay hat die Hände im Schoß gefaltet; ein Bier steht neben ihr und schaukelt mit. Cody hat auch eins. Er hat es in ein Tuch gewickelt, damit es schön kühl bleibt. Der Fluß liegt vor ihnen, und sie können ihn sehen, aber sie können nicht sehen, wie er sich bewegt.

Kay zündet eine Zitronenwachskerze an und stellt sie zwischen sich und Cody auf die Schaukel. Der durchdringend duftende Rauch steigt in die Luft, als sich das hellgelbe Öl aus dem Wachs löst. Er sammelt sich unter dem Verandadach in einer Wolke, die die Mücken meiden. Die beiden rücken dichter an die Kerze, lassen sich vom Rauch einnebeln. Es dauert nicht lange, und die Mücken verziehen sich und lassen Codys und Kays Blut, wo es ist, lassen die beiden selbst entscheiden, wann es aus ihrem Körper weichen soll.

Louis Poissant hat immer dreißig, vierzig Mastkälber da, und auf der Veranda kann man sie gegen das Holz der engen Boxen treten hören. Ein Kalb muht, und dann noch eines. In der kühlen Brise weht Ammoniakgeruch herüber, bis zur Veranda. Er stammt von den Kälbern, die in den Boxen angekettet sind und sich nicht drehen können. Sie haben ständig Durchfall von den chemischen Zusätzen in ihrer Nahrung. Alles nur, um helles Fleisch zu bekommen, das beim Kochen weiß wird. Louis verkauft das Fleisch frisch – die Beine, Lenden, Rippen und Schultern. Hirn, Leber, Nieren und Zungen sind Delikatessen. Sie bringen viel Geld.

«Langsam fange ich an, dieses Leben zu hassen», sagt

sie. «Leben und Sterben, das geht so schnell hier. Letzte Woche hatten wir eine ganz junge Kuh, die gekalbt hat. Mitten in der Nacht. Die Kuh war kaum älter als ein Jahr, aber irgendwie ist der Stier doch an sie drangekommen. Sie muß sich eine Stunde lang abgemüht haben, und dann konnte sie nicht mehr. Sie ist in die Knie gegangen, und in dem Moment sind wir dazugekommen. Louis hat sie geschlagen, damit sie wieder aufsteht, aber sie war einfach zu müde. Hat alle viere von sich gestreckt. Ich hab gehört, wie ihr Becken gekracht hat. Louis ist dann mit der Hand in sie reingefahren. Er hat einen Fuß zu fassen gekriegt, die Gebärmutter hatte sich drumgewickelt, und das arme Kälbchen saß in der Falle. Louis hat versucht, es rauszuziehen. Er hat versucht, das Kalb umzudrehen, aber es hat nicht geklappt. Sie haben mir alle leid getan, sogar Louis. Er war schweißgebadet, und er hat sich angestrengt wie verrückt, um die Tiere zu retten. Und dann ist die Kuh gestorben, auf dem Zementboden, einfach gestorben, direkt vor uns. Es war ganz still im Stall. Ich dachte an das Kalb, hab mich gefragt, ob es noch lebt. Ich hab mir vorgestellt, wie es langsam im Mutterleib ertrinkt und daß wir nichts daran ändern können.

Dann hat Louis sie aufgeschnitten. Hat ihr den Bauch aufgeschlitzt und das Kalb rausgezogen, auf den Boden. Es war voller Schleim und hat geglänzt, die kleinen Hufe waren weiß und irgendwie aufgedunsen. Die Zunge hing ihm raus, war so geschwollen, daß sie nicht mehr ins Maul gepaßt hat. Louis hat die Vorderbeine hochgehalten und ihm die Nase saubergemacht. Dann hat er ihm auf die Brust geklopft, und als das auch nichts half, hat er Mund-zu-Mund-Beatmung gemacht. So hat er dagehockt, das Kalb im Arm, und mit der Hand hat er ihm die Nasenlöcher zugedeckt und ihm das Maul aufgehalten. Dann hat er gepustet und gepustet, endlos lange, und dann hat er nachgelassen, hat den Mund immer länger auf dem Maul des Kälbchens liegenlassen. Ich hätte zu gern einen Fotoapparat dabeigehabt. Er wurde müde. Dann hat er das Kalb wieder hingelegt und gesagt, ich soll ins Haus gehen. Er braucht mich nicht, hat er gesagt.

Und dann hab ich noch gehört, wie sein Klappmesser aufgesprungen ist. Ich hab mich in der Tür umgedreht, im Schatten, und da war er bei der Kuh, hat ihr den Hals aufgeschnitten, und dann kam das Blut geflossen; es klang wie eine Klospülung. Dann war es still, nur das Blut hat getröpfelt. Und dann kam dieses Rauschen noch mal, als so dicke Klumpen vom Boden in den Gully flossen. Louis hat mich im Dunkeln nicht gesehen. Er ging zum hinteren Tor und kam mit dem Traktor zurück. Ich konnte es nicht mehr mit ansehen und bin reingegangen, hab die ganze Zeit gedacht, daß sie eigentlich noch gar nicht tot war, sondern daß sie nur so dagelegen hat, nicht lebendig, aber auch nicht tot.

Am nächsten Tag bin ich in den Kühlraum gegangen, um Äpfel zu holen, und da hingen die vier Viertel von der Kuh und direkt daneben auch das Kalb, fertig zum Verkauf. Eigentlich darf solches Kalbfleisch nicht verkauft werden, aber die meisten Leute merken es nicht, wenn es mal paniert ist und in der Soße auf dem Teller liegt. Sagt Louis jedenfalls.

Ich hab mir gedacht, um Gottes willen, Louis, wie konntest du nur? Aber dann ist mir klargeworden, daß es für ihn etwas anderes war. Für ihn ist das Leben eben so. Für ihn muß das Leben so sein. Wie kann so was sein, Cody? Wie kann das sein?»

Cody hat sich angewöhnt, nicht viel zu sagen, wenn er bei ihr ist. Er hört nur zu. Er möchte nur ein guter Zuhörer für sie werden.

Der Geruch des Zitronenwachses und das Bier sind wie

eine Droge für ihn. Er hat in der letzten Zeit kaum was getrunken, und jetzt steigt es ihm sofort in den Kopf.

«Morgens hab ich die größten Schwierigkeiten», sagt sie. «Ich weiß, daß der ganze Tag vor mir liegt. Die Tage, die ich lebe, werden irgendwann nichts als Erinnerungen für mich sein, und so lebe ich sie auch. Als würde ich Erinnerungen durchleben, die ich haben werde.»

«Kay», sagt Cody, hebt die Hand über die Kerze und läßt sie auf ihr Bein fallen, «Kay, wir könnten noch mal von vorn anfangen. Du und ich und der Junge.»

Tief aus ihrem Hals kommen Geräusche, und er weiß nicht, ob sie lacht oder weint. Er preßt die Hand auf ihr Kleid, spürt die Hitze der Kerze am Handgelenk, merkt, wie sich die Metallschnalle seiner Armbanduhr erwärmt und ihm auf der Haut brennt. Er weiß, wie dämlich das geklungen haben muß. Er weiß jetzt, daß er es nicht ehrlich gemeint hat. Es war ein Satz, den er hatte sagen wollen, um ihr die Last von den Schultern zu nehmen, ein Satz, der aus seinem Innersten kam, eine Möglichkeit für ihn, das Gute in sich selbst zu suchen, ein grausamer und egoistischer Satz, und jetzt tut es ihm leid. Er zieht die Hand zurück und befingert das Gelenk, spürt seinen Puls.

«Besser, wenn du dich nicht mehr mit mir einläßt», sagt sie schließlich. «Ich bin total verrückt. War ich wohl schon immer, aber jetzt merke ich es langsam selbst. Ich nehm Antidepressiva, Beruhigungspillen und Lithium. Die haben tolle Namen – Elavil, Eskalith, Xanax, Halcion. Sie klingen wie die Namen schöner Orte, am Mittelmeer oder in Afrika. Versunkene Städte im Meer, wo Fischmenschen leben. Aber Reisen ist nichts für mich. Macht mich so schnell müde. Die Leute sollten mehr zu Hause bleiben. Es gibt schon Sachen, die ich gern sehen würde, aber es reisen schon so viele, und ich will mich da nicht auch noch einreihen.»

«Wo würdest du denn gern hin, wenn du könntest?»

«Ich würde gern mal nach Hawaii. Da gibt es weißen und schwarzen Sand. Da kann man Ski laufen und Ananas essen. Da leben die Leute am Fuß von Vulkanen und wissen es, ganz anders als hier, wo man auf einem Vulkan lebt und nichts davon weiß. Ich würd gern Danno aus *Hawaii-Fünf-Null* kennenlernen. Der hat auch Boy in den Tarzanfilmen gespielt.»

«Das hab ich gar nicht gewußt.»

«Ich würde auch gern mal Don Ho singen hören, ‹Tiny Bubbles›. Ich finde, seine Stimme klingt unheimlich sexy.»

«Ja, er kann wirklich gut singen.»

«Es ist ein Lied über Champagner.»

Sie schauen zwischen Bäumen hindurch zum Fluß, an dessen gegenüberliegendem Ufer die dunklen Berge von Vermont emporragen. So ruhig wie er daliegt, könnte es ein See sein, und doch bewegt er sich auf seiner Reise zum Meer, nimmt all seine Geheimnisse mit sich und schert sich einen Teufel um die beiden.

«Manchmal denk ich», sagt sie, «daß das Paradies nicht weit weg ist.»

«Kay, ich mußte 'ne Menge lernen, aber ich glaub, ich hab mich gebessert. Ich will dir helfen.»

«Du warst nur ein Junge», sagt sie, «aber du hast dich benommen wie ein Mann, Kopf hoch, Brust raus, und verdammt selbstsicher. Mit dir hätt ich's schaffen können, aber du bist gegangen. Du hast es länger mit mir ausgehalten, als es die meisten Männer getan hätten.»

Cody denkt daran, daß er Owens wegen weggegangen ist. Wieder schämt er sich, und es tut ihm leid für den Jungen, der noch nicht wissen kann, wie es zwischen Mann und Frau ist, warum sie sich die Dinge antun, die sie sich antun. Cody findet, er hätte es besser machen müssen. Er hat sich mit offenen Augen darauf eingelassen und konnte am Ende doch nicht der Mann sein, der er gern gewesen wäre.

«Ich wünschte, wir könnten es. Noch mal von vorn anfangen», sagt er.

Die Tür fällt zu, und Louis steht neben ihnen auf der Veranda, in seinem Overall und mit Pantoffeln an den Füßen. Er geht die Treppe hinunter und schlurft zum Stall. Drinnen geht das Licht an, und durch die Fenster sehen sie seinen Schatten. Im Gegensatz zu ihm bewegt sich sein Schatten gleichmäßig, ganz ruhig. Man sollte nicht meinen, daß er ein abgehärmter siebzigjähriger alter Mann ist, der noch immer für Rita Hayworth schwärmt und nie darüber hinweggekommen ist, daß sie Ali Khan geheiratet hat, doch das behält er für sich.

«Das macht er jede Nacht. Er sieht nach den Tieren. Dann geht er wieder ins Bett, aber er schläft schlecht. Er liegt da und dreht und wälzt sich hin und her. Ich höre immer, wie er aufsteht und sich wieder hinlegt, immer und immer wieder.»

Das Licht geht aus, und Louis' dunkle, ungeschlachte Gestalt kommt aus der Tür. Der Geruch von Ammoniak strömt mit ihm heraus, weht ihm voraus zur Veranda. Er überquert den Hof, steigt die Stufen hoch und geht wortlos an ihnen vorbei. Der Geruch von Kuhmist und Gärfutter vermischt sich mit dem Zitronenwachs, eine Mischung, bei der es einem hochkommen kann.

«Ich wette, er hat uns nicht mal gesehen. Er ist so ein netter alter Kerl, und er tut mir wirklich leid. Owen und ich wohnen hier, seit seine Frau gestorben ist. Seitdem kommt es mir so vor, als würde er nur seine Zeit absitzen. Zu traurig, daß sie gestorben ist. Sie war ein richtiges Energiebündel.»

Kay besteht darauf, Cody einen Kaffee zu machen, ehe er geht, wenigstens einen löslichen, und er willigt ein. Sie schleichen sich wie Diebe ins Haus, auf Zehenspitzen, machen die Tür ganz vorsichtig hinter sich zu. Die Kinder schlafen in ihren Zimmern. Für sie ist Kay die Mutter und Louis der Vater.

Sie dreht den Hahn auf und läßt das Wasser in den Kessel laufen. Cody sieht auf ihren Rücken, sieht die Schulterblätter, die durch die schmalen Träger ihres Kleides zweigeteilt werden, sieht ihre Wirbelsäule, die unter dem Stoff verschwindet.

«Kay, ich weiß, daß in diesem Haus 'ne Menge Leute rumlaufen, aber wer trägt die ganzen Schuhe? So viele seid ihr auch wieder nicht.»

«Louis holt sie aus Bolton, aus dem Leichenschauhaus. Er hat dort einen Bekannten, der sie in einer Kiste für ihn aufhebt. Kleider kriegen wir auch dorther. Die Toten brauchen die Sachen nicht mehr.»

Cody sieht auf den Haufen Schuhe. Er spürt, wie seine Schultern zucken, sagt aber nichts. Er konzentriert sich auf das Geräusch des Wasserstrahls, versucht, nicht an die Schuhe der Toten zu denken, die in dieses Haus gelangen. Er bewegt die Füße, versucht, den Fußboden durch die Sohlen zu spüren. Wieder konzentriert er sich auf den laufenden Wasserhahn, in der Hoffnung, daß es ihn ablenkt, aber es funktioniert nicht, und seine Augen werden von den Turnschuhen, Schlappen, Stiefeln, Pumps, Sandalen, Stöckelschuhen und Mokassins angezogen. Leder, Plastik, Leinen und Gummi. Alle Farben. Alle Größen. Er sieht auf Kays Füße und ist froh, daß sie barfuß geht.

«So seltsam ist es auch wieder nicht», sagt er. Dann läuft der Kessel über, das Wasser sprudelt heraus, spritzt an den Hahn. Er sagt nichts; er steht auf und geht zu ihr, will sehen, was sie sieht.

Im Fenster spiegelt sich der Raum, und es sieht aus, als wäre da draußen im Dunkeln noch einmal ein Raum. Es ist der gleiche Raum wie dieser. In ihm stehen ein Tisch, Stühle, ein Toaster, Schuhe und ein Brotkasten. Hemden und Overalls hängen an einer Wand. Es gibt zwei Türen, eine führt in ein Zimmer mit flackerndem blauem Licht, und die andere führt aus diesem Zimmer heraus, aber der einzige Eingang zu dem Raum scheint das Fenster zu sein.

In dem anderen Zimmer scheint ein lila Mond. Cody dreht den Kopf, um ihn besser sehen zu können, und auf einmal sind da zahllose Monde. Sie entstehen im Spiegel hinter ihm, und seine Kopfbewegung hat ihnen den Weg in den anderen Raum da draußen ermöglicht.

«Wie hast du das gemacht?» flüstert sie.

«Ich weiß nicht», sagt er und zieht den Kopf wieder zurück.

«Jetzt sind sie weg. Wir haben sie verloren. Ich kann sie im Dunkeln nicht mehr sehen.»

Als Cody sich wieder bewegt, kommen die Monde zurück. Aus Kays Kehle kommt ein Laut, und sie lehnt sich an ihn, drückt die Hüfte gegen seine Lenden.

«Da draußen bewegt sich was», sagt sie. «Wo der Bach in den Fluß fließt.»

Cody lauscht, und dann kann auch er es hören, das Geräusch eines Tieres in den Büschen.

«Das ist ein Hund, der sich im Garten rumtreibt. Das Scheißvieh. Den werd ich noch mal erschießen. Ich hab die Nase voll von ihm.»

Er spürt, wie sich ihr Körper fester an seinen schmiegt.

«Er ist bei uns im Haus, da draußen vorm Fenster. Jag ihn weg. Schmeiß einen Stein nach ihm. Aber paß auf den Fluß auf. Der ist ganz schön tückisch.»

Cody geht hinaus auf die Veranda. Sein erster Gedanke ist, sich in den Pickup zu setzen und nie wieder zurückzukommen, aber so etwas Ähnliches hat er schon einmal gemacht. Er läßt den Gedanken vorbeigehen und denkt an ihren Körper, wie er sich an seinen drängte und ihm sagte, daß er sich beeilen soll. Er denkt an ihren Bauch, den er mit der Hand bedecken kann, an die Waden, in denen man die Venen sehen kann, an die roten Feuermale auf ihrem Körper, die aussehen wie züngelnde Flammen, an ihre Brüste, die langsam erschlaffen, doch immer noch rund und voll sind. Ihre Hände sind rot, und wenn er in ihr ist, hat sie eine Art, ihn festzuhalten, als würde ihr Leben davon abhängen.

Er geht am Küchenfenster vorbei und bleibt stehen, tut so, als würde er vorsichtig um Möbel herumgehen und darüber stolpern. Er macht Schwimmbewegungen, hält sich dann die Nase zu und läßt sich auf die Erde sinken. Er kann ihr Gesicht am Fenster sehen. Sie lacht und winkt ihm zu, hat die andere Hand am Hals und berührt sanft ihre Haut.

Er steht auf und stolpert wieder, weiß, daß sie sehen kann, wie er an den Stühlen und dem Tisch vorbeigeht, an dem Berg von Schuhen und Kleidern, bis er schließlich am Ende des Hauses ist, wo der Garten anfängt und das Gelände zum Fluß hin abfällt. Er nimmt einen Stein und schleudert ihn dorthin, wo das Geräusch herkommt. Es verstummt, und dann hört man, wie sich das Tier in die Wälder verzieht.

Als er wieder ins Haus kommt, sitzt sie auf dem Tisch. Er stellt sich zwischen ihre Beine, beugt sich vor und umarmt sie. Er spürt ihre Lippen an seinem Nacken und ihre Hände an seiner Hose. Er fragt sie, ob es sicher ist, und sie sagt: «Ich kann nicht schwanger werden, weil ich es schon bin.»

Er möchte zurückweichen, doch sie hält ihn fest.

Sie lacht immer noch und hört nicht auf.

Danach will sie mit ihm auf der Veranda tanzen. Sie läßt sich von ihm herumwirbeln, und ihr Kleid flattert im Wind, während Hunt Williams im Radio singt.

«Manchmal hör ich Musik und tanz mit mir selber.»

«Ich muß gehen», sagt Cody.

«Ich weiß.»

«Ich liebe dich», sagt er.

«Gestern hab ich dich geliebt, aber vielleicht hab ich es auch nur geträumt. Tut mir leid. So wollte ich es nicht sagen. Wenn ich mit dir zusammen war, dann fühl ich mich nie leer danach. Du bist immer noch da.»

«Du wolltest mir was über mich erzählen.»

«Wir müssen ja von jetzt an nicht immer zusammensein, aber wir sollten nicht weit voneinander entfernt sein.»

«Ja. Das sollten wir.»

Auf dem Heimweg denkt Cody, daß er nicht weiß, ob er Kay liebt, aber andererseits hat er auch gelernt, daß Liebe nicht das ist, was er dachte. Sie hat ihm einen Weg gezeigt, und obwohl es nicht das ist, was er will, reicht es für den Moment.

Er fährt am Bezirksgefängnis vorbei, wo Bender schläft, und dann ist er auf der Straße nach Inverawe, unterwegs zu Eddie Ryans Haus, wo seine neue Familie lebt; Mary, Eddie und die Kinder liegen im Bett, und Buck steht steifbeinig in seiner Pferdebox, wartet darauf, daß Cody heimkommt, die großen braunen, tränenden Augen starren auf die Holzplatten, verfärben sich mit zunehmender Blindheit immer mehr ins Bläuliche.

Cody fährt weiter, denkt über das nach, was sie ihm nicht gesagt hat.

23

Anfang September fängt die Schule wieder an. Mary wird im letzten Moment wieder als Aushilfslehrerin eingestellt. Die Frau, die sie im Frühjahr vertrat, hat beschlossen, doch noch nicht wieder zu arbeiten, vielleicht überhaupt nicht mehr. Das bestätigt den Schulleiter und einige andere Lehrer in ihrer Meinung über kinderkriegende Frauen.

Doch Mary paßt es ganz gut, denn Little Eddie geht jetzt nachmittags in den Kindergarten, gegen den erklärten Willen seines Onkel Cody, der allen Ernstes geglaubt hatte, die Erziehung des Jungen würde in seine Hände gelegt werden. Eddie und Cody werden sich vormittags um den Kleinen kümmern, was Cody freut und anspornt. Er bemüht sich noch mehr, dem Jungen all das beizubringen, was er sich vorgenommen hat. Sie liefern ihn um ein Uhr ab, und Mary bringt beide Kinder um drei wieder mit nach Haus. Manchmal machen sie Besorgungen; manchmal muß Eileen zum Arzt gefahren werden.

Eileen erzählt Eddie, daß sie sich bei der Sache mit dem Begabtenstipendium nicht so sicher ist. Sie hat Angst, dann nicht mehr mit ihren Freunden zusammenzusein. Es heißt, die Schüler in dieser Gruppe seien alle arrogant, wie die in der Fernsehserie *Head of the Class*, die mittwochs abends läuft. Sie mag diese Kinder und ist davon überzeugt, daß sie etwas mit ihnen anfangen könnte, aber irgendwie sind sie doch arrogant. Ganz nett, aber arrogant. Außerdem machen sie sich über Juanita und den Rest der Poissants lustig.

«Weißt du, was Arroganz ist?» fragt Eddie sie.

«Die Arroganz ist genau so 'ne dumme Gans wie die Eleganz», sagt Eileen, macht eine elegante Geste mit den Armen und dreht sich im Rollstuhl einmal um sich selbst.

Dazu fällt Eddie nichts mehr ein. Einen Moment lang fürchtet er sich vor der Zukunft.

Mary spricht mit Eddie nicht darüber, aber der Hauptgrund, warum sie den Job angenommen hat, ist der, daß sie ansonsten nur eine Hausfrau wäre, die die Gesichter von Toten schminkt, ihnen die Haare zurechtmacht und Rechnungen schreibt. Dieser Gedanke geht ihr durch den Kopf, doch sie schiebt ihn beiseite und sagt, sie hat den Job wegen des Geldes angenommen. Mary Looney wird von nun an ihre Arbeit mit den Toten übernehmen.

«Wenn es nur das Geld ist», sagte Eddie, «wir haben ja noch das von Mrs. Huguenot.»

«Für schlechte Zeiten», erwiderte sie.

Manchmal überlegt Eddie, ob er dieses Geld nicht zu sehr unter Verschluß hält. Bis jetzt haben sie noch nichts davon angerührt.

Von nun an verlaufen die Abende nach einem festen Plan. Die Kinder wollen Mary für sich haben, und deshalb übernehmen Eddie und Cody die Küchenarbeit. Jeden Abend kochen sie und spülen nach dem Essen ab. Mary zieht sie damit auf, daß zwei Männer die Arbeit einer Frau erledigen. Sie sind schlau genug mitzulachen, aber insgeheim stinkt es ihnen.

Cody deckt den Tisch, während Eddie das Essen abschmeckt, Spaghetti mit Hackfleischsoße. Cody deckt Eileens Tablett. Er hat es ihr aus Holz gemacht. Es paßt genau auf die Armlehnen ihres Stuhls. Noch nicht ein einziges Mal hat sie sich beklagt. Noch nicht ein einziges Mal hat sie Trübsal geblasen.

«Essen ist fertig», schreit Eddie.

Mary und die Kinder kommen in die Küche und setzen sich an den Tisch.

«Gibt's was Neues von Althea?» fragt Cody Mary.

«Nein. Offenbar weiß keiner was Genaues. Anscheinend ist sie in Rente gegangen.»

Mary hatte erwartet, wieder mit Althea Hall zusammenzuarbeiten, und hat am ersten Schultag zu ihrem Erstaunen erfahren, daß sie nicht mehr da ist. Die neue Lehrerin ist jung und kommt irgendwoher aus New York. Mary war entschlossen, sie nicht zu mögen, doch sie erwies sich vom ersten Augenblick an als sehr tüchtig. Sehr zu Marys Erleichterung. Sie hatten sogar einige gemeinsame Bekannte aus ihrer Studienzeit in Syracuse.

«Da ist doch was faul», sagt Eddie.

«Was ich wirklich übel finde, ist, wie schnell man sie vergessen hat. Für die Kinder ist es wohl das Beste so, aber weißt du, die anderen Lehrer: aus den Augen, aus dem Sinn. *C'est la vie.*»

«C'est la vie», sagt Little Eddie, und alle lachen und beschäftigen sich dann mit ihrem Essen.

Etwas später ruft Mary Looney an und fragt, ob es was zu tun gibt. Sie hat sich ausgerechnet, daß sie sich, wenn genug Leute sterben, etwas Geld zurücklegen und es in ihren Schönheitssalon investieren kann. Sie hat Mary Ryan gesagt, sie will sich mehr in Richtung ‹Schönheit als optische Aussage› spezialisieren.

Eddie sagt ihr, sie soll morgen früh kommen.

Ihre erste Aufgabe wird Colleen Gunnip sein, die wieder aus dem Altersheim gekommen ist. Diesmal endgültig.

«Haben Sie was dagegen, wenn ich Iggy mitbringe?»

«Mary, eigentlich sollten Sie niemanden sonst mit herbringen.»

«Es ist kein Mensch. Iggy ist mein Leguan. Ich hab ihn aus Florida mitgebracht. Er fühlt sich leicht vernachlässigt. In den Salon nehm ich ihn immer mit.»

«Sie können ihn ja auf der Veranda lassen. Er hat doch einen Käfig?»

«Natürlich, was glauben Sie denn?»

«Dann ist es in Ordnung.»

«Mr. Ryan, da ist noch was.»

«Was denn?»

«Ich hab darüber nachgedacht, und es wäre mir lieber, wenn nicht bekannt wird, daß ich diesen Job mache. Wegen meiner richtigen Arbeit, wissen Sie. Im Salon arbeite ich ständig mit meinen Händen, und ich fürchte, daß die Leute komisch reagieren, wenn sie wissen, was ich vorher angefaßt habe.»

«Kein Problem. Niemand braucht davon zu wissen.»

«Vielen Dank. Dann bis morgen.»

Eddie legt auf. Vor dem Abendessen ist er in den Präparationsraum gegangen und hat eine Nachricht in Colleen Gunnips Nachthemd gesteckt. Er hat ihr geschrieben, sie solle es sich im Himmel gutgehen lassen. Er hat ihr geschrieben, sie werde von allen geliebt, und wenn das hier vorbei sei, würden sie sich irgendwann mal wiedersehen. Er hat ihr auch einen Haiku geschrieben, über Wasser, Kiefern und Kleiber. Er sieht Mary und Cody an und schüttelt den Kopf.

«Fragt mich nicht», sagt er. «Besser, wenn ihr es nicht wißt.»

Nachdem das Geschirr abgewaschen und weggestellt ist, putzt Eddie die Spüle aus und läßt warmes Wasser in eines der beiden Becken laufen. Er wartet, bis Little Eddie an ihm vorbeigerast kommt. Dann schnappt er ihn sich, stellt ihn auf die Ablage und zieht ihm Schuhe, Socken, Hose und T-Shirt aus. Er setzt ihn ins Wasser, stellt ihn wieder hin und seift ihn ein. So muß der Kleine im Bauch seiner Mutter gewesen sein, denkt er unwillkürlich, glitschig wie ein Fisch. Er hält das Kind fest, hat Angst, daß es ihm aus der Hand rutscht wie ein nasses Stück Seife.

Er spült ihn ab und läßt ihn dann mit einer Plastiktasse, ein paar Löffeln und einem Schwamm im Wasser spielen, während er selbst auf einem Hocker sitzt und die Zeitung liest. Er sitzt so nah am Waschbecken, daß die Zeitung naßgespritzt wird und er die Seiten nicht mehr umblättern kann.

Er nimmt den Jungen heraus, wickelt ihn in ein Handtuch und schickt ihn ins Wohnzimmer.

Dann ist Eileen an der Reihe. Sie findet es ganz toll, so zu baden. Cody hat ihr einen Rahmen gebaut, der über beide Waschbecken paßt. So kann sie über einem Becken liegen, von den Schultern bis zu den Oberschenkeln direkt über dem Wasser, und ihre Gipsbeine bleiben trotzdem trocken.

«Jetzt kann's losgehen», sagt sie, als sie richtig daliegt.

«Ich hab aber noch Hunger», sagt er. «Ich glaub, ich werd dich auffressen.»

«Nein, Daddy, nicht pusten.»

Eddie beugt sich vor, drückt den Mund auf ihren Bauch und pustet los.

Eileen lacht und schiebt seinen Kopf weg.

«Weißt du was», flüstert sie, «das klingt wie ein Furz.»

Mary kommt herein und albert mit herum. Sie schlägt vor, jeder soll sein Besteck holen und sich ein Stück von ihr abschneiden.

«Nein, Mommy. Das ist gar nicht witzig.»

«Sie ist zu dünn», sagt Eddie. «Da gibt's eh' nicht viel zu beißen. Nur Haut und Knochen.»

Eddie tritt zurück und läßt Mary weitermachen. Er sagt

es ihr nicht, aber es ist ihm unangenehm, seine Tochter zu waschen. Es ist ihm lieber, wenn Mary denkt, er ist zu faul dazu, als daß er es erklären muß.

«Wo ist Cody?»

«Draußen mit Little Eddie, sie suchen seinen Organspenderausweis. Er sagt, er ist schon länger weg, er hat es aber jetzt erst gemerkt. Er macht sich Sorgen, was damit passieren könnte. Daß er vielleicht in falsche Hände gerät.»

Sie ziehen Eileen den Schlafanzug an und heben sie zurück in ihren Stuhl. Mary steht hinter ihr und kämmt ihr die Haare. Eddie schaut aus dem Fenster und sieht Cody und Little Eddie vor dem Stall auf dem Boden herumsuchen. Er geht zu Mary und legt ihr die Hände auf die Hüften. Mary und Eileen reden über die Begabtengruppe. Eileen sagt, daß sie manchmal unheimlich schlau sind, aber sie heulen auch oft. Machmal heult sie mit, weil alle so traurig sind. Aber sie spielen tolle Spiele, am Computer. Und sie würfeln oft. Sie fragt, ob sie ins Wohnzimmer gehen und fernsehen darf. Als Mary wieder in die Küche kommt, geht sie zum Waschbecken und zieht den Stöpsel raus, doch Eddie stellt sich hinter sie und schiebt eine Hand in ihre Shorts. Sie lacht und drückt ihm den Ellbogen in den Bauch, damit er aufhört.

«Würfel», sagt sie, und lacht noch heftiger. «Sie würfeln.»

Er drückt die Handfläche gegen sie, reibt gegen den Stoff zwischen ihren Beinen. Dann zieht er die Hand heraus und schiebt sie in die Unterhose hinein, vorsichtig, damit er sie nicht an den Haaren zieht.

«Sie hat gesagt: ‹Manchmal tun wir so, als wären wir andere, ganz dumme Sachen, wie Speck oder Dreck.›»

Eddie drängt sich in sie hinein, spürt, wie sie feucht wird.

«Dreck?» sagt er mit abwesender Stimme.

«Sie sagte, sie wollte ein Pferd sein, aber der Lehrer wollte, daß sie Holz spielt.»

Eddie streichelt sie weiter, obwohl er eigentlich gar nicht so weit hatte gehen wollen. Mary seufzt, und in diesem Augenblick ertönt eine Explosion, und Schottersteinchen prasseln gegen das Fenster.

Nach dem Abendessen und nachdem der Junge gebadet ist, nimmt Cody Little Eddie mit nach draußen zum Stall, damit er wieder dreckig wird. Er findet, kleine Jungen müssen immer dreckig sein und ein bißchen stinken.

Cody braucht Hilfe bei der Suche nach seinem verlorenen Organspenderausweis. Er ist überzeugt, daß der Ausweis mindestens so wichtig ist wie ein Vertrag. Jetzt wünscht er, er hätte sich dieses blöde Stück nie zugelegt.

Er steht vor der Tür zu Bucks Pferdebox, und Little Eddie sitzt auf seinem Arm.

«Sieht ganz so aus, als müßte der alte Knabe bald sterben», sagt Cody.

Little Eddie versucht, Codys Worte nachzusprechen. Schließlich bildet er für jedes Wort, das Cody gesagt hat, einen Laut.

Außer Little Eddie hat Cody niemanden vom Zustand des Pferdes wissen lassen. Das Tier ist alt, zu alt, um noch mit Medikamenten vollgestopft zu werden. Cody hofft, daß der Tod gnädig sein, daß er Buck im Schlaf holen wird, und zwar bald, sonst muß Cody es selbst besorgen. Er ist sicher, daß Buck völlig blind ist.

Max kommt hinter einem Ballen Heu hervor. Das Hinterteil eines Tieres hängt ihm aus dem Maul. Er legt es auf die Erde und leckt daran. Cody sieht den Kopf eines Backenhörnchens, seine aufrecht stehenden Ohren und den schwarzen Streifen zwischen den Augen.

«Du alter Hurenbock», sagt Cody. «Was hast du denn da? Dein Abendessen?»

Max beobachtet Cody und Little Eddie. Er hat das Bakkenhörnchen nur abgelegt, um herauszufinden, ob die beiden sich darauf stürzen werden, weiß aber ganz genau, daß er es im Handumdrehen wieder packen und sich aus dem Staub machen könnte.

Cody wendet sich wieder dem Pferd zu. Er schnalzt mit der Zunge und klopft gegen das Holz. Langsam kommt das alte Tier auf ihn zu. Cody streckt die Hand aus, um ihm den Kopf zu streicheln, und dann bleibt das Pferd stehen, aber erst, nachdem es mit dem Knie gegen die Stalltür geschlagen hat, nicht fest, aber doch so fest, daß sie wackelt.

«Na, mein Alter», sagt Cody.

«Na, mein Alter», sagt Little Eddie.

Cody kitzelt Little Eddie, bis er lacht.

«Noch mal, Cody. Noch mal.»

«Jetzt ist's gut. Weißt du, was wir machen müssen? Wir müssen diesen Organspenderausweis finden. Weiß der Himmel, was passiert, wenn er in die falschen Hände gerät.»

Er setzt den Jungen ab, und dann suchen die beiden im Heu, das den Boden bedeckt. Cody schaut unter Eimer und Futtertüten, schiebt Zaumzeug und Decken beiseite.

Sie arbeiten sich langsam zum Hof vor und um den Stall herum. Cody sucht die Pfade ab, die er vom Misthaufen zum Garten, von der Kiste mit Pferdefutter zur Auffahrt gemacht hat. Er und der Junge suchen den kleinen Pferch hinter dem Stall ab. Sie gehen bis zum Fluß und zu den großen runden Flußkieseln, wo Louis Poissants Zaun anfängt, noch auf Eddies Grund und Boden.

Cody bleibt stehen, und der Junge läuft ihm von hinten in die Beine. Vor sich am Fuß der Steine sehen sie die hintere Hälfte der größten Schlange, die Cody je untergekommen ist. Die vordere Hälfte verschwindet gerade im Bau eines Murmeltiers.

«Ach du meine Scheiße», sagt Cody.

Er hebt den Jungen hoch und rennt zur Garage. Er ist davon überzeugt, etwas gesehen zu haben, das nicht von dieser Welt ist, etwas aus der Sphäre, in der sich zwei Welten treffen, die Welt über der Erde und die darunter.

Er setzt den Jungen auf den Sitz des Rasenmähers und schärft ihm ein, dort sitzen zu bleiben. Er nimmt den großen Benzinkanister und holt eine Fackel aus dem Pickup. Am Bau des Murmeltieres sieht er den Schwanz der Schlange verschwinden, der am Ende immer noch so dick ist wie ein Männerarm.

Cody kippt den Inhalt des Kanisters ins Loch, tritt zurück und entzündet die Fackel. Dann schleudert er sie durch die Luft, und noch ehe sie den Boden berührt, erbebt die Erde, und er fällt mit einem Gefühl der Genugtuung auf den Hintern, und so finden ihn Eddie und Mary.

An diesem Abend, als die Kinder im Bett liegen, kippt Cody sich einen hinter die Binde, und Eddie tut es ihm gleich. Sie überlegen, ob sie nicht die Erde aufgraben und der Sache nachgehen sollen, aber Cody bekommt Angst. Eddie muß ihm versprechen, niemals dort zu graben, denn Cody ist überzeugt, daß die Schicht zwischen dieser Welt und der anderen an dieser Stelle ganz besonders dünn ist.

«Ihr zwei seid ja völlig bescheuert», sagt Mary. «Ich geh ins Bett.»

«Bleib doch noch ein bißchen bei uns», sagt Eddie.

«Ja, bleib doch da.»

Sie steht auf, und Eddie sagt, er kommt gleich nach.

«Nur keine Eile», sagt sie und geht die Treppe hinauf.

Mary sieht nach den Kindern. Little Eddie schläft wie ein Stein, und Eileen liest im Licht ihrer Nachttischlampe, die

Beine unter der Decke ausgestreckt. Mary tritt einen Schritt zurück. Es kommt ihr vor, als würde ihr Herz schwach. Aber eigentlich will sie gar nicht traurig sein, also schluckt sie die Tränen hinunter und geht in ihr Schlafzimmer. Dort zieht sie sich aus und geht dann pinkeln. Als sie auf der Toilette sitzt, schaut sie auf und sieht sich in den Spiegelfliesen. Sie versucht wegzusehen, schafft es aber nicht. Wie gebannt sieht sie auf die Frau im Spiegel, kann sich nicht bewegen. Eine Frau schaut sie an, deren Aussehen langsam nicht mehr das ihre ist. Die Frau scheint die Antwort auf eine ungestellte Frage vorwegzunehmen, und dann bricht es aus ihr heraus, und sie schluchzt heftig, mit bebender Brust und zuckenden Schultern.

Eine Zeitlang kühlt es ab, und dann kommt der Spätsommer mit seiner seltsam trockenen Hitze, die bis spät in den Abend anhält. Er ist der Vorbote der Kälte, die den Norden der Staaten und Kanada einschließen wird, bis das neue Jahr drei Monate zählt. Es ist die letzte Gelegenheit, die Häuser für den Winter abzudichten.

Louis Poissant verkauft seine Kälber, und Mary ist froh darüber, denn jetzt werden sie den Gestank los. Sie teilt Cody die Aufgabe zu, die Spiegelfliesen im Badezimmer abzuschlagen. Sie sagt ihm, sie hat es satt, sich immer beim Pinkeln zusehen zu müssen. Er sagt, mit den Spiegelfliesen sieht es sowieso aus wie im Puff.

In der Umgebung von Inverawe sind jede Menge Buschfeuer ausgebrochen. Langsam werden die Leute argwöhnisch. Auf dem Rattlesnake Mountain brennt es am schlimmsten. Glücklicherweise hat Louis Poissant seine Kälber schon auf eine andere Weide gebracht. Jetzt sind achtzig Mann da und versuchen, den riesigen Brand unter Kontrolle zu bekommen, doch sie tun sich schwer damit. An manchen Stellen brennt das Feuer unter der Erde und versengt den Männern die Schuhsohlen. Mary hat es vorausgesagt.

Einen Vorteil hat der Herbst aber, denn dann sterben auf dem Land nicht so viele Leute. Sie haben so viele andere Dinge zu tun. Sie müssen die Häuser abdichten, die Dächer ausbessern, den Kamin fegen, die Ernte einfahren und verarbeiten. Eddie hat genügend Zeit, die Feuer zu bekämpfen.

Little Eddie hat wieder mal Durchfall. Einen hartnäckigen diesmal, und sein Appetit ist auch weg. Mary fühlt sich schuldig, denn sie ist tagsüber nicht da und kann sich nicht um ihn kümmern. Sie hat alles durchprobiert – verdünnte Milch, Apfelsaft, Gatorade und Götterspeise. Jetzt bekommt er eine Diät aus Hühnchen und Käse. Aber es wird nicht besser, einen Tag geht es ihm gut, und am nächsten Morgen ist die Windel voll und das Bett auch. Sie ist davon überzeugt, daß Eddie und Cody mit dem Essen nicht richtig achtgeben. Sie verstehen nicht, wie empfindlich die Gedärme des Jungen sind.

«Reg dich nicht auf», sagt Cody.

Mary rastet aus.

«Reg dich nicht auf», schnaubt sie. «Reg dich nicht auf. Das hast du letztes Mal auch schon gesagt. Dann wickel du ihn doch. Dann guck du ihm doch ins Gesicht, wenn du ihm die Windel vom Hintern wegziehst. Guck dir an, wie's ihm weh tut. Und sag ihm, er soll sich nicht aufregen.»

«Sie hat recht», meint Eddie. «Dehydration ist ein ernstes Problem. Letztes Jahr hatten wir eine Frau, die wegen einer Hüftoperation ins Krankenhaus mußte. Sie war schon alt, ist in einen Heizungsschacht gefallen und hat dann drei Tage da unten gelegen, bis jemand sie gefunden hat. Sie hatte sich nur die Hüfte gebrochen, aber im Krankenhaus haben sie ihr nicht genügend Flüssigkeit gegeben, und sie ist an Dehydration gestorben.»

Mary sieht die beiden Männer an. Zuerst versucht sie, die

Unterschiede zwischen ihnen auszumachen, stellt dann jedoch fest, daß sie im Moment ein und dieselbe Person sind.

«Du kannst mich auch mal», sagt sie zu Eddie, so, daß auch Cody sich angesprochen fühlen kann, erstaunt, daß ihr gar nicht mehr zum Heulen zumute ist.

Die Männer wenden sich wieder den Vorgängen am Rattlesnake Mountain zu, die über den Scanner gemeldet werden.

Es ist Sonntagabend, und sie haben die letzten beiden Tage fast die ganze Zeit dort oben mitgeholfen. Sie wissen, daß sie es nicht in den Griff gekriegt haben, aber jetzt sind sie einfach zu müde, müde bis auf die Knochen.

Nachdem Mary sich wieder beruhigt hat, geht sie ins Bad, um einen feuchten Lappen zu holen. Dort sitzt Eileen in ihrem Rollstuhl. Sie hat eine Schachtel Tampons ausgepackt, hat jeden einzelnen aus seiner dünnen Papierhülle ausgewickelt und den Faden herausgezogen. Jetzt versucht sie, sie wieder in die Zellophanhülse zurückzuschieben. Sie weiß, daß sie das nicht hätte tun sollen.

Mary schüttelt den Kopf und sagt ihr, das hätte sie sich vorher überlegen sollen. Eileen stimmt zu. Reue ist immer die beste Strategie.

«Also bitte. Du gehst jetzt in dein Zimmer. Ruf deinen Vater, daß er dich hinaufträgt.»

Als Eileen allein ist, stillt sie ihre Puppe, hält sie ganz dicht an ihre flache Brust und streichelt die Haare aus Garn. Kater Max liegt normalerweise auf dem Rücken vor ihr am Boden und sieht ihr zu, die Augen zu gelben Schlitzen verengt, aber heute abend ist er nicht da.

Eileen redet trotzdem mit ihm, als wäre er da, als wäre er ihr Mann, der sie ignoriert. Sie tut, als sei er ein Prinz, der von einer bösen Hexe in eine Katze verwandelt wurde, und eines Tages wird er in einen Mann zurückverwandelt werden, und dann kann sie ihn heiraten. Sie hört unten das

Telefon klingeln. Er ist es, denkt sie, will mir sagen, daß er etwas später zum Essen kommt.

Mary legt den Hörer auf.

«Ich hab die Nase voll von Max», sagt sie. «Du mußt ihn kastrieren lassen. Mrs. Craig war dran. Er war in ihrem Hühnerstall.»

«Weiß der Teufel, wie er darauf kommt, ausgerechnet Hühner zu ficken», sagt Cody und lacht über seinen Witz.

«Er war hinter Mäusen her», sagt Eddie. «Er ist ein guter Mauser.»

«Mäuse hin, Mäuse her, er hat die Hennen verstört, und jetzt legen sie nicht mehr. Letzte Woche war er bei den Smithlers und ist über ihre Perserkatze hergefallen. Ich hab die Nase voll. Ist ja schlimmer als mit einem sechzehnjährigen Sohn, der gerade mit einem Führerschein auf die Welt losgelassen worden ist. Mrs. Craig hat gesagt, in Kalifornien kann man wegen so was verklagt werden.»

«Dann sag ihr, daß wir hier nicht in Kalifornien sind», sagt Cody.

Eddies Mutter wollte den Kater auch kastrieren lassen. Sie mochte es nicht, wenn Max ihr seine lebende Beute ins Haus schleppte, um damit herumzuspielen. Sie hielt es für widernatürlich, Tiere ins Haus zu bringen; so etwas sollte nicht sein. Sie war davon überzeugt, daß der Kater sie eines Tages ins Grab bringen würde. Sie hatte Schwellungen in den Lymphdrüsen, und sie war überzeugt, daß Max sie mit Katzenseuche angesteckt hatte.

Eddie geht nach draußen und setzt sich allein in die Dunkelheit. Cody fährt wieder zum Feuer. Eddie hört, wie es im Scanner knackt. Thad redet mit einer anderen Feuerwehrbrigade, die im Norden des Brandes operiert. Das Rote Kreuz ist auch da. Sie haben Roastbeef-Sandwiches mitgebracht, und eimerweise Kaffee.

Für Eddie ist es eine der Nächte, die er schon viel zu oft

durchlebt hat, als daß sie ungewöhnlich für ihn wären. Der Spätsommer ist für ihn eine Zeit der Abrechnung. Er ist auf etwas gestoßen, weiß aber nicht, auf was.

In der Dunkelheit weiter hinten auf der Straße sieht er eine unmerkliche Bewegung, ein Tier, das sich ins tiefe Gras neben der Straße verzieht. Vielleicht ist es Max auf der allnächtlichen Jagd. Er sollte ihm besser nachgehen, ehe sich die Craigs und Smithlers gegen Max zusammenrotten.

Eddie verläßt die Veranda und geht zu der Stelle, wo er die Bewegung gesehen hat. Als er dort ankommt, stellt er fest, daß es nicht hier war; es muß etwas weiter weg gewesen sein. Er geht weiter, bis er merkt, daß er über sein Ziel längst hinaus ist; er ist viel zu weit gegangen, denn er kann sein Haus nicht mehr sehen.

«Zum Teufel mit dem Kater», sagt er, «aber es ist ein schöner Abend zum Spazierengehen.»

Eddie geht weiter die Straße entlang, die aus Inverawe hinausführt.

Es ist still, und nach kurzer Zeit sieht er keine Lichter mehr, nur noch die Sterne. Vor ihm bewegt sich wieder etwas, eine kleine Gestalt duckt sich ins Gras. Sie läuft etwas unbeholfen vor ihm her.

Eddie sieht genau hin, aber dann ist auf einmal nichts mehr da. Er fragt sich, wieviel er sich nur eingebildet hat und wieviel wirklich da ist.

Eddie pfeift und ruft nach Max. Als Antwort ertönt ein leises Miauen. Er geht durch hohes Gras und betritt eine Szene, auf der ein Kampf stattgefunden hat. Max sitzt auf den Hinterbeinen. Er hat ein Ohr verloren, ein Auge ist blutig verklebt. Zu seinen Füßen liegt die größte Ratte, die Eddie je gesehen hat. Jedenfalls glaubt er, daß es eine Ratte ist. Der Kopf ist ab und der Körper völlig zerfetzt.

Max will nicht weg. Er hat hart gekämpft, um seine

Beute zu töten, und jetzt will er sie auch behalten. Er ist stolz auf sich und will, daß Eddie sieht, was er geleistet hat, aber er braucht dringend einen Tierarzt, der ihn zusammenflickt und vielleicht das Auge retten kann.

Als Eddie näher kommt, umschleicht Max seine Beute, achtet darauf, daß sie immer zwischen ihm und Eddie ist.

Eddie geht auf alle viere und arbeitet sich vor, bis er Max schließlich in den Händen hat. Doch die Katze möchte nicht festgehalten werden. Sie kratzt Eddie, klettert an ihm hoch und beißt ihn in die Stirn.

Eddie zieht sein Hemd aus und wickelt die Katze darin ein. Max gibt auf und läßt sich zur Straße tragen. Seine Körperwärme dringt durch das Hemd an Eddies Arm. Eddie streichelt ihm den Kopf und sieht hinunter. Er sieht, daß die Wärme in Wirklichkeit Blut ist.

Ein Auto kommt ihnen entgegen. Bei dem Geräusch will sich Max aus Eddies Hemd befreien. Eddie fürchtet, daß es jemand ist, der ihn kennt. Womöglich wird er anhalten und mit ihm reden wollen, also kniet er sich ins Gras neben der Straße, stützt sich auf einen Arm und drückt mit dem anderen den Kater gegen seinen Bauch.

Das Auto fährt ganz dicht an ihnen vorbei. Es wird langsamer und bleibt stehen. Eddie schaut über die Schulter und erkennt Louis Poissants Cadillac. Der Wagen hält einen Augenblick lang, die Rücklichter sehen aus wie rote Augen in der Nacht, und dann ist er weg, verschwindet auf der kurvigen Straße.

Eddie stellt fest, daß er Louis dankbar ist, weil Louis verstanden hat, daß er allein sein wollte, ob er es nun wußte oder nicht.

Am Montag ist es kalt und regnerisch. Das Feuer auf dem Rattlesnake Mountain erlischt. Niemand hat Klapperschlangen gesichtet, weder tote noch lebendige.

Doch für Cody und die Ryans ist es ein Tag der Freude. Mary und Eileen gehen heute früher aus der Schule weg. Die Gipse werden abgenommen und in den Müll geworfen. Und es gibt Post, von Marys Kusine aus Seattle und von Mrs. Hall aus Nova Scotia.

Eddie hat die Briefe in der Hand und wartet darauf, daß Mary und Eileen nach Hause kommen. Zum Abendessen macht er eine Pizza. Cody kümmert sich um das Gemüse, Little Eddie düst auf seinem Dreirad durch die Küche und rempelt die Möbel und die Beine der Erwachsenen an. Er trägt G. R. Trimbles Schutzhelm und hat ein Holzschwert in der Hand, das ihm sein Onkel Cody geschnitzt hat. Mary Looneys Leguan hat sich letzte Woche ins Haus abgesetzt, und er ist ihm auf der Spur.

Max liegt auf einem alten Kissen. Er hat das Auge verloren, und jetzt wird diskutiert, ob er eins aus Glas kriegen soll. Die Wunden sind versorgt, die Fäden lösen sich von selbst auf. Er bewegt sich nicht viel. Er frißt da, wo er liegt.

Als Mary und Eileen heimkommen, besteht Eileen darauf, ganz allein über die Türschwelle zu gehen. Sie geht mit der wiedergewonnenen Fähigkeit, die Beine benutzen zu können, noch sehr vorsichtig um. Sie geht langsam, als seien sie zerbrechlich. Alle sehen ihr zu. Ihr Vater bricht fast in Tränen aus und muß sich schwer zusammenreißen. Er möchte nicht sentimental werden und sie verunsichern.

«Du hast supertolle Beine», sagt er.

Cody pfeift anerkennend und sagt: «Oh, Baby!»

«Alles halb so wild», sagt sie, und sie wiederholen es alle, immer wieder, selbst Little Eddie. Sie sagen es und lachen, als sei es das Komischste, was sie je gehört haben.

«Alles halb so wild», sagen sie. «Alles halb so wild.»

Cody schiebt ihr einen Stuhl hin. Sie setzt sich, als wäre es der Hintern, der ihr weh tut. Little Eddie rast in seinem Dreirad auf sie zu, doch Cody fängt ihn ab.

«Es gibt Post», ruft Eddie. «Richtige Post. Nicht nur Rechnungen.»

Mary kommt in die Küche. Sie hat sich schon umgezogen, raus aus den Schulsachen. Eddie gibt ihr den Brief von Mrs. Hall und den von ihrer Kusine aus Seattle.

In Mrs. Halls Brief liegt eine Ansichtskarte. Eine mit Kormoranen, die auf den Pfählen in Pictou Harbour nisten. Hinten drauf steht, daß sie zu den Ruderfüßlern gehören, ausgezeichnete Schwimmer sind und sehr gut mit ihren abgespreizten Flügeln und dem langen Schwanz steuern können. Sie fressen Aale, Dorsche und andere Fische, die langsam schwimmen.

In ihrem Brief entschuldigt sich Mrs. Hall dafür, daß sie sich nicht verabschiedet hat. Sie hat sich zur Pensionierung entschlossen und ist in ihr Blockhaus in Nova Scotia zurückgekehrt, um dort ihren Lebensabend zu verbringen. Sie schreibt, sie glaubt, im Nebel das Geisterschiff in der Meerenge gesehen zu haben. Sie schreibt, Eileen solle möglichst früh *Evangeline* von Longfellow lesen. Sie sollten ihr unbedingt begreiflich machen, schreibt sie, worum es darin geht. Sie dankt Eddie und Cody dafür, daß sie das Dach neu gedeckt haben. Sie schreibt, sie seien alle im Frühjahr herzlich willkommen. Sie läßt Cody ganz besonders grüßen und unterschreibt: «Wir lieben euch alle.»

«Ich frag mich, wer mit *wir* gemeint ist», sagt Mary.

«Vielleicht hat sie sich einen Liebhaber zugelegt», sagt Cody. «Vielleicht einen von der berittenen kanadischen Polizei.»

Eddie sagt nichts. Er glaubt es zu wissen, aber sicher ist er sich nicht. Er glaubt, daß ihr Mann zurückgekommen ist, und weiß gleichzeitig, was das für ein dummer Gedanke ist, aber er kann ihn nicht abschütteln.

Der zweite Brief ist von Marys Kusine. Sie und ihr Mann haben für die Herbstferien ein Apartment in Florida gebucht, können jetzt aber nicht hinfahren. Er ist an die Westküste versetzt worden. Das mit dem Geld ist ihnen egal, weil sie es von der Steuer absetzen können. Es steht also zur Verfügung, schreibt sie. Gebt mir bald Bescheid. Liebe Grüße. P. S.: Wir denken über eine Scheidung nach, nichts Definitives. Vielleicht bleibt es bei dem Gedanken. Du weißt ja, wie das ist.

Mary versucht, sich über ihr Glück zu freuen. Zuerst sagt Eddie, er kann nicht mitfahren, doch dann gibt er nach. Er sagt, daß Mary ihr antworten soll. Die Einzelheiten können sie ja klären, wenn es soweit ist. Mary steht auf, um sich Briefpapier vom Rollpult zu holen.

Verdammt noch mal, denkt er, wir haben uns einen Urlaub verdient. Er fragt sich, was das P. S. zu bedeuten hat, vor allem der letzte Satz. Solche blöden Sachen schreiben die Leute oft einfach so hin.

Er nimmt den Mozzarella und zerpflückt ihn. Eileen möchte ihm helfen, aber er sagt, das ist noch zu schwer für sie. Sie schnappt sich eine Handvoll von den Käseschnitzeln.

«Der Pizzakäse ist göttlich», sagt sie. «Ich werd ihn heiraten.»

«Wann wirst du mit dem Schwimmen anfangen?»

«Mom hat gesagt, vielleicht gehen wir nächste Woche nach Keene ins Schwimmbad», sagt sie, hält inne und faßt sich an den Kopf. «Aber vielleicht hab ich das auch nur geträumt oder so.»

Eddie sagt nichts. Er muß sich beherrschen, damit er nicht laut loslacht.

«A propos heiraten», sagt sie, «ich wünschte, es gäb außer Jungens noch was anderes zum Heiraten.»

«Warum das?»

«Wegen der Scheidung.»

«Tatsächlich?»

«Weil die Männer so doof sind. Immer wenn sich die Frauen grad hingesetzt haben, weil sie müde sind, kommen die Männer an und sagen, mach mir mal 'nen Kaffee. Ich werd dann sagen, das kommt mir nicht in die Tüte.»

«Was kommt dir nicht in die Tüte?» will Mary wissen, die gerade wieder in die Küche gekommen ist.

«Meine Güte, nichts kommt in die Tüte.»

«Wußtet ihr schon, daß sie in ihrer Begabtenklasse Würfel spielen?» fragt Cody. Er hat über das Geisterschiff nachgedacht. Er glaubt, daß er es auch gesehen hat.

Nach dem Abendessen bleiben Eddie und Mary in der Küche, während Cody, Little Eddie und Eileen nach draußen gehen. Sie reden über die Briefe, über Mrs. Halls Pensionierung und über die Scheidung. Sie wissen nicht, was sie davon halten sollen. Sie versuchen, die Briefe zu verstehen, so viele schöne Dinge, so viele Ängste, die zwischen den Zeilen stehen.

Von draußen ertönt ein Schuß. Eddie zuckt zusammen, so heftig, daß es ihm weh tut. Er hofft, daß Mary es nicht gemerkt hat, doch das passiert ihm oft, eine Bewegung, ein Ton, und er verkrampft sich total. Es ist nur ein kleines Kaliber. Dann ertönt ein lauterer Schuß, diesmal aus einem 44er.

Eddie und Mary gehen hinaus. Little Eddie und Cody stehen unten an den Stufen, und Eileen sitzt im Liegestuhl. Es ist noch hell, am Himmel ist Platz genug für Sterne und Mond und ein Stück Sonne.

Etwas weiter weg stehen ein paar Sägeböcke, und daran ist eine Sperrholzplatte genagelt. An die Platte ist ein Brett geleimt, auf dem eine Reihe von Spiegelfliesen steht.

Cody hebt einen 22er hoch, und einer nach dem andern zerspringen die Spiegel, die Glassplitter fallen zu Boden.

«Ich hab ihnen gesagt, das bringt Unglück, aber sie hören nicht auf mich», sagt Eileen. Cody stellt eine neue Reihe Spiegelfliesen auf. Als er zurückkommt, lächelt er Eddie und Mary zufrieden an. Er geht in die Knie, legt die Arme um den Jungen und läßt Little Eddie den Revolver halten, die kleine Kinderhand fest in seiner.

Die Schüsse gehen los, und die Spiegel fallen zu Boden.

«Mach's besser», sagt Cody zu Eddie.

Mary möchte ihnen allen die Meinung sagen, weiß aber nicht, wo sie anfangen soll.

«Gib mir das Scheißding», sagt sie. «Ich zeig euch, wie man damit umgeht.»

Cody geht zu den Sägeböcken und stellt eine neue Reihe auf. Dann schwenkt er die Trommel aus und lädt den Revolver neu, während er zurückkommt. Er sagt ihr, daß es der Revolver von G. R. war und daß der damit einer Mücke das Auge ausschießen konnte.

«Los, Mom», sagt Eileen.

«Zeig's mir.»

Cody zeigt Mary, wie man mit dem Revolver zielt und wie man ihn spannt. Er bringt sie in die richtige Position, aufrecht, die Knie gebeugt, die Arme nach vorn gestreckt und beide Hände am Griff. Sie zielt, sieht dann Cody an und lächelt. Sie schießt und trifft, eine Fliese geht kaputt, zwei streift sie.

«Du bist dran», sagt sie und hält Eddie die Waffe hin.

Eddie kommt von der Veranda herunter und nimmt den Revolver. Er lädt ihn mit einer Handvoll Kugeln, die Cody ihm gibt. Er visiert das Ziel an und starrt in die Spiegel.

«Ihr Idioten», sagt er schließlich und läßt den Revolver sinken.

Cody und Mary lachen. Little Eddie weiß nicht wieso, aber er lacht mit.

«Gib mir den anderen», sagt Eddie.

«Was für einen anderen?» Cody zuckt die Schultern.

«Den anderen Revolver.»

Cody zieht einen 44er unter den Stufen hervor und reicht ihn hinüber, sagt Eddie, daß er schon geladen ist, und meint dann: «Nur zu, aber erschieß dich nicht damit.»

Eddie geht in Position und nimmt das Ziel ins Visier. Er sieht sich im Spiegel, wie er mit einem Revolver auf sich selbst zielt. Er schießt die Trommel leer, zerfetzt alle Spiegel, die noch dastehen. Die Schüsse sind laut und schmerzen in den Ohren; sein Spiegelbild zerbricht, und die Splitter fallen zu Boden. Eddie gibt Cody den Revolver zurück, geht ins Haus, in seinen Präparationsraum und bleibt so lange da, bis er sicher ist, daß alle schlafen gegangen sind.

Ein paar Tage später schreibt er in sein Tagebuch.

... Farmer zerbricht Düse eines Melassetankwagens hinter Scheune. Ganzer Tank läuft aus, auf die Straße. Verkehrsunfall. Ein Toter.

... Steinschleife über Kopf eines Jungen gezogen. Joch der Ochsen mit dem kleinen hölzernen Sarg begraben.

... Schüler von Spikes erschlagen, die aus einem Winterreifen herausfliegen.

... Hund tritt auf Gewehr und erschießt Jäger, der an einen Baum pinkelt.

... Mann legte sich betrunken in Blätterhaufen, wurde von Bagger als Schüttgut mitgenommen, lebendig begraben.

... Mann legt sich auf die Straße, um Rausch auszuschlafen, wird überfahren. Kommt in ländlichen Gegenden häufig vor.

... riesige Drahtspule fällt von Lastwagen, rollt bergab, rast durch Hütte wie eine Kettensäge. Tötet zwei Menschen am Eßtisch.

... Brückenarbeiter beschwert sich über mangelnde Sicherheitsvorkehrungen bei der Arbeit. Wird daraufhin

als Rettungsschwimmer eingesetzt. Fällt aus dem Boot und ertrinkt.

... Ehepaar erfroren in Wohnung aufgefunden. Alle Möbel verheizt. Vorrat verbraucht.

... Mann mäht Rasen mit Kopfhörern. Wird von Hornissen angegriffen. Stirbt zu den Klängen eines symphonischen Meisterwerks.

... Mann stirbt bei Beerdigung. Stolpert auf der Treppe zur Kirche. Verwandte nehmen es auf Video auf. Bestehen darauf, daß Asche des Toten in den Wind gestreut wird. Nehmen auch das auf.

... Paar stirbt in Wasserbett an Hypothermie, als Strom ausfällt. «Sie waren so verliebt; nicht mal Sie werden die beiden unter der Erde halten können.»

... Gewitter. Farmer stirbt, als Blitz in Sprühapparat einschlägt, Blitz schlägt in Baumstamm ein, tötet Schweine, an Stahlpfosten angeketteter Hund stirbt, als Stahlpfosten wie Blitzableiter wirkt. Blitz hat Geschwindigkeit von neunzigtausend Meilen pro Sekunde. Nur die Hälfte der Lichtgeschwindigkeit. Wenn ein Blitz so was schafft, was schafft dann erst das Licht.

... Eileen hatte heute morgen das Kleid verkehrt herum an, als sie zur Schule ging. Niemand hat dran gedacht, was zu sagen. Der Gips ist übrigens ab, und sie macht große Fortschritte.

... Cody hat die ganze Nacht im Stall gesessen und Bucks Kopf im Schoß gehalten. Das Pferd hat auf der Seite gelegen. So sind beide eingeschlafen, aber am Morgen ist nur einer wieder aufgewacht. Cody war dankbar, daß er das Pferd nicht erschießen mußte. Nicht, daß es ihm was ausgemacht hätte, sagt er. Wenn er es hätte tun müssen, hätte er es getan.

... Iggy hat vom Lampenschirm heruntergeguckt. Hat uns ganz schön erschreckt. Hat das Maul aufgemacht

und uns die Zunge rausgestreckt. Mary wollte ihn mit einer Zeitung runterholen. Iggy rutschte vom Schirm, und noch ehe er auf dem Boden angekommen war, hat Max ihn schon gehabt. Wir haben abgemacht, Mary Looney nichts davon zu erzählen. Eileens Idee. Sie sagte, wenn ich tot sei, wolle sie es nicht erfahren.

... habe Mary Looney angerufen, brauchte sie zur Arbeit. Gestand mir, daß sie all ihr Geld beim Hunderennen verwettet hatte. Kombinationswette brachte 3448,80 Dollar. Gewinner waren Boston Deb, Estimated Income, My Mink Coat, Perfect Form, Hi Bio. Sie hatte auf Kinetic Energy, Hinsdale, Placid Red, Wilda's Bobbin und Poverty gesetzt. Mary glaubt, daß das alles eine tiefere Bedeutung hat.

... Marie hat Mary angerufen, hat das Gefühl, Dome flippt aus. Er besteht darauf, daß sie alle Stöpsel in den Spülsteinen drinläßt. Behauptet, Dschinns könnten aus den Abflußrohren kommen und die ganze Welt auf den Kopf stellen. Er sagte zu Marie, sie solle sich nie mit einem Dschinn einlassen. Hat was von Rassenmischung gefaselt. Marie hat Mary erzählt, daß er eine Sammlung kleiner Schachteln aus Kameleutern habe.

... Hab von einem kleinen Jungen aus Keene gelesen, der bei einem Unfall ums Leben kam. Ist wohl mit dem Schlitten auf die Straße gekommen und wurde überfahren. Muß an meinen eigenen Sohn denken. Meine Kinder. Warum sind die Rituale der Geburt nicht auch so ergreifend wie die des Todes?

... Mußte heute morgen eine Leiche abholen. Eine junge Frau hat ihre Medikamente verwechselt. Absichtlich, glaube ich. Ihre Mutter war da, ihre Schwestern und deren Kinder. Gingen nicht vom Schlafzimmer weg, sondern drückten sich vor der Tür herum. Die Mutter sagte ihren Kindern, ich würde die Tote mitnehmen, um sie

schönzumachen. Tat meiner Seele gut. Pot rief an, bestand darauf, den Totenschein zu unterschreiben. Sagte ihm, Krankenschwester habe das bereits gemacht. Sagte ihm, er werde nicht gebraucht. Sagte ihm, er solle wegbleiben.

...Ging heute morgen in den Präparationsraum, um nach Mary Looney zu sehen. Sie saß neben dem Kopf der Frau und weinte. Ich fragte, was los sei. Sie sah mich an. Sie sagte: «Es sind die Tränen. Sie fallen immer wieder auf ihr Gesicht, und dann verschmiert die Schminke.»

Nein, sagte ich. Ich meine, warum weinen Sie. Sie sagte: «Weil das hier Mary Rooney ist, meine beste Freundin, und ich hab's nicht mal gewußt.»

Das sind die Dinge, die mir im Moment den Rest geben.

24

Eine halbe Stunde vor Tagesanbruch. Im Osten weicht bereits die Nacht, erhebt sich ein neuer Horizont, der die Gestalt der Berge wiederholt, eine zweite, höhere und fernere Kette bildet, kalkig weiß unter dem grauen Gewölk, das sich über ihnen wölbt, sich erst weit im Westen wieder herabsenkt. Ein schöneres Licht als das werden sie heute nicht mehr zu sehen bekommen.

Eddie erinnert sich an einen Tag, als Eileen nicht schlafen konnte, als ein bis ins Mark dringendes Pochen in den Beinen sie auf die kleinen Schmerzen vorbereitete, die sie bei solchem Wetter immer haben wird, bis an ihr Lebensende. Dasselbe graue, gesprenkelte Licht, der gleiche Tagesanbruch, ein verspäteter Gedanke, eine nicht zu Ende geführte Idee. Er war aufgestanden, um sie zu trösten. Sie zogen sich an und gingen hinaus auf die Veranda, dann schob er sie im Rollstuhl durchs nasse Gras, hinunter zu dem Maisfeld, aus dem die Schreie der Waschbären ertönten. Wasser perlte von ihren Gipsbeinen, als sie das Gras durchpflügten; Eileens Herz schlug verläßlich und entschlossen in ihrer Brust, Eddies Herz hing teilnahmslos in seiner, ein wenig eingefallen, ein paar Stücke herausgebrochen.

Sie fand, die Waschbären hörten sich an wie weinende

Kinder, oder sogar wie Kinder, die getötet werden, und als sie es sagte, sahen sie einander an und erkannten, wie wahr dieser Gedanke war.

Cody ist ein Stück von ihm entfernt, auf demselben Bergkamm. Er hat einen warmen, hohen Sitzplatz gefunden, einen Platz mit guter Aussicht, über Meilen hinweg, nach allen Richtungen. Es sind die Lüftungsschlitze der Sendeanlage einer Radiostation.

Er weiß es nicht, aber jedesmal, wenn er sich setzt, unterbricht er die Luftzirkulation, der Sender heizt sich zu sehr auf und schaltet ab, und die Radiostation verstummt.

Es ist November in Pennsylvania, der Aufgang der Rotwildjagd.

Am Vortag, einem Sonntag, sind sie in die Seven Mountains gefahren. Cody wollte schon immer mal die Eröffnung der Jagdsaison in Pennsylvania erleben.

«An dem Tag laufen in Pennsylvania so viele Jäger durch die Wälder, daß sie die viertgrößte Armee der Welt bilden. Verdammt große Eintagsarmee.»

«Hier steht, man darf nicht auf Friedhöfen jagen und auch nicht auf dem Gelände von Krankenhäusern.»

«Pennsylvania ist ein großer Staat», erklärt Cody Eddie. «Da bleibt auch so noch genug Land.»

Die Reifen von Codys Pickup dröhnen über den Highway, die Route 45 am Ortsende von Lewisburg, wo sie die Interstate 80 verlassen haben. Ein handgemaltes Schild in einem Vorgarten warnt vor einer Radarfalle irgendwo auf den nächsten zehn Meilen. Cody erzählt Eddie von seinem Onkel, der eine Tankstelle hatte. Jedesmal, wenn die Polizei auf der Route 12 Geschwindigkeitskontrollen durchführte, stellte er ein Schild auf, um die Autofahrer zu warnen. Das kurbelte sein Geschäft mächtig an. Sie wollten seine Tankstelle dichtmachen, aber dem Richter schien seine Aktion so was zu sein wie Paul Reveres heldenhafter Parforceritt. Eigentlich die Pflicht jedes guten Bürgers.

«Mit so 'nem Richter möcht ich's auch mal zu tun kriegen», sagt Eddie.

«Kein Problem», meint Cody. «Der ist immer noch in Keene. Soll 'n feiner Kerl sein für 'nen Richter. Das haben zumindest 'n paar Jungs aus der Therapiegruppe gesagt.»

Im Radio singen die Andrews Sisters *Don't sit under the apple tree with anyone else but me, anyone else but me*, Maxine, Patty und LaVerne, obwohl dieser Text eigentlich eher zu einem Mann paßt, aber das hat damals anscheinend niemanden gestört.

«‹Das freundliche Pflegeheim›», liest Cody im Vorbeifahren. Er hat sich angewöhnt, jedes Schild zu lesen, das er sieht. «Wenn sie einem das erst sagen müssen, dann fragt man sich doch, wie freundlich es da wirklich zugeht.»

Der Pickup ist vollgestopft mit ihrer Ausrüstung, pro Mann fünfzig Pfund, plus Gewehre und Munition. Als Cody erfuhr, daß die Jagderlaubnis allein achtzig Dollar pro Nase kostet, beschloß er, alles andere so billig wie möglich zu machen und im Wald zu zelten, auch wenn es schon so kalt ist, daß sie im Skigebiet von Tussey Mountain angefangen haben, Schnee zu machen. Der Preis der Jagderlaubnis war auch der Grund dafür, daß sie sich für die Hinfahrt und für die Rückfahrt nach den vier Tagen Jagd was zu essen eingepackt haben.

«‹Staatsschulkrankenhaus Hamilton›», liest Cody. «Kapier ich nicht. Ist das 'ne staatliche Schule mit Krankenhaus oder 'n staatliches Krankenhaus mit Schule oder was?»

«Mein Gott, was weiß ich. Manchmal verrennst du dich in die blödesten Sachen. Es wird ein Ausbildungskrankenhaus sein. Ganz bestimmt.»

«Da ist noch eins», sagt Cody. «‹Clyde Peelings Welt der Reptilien›. Na, da ist wenigstens klar, was gemeint ist.»

«Ja. Ganz deiner Meinung.»

Eddie war gar nicht scharf auf den Ausflug. Er hat seit Jahren kein Gewehr mehr in Händen gehalten und hat sich geschworen, daß es damit endgültig vorbei ist. Doch Cody ließ sich nicht von seinen Plänen abbringen; und zusammen mit Mary hat er's so eingerichtet, daß Eddie einfach mit mußte, ob er wollte oder nicht. Mary meinte, es würde ihm guttun. Außerdem hat sie sich ausgerechnet, daß ihr das die Reise nach Florida sichern würde. Die wäre er ihr dann schuldig, und ihr liegt so viel daran. Vielleicht sogar nur sie und Eddie, und die Kinder bleiben mit Cody zu Hause.

«Hast du genug von dem reflektierenden Zeug eingepackt?» fragt Eddie. «Da gibt's Vorschriften: man braucht mindestens zweihundertfünfzig Quadratzoll davon.»

«Ich hab für alles gesorgt.»

«Und es gibt auch Sicherheitsbereiche. Im Umkreis von 450 Fuß um ein Haus, ein Zeltlager, eine Scheune, einen Stall oder ein ähnliches Gebäude ist es verboten, Wild zu jagen oder aufzuscheuchen oder irgendwelche Schußwaffen zu gebrauchen, es sei denn mit Erlaubnis der Anwohner.»

«Es gibt eben für jeden Scheiß 'n Gesetz», meint Cody. «Mein Großvater hat mir mal erzählt, da hat er natürlich noch gelebt, daß er als junger Kerl seine größten Jagderfolge beim Scheißen hatte. Von ihrem Klohäuschen aus hatte man einen großartigen Blick auf den Obstgarten, ein Ahornwäldchen, einen Teich und den Rand eines Maisfeldes. Ein Panorama auf alle Lebensräume, die die Natur zu bieten hat, und das vom Plumpsklo aus. Er hatte Salzlecken dort draußen, und manchmal legte er Maiskörner als Kirrung aus. Auf einem Balken, den man quer über den Eingang herunterklappen konnte, hat er das Gewehr aufgelegt, und so hat er jeden Morgen um sechs seine Sitzung abgehalten. Vor allem Rotwild und Truthähne, die mit den geperlten Federn und den großen Kämmen. Heut gibt's kaum mehr Truthähne, und Rehe lockt man hier auch keine mehr an, aber ich muß lachen, wenn ich dran denke, wie er mit heruntergelassenen Hosen dagesessen hat, einen Schuß abgibt, sich in aller Seelenruhe mit einem Blatt Zeitungspapier den kalten roten Arsch abwischt und dann mit dem zwanzig Pfund schweren Truthahn ins Haus kommt: Schau mal, was ich da hab, Ma.»

«Das ist eine gute Geschichte, Cody. Ist sie wahr, oder hast du sie dir nur ausgedacht?»

«Ist doch egal, oder?»

Sie lachen beide. Eddie hat es längst aufgegeben, von Cody die Wahrheit zu erwarten. Er kalkuliert ein, daß Cody spielerisch mit ihr umgeht, ja er weiß das schon ebenso zu schätzen wie das Unvermögen seines Sohnes, zu unterscheiden, wann etwas beginnt und wann es aufhört, was wirklich war und was nur hätte sein können, in seinem kleinen Verstand, in dem kein Platz ist für morgen oder gestern.

Sie fahren schweigend dahin, kommen auf der Route 45 durch Vicksburg und Mifflinburg, mitten durch die Städtchen, deren Zentrum eine Kreuzung ist, bestenfalls mit Ampelanlage. Sie begegnen Amish-Farmern in schwarzen Einspännern, und jedesmal bremst Cody ab und glotzt sie durch die Windschutzscheibe an. Jedesmal sagt er, das müssen faszinierende Leute sein, oder, das müssen merkwürdige Leute sein. Erst beim drittenmal bremst er nicht mehr ab, starrt nicht mehr hin.

«Sind schließlich keine Tiere im Zoo», sagt er und nimmt damit eine Bemerkung vorweg, auf die Eddie noch gar nicht gekommen ist. «Schließlich gibt Gott uns nicht das Recht, alles anzusehen, was wir wollen, und alles zu verstehen, und schon gar nicht das Recht, uns einzubilden, wir verstehen überhaupt alles. Ich schäm mich jetzt direkt ein bißchen.»

«Da kommst du schon drüber weg.»

«Wahrscheinlich», meint Cody. «So wie ich mich kenne, wohl schon.»

Hinter Hartleton geht es zwischen dem Thick Mountain und dem Buffalo Mountain bergauf. Die Straße führt in engen Serpentinen bis hoch zum Kamm, hinter dem sie verschwindet. Eddie muß ab und zu nach der Sonne schauen, um das Gefühl für die Himmelsrichtung nicht ganz zu verlieren.

«Das ist die Bergkette, zu der wir wollen», sagt Cody. «Fünfundzwanzig Meilen südwestlich von hier liegt der Rothrock State Forest. Das Gebiet um den Tussey Mountain und den Thickhead Mountain. Hundertfünfzig Quadratmeilen.»

«Du warst wohl schon mal hier», sagt Eddie.

«Nein, noch nie. Darin liegt ja gerade der Spaß.»

Eddie legt das Gewehr in den Schoß und zieht die Revierkarte heraus. Sie ist zu einem Viereck gefaltet, das genau die Gegend zeigt, wo er jetzt ist. Ihm knurrt der Magen. Cody hat Frühstück gemacht. Pfannkuchen, Speck und ein Getränk, das er Schäferkaffee nennt – ein explosives Gemisch, das sich jetzt, eine Stunde später, in seinem Magen zu regen beginnt, sich vielleicht gerade auf den Weg durch die Speiseröhre nach oben macht.

Er zieht einen Stift heraus und schützt die Worte, die er in kleinen Buchstaben hinkritzelt, mit der Hand vor dem Schnee, der zu fallen begonnen hat. Er schreibt die Worte *Azalee*, *Flieder* und *Laubfall*. Dann schreibt er *Kotflügel*, *Kombizange*, *Koriander* und *Kongo*.

Das Wort *Whip-Poor-Will* kommt ihm in den Sinn. Er schreibt es ebenfalls auf und stellt sich vor, daß es ein Satz ist, ein Befehl. Sein Vater hat ihn immer aufgeweckt, damit er dem lauten und rhythmischen Ruf dieses Vogels zuhörte, der immer und immer wieder durch die Nacht klang. Ein Vogel, der seinen Namen ruft. Sein Vater antwortete ihm, er und der Vogel redeten miteinander.

Er schreibt: *Einmal ist eine Schleiereule durch den Kamin zu uns ins Haus geflogen und hat sich auf die Gardinenstange gehockt. Am Morgen, als wir aufstanden, war sie da. Sie hatte ein weißes Gesicht, das geformt war wie ein halber Apfel, und ihre Augen waren dunkel wie die Apfelkerne. Mein Vater meinte, sie fressen Nagetiere. Die suchen sie sich auf Müllkippen, auf brachliegendem Land, heruntergekommenen Farmen und vernachlässigten Friedhöfen. Meine Mutter sagte, es bedeutet, daß jemand stirbt. Mein Vater sagte, das müßten wir alle irgendwann. Aber es dauerte lange, bis er das Wort* irgendwann *sagte, oder zumindest kommt es mir jetzt so vor. Wir fingen die Eule mit einem Netz ein und ließen sie wieder frei. Mein Vater hatte Lederhandschuhe an. In die durfte die Eule sich verkrallen, und dann warf er sie hoch in den Himmel, und sie flog davon.*

Am Sonntagnachmittag hatten sich Cody und Eddy aufgemacht, in die Seven Mountains. Sie brauchten drei Stunden für den Weg bis zu der Stelle, wo laut Karte drei Counties aufeinandertrafen. Dort bogen sie auf einen Seitenweg ab, bergan durch unberührten Kiefernwald, zwischen Gruppen von Tannen und Rhododendronbüschen hindurch. Die ganze Zeit beschwerte sich Cody über die metrischen Maßangaben in ihrem Führer. Dort stand: «Die Verwendung der metrischen Maße ist eine Maßnahme von nationaler Bedeutung: sie soll helfen, unsere kulturelle Isolierung zu beenden und unsere chronischen Zahlungsbilanzprobleme zu lösen.»

«So ein gottverdammter Schwachsinn», sagte Cody.

«Ein Zoll bedeutet wenigstens was. Fuß. Das ist was Konkretes. Faden, was 'n Scheiß. Und Meter, wo zum Teufel kommen die denn her? Kilometer. Da kommt's mir hoch, die sind nicht mal so lang wie Meilen. Man braucht mehr davon und kommt auch nicht weiter.»

Eddie ging hinter ihm, das Gepäck bequem auf dem Rükken, die Riemen wie Arme, die über die Schultern hängen.

«Lach nur», meinte Cody, «aber diese Meter und Kilometer werden unseren Sport zugrunde richten, unsere Rekorde kaputtmachen, und was ist mit den Zimmerleuten und den ganzen Werkzeugen? Mit den Schraubenschlüsseln, den Muttern und den Schrauben?»

Sie überquerten eine Schneise mit einer Pipeline, dann kletterten sie auf allen vieren eine Böschung hinauf und standen auf einem alten Bahndamm, auf dem ein großer Tulpenbaum wuchs. Sie gingen ein Stück auf dem Damm entlang, dann bogen sie wieder ab, weiter bergauf. Oben am Kamm, wo der Fels glänzend durchschien wie ein polierter Schädel, wandten sie sich nach links.

«Im Führer steht, unter den Felsen gibt's häufig Klapperschlangen. Man soll die Augen offenhalten und aufpassen, wo man sich hinsetzt.»

«Viel zu kalt», meinte Cody, «und das ist gut so. Ich hab schon mal Waldklapperschlangen gesehen. Das ist nicht wie im Zoo.»

Sie gingen den ganzen Nachmittag über bis in den Abend hinein, und erst als der Mond ihr einziges Licht war, kamen sie zu der Wiese, die Cody wegen des Abstands der Höhenlinien auf der Karte genau an der richtigen Stelle vermutet hatte.

«Das ist es», sagte Cody. «Hier wollten wir her.»

Diesen Platz wählten sie als Basislager. Nicht weit davon gab es eine Stelle am Bergkamm, wo man einen Rundblick von 270 Grad hatte über die Gipfel der Seven Mountains:

Tussey, Thickhead, Front, First, Big Poe, Long und Strong. Hier, wo sich Weißwedelhirsche denjenigen darbieten, die reinen Herzens herkommen, an diesem geheimen Ort kann einen das ganze metrische System mal kreuzweise.

Ein Schuß aus Codys Gewehr zerreißt die Luft, und Eddie kämpft verzweifelt gegen den Aufruhr in seinen Gedärmen an. Die Wärme, die er sich angelaufen hat, weicht einer Eiseskälte voller Krämpfe und nassem Schnee. Ein Hirsch kommt in ihre Richtung gestolpert, rappelt sich plötzlich wieder auf und rast auf die Stelle zu, wo Eddie gegen einen Baum gelehnt dasteht. Eddie läßt sein Gewehr fallen und stolpert zur Seite, sieht nur einen Blitz, als das Tier ihn im Vorbeirennen fast streift, um in dem Dickicht aus wildem Wein, Hemlocktannen und Dornbüschen Schutz zu suchen.

Gleich nach dem Hirsch kommt Cody angerannt, steifbeinig, das Gewicht nach hinten verlagert, das Gewehr vor der Brust. Er hebt Eddies Gewehr auf und putzt es ab.

«Das wirst du noch brauchen», sagt er mit angespanntem Gesicht.

Eddie nimmt das Gewehr und schaut in die Richtung, in die der Hirsch verschwunden ist. Er hat das Gefühl, ihn noch zu sehen, wie er in der Luft schwebt, ganz ruhig, um gleich wieder den Boden zu berühren.

«Ladehemmung», hört er Cody sagen. «Ich könnt mich in 'n Arsch beißen.»

Eddie möchte sagen, daß es seine Schuld war, doch er scheint die Worte nicht hervorbringen zu können. Statt dessen fragt er: «Hast du einen Bären gesehen?»

«Nein, hast du einen verloren?»

«Nein, im Ernst. Ich glaub, da war einer in dem Lorbeergestrüpp. Wie ein Schatten. Der Schatten eines Mannes.»

«Dann wird's wohl ein Bär gewesen sein. Wahrscheinlich hat er sich gerade schlafen gelegt.»

Eddie hält noch immer die Revierkarte. Die Tinte von den Wörtern, die er geschrieben hat, rinnt blau hinab in die Linien, die seine Handfläche durchfurchen, und verschwindet im Ärmel seines Mantels.

«Wir sollten ihm besser nachgehen», meint Cody.

Fast eine Stunde folgen sie der Blutspur den Bergkamm entlang. Im Schnee und im Morast sind Spuren zu sehen, wie schmale gespaltene Herzen. Einen Vorderlauf zieht er etwas nach, die anderen hinterlassen tiefere Abdrücke.

Jetzt tropft das Blut spärlicher. Sie hoffen, daß sie den Hirsch finden, und gleichzeitig hoffen sie, daß die Kugel glatt durchgegangen und die Wunde verfilzt ist und sich schon wieder schließt, für den Fall, daß sie ihn nicht finden.

Nun führt die Spur bergab, auf der anderen Seite des Bergs, nicht da, wo sie am Sonntag langgekommen sind, zwischen Birken, Ahorn- und Lorbeerbäumen hindurch. Bei jedem Dickicht bedeutet Cody Eddie mit einer weit ausholenden Armbewegung stehenzubleiben und kämpft sich durch das Gestrüpp, ohne auf die Dornenzweige zu achten, die ihm gegen Kopf, Brust, Arme und Beine peitschen. Nach drei solchen Aktionen sind seine Kleider zerfetzt, und Blut rinnt ihm übers Gesicht. «Ich brauch 'ne Verschnaufpause», flüstert Cody und geht in die Knie, das Gewehr über die Schenkel gelegt. «Gar nicht so einfach, da durchzukommen.»

Eddie denkt, daß er ja eigentlich gar nicht hatte mitkommen wollen. Seit seiner Jugend ist er nicht mehr auf Rotwildjagd gewesen, und besonders gut war er damals auch nicht.

Coreen Frangel fährt durch den Morast zu der Sendeanlage am Eagle Ridge. Auf der Seitenwand ihres Lieferwagens steht: WRLT-FM, 24 STUNDEN TÄGLICH CHRISTLICHER RUNDFUNK. Ihr Sender hat um Viertel vor sieben ausgesetzt, kam dann kurz wieder und setzte gleich darauf erneut aus. Das ging zwei Stunden so. Die längste Unterbrechung hatten sie mitten in der Morgenandacht.

Bei den Lüftungsschlitzen sieht sie Fußspuren im Schnee und eine glänzende Patronenhülse aus Messing, mit dem Aufdruck 30–60 SPRG. Die steckt sie ein und geht zurück zum Wagen. Ihr Sender kommt laut und ungestört rein. Irgendwas über die Kirche der Zukunft. Nichts als die altbekannte Schwarze Magie.

Cody ist wieder auf den Beinen und kämpft sich weiter durchs Dickicht. Nasser Schnee liegt auf seinen Schultern wie eine Decke. Eddie folgt ihm, bemüht sich, die Orientierung nicht zu verlieren, sich jede Felsbank zu merken, die sie überqueren, und jede Senke, in die sie hinabsteigen und aus der sie auf der anderen Seite wieder herausklettern.

Cody bleibt stehen und winkt ihn zu sich. Er zeigt nach unten, und als Eddie bei ihm ist, sieht er dort eine Gruppe von Eichen, deren rot und gelb verfärbtes Laub noch nicht abgefallen ist. Überall sonst ist es grau, die Luft dick von Schnee, doch hier hält der Herbst noch die Stellung.

«Jetzt paß auf, daß er dir nicht direkt vor der Nase vorbeiläuft», flüstert Cody; dann dirigiert er Eddie ein Stück nach rechts, und sie beginnen, jeder an einer Seite, in eine Rinne hinabzusteigen. Eddie macht zwei Schritte, und schon rutschen die Füße unter ihm weg. Den Rest des Weges rutscht er auf dem Rücken hinab, und unten angekommen, überschlägt er sich. Schnee und Matsch haben sich unter seine Kleider geschoben, und sein Gesicht ist ganz verschmiert, doch hier unter den noch nicht ganz kahlen Bäumen ist es trocken und warm. Ein Bach quillt aus dem Boden und rinnt durch eine grüne Grasmatte davon, und da liegt Losung von Rotwild. Cody nimmt sofort die Spur wieder auf, und sie laufen weiter.

Kurz darauf kommen sie an einen Obstgarten. Unter den Apfelbäumen mit ihren krummen schwarzen Ästen und den geraden Trieben, die unten am Stamm senkrecht nach oben wachsen, bleiben sie stehen.

«Ich versteh das nicht», meint Cody. «Das verdammte Viehzeug rennt nie bergab. Immer bergauf. Und was ich auch nicht versteh, ist, warum den noch keiner von den anderen Jungs erwischt hat. Den Schuß müssen doch Hunderte gehört haben.»

Eddie sieht seinen Freund an. Er hat Mühe, ihn zu erkennen. Über seine Stirn und seine Wangen ziehen sich getrocknete Blutspuren. Seine Jacke ist zerrissen. Die Daunen drängen durch die Risse heraus und fallen zu Boden. Seine Handrücken sind aufgerissen, Haare und Bart voller dorniger Zweige. Eddie beginnt die Folgen seines Sturzes zu spüren. Solange sie gelaufen sind, war es nicht so schlimm, doch jetzt ist ihm kalt, und er fühlt sich steif. Wieder sieht er Cody an, durchdringend und drängend. Cody geht weiter.

Die beiden Männer setzen ihren Weg fort, quer durch den Obstgarten und hinab in ein Bachbett, wo Weiden und Pappeln sie beim Weitergehen behindern. Cody winkt Eddie zu sich. Er zeigt auf eine Blutspur, geformt wie der Hinterlauf eines Tiers, wo der Hirsch sich ausgeruht haben muß. Über ihren Köpfen sehen sie die Stelle, an der er wieder aus dem Bachbett herausgeklettert ist.

«Da ist er hoch», sagt Cody. «Dort oben wartet er.»

Der Hang ist steil. Sie müssen auf allen vieren hochklettern, Cody voran, Eddie dicht hinter ihm.

«Was ist denn?» fragt Eddie, als Cody an der Kante innehält.

«Ich weiß nicht.»

Eddie arbeitet sich bis zu seinem Freund vor, klammert sich dabei an Grasbüscheln fest, um nicht wieder hinunterzurutschen.

Vor ihnen liegt ein freier Platz mit Figuren aus Stahl, Aluminium und Holz, alle auf Betonsockeln. Einige stellen gigantische Flügel dar, wie bei einem Flugzeug, nur daß der Rumpf fehlt. Andere stehen senkrecht, deuten in den bleigrauen Himmel. Daneben stehen Aluminiumkisten und Säulen und einige ringförmige Figuren. Aus den Holzfiguren sind Halbkreise ausgeschnitten, sie stehen mit den Höhlungen zueinander oder voneinander abgewandt. Alle stehen sie paarweise da und erinnern entfernt an menschliche Gestalten, Männer oder Frauen, oder auch an Vögel. Der Hirsch steht mitten unter ihnen, sucht vorsichtig einen Weg von einer Figur zur anderen, als wäre auch er zufällig hier hineingeraten und wüßte jetzt nicht, wo er ist.

Eddy stößt Cody an und zeigt nach Westen. Dort, am Rand des Feldes, steht ein weißes Haus. Durch den Schnee, der jetzt fällt, ist schwer abzuschätzen, wie groß es ist. Es ist entweder riesig und ragt wie eine Mauer in den Himmel, oder es ist nur eine kleine Hütte, aber nichts dazwischen. Auf einer Terrasse neben dem Haus stehen ein Mann, eine Frau und zwei Jungen. Sie sehen zu, wie der Hirsch sich zwischen den Figuren hindurchbewegt, wie er das Geweih hebt und wieder senkt, als er bei jeder stehenbleibt.

«Das sind lauter Skulpturen», flüstert Eddie. «Das gehört denen da. Hier kannst du ihn nicht schießen.»

«Was zum Teufel soll ich denn sonst machen?»

«Ich weiß nicht», sagt Eddie. «Ich weiß es einfach nicht.»

Cody stemmt die Ellbogen in den Boden und findet mit

dem Absatz Halt an einer Wurzel. Er greift hinter sich, und als seine Hand wieder zum Vorschein kommt, hält sie sein Jagdmesser.

«Manchmal bleibt einem keine andere Wahl», meint er und schneidet das Grasbüschel ab, an dem Eddie sich festhält. Der versucht, sich mit den Beinen abzustützen, damit er nicht wegrutscht, doch umsonst. Er rutscht auf dem Bauch den ganzen Hang hinunter bis in das Bachbett und hat sich noch nicht wieder aufgesetzt, da zerreißt ein Schuß aus Codys Gewehr die Luft.

25

Am späten Abend verlassen Eddie und Cody das Haus des Bildhauers wieder, mit dem Hirsch auf der Ladefläche. Der Abschied ist freundlich, zwischen ihnen herrscht der Zustand von Waffenruhe, der eintritt, wenn völlig fremde Menschen aufeinandertreffen und nur ihr wechselseitiges Unbehagen sie voreinander rettet. Die Söhne des Bildhauers wollten die Gewehre anfassen, und einer von ihnen traute sich sogar, das Loch zu berühren, das die Kugel in den Schädel des Hirsches gebohrt hatte. Er steckte den Finger so hinein, wie Cody es ihm gezeigt hatte, und als er ihn wieder herauszog, war er rosarot verschmiert, mit Gehirnmasse und Knochensubstanz.

Danach drängten sie sich alle in den Saab des Bildhauers und fuhren zu der Stelle, wo der Pickup stand. Der Bildhauer und seine Söhne kamen mit zu ihrem Lager, halfen beim Abbauen und dabei, die Ausrüstung ins Auto zu schleppen. Die Jungen stritten sich darum, wer Codys Matchsack tragen durfte.

Wann immer sich die Gelegenheit bot, kritzelte Eddie das, was der Bildhauer sagte, in sein Notizbuch. Das ging ungefähr so: *Zuerst wollten wir den Jungs nicht mal Spielzeugwaffen in die Hand geben. Wollten sie ohne Waffen großziehen, aber inzwischen bestehen wir nur noch darauf, daß uns keine scharfe Munition ins Wohnzimmer kommt. Der Bildhauer lachte über seinen eigenen Witz, und Cody meinte, da kann ich Ihnen nur recht geben. Im Wohnzimmer hat scharfe Munition nichts verloren.*

Im Frühling wird der Bildhauer mit dem Rasenmäher zu seinen Skulpturen hinausfahren und zum erstenmal sehen, daß Codys Kugel, nachdem sie den Schädel des Hirsches durchbohrt hatte, auch noch zwei aufrecht stehende Aluminiumflügel durchschlug, bis sie schließlich gegen einen stählernen Flügel prallte und gestoppt wurde. Er wird durch die Löcher schauen wie durch ein Teleskop ohne Linsen und diesen Tag, diesen Hirsch noch einmal aufleben lassen. Er wird sich mit dem Rücken zu dem Stahlflügel stellen und sich ausmalen, wie die Kugel auf ihn zukommt. Er wird die Schläfe gegen das Metall drücken und sich vorstellen, wie er zu Boden sinkt. In seiner Erinnerung wird Eddie jemand sein, der ihm selbst ähnlich ist, und Cody der Mann, von dem seine Jungs immer noch reden.

Es herrscht Schneetreiben. Während sie da durchfahren, schimpfen Eddie und Cody immer wieder über die beschränkten Autofahrer hier in Pennsylvania, die keine Winterreifen haben und keine Ahnung, wie man im Schnee fährt. Sie sehen immer wieder Autos im Straßengraben liegen, und vor jeder Steigung staut sich der Verkehr. Codys Pickup rutscht um die Kurven und schlingert die Hügel hinauf, doch er kommt nicht von der Straße ab.

«Die Schneepflüge fahren erst, wenn es aufgehört hat zu schneien», sagt Cody. «Sie meinen, das spart ihnen Arbeit, aber keiner denkt daran, daß dann der Schnee schon zu einer festen, spiegelglatten Schicht zusammengedrückt ist.»

Eddie sagt nichts. Es ist schon spät, und ihm ist immer noch kalt, und er ist naß und müde. Er saugt die Wärme auf, die aus dem Gebläse kommt, fühlt sich, als könnte er tagelang schlafen und den Schlaf bereits genießen, während er ihn schläft. Er denkt über den Unterschied zwischen einem toten Hirsch und einem toten Menschen nach und muß sich eingestehen, daß er mehr Ehrfurcht vor dem Hirsch hat und daß er weniger bereit ist, den Tod des Hirsches zu akzeptieren. Es kommt ihm vor, als könnte sich das Tier jeden Augenblick von der Ladefläche erheben und davonspringen, in den Wald. Er wirft einen Blick über die Schulter nach hinten, wo der Hirsch auf der Seite daliegt. Er sieht etwas Orangefarbenes aufleuchten, als ein Jäger direkt hinter ihnen auf die Straße tritt. Beim zweitenmal würde der Hirsch nicht mehr so weit kommen wie beim ersten.

«Sie ist noch da», sagt Cody, und Eddie denkt, wie seltsam, daß er weiß, was ich denke, wie seltsam, daß er ‹sie› gesagt hat und nicht ‹er›.

«Du hast ‹sie› gesagt. Es ist aber ein Hirsch.»

«Stimmt. Was soll's, *er* ist noch da.»

Eddie hört eine Zärtlichkeit in Codys Stimme, die er für Mary, Eileen und Little Eddie reserviert hat, und jetzt auch für tote Tiere.

«Aber du hast ‹sie› gesagt. Warum?»

Cody gibt keine Antwort. Er zuckt mit den Schultern und öffnet das Ausstellfenster. Ein Strom kalter Luft verdrängt die Wärme über dem Armaturenbrett, wirbelt sie durchs Führerhaus, und Eddie ist jetzt hellwach, spürt wieder seine naßkalten Kleider, spürt seine vom Dreck steifgewordenen Hosenbeine. Weiße Daunenflocken aus Codys Jacke fliegen um sie herum, und im Schummerlicht der Armaturenbeleuchtung ist sein ungewaschenes Gesicht eine Maske aus Dreck und Blut.

Weiter unten fällt der Schnee nicht mehr so dicht und geht dann in Regen über, einen Nieselregen, der in der Luft hängt. Eddie weiß nicht, wohin sie fahren, und er fragt nicht. Er hat sich ganz in sich zurückgezogen, genießt jetzt den Geruch von feuchter Wolle, Waffenöl und Zigaretten. Jeder Geruch in der Luft hier im Fahrerhaus hat sein eigenes Leben, weht und wirbelt hin und her, steigt auf und läßt sich wieder nieder. Und es ist still hier drin. Die dicke Luft dämpft das Geräusch des Motors, und der Schnee auf der Straße das der Reifen. Dieser Zustand nimmt so vielen Dingen, die wichtig schienen, ihre Bedeutung.

Durch eine Schneise sehen sie, wie sich Nebel übers Tal gebreitet hat, wie er es anfüllt, ein Meer, in das sie nach einigen Meilen von Serpentinen eintauchen, das die Scheibenwischer in ruhigem Takt wegwischen. Sie baden im Nebel, rollen in ihn hinein wie Brecher an den Strand. Er brodelt rings um sie und verschluckt sie, den Pickup und den Hirsch, als sie tiefer ins Tal kommen.

Cody biegt ab, und sie sind auf einer Straße, wo sie rechts ranfahren müssen, um ein entgegenkommendes Fahrzeug vorbeizulassen. Er biegt noch einmal ab, und sie sind auf einem einspurigen Weg, der einer Straße immer unähnlicher und einem Trampelpfad immer ähnlicher wird. Cody muß anhalten und schneebeladene Äste zur Seite biegen, die sich unter dem Gewicht des Wassers nach unten gebogen haben und abgeknickt sind. Nachdem er wieder eingestiegen ist, schaltet er um auf Allradantrieb.

Schließlich kommen sie an ein Stahltor mit einem Schild BETRETEN VERBOTEN. Auf einem zweiten Schild steht GESCHÜTZT DURCH SMITH & WESSON; darunter VORSICHT, EIGENTÜMER MACHT VON DER SCHUSSWAFFE GEBRAUCH und DENKEN SIE AN MY LAI.

Cody zieht den Verschlußbolzen hoch und schiebt das Tor weit auf. Sie fahren durch, und Eddie schließt das Tor hinter ihnen wieder. Beim Weiterfahren folgen sie keinem erkennbaren Weg, und die Kotflügel schieben schwer beladene Äste zur Seite, die am Pickup entlangschleifen, ihre Lasten abwerfen und gen Himmel schnellen.

Der Geruch eines Holzfeuers dringt ins Fahrerhaus, und eine Hütte kommt in Sicht, hinter der der Berg steil emporsteigt. Rauch ist zu sehen, schwebt in einer dicken Schicht über einem Rohr, das aus einem mit Brettern vernagelten Fenster ragt und sich nach oben biegt, bis in Höhe des Dachfirsts. Nebel und Rauch sind gleichermaßen grau, doch der Rauch bewegt sich, macht einen Riß in den Nebel, wirkt grauer in der Luft, die er beherrscht, zwölf Fuß über dem Boden.

Aus den anderen Fenstern dringt gelbes Licht, läßt die kleine Hütte als einen Ort erscheinen, wo man bleiben kann, ein Zuhause, gerade in diesem Wetter.

Cody klopft mit der Faust an die Tür, brüllt: «Mike, Mike. Mach schon auf.»

«He, mach mal halblang. Sam, mach die Tür auf.»

Die Tür geht auf, und Eddie und Cody treten ein. Eddie muß sofort wieder an warme Dinge denken, an frischgebackenes Brot, frischgewaschene Wäsche, die Heizung des Pickup, an Wolle und den Holzofen hier in der Hütte. Dann ertappt er sich selbst dabei, wie er an die Wärme einer Frau denkt, an ihre Berührung, ihren Atem, die Wärme zwischen ihren Beinen. Mary fehlt ihm, und ihm ist jetzt klar, daß er sie vermissen wird heute nacht, denn sie schlafen in zwei durch viele Meilen getrennten Betten.

Ganz hinten in der Hütte steht ein Herd, und darauf eine schwarze eiserne Bratpfanne mit einem ungewöhnlich langen Stiel. Das Zischen von Paprikaschoten, Zwiebeln und Würsten erfüllt den Raum. Neben dem Herd sitzt in einem tiefen Sessel ein Bär von einem Mann. Er sitzt steif da, mit einer Sperrholzplatte zwischen seinem Rücken und dem Polster. Über seinem Kopf hängt eine schwarze Nylonfahne mit einem Totenkopf mit weißen Flügeln in der Mitte, und darunter der Aufdruck: DER TOD KOMMT AUS DER LUFT. In seiner Reichweite liegen eine Servierplatte von der Größe einer Radkappe, zwei Gewehre, eine Pistole und eine Dose Bier.

Er breitet die Arme aus und spricht mit einer von Natur aus lauten Stimme, in einer Lautstärke, die wohl die wenigsten Männer ohne Anstrengung erreichen.

«Mein Gott. Hab grad von dir und G. R. Trimble gesprochen. Hab den Treibern davon erzählt, wie wir mal oben bei Zeno waren und uns mit dem kompletten Football-Team der Penn State University und noch fünfzehn schwulen College-Jungs obendrauf angelegt haben. Wie in einem John Wayne-Film, die Leute sind durch die Luft geflogen, und die Tische haben wir kurz und klein geschlagen. Ist fast vier Jahre her. Wo bist denn du gewesen die ganze Zeit?»

Jetzt bemerkt Eddie, daß noch drei Männer im Raum sind, jüngere Männer, zwei davon mit eingegipstem Arm. Sie hocken auf kaputten Möbelstücken, als müßten sie den Mann im Sessel bedienen.

«Ich hab gewußt, daß du früher oder später kommst. Ich hab gewußt, daß irgendwann wieder einer von euch Viehtreibern aus New Hampshire zu uns runterkommt und Jagd auf unsere tollen Hirsche macht. Das hab ich gerade eben zu den Jungs gesagt.»

Er rutscht ein wenig herum, um sich Eddie anzusehen.

«Bist du's, G. R.? Nein. Weiß Gott nicht. Wen hast du denn da mitgebracht, Cody? Wer ist der Typ?»

«Er heißt Eddie Ryan. Ein feiner Kerl.»

«Ach du lieber Himmel, ein Ire. Einen Iren hast du mitgebracht. Aber wenn du sagst, er ist ein feiner Kerl. Nur herein. Alles kein Problem. Ich kann die Queen auch nicht leiden.»

Cody tritt zur Seite, damit Eddie eintreten kann, dann gibt er der Tür einen Schubs, daß sie zufällt.

«Das hier ist Mike, der Polacke. Bei dem Scheiß, den er redet, läßt man besser die Stiefel an, wenn man in seiner Nähe ist.»

«Ach. Das mußt du gerade sagen.»

«Die Jungs sind Mikes Treiber. Das ist Jim und das da Sam, und der so komisch aussieht, das ist Thomas.»

Cody macht eine Bewegung auf Thomas zu, und der zieht den Kopf ein und lacht.

«Alle halten Thomas für ziemlich dämlich, aber wir *wissen*, daß er's ist, nicht wahr, Thomas?»

«Ja klar, Cody», sagt Thomas. «Wirst schon recht haben.»

«Sag mal, Mike», sagt Cody. «Ich seh ja gar nichts oben in den Bäumen hängen. Das ist ja wohl kein Lendenstück, das da? Riecht mehr wie gemästet, nach Schweinefleisch. Und nach Kraut riecht's auch. Hast du irgendwo noch 'ne Schüssel davon rumstehen?»

«Kommt schon noch, Cody. Es geht ja erst los. Ich und die Treiber, wir sind von Pittsburgh hochgekommen und bleiben 'ne Woche. Es wäre Blödsinn, jetzt schon zu jagen. Der erste Tag ist eh für die Sonntagsjäger. Die sollen ruhig die Herden ausdünnen und sich dann wieder verpissen. Dann kommen wir. Für uns sind die richtigen Hirsche gemacht. Wir ballern nicht einfach drauflos.

Wir sind zwar leicht angeschlagen, aber wir werden's schon schaffen. Ein paar Bären haben wir schon. Sam hat einen aus achtzig Fuß Entfernung erwischt, und Jimbo hat auf zweihundert Fuß gleich beim ersten Versuch einen Volltreffer gelandet.»

Mike, der Polacke, beugt sich mit großer Anstrengung vor, bis er, ohne aufzustehen, an den Pfannenstiel kommt, und schiebt dann die Pfanne schnell vor und zurück, so daß ihr Inhalt hin und her rutscht, in die Luft fliegt und gewendet wird.

«Also, Mr. Eddie Ryan, wie kann man bloß darauf kommen, sich mit so 'nem Tagedieb zusammenzutun? Mit dem landet man ruckzuck im Knast.»

«Nur 'n kleiner Urlaub», sagt Eddie. «Kleiner Jagdausflug nach Pennsylvania.»

«Eins garantier ich dir: mit dem wirst du noch manche unangenehme Überraschung erleben.»

Mike und die Treiber lachen.

«Ich wünsch dir jedenfalls viel Glück. Er zieht dich mit runter, aber er wird auch deine Haut retten, wenn's sein muß.»

Mike ist wieder mit der Bratpfanne zugange, läßt sie über die Herdplatte klappern.

«Na, Cody, mein Junge. Und wie geht's G. R. Trimble, dem alten Krieger?»

«Er ist tot, Mike. Ist letzten Winter gestorben.»

Mike schaut auf und starrt Cody an. Eddie sieht den Schmerz in seinem Gesicht. Es ist, als hätte man ihm den Stiel einer Axt zwischen die Augen geknallt. Nicht daß es ihm weh täte. Er kann's ganz einfach nicht glauben. Es wird still im Raum; das einzige Geräusch ist das Brutzeln in der Bratpfanne. Die Treiber schauen auch auf Cody und dann zu Boden.

«Mein Gott, das kann doch nicht sein. Er war ein großartiger Bursche. Wie ist es passiert? Warst du dabei?» fragt er sanft und starrt dabei ins Leere, mit einem Blick, der so weit weg ist, daß er wohl nie mehr ganz zurückfinden wird.

«Nein, Mike, ich war nicht dabei. Er war ganz allein», flüstert Cody.

«Na ja, was ist schon das Leben? Wir haben alle eins. Da muß man drüberstehen; man muß einfach größer sein als das Leben», sagt Mike.

Er verstummt und zupft sich am Kinn. Dann fragt er: «Und wie ist es passiert?»

«Mike», unterbricht ihn Sam, «iß erst mal was. Ist so gut wie fertig.»

«Ist mir gleich komisch vorgekommen, daß du ohne ihn hier bist.»

«Na ja, ich war in letzter Zeit ziemlich viel unterwegs. Nova Scotia und dann hier runter. Diesen Winter hab ich was Größeres vor, weiß bloß noch nicht genau was. Vielleicht Afrika.»

«Afrika! Mein Gott, wie gern würd ich mitkommen. Ich würd denen da unten zeigen, was für 'ne Niete Tarzan war. Aber mal im Ernst. Weißt du, was ich gern machen würde? Nach Norden fahren, bis dahin, wo das Land aufhört und das Eis anfängt. Hudson Bay. Neufundland. Willst du nicht mitkommen, zum Jagen? Fahren wir gleich los?»

«Und was ist mit den Treibern?»

Mike schaut sie einen nach dem anderen an. Er lächelt ihnen zu und zwinkert.

«Denen erzählen wir alles, wenn wir zurückkommen. Wir nehmen 'ne Videokamera mit und filmen die ganze Fahrt. Schaut mal, das ist Cody besoffen. Und da, das ist Cody sternhagelvoll.»

«Ich rühr keinen Alkohol mehr an», sagt Cody. «Bin weg davon.»

«Schon bevor er gestorben ist oder erst danach? Na komm schon, Cody, trink 'n kleinen Grog mit mir und den Treibern.»

Cody legt die Hände ineinander und blickt zu Boden.

«Laß ihn doch in Ruhe, Mike», meint Jim.

«Leck mich», sagt Mike und wirft mit einer leeren Bierdose nach ihm, zielt genau auf seinen Kopf. Dann kämpft er sich aus dem Sessel hoch. Das Sperrholzbrett hinter seinem Rücken rutscht nach unten und klappert gegen ein zweites, auf dem er gesessen hat. Er ist sogar noch größer, als Eddie gedacht hat. Er baut sich vor Cody auf, fuchtelt mit dem Finger herum und will etwas sagen, doch Eddie schiebt sich zwischen die beiden und legt eine Hand auf Mikes Brust. Die fühlt sich an wie eine Steinmauer. Eddie denkt, er muß gepanzert sein. Jim und Sam treten neben Mike, um ihn bei Bedarf an den Armen festzuhalten.

«Mike, es ist für uns alle ein schrecklicher Verlust», sagt Eddie. «Ich weiß nicht, was du denkst, aber Cody kann man keinen Vorwurf machen. Er hat Mut und Anstand bewiesen. Und das Trinken war bei ihm eigentlich noch nie ein Problem, find ich. Ich hab mich um die Leiche gekümmert, und ich weiß, daß niemand schuld dran war.»

«Du hast dich um die Leiche gekümmert?»

«Ich bin Bestatter. Ich hab mich um G. R. Trimble gekümmert.»

Mike, der Polacke, und seine Treiber ziehen sich etwas von Eddie zurück. Er lächelt sie an, und sie grinsen verlegen zurück.

«Es ist nur ein Job», meint Eddie, «keine Krankheit», und sie lachen.

«Tut mir leid, Cody. Ich hätt nicht nach einem Schuldigen suchen sollen. Aber wenn du gestorben wärst, hätt ich mir G. R. auch vorgenommen.»

Cody sagt kein Wort.

«Verdammte Scheiße», brüllt Mike, «hier zieht's vielleicht. Mach mal einer die Tür zu, man holt sich ja noch den Tod!»

Die Männer sitzen um einen Tisch, den sie von der Wand abgeklappt haben, eine Sperrholzplatte mit Scharnieren an einer Seite, einen Zoll dick, und mit Beinen, die man ausklappen kann. Eine Erfindung von Mike, und heut nacht werden zwei der Treiber darauf schlafen.

Doch im Moment ist die Platte mit Resten vom Abendessen übersät: Piroggen, Krakauer, Kiszka, gebackene Kartoffeln, Roggenbrot, Roastbeef, Schinken, Speck, Kraut, Reis und gekochte Eier. Außerdem gibt es eine Nudelsuppe, die Mike Ölsuppe nennt, aber nur, wie er sagt, wenn die Frauen nicht dabei sind.

Die Männer sitzen um den Tisch und stochern im Essen herum, haben sich zum Teil schon eine Zigarette angezündet und lassen die Asche auf ihre Teller fallen. Das Essen hat sie behäbig und stumm gemacht. Es war ihre Art, auf die Nachricht von G. R. Trimbles Tod zu reagieren. Das Essen hat sie faul werden lassen in ihrer Bestürzung und ihrer Trauer, weniger traurig, weniger leidend.

Thomas sagt: «Scheiß drauf!» und macht sich ein Roastbeef-Sandwich, so dick, daß es für einen normalen Menschen eine komplette Mahlzeit gewesen wäre und nicht der letzte Nachschlag.

Mike ist nicht aus seinem Sessel aufgestanden zum Essen, was er wollte, haben ihm die Treiber hinübergereicht. Er benutzt die Servierplatte als Teller, hat sie dreimal füllen lassen. Er rülpst und macht sich noch eine Dose Bier auf.

Eddie fühlt sich wohl. Sein Bauch ist voll, und er genehmigt sich eine Zigarette. Cody hat kein Wort gesagt, seit Mike in seiner Bestürzung über G. R. Trimbles Tod auf ihn losgegangen ist. Eddie macht es nichts aus, das ein wenig auszugleichen.

«Ich weiß», sagt Mike. «Klingt ganz gut, was ich sage, auch wenn's furchtbar ist.»

Mike verzieht das Gesicht, und die Treiber grinsen, doch Eddie glaubt ihm, daß er das einfach nur so gesagt hat. Er hält Mike im Grunde für einen anständigen Kerl, der mit jedem auskommen könnte.

«Du bist also Leichenbestatter.»

«Das ist ein Beruf wie jeder andere», sagt Eddie.

«Ja klar.»

Mike trinkt sein Bier in langen Zügen. Sam verteilt noch eine Runde, für jeden eine Dose.

«Bei euch da oben in New Hampshire ist es ja ganz schön heftig zugegangen», sagt Mike. «Irgendwas mit 'nem Polizeichef, der im Garten vorm Haus das Skelett vom Ex-Mann seiner Alten ausgebuddelt hat. Der hat geheißen wie so 'ne Gemüsesorte. Sein eigener Vater muß es auf dem Totenbett erzählt haben. Kam im Fernsehen, in der Sendung von Maury Povich. Da habt ihr einen typischen Polacken. Dem merkt man den Polen an.»

«He», meinte einer der Treiber, «der Kerl ist mit Connie Chung verheiratet. Das muß man sich mal vorstellen! Das ist 'ne richtig geile Alte.»

«Und ob. Die Polen, die kriegen halt die geilen Weiber.»

Eddie schaut zu Jim und Sam, den beiden jungen Männern mit den gebrochenen Armen, und fragt sie, wie ihnen das passiert ist.

«Seid ihr mit euren Dreirädern ineinandergefahren oder so was?» fragt er.

«Nein», meint Sam ernst, als sei es zwar nicht so gewesen, aber durchaus vorstellbar. «Ich wollt 'ne Scheibe im Schlafzimmerfenster auswechseln und bin rückwärts rausgekippt. Im Fallen bin ich mit dem Arm am Ring von dem Basketballkorb hängengeblieben und hab ihn aus dem Brett gerissen. Das hat mich wahrscheinlich gerettet. Zwei Tage später war ich dann mit ihm oben am Buffalo Run zum Angeln. Da stehen wir also im Wasser, Jim und ich, und warten auf den Eisvogel. Wir sehen ihn übers Wasser schweben, nach einer Forelle suchen, vielleicht nach so 'ner leuchtend orangen, wie sie die Fischereibehörde hier in Pennsylvania gezüchtet hat. Palominos heißen die.»

Mike und die Treiber johlen und schreien. Für die Fischereibehörde haben sie nicht viel übrig.

«Wir haben gewußt, daß das sein Revier ist, stromauf, stromab», sagt Sam, als das Gegröle wieder verstummt, «und so bleiben wir mucksmäuschenstill stehen, aber er kann uns natürlich immer noch sehen. Hat sich aber nichts anmerken lassen. Wir waren ihm scheißegal. Er hat toll ausgesehen. Einen Fuß hoch, blau und grau. Die Unterseite weiß, und am Kopf 'ne buschige Haube. Wollt wohl schon wieder davonflattern, aber dann hat er was gesehen und ist wie ein Sturzkampfbomber runtergekommen. Blöd war nur, daß er die Forelle haben wollte, die schon ein Auge auf Jimbos Fliege geworfen hatte. Ich sag, guck, daß du sie kriegst, Jim. Seine Klauen und Flügel gegen sieben Fuß Kohlefaserfliegenrute, gegen die schwimmende Keulenschnur und das knotenfreie Vorfach.»

«Jesus, Maria und Josef», brüllt Mike und haut mit der Faust auf den Tisch, daß das Geschirr scheppert. «Ihr verdammten Fliegenfischer seid einfach nicht auszuhalten. Erzähl deine Geschichte, das reicht, ja?»

«Also, Jimbo steht da und hüpft hin und her, kämpft mit dem Eisvogel um die Forelle, und dann verliert er das Gleichgewicht und fällt genau auf den Arm. Die Rute ist ihm auch abgebrochen. Alles drunter und drüber.»

«Und wer hat gewonnen?» fragt Cody.

«Ich hab die Forelle gekriegt», sagt Jim, «aber es war ein harter Kampf.»

«Sie wollten uns erst gar keine Gipse machen», sagt Sam. «Das versucht man heute zu vermeiden, aber wir haben gesagt, wozu hat man denn 'nen gebrochenen Arm, wenn man nicht mal 'nen Gips kriegt?»

«Glaub ich gern», meint Mike. «So muß es gewesen sein. Cody, was ist aus deinem Hengst geworden? Hast du den noch?»

«Sieht nicht mehr so gut, aber das macht nichts. Ich hab ihn pensioniert, nehm ihn nur noch als Deckhengst.»

Mike schlägt noch mal auf den Tisch. «So würd ich auch gern in Rente gehen.»

«Was hast du da, Mike? In deinem Hemd?» fragt Eddie.

«Na gut, ich erzähl's euch», sagt Mike und verschränkt die Arme vor der Brust. «Meine Tochter bringt neulich 'n Gedicht mit nach Haus, das heißt ‹Birken›. Sie sagt: ‹Guck mal, Dad. Guck mal, was die da machen, die schwingen mit den Birken hin und her. Das habt ihr bestimmt nie gemacht, du und die Treiber.› – ‹Von wegen›, sag ich, ‹hol deine Mutter und deine Schwester und kommt raus zum Gucken.› War so gegen Abend. Dan Bothers CBS-Nachrichten liefen grad im Fernsehen. Ich glaub, die wichtigste Neuigkeit des Tages war Dans neuer Pullover.

Jedenfalls gehen wir alle raus auf den Hof hinterm Haus, da steht eine Birke, vierzig Fuß hoch vielleicht und ein Fuß Durchmesser. Die einzige in der ganzen Siedlung. Die hat der Gärtner damals grad noch übrig gehabt. Also ich nichts wie rauf. Inzwischen stehen die Nachbarn alle schon vor ihren Häusern. Meine Frau sagt: ‹Mike, komm sofort da runter!› Redet mit mir, als wäre ich eins von ihren Kindern.»

«Bist du doch auch, Mike, oder?» fragt Jim mit einer heißen Kartoffel im Mund.

«Ja, schon», sagt Mike. «Aber ich sag euch, meine Frau ist die beste.»

«Aber du bist nicht runtergekommen.»

«Nein, natürlich nicht. Bin den Stamm weiter hoch. Ich hätt irgendwo anhalten und ihn hin- und herschwingen können, aber das hab ich nicht gemacht. Ich bin immer weiter geklettert. Meinetwegen hätte der Baum nie mehr aufhören müssen.»

Die Männer spüren, daß Mike die Geschichte jetzt nicht mehr ihnen erzählt, sondern nur noch sich selbst und den Ecken des Zimmers und dem, was dahinter liegt.

«Immer höher bin ich geklettert», sagt er, «und die Leute unten sind immer kleiner geworden, und der Stamm immer dünner, und schließlich ging's nicht mehr weiter. Aber schon zu spät. Die Spitze hat sich geneigt, und ich wollt doch noch gar nicht wieder runter. Also hab ich sie zurückgezogen, und sie ist rüber zur anderen Seite, und auf einmal bin ich hin- und hergeschwungen, hab versucht, mich festzuhalten, und dann ist das Scheißding ein Stück unter meinen Füßen abgebrochen, und ich rausch nach unten.»

Mike leert seine Bierdose und schüttelt den Kopf.

«Und dann lieg ich da und guck hoch in die ganzen Gesichter und hab die Arme immer noch um die Spitze von der Birke. Die Nachbarn stehen da und schauen auf mich runter. Sie haben Grillgabeln in der Hand, Kochmützen auf und Schürzen mit Hummern drauf umgebunden. Sie sind braungebrannt und schon nicht mehr ganz nüchtern.

Meine Frau fragt: ‹Alles in Ordnung?›

Ich sage: ‹Ich glaub, ich hab mir das Rückgrat gebrochen!›

Sie sagt: ‹Oh.›»

Dann sagt Mike nichts mehr. Jim erzählt Eddie und Cody, daß er unter dem Hemd ein Gipskorsett trägt. Jim redet, als ob Mike nicht da wäre, und als sie wieder zu ihm hinüberschauen, scheint er auch ganz woanders zu sein, starrt auf die Laterne auf der anderen Seite der Hütte; sein Gesicht wirkt verschlossen und düster, sein Brustkorb bewegt sich in dem Gips gerade genug, um ihn am Leben zu erhalten.

«Er hat Ärger mit seiner Frau», sagt Jim ruhig. «Er wohnt schon 'ne Zeitlang hier draußen in der Hütte.»

«Es gibt Dinge, die muß man lernen, und Dinge, da sollte man's nicht», sagt Mike, an niemanden gerichtet.

«Was meinst du? Daß man sie nicht lernen soll oder

daß man's nicht müssen soll?» fragt Eddie, der unbedingt wissen will, was er damit meint.

«Beides, denke ich. Whiskey, Jungs. Das ist es, was wir jetzt brauchen. Whiskey macht das Elend erträglicher.»

«Whiskey macht die Erinnerung erträglicher», sagt einer von den anderen.

Sam holt eine Flasche Jim Beam und ein paar Pappbecher. Er reicht die Flasche herum, und jeder gießt sich ein paar Fingerbreit ein.

«He, wißt ihr, was ich toll finde?» meint Sam.

«Nein, Sammy. Was findest du denn toll?» fragt Mike.

«Ich find die Filmszene toll, in *Die durch die Hölle gehen,* als Robert DeNiro sein Gewehr für die Jagd einpackt und sagt: ‹Ein Schuß. Ein Schuß muß reichen.› Eine tolle Szene. Ich kenn Leute, die das aufm T-Shirt stehen haben.»

«Wahnsinn», sagt Mike und schüttelt den Kopf. «Aufm T-Shirt.»

«Mike», sagt Cody. «Ich hab was für dich. Es ist von G. R.»

Cody steht auf und räuspert sich. Dann zieht er einen zusammengeknäulten Stoffetzen aus der Brusttasche. Er faltet ihn auseinander und nimmt einen kleinen Gegenstand heraus, legt ihn in seine Handfläche.

«G. R. hätt bestimmt gewollt, daß du das kriegst», sagt er. «Das Ding hat 'ne Geschichte. Wer diesen Talisman trägt, soll aus ihm die Kraft schöpfen, daß er für immer des Namens Ie Shon Onta Ke würdig ist. Das ist der indianische Name, den Toussaint Charbonneau für seinen missionarischen Einsatz bei den Sioux-Frauen bekommen hat. Er bedeutet: der mit dem niemals schlaffen Mannesteil.»

Cody öffnet die Hand, und die Männer treten näher, um zu sehen, was er da hat. Sie starren forschend in seine

Handfläche, auf den winzigen Phallus und die Hoden aus Silber, die im Licht der Laterne glänzen. Dann sehen sie Cody ins Gesicht und denken einen Moment lang, daß er wieder blutet, während die Tränen rote Spuren über seine Wangen ziehen.

In dieser Nacht schlafen Eddie und Cody in der Hütte auf dem Fußboden. Die Whiskeyflasche ist leer, und sie haben beide ihren Anteil gehabt. Mike und die Treiber schlafen schon, und jetzt riecht es in der Hütte nach verbranntem Holz, abgestandenem Bier und den Resten des Abendessens.

Eddie liegt wach, hört Cody zu, wie er im Schlaf spricht, und denkt daran, daß sie bald nach Hause fahren werden.

Er kommt zu dem Schluß, daß er in letzter Zeit seinen Mann nicht besonders gut gestanden hat. Der Gedanke kommt ihm genau so, ganz ruhig und vernünftig. Am Ende dieses weiten Weges erkennt er es, und das schafft in ihm etwas Raum, wo er sich selbst wieder aufbauen kann, aber nicht hektisch und überstürzt, sondern langsam, Stück für Stück.

«Dinge, die ich weiß», flüstert er. «Ich liebe Mary und die Kinder. Ich würde für sie sterben und für sie töten. Mein Vater fehlt mir, wird mir immer fehlen. Irgendwas stimmt nicht in der Stadt. Da ist ein Dieb, und es ist wichtig für ihn, daß ich nichts weiß.»

Eddie greift in seine Brusttasche, sucht nach einem Stift. Er will diese Worte aufschreiben, so wie er sie gesagt hat, damit er sie für immer hat, sie immer wieder lesen kann, wenn seine Entschlossenheit nachläßt.

Wieder spricht Cody im Schlaf. Eddie streckt den Arm aus und rüttelt ihn aus dem Traum.

«Eddie», flüstert Cody, «bist du's?»

«Ja, ich bin hier.»

Als Cody sich zu ihm herumdreht, sieht Eddie die dunklen Spuren, die die Kratzer in seinem Gesicht hinterlassen haben.

«Ich hab geträumt, du bist tot», sagt Cody.

«Ich bin hier.»

Cody hebt einen Finger an seine Lippen und macht pssst, dann erzählt er Eddie alles von Kay. Er erzählt, wie er wegen dem Kerl, diesem Bender, versucht hat, sie nicht zu lieben, aber er schafft es einfach nicht. Er erzählt Eddie, daß er sie immer geliebt hat, weil damals alles in ihrer Welt perfekt war, nur daß er's nicht gewußt hat. Das war, bevor er in die Wälder gegangen ist und ihr gemeinsames Leben kaputtgemacht hat. Er erzählt Eddie, daß Kay schwanger ist.

Eddie setzt zum Sprechen an, aber Cody macht wieder pssst und dreht sich auf die andere Seite.

Eddie liegt im Dunkeln da und denkt über Codys Liebe zu Kay nach und darüber, wie man sich das Leben als perfekt vorstellen kann. Cody als Vater.

TEIL FÜNF

26

Wieder wird Cody von der Polizei erwischt. Er war bei Freddy Clough zu Besuch. Leo Comeau war auch da, mit sechs großen Krügen Selbstgebrautem. Und mit Freddys kräftigem Cider und Leos Gebräu hat er sich ganz schön einen angedudelt. Seit der Rückkehr aus Pennsylvania hat er das ziemlich regelmäßig gemacht.

Das letzte, woran er sich erinnert, ist, wie Leo ihm erklärte, daß einen das Delirium tremens ab einem bestimmten Alter nicht mehr umbringt. Einen jungen Kerl kann es fertigmachen, aber wenn man älter ist, packt man es. Der Körper scheint sich daran zu gewöhnen.

Die Polizisten schnappen Cody noch in Keene, in der Water Street, wo er direkt neben einem Schneehaufen geparkt hat und im Auto seinen Rausch ausschläft. Er wacht auf, als einer von ihnen mit dem Schlagstock gegen die Windschutzscheibe klopft. Sie haben ihn umzingelt. Er weiß, daß er keine Chance hat, aber was soll's, er läßt den Motor an, haut den Allradantrieb rein und rammt den Wagen, der vor ihm parkt, drückt die Motorhaube zusammen und rasiert die obere Hälfte des Kühlers weg. Der Polizeiwagen schwankt, als seine Türen aufgerissen werden. Cody legt den Rückwärtsgang ein und rammt den Wagen, der hinter seinem steht. Die Bullen brüllen irgendwas, greifen nach den Funkgeräten und ihren Waffen. Cody schaltet noch einmal und zieht auf die Straße raus. Sein einziger Gedanke ist, über die Grenze ins Land von Louis Poissant zu kommen, in das Land, das einst heilig war, das einst nicht zu dieser Welt gehörte, und das ist ein guter Ort für ihn. Er weiß, daß Kay in diesem Moment dort ist und daß es der Ort ist, an dem er immer sein wollte.

Kurze Zeit später ist er auf dem Highway, Richtung Inverawe. Er glaubt schon, er hätte es geschafft, doch nicht einmal er hat eine Chance gegen die Geschwindigkeit der Funkwellen im Äther. Im Rückspiegel sieht er, wie ihre Scheinwerfer die Nacht durchbohren und die Signallichter blinken, wie sie angerast kommen über die feste, glatte Schneedecke, die der Schneepflug hinterlassen hat.

«Eine herrliche Nacht», brüllt er. Er jauchzt und schreit, schlägt mit der Faust aufs Armaturenbrett und wünscht sich einen Revolver, denn den hat man normalerweise, wenn man vogelfrei ist.

Er passiert den höchsten Punkt der Strecke, rast dahin unter dem Mond und dem Sternenzelt, unter dem Großen und Kleinen Wagen. Ihm ist klar, daß es für die da oben ein toller Nervenkitzel sein muß: Cody auf der Flucht, unterwegs zum großen Show-down. Er gewinnt etwas Vorsprung, die riesigen Reifen donnern die Straße entlang und nutzen jede griffige Stelle, die sie davor bewahrt, ins Gestrüpp zu rutschen.

Als er durch East Inverawe kommt, nehmen zwei weitere Wagen die Verfolgung auf. Das hat er erwartet, er hat damit gerechnet, daß sich auch die Staatspolizei an seine Fersen heftet, die Kerle mit den schwarzen Stiefeln, den Reithosen, den Hüten mit der runden Krempe und den breiten Gürteln. Von denen erwischt zu werden, fände er nicht so schlimm; die zielen gut.

Als er an ihnen vorbeirast, sieht er, daß er sich getäuscht

hat: es sind noch mehr von den großartigen Bullen aus Keene, ganz wild darauf, ihn in die Finger zu kriegen. Cody nimmt den Fuß nicht vom Gas. Er darf nicht zulassen, daß sie ihn erwischen. Eher bringt er sich um, als daß er in den Knast geht.

Er biegt ab und rast eine Seitenstraße entlang, versucht, das Gewirr von einspurigen Feldwegen, von land- und forstwirtschaftlichen Nutzwegen zu erreichen, das in keiner Karte verzeichnet ist.

Er fährt weiter und weiter, gräbt mit den Reifen ein Muster in den Schnee, hinterläßt überall tiefe Spuren, und sie folgen ihm, die Polizisten in ihren blauen Uniformen, die in ihre Funkgeräte brüllen und die zur Fahrzeugdecke gerichteten Schrotflinten befingern. Sie halten sich für die Elitetruppe des Herrn auf der Jagd nach dem Teufel, und all die zerknautschten Motorhauben und zerlegten Kühler in Keene stinken ihnen ganz gewaltig.

Cody nimmt einen Hügel. Nur noch ein Stück, und er ist bei Kay. Sie wird ihm sagen, was er doch für ein toller Bursche ist, ein richtiger Held. Und Louis wird mit seiner Doppellaufschrotflinte vors Haus treten, den Namen Paul Champagne ausrufen und beide Abzüge durchdrücken, eine wahre Schrotfontäne in die Luft jagen. Und das ganze Tal wird erfüllt sein von roten, blauen und gelben Lichtern, wie beim Feuerwerk am Unabhängigkeitstag. Sie werden alle zurücktanzen in eine Zeit, als das Leben noch gut und sauber war, in die gute alte Zeit, als die Leute aßen, tranken, vögelten und am Sonntag in die Kirche gingen.

Cody fängt an zu weinen. Die Tränenspuren laufen über das Netz der feinen Gefäße direkt unter der Haut. Sein Brustkorb hebt und senkt sich, und sein ganzer Körper wird von Schluchzern geschüttelt, als er erkennt, wie idiotisch er sich verhalten hat, und zugleich um Gnade fleht, sich wünscht, aus dem Raum, aus der Zeit gerissen zu werden, mit Siebenmeilenstiefeln eine weite Reise machen und den Lauf der Zeit anhalten zu können.

Dann sieht er vor sich das gelbe Blinklicht eines Schneepflugs, das über die schwarzen Kiefern hinweghuscht. Es ist der mit Salz beladene Dreiachser der Doody-Brüder, Tonnen von Salz und Tonnen von Stahl, die schwerfällig die Straße entlangkriechen und einen Haufen Schnee vor sich herschieben. Er tritt aufs Gas und sieht das Fahrzeug immer riesiger werden, bis er von hinten hineinrast.

Mary steht abrupt auf, als aus dem Scanner knatternd die Nachricht von dem Unfall kommt. Auch Eddie rappelt sich aus seinem Sessel hoch, und sie tritt zwischen ihn und die Küchentür.

«Du wirst nicht dort rausgehen», sagt sie. «Du bleibst hier bei uns.»

«Ich muß hin.»

«Menschenskind, merkst du denn nicht, was mit uns passiert?»

«Du meinst, mit mir? Du meinst, was mit mir passiert», sagt Eddie und schlägt sich auf die Brust.

«Ja, mit dir. Du läufst rum wie ein Toter.»

Eddie will etwas sagen, bringt aber nichts heraus. Die Worte, die ihm in den Sinn kommen, klingen schwach und dumm, und dann sagt er: «Ich war ein Sohn, und jetzt bin ich ein Vater.»

«Ich weiß», sagt Mary. «Du warst ein Sohn, und jetzt bist du ein Vater.»

«Du weißt es nicht, und ich weiß es nicht, und das ist auch schon alles.»

Eddie geht aus dem Zimmer, nimmt seinen Mantel und verläßt das Haus.

Als Cody zu sich kommt, hört er den Lärm, mit dem sein Pickup von hydraulischen Klauen auseinandergerissen wird. Er sieht, daß Eddie Ryan, Thad und die Doody-Brüder ihn aus dem Führerhaus zu holen versuchen. Hinter ihnen sieht er die Männer in den blauen Uniformen, die es kaum erwarten können, ihn in die Finger zu kriegen, und die jetzt hoffen, daß ihnen der Tod keinen Strich durch die Rechnung gemacht hat. Ihm wird klar, daß er noch nicht im Himmel ist.

Die hydraulische Pumpe surrt, als sie mit dem Rettungsspreizer die Tür aufbrechen.

Eddie schiebt Thad beiseite und kriecht hinein. Er greift nach Codys Hand, und sie sehen sich an; als Eddie gerade etwas sagen will, packt ihn jemand an den Füßen und zieht ihn hinaus. Ein Polizist kriecht ins Führerhaus, hält Cody ein Alkoholtestgerät hin und klärt ihn über seine Rechte auf.

«Du liebe Scheiße», brüllt Eddie. «Vielleicht stirbt er da drin. Raus da, aber schnell!»

Er packt den Polizisten an den Beinen, doch sofort stürzen sich zwei weitere Uniformierte auf ihn und zerren ihn zur Seite. Thad und die Doody-Brüder bauen sich vor ihnen auf.

«Laßt ihn in Frieden und uns in Ruhe arbeiten», sagt Thad, «oder wir schmeißen alles hin und regeln das erst mal mit euch.»

Der Polizist windet sich wieder aus dem Pickup heraus und sagt zu den beiden anderen, daß alles in Ordnung ist, er hat alles, was er braucht.

«Die Säule muß hoch, Dick», sagt Thad.

Dick Doody setzt den Rettungsspreizer an und hebt die Lenksäule raus. Eddie kriecht wieder ins Führerhaus und tastet Cody überall ab, ob er Gefühl in den Gliedern hat, und fragt ihn nach seinem Namen und dem Datum.

«Rück mir von der Pelle», meint Cody, «sobald ich hier raus bin, sag ich dir, was für 'nen Tag wir heute haben.»

Sobald Cody wieder auf den Beinen ist, umringen ihn die Polizisten und legen ihm Handschellen an.

«Und jetzt ab mit ihm in den Gerätewagen», sagt Thad.

«Das soll er selbst entscheiden.»

«Von wegen. Er fährt im Gerätewagen.»

Wortlos schieben die Polizisten Cody in ein Auto, und ab geht's nach Keene, während die Männer von der Freiwilligen Feuerwehr am Straßenrand stehen, im Matsch aus Schnee und Salz, zwischen verbogenen Stahlteilen und Glassplittern.

Eddie Ryan fährt den Gerätewagen zum Feuerwehrhaus, Thad und die Doody-Brüder schleppen Codys Pickup langsam zurück in den Ort. Marie Paquette ist in der Feuerwache. Sie hat einen viel zu großen Mantel an. Er schleift am Boden, und die Ärmel reichen ihr bis an die Knie.

«Dome möchte, daß du mal zu ihm rüberkommst», sagt sie zu Eddie.

Sie gehen zusammen hin, unter den Straßenlaternen hindurch, und Neuschnee dämpft ihre Schritte. Marie öffnet die Haustür und geht hinein. In der Küche zieht sie den Mantel aus. Darunter trägt sie ihren Morgenrock. Eddie folgt ihr in den Gymnastikraum, wo Dome auf einer Bank liegt und Gewichte stemmt; auf seiner nackten Brust glitzern die Schweißtropfen, und durch sie hindurch schimmern bläulich frische Tätowierungen. Er legt die Gewichte auf ihre Ständer und setzt sich auf. Marie nimmt ein Handtuch und trocknet ihn ab.

«Fahr runter und hol ihn», sagt Dome. «Meine Frau hatte noch was gut bei dem Richter. Mach schnell, die werden ihn zu Brei schlagen, wenn sie die Chance kriegen.»

Eddie und der Richter stehen nebeneinander und warten darauf, daß Cody hereingebracht wird. Ein Polizist erklärt dem Richter, daß sie ihm eigentlich nur helfen wollten, als sie ihn in der Water Street stehen sahen. Sie dachten, er sei tot.

«Aha», meint der Richter und nimmt Eddie beiseite. «Das beste wäre, wenn er für einige Zeit in einen anderen Bundesstaat geht. Er hatte zwei Führerscheine bei sich. Seinen eigenen und einen auf den Namen G. R. Trimble; auf den ist auch der Pickup zugelassen. Er hat ihn doch nicht gestohlen, oder?»

«Nein.»

«Ich nehme an, Sie kennen diesen G. R. Trimble?»

«Ja», sagt Eddie.

«Das ist ein verdammt großer Gefallen», meint der Richter. «Aber sie war auch eine verdammt große Frau. Das läßt sich schon regeln.»

Das Geräusch einer Tür, die geöffnet wird, beendet ihr Gespräch. Cody wird hereingebracht, flankiert von zwei Polizisten. Eddie packt ihn am Arm, und sie gehen.

Im Osten steigt bereits ein Lichtschimmer über den Horizont, als Eddie und Cody sich auf den Weg zurück nach Inverawe machen.

Wieder wacht Mary auf, und es ist immer noch dunkel. Sie schaut auf den Wecker und stellt fest, daß es sechs Uhr ist. Sie fragt sich, ob Eddie nach Hause kommen wird. Sie will nicht aus dem Fenster sehen. Sie fürchtet, daß sie die Kinder aufweckt, wenn sie im Haus herumgeht, also knipst sie eine Lampe an und fängt an, die Sachen aufzulisten, die sie mit nach Florida nehmen müssen, aber jedesmal, wenn sie zum Schreiben ansetzt, hält sie wieder inne und starrt auf das Blatt Papier.

Ein Mann, eine Frau und zwei Kinder sitzen in Fay's Country Kitchen in Carlisle, Pennsylvania. Sie sind Freitag um Mitternacht in New Hampshire losgefahren, und jetzt frühstücken sie Heidelbeermuffins. Der Mann hat fast ein ganzes Jahr hinter sich, in dem sein Leben einem Trümmerhaufen glich, der letzte Monat davon steht ihm noch bevor. Der Frau klingt noch ein langer Streit mit ihrem Mann in den Ohren, und diese Töne erzählen ihr zugleich von ihrem zukünftigen Leben; sie will im Augenblick nicht drüber nachdenken, doch die zornigen Worte gehen ihr noch immer durch den Kopf, schwirren noch rings um sie her in der Luft.

«Cody fährt mit dir», hatte er zu ihr gesagt. «Er muß weg von hier, nach Florida.»

«Dann soll er mit dem Bus fahren.»

«Ich kann jedenfalls nicht mitkommen. Ich muß hierbleiben und arbeiten.»

«Du bist ein Verräter.»

«Es gibt Dinge, die ich nicht erklären kann.»

«Rechne bloß nicht damit, daß wir so lange warten, bis sie dir klargeworden sind.»

Der Mann und die Frau schlürfen Kaffee, die Kinder trinken Milch und sehnen sich danach, wieder in Decken eingewickelt und auf den Rücksitz gepackt zu werden, sich vom Dröhnen der Reifen auf dem Asphalt einschläfern zu lassen, während der Motorlärm in ihren Köpfen verschwimmt.

In Fay's Country Kitchen gibt es Spielsachen, schöne alte Spielsachen, Puppen, Eisenbahnen, Lastwagen und Kinderwagen. Spielsachen aus einer vergangenen Zeit. Sie sind aus Stahl und Eisen, sind schwer und haben scharfe Kanten und mundgroße Stücke, die abbrechen können, und die Farben sind bleihaltig. Damit haben sich die Spielzeugmacher nach und nach vergiftet, weil sie die Spitzen ihrer Naturborstenpinsel mit der Zunge angefeuchtet haben. Und auch die Kinder haben sich damit vergiftet, weil sie die Farbe abgepult und in den Mund gesteckt haben, denn Bleifarbe schmeckt süß wie Schokolade, und wenn sie mal in einem steckt, verlangt sie nach mehr.

Das Lokal ist voll besetzt mit College-Studenten und Leuten aus dem Ort. Leuten, die Zeit haben, am Samstag morgen gemeinsam mit Freunden zu frühstücken. Sie werfen ab und zu einen Blick auf den Mann und die Frau und denken sich, was für ein merkwürdiges Paar, sind sicher verheiratet, und sie muß wohl ein ziemlich erbärmliches Leben haben mit so einem Mann, der nicht mal merkt, daß er Eigelb im Bart hat.

Sie schauen auf den Mann und die Frau und basteln sich eine Geschichte ihres Lebens. Sie denken, vielleicht ist sie Sozialarbeiterin. Nein, sie sind verheiratet und auf Reisen. Er ist ein kaputter Kriegsveteran, und sie liebt ihn. Vielleicht ist er ein As im Bett. Die Kinder sprechen dafür. Es sind hübsche Kinder, aber andererseits sind alle Kinder hübsch, hübsch und unschuldig, unschuldig und traurig.

Sie wirken müde vom Fahren, vom vielen Reisen, und irgendwie vom Leben gezeichnet. Vielleicht sollten wir besser die Polizei rufen. Vielleicht ist jemand entführt worden. Vielleicht unter Hypnose. Es ist besser, man denkt gar nicht darüber nach. Sie passen nicht. Sie fügen sich nicht in unsere Vorstellung vom Leben ein. Sie wirken unwirklich auf mich, also sind sie auch nicht wirklich. Ich bekomme sie nicht so hin, daß ich sie mir vorstellen könnte.

«Es liegt nicht an dir», meint sie. «Es liegt an mir. Ich weiß einfach nicht, was ich will. Wahrscheinlich gar nichts. Ich glaube, daß ich eigentlich überhaupt nichts will.»

«Du hast schon eine ganze Menge Leben abgekriegt.»

«Ich weiß, und es ist noch nicht vorüber. Was wirst du machen?»

«Zuerst mal den Führerschein besorgen. Und dann geh ich euch nicht länger auf die Nerven.»

Mary berührt seine Hand. Sie will ihm widersprechen, ihm sagen, daß er ihr nicht auf die Nerven geht. Doch sie bringt es nicht über die Lippen. Sie will, daß er sich einen Führerschein besorgt und für immer wegfährt. Als sie von zu Hause weg ist, hat sie Eddie einen Säufer genannt und einen Feigling obendrein, und sie hat es wirklich so gemeint. Sie hat gesagt, sie würde nicht zurückkommen.

«Mist», sagt sie, «es tut mir leid. Wird schon alles wieder werden.» Sie tätschelt ihm die Hand und lächelt. «He, keine Rast für die Gottlosen. Kopf hoch, das geht alles vorbei.»

Little Eddie hat gelernt, auf den Topf zu gehen. Er sagt seiner Schwester Bescheid, wenn er muß, und sie nimmt ihn mit auf die Damentoilette. Irgendwann wird er sie heiraten wollen und traurig sein, wenn er erfährt, daß das nicht geht.

Als sie zurückkommen, führt ihn Eileen an den Tischen vorbei. Ein Mädchen sagt hallo, und sie bleibt stehen und sagt: «Das ist mein Bruder, und wir fahren nach Florida. Mein Vater konnte nicht mit, weil er für die toten Leute sorgen muß.»

Das Mädchen und ihre Freundinnen lachen.

«Was macht er denn mit den toten Leuten?» fragt das Mädchen Eileen.

«Er ist Leichenbestatter. Er balsamiert sie ein.»

«Oh», meint das Mädchen, und dann lachen sie wieder alle, weil sie Eileen süß finden.

«Das ist Cody mit meiner Mom. Er kann auf dem Wasser laufen.»

Das Mädchen schaut hinüber, und Mary lächelt ihnen zu. Sie finden Mary schöner, als sie sich selbst findet. Sie würden gern ein Leben führen, das so exotisch ist, wie sie sich das von Mary vorstellen.

«Wir sind aus New Hampshire», sagt Eileen. «Mein Daddy ist nicht dabei, er hat keine Zeit. Cody fährt uns. Er ist der beste Fahrer von der ganzen Welt. Darf man mit den Spielsachen hier spielen?»

«Nein, aber das würde Spaß machen, nicht wahr?»

«Wir haben nie Spaß», sagt Eileen und verzieht das Gesicht. «Wir kriegen Haue, wenn wir mal was Lustiges machen wollen.»

«Aber nein, das kann doch nicht sein», sagt ein anderes Mädchen, doch sie ist sicher, daß Eileen die Wahrheit sagt. Sie studiert Psychologie.

Mary steht auf und ruft die Kinder herüber. Sie zieht ihnen die Mäntel an, während Cody bezahlt. Sie schiebt die Kinder zur Tür hinaus, und als Cody sich umdreht, gerät er in Panik. Er fühlt alle Blicke auf sich gerichtet, Augen über Kaffeetassen, Augen über Schultern, Augen in gesenkten Köpfen, die Augen der Puppen.

Er weiß nicht, was er tun soll, also winkt er, und ein paar von den Leuten winken zurück, die, die ihn für einen ganz netten Kerl halten oder für richtig gefährlich. Eine tolle Frau hat er jedenfalls, und zwei hübsche Kinder.

Eddie denkt, die ersten Stunden, nachdem jemand auf eine lange Reise gegangen ist, sind wie der Tod, wie ein wirklicher Tod, und nicht so leicht zu bewältigen wie der endgültige, unwiderrufliche. Man steht am Flughafen, am Bahnhof oder an der Haustür, und es ist, als wäre man die Nabe eines Rades, und die langen Speichen verhindern, daß man das, was eigentlich das Rad ist, berührt. Es ist, als wäre man ein Rad an einer Postkutsche und würde sich immerzu vorwärts drehen, doch im Film sieht es so aus, als ob man sich immerzu rückwärts dreht.

Eddie hat angefangen, immer wieder still stehenzubleiben, auf der Straße, in Läden, am Postamt. Dann wartet er, bis der Strom der Fußgänger sich anpaßt, locker fließende Muster um ihn herum bildet. Einkaufswagen rechts und links von ihm, Fußgänger fluten gegen ihn an und gehen in alle Richtungen davon. Dann greift er langsam, als wolle er eine Schachtel Zigaretten oder einen Kugelschreiber oder vielleicht einen Revolver hervorziehen, in seine Daunenjacke und klopft sich gegen das Herz, blickt sich um und klopft erneut mit der Faust aufs Herz, jedesmal fester, bis er spürt, wie es zurückpocht, wie es von der anderen Seite gegen das Brustbein schlägt. Es hat die Größe einer Faust, und es macht seine Sache gut. Seine Faust und die Faust in ihm, sein Herz, klopfen aufeinander ein wie Kinder auf dem Schulhof.

Er verlängert dieses Spiel jedesmal ein bißchen mehr, und dann geht er weiter, schiebt seinen Einkaufswagen vor sich her, überquert einen Zebrastreifen oder wirft einen Brief ein.

Es sind Briefe an ihn selbst, die er jeden Tag abschickt. Er schreibt auch an Mary, Cody, Eileen und Little Eddie. Auch Ansichtskarten schickt er ihnen: vom Gemeindehaus, vom Rathaus, vom Mount Monadnock, von den White Mountains. Er findet Ansichtskarten mit Schnee, alles schneebedeckt, und schreibt Sprüche darauf wie: ‹Grüße vom Schneekönig› oder ‹Wärt ihr mal besser hiergeblieben›.

Seine Briefe an Mary sind Liebesbriefe. Er spürt, daß er sie zurückgewinnen, sie umwerben muß. Seine Briefe sind sexy, an der Grenze zur Pornographie. Er schreibt von ihrem Körper und was er tun wird, wenn er ihn wieder berühren kann. Er schreibt ihr, daß er seit ihrer Abfahrt keinen Schluck Alkohol getrunken hat und daß er nie wieder welchen trinken wird. Er hat das Buch von seinem Vater wieder hervorgeholt, *Vierundzwanzig Stunden am Tag*, eines der wenigen Dinge, die ihm sein Vater hinterlassen hat. Er schreibt: «Ich lese es jeden Tag, damit ich die vierundzwanzig Stunden nüchtern schaffe, denn wenn ich heute nicht das erste Glas trinke, dann trinke ich es nie, weil immer heute ist.» Was er ihr nicht schreibt, ist, daß er jeden Tag auch die zwölf Schritte der Anonymen Alkoholiker nachliest. Er praktiziert sie auch, bis auf Schritt 8. Wenn er zu Schritt 8 kommt, liest er immer: «Wir machten eine Liste aller Personen, die Schaden zugefügt hatten, und machten sie willig, ihn bei allen wiedergutzumachen.» Das stimmt nicht ganz, aber er kann es nicht anders lesen.

Die Briefe, die er an sich selbst schickt, sind die längsten. Die Poststempel besiegeln für ihn das Copyright, sind eine Garantie, daß seine Worte ihm gehören, sein ganzes Leben lang und noch fünfzig Jahre darüber hinaus. Er braucht das, denn bis jetzt sind seine besten Sachen einfach verschwunden oder begraben worden, nur hat ihn das bis jetzt nie gestört.

Als Eddie nach Hause kommt, lädt er die Lebensmittel aus dem Leichenwagen. In der Küche lehnt er die Tüten gegeneinander, damit sie nicht umfallen. Lebensmittel einzukaufen hat ihm schon immer großen Spaß gemacht. Haltbare Sachen, von denen er weiß, daß sie viel davon brauchen, kauft er gern in großen Mengen. Dabei geht er ohne System vor, vergleicht nicht einmal die Preise. Heute hat er fünfzehn Dosen Thunfisch und fünfzig Dosen Katzenfutter gekauft, acht Gläser Spaghettisauce und zehn Packungen Hühnerbrühe. Diese Einkaufsmethode ist für ihn zumindest ein Schutz vor der Inflation.

Eine der Tüten ist durchgeweicht. Ganz unten liegt eine leere Flasche Flüssigreiniger. Er stellt fest, daß er eine blaue Seifenspur hinter sich hergezogen hat, wahrscheinlich über Meilen. Er sucht unwillkürlich nach der Ironie in diesem Ereignis. Er grinst und verflucht sich selbst dafür, daß er diese törichte Gewohnheit hat, sich von der Ironie wie von einem Magneten anziehen zu lassen, von der Made der Ironie, diesem Schnuller für den Verstand, diesem Zollstock und Schleier für das Leben, den wir alle heute irrtümlich für das Leben selbst halten.

Er räumt die Lebensmittel weg und geht hinaus zum Briefkasten. Er vergißt seine Sonnenbrille und ist wieder geblendet von dem grellen Licht, das sich in Eis und Schnee widerspiegelt. Selbst der Asphalt der Straße glitzert weiß. Eddie öffnet das Briefkastentürchen und wirft einen Blick hinein. Das Päckchen Briefe wird von einem Gummiband zusammengehalten. Er zieht es heraus, klemmt es unter den Arm und geht zurück ins Haus. Die ganze Zeit hält er schützend eine Hand über die Augen.

Dann sitzt er, noch in der Daunenjacke, am Rollpult und wartet darauf, daß seine Sehkraft zurückkehrt. Er stützt die Ellbogen auf den Schreibtisch und hält den Kopf zwischen den Händen, öffnet und schließt die Augen, fragt sich, ob es diesmal vielleicht für immer ist, ob er jemals wieder wird sehen können.

Um die Zeit totzuschlagen, denkt er über den Tod nach. Das tut er heute zum dritten- oder zum fünfzigstenmal. Zum dritten oder fünfzigsten. Entweder – oder. Oder noch viel öfter. Er läßt ein Lachen aus sich heraus und versucht, alles zu vergessen, was er jemals darüber erfahren hat. Er geht die Liste all dessen, was er darüber weiß, durch, streicht dabei Punkt für Punkt aus, gelangt schließlich zu sich selbst und versucht zu vergessen, wer er ist, weil er erkennt, daß alles, was er weiß, mit dem Tod zu tun hat, und daß es alles falsch ist.

«Es gibt einen Unterschied», sagt er mit geschlossenen Augen, «zwischen Tätigsein und Ruhe. Im Tätigsein liegt Energie. Energie bewirkt Tätigsein, und Energie kann weder erzeugt werden noch vernichtet. Und doch geht sie irgendwohin. Die Frage ist nur, wohin zum Teufel verschwindet die Energie? In das Versteck des Todes.»

Eddie meint, ein Klopfen an der Tür zu hören, stellt seine Selbstgespräche ein und lauscht. Es klopft, Stahl auf Stahl, das Hufeisen außen an der Tür gegen die Eisenplatte. Eddie macht auf, und vor ihm steht Dick Doodys Frau. Sie trägt zwei Gläser mit eingelegter roter Bete. Gläser mit Eingemachtem, die er zu all dem anderen ins Regal stellen wird.

«Tut mir leid, wenn ich störe, Eddie. Hab nicht gewußt, daß du Besuch hast. Wollt euch nur schnell was vorbeibringen.»

«Danke, Marlene. Das wär nicht nötig gewesen, aber vielen Dank.»

«Ist alles in Ordnung mit dir, Eddie? Warum kneifst du denn die Augen so zusammen?»

«Alles klar, mach dir keine Sorgen. Ich hab nicht dran gedacht und genau in die Sonne geschaut, wie ich die Post geholt hab.»

«Sei bloß vorsichtig», sagt sie. «Dabei kann man sich die Netzhaut verbrennen. Ein Freund von meiner Kusine hat sich mit so was die Kontaktlinsen direkt an die Augäpfel geschweißt. Und Hautkrebs kriegt man auch davon. Hautkrebs hat er auch noch.»

«Danke, Marlene. Danke.»

«Paß auf dich auf», sagt sie und kneift ihn in den Arm. «Sie werden bald zurück sein, und dann ist alles wieder gut.»

Eddie starrt sie aus seinen schlitzförmigen Augen an. Er beobachtet, wie sie sich zurückzieht, sich dann umdreht und die Treppe hinunter zu ihrem Wagen geht. Als sie weg ist, legt er die linke Hand an die Stirn und drückt dagegen, bis sein Kopf ganz zurückgebeugt ist und die Augenlider hochgezogen werden. Er steht da und wartet darauf, daß er in Ohnmacht fällt, denn er sieht nichts als die strahlende, formlose Sonne, die direkt auf ihn einstürzt und so schnell unten ist, daß es ihm gar nicht bewußt wird, die durch ihn hindurchschießt, immer wieder, an seinen Augäpfeln vorbeiströmt und in seinem Schädel explodiert wie schwere Geschütze in einer Schlucht.

Als Eddie aufwacht, liegt Max auf seiner Brust. Sie liegen Kinn an Kinn, und Max schnurrt so ausdauernd, daß Eddie denkt, er muß einen kleinen Motor in der Kehle haben. Im ersten Augenblick hat er das Gefühl, er könnte immer noch nicht sehen, doch dann merkt er, daß es Nacht ist und er auf der Veranda liegt. Ihm ist kalt, und die Tür ist hinter ihm ins Schloß gefallen.

Er hebt Max zur Seite und steht auf, stakst steifbeinig herum wie ein Vogel. Im Haus ist es finster, finsterer als die Nacht, die ihn hier draußen umgibt. Im Freien ist die Nacht blau, und hoch droben funkeln die Sterne, flackern in den himmlischen Winden. Dann wird ihm klar, daß sie flackern, weil es wirklich windig ist. Der Wind häuft den Schnee zu Schneewehen in allen möglichen Formen auf.

Einen Moment lang überlegt er, ob er bleiben soll, wo er ist. Er wird sich im warmen Schnee einigeln und die Nacht hier draußen verbringen. Das hat er schon einmal gemacht, als er gerade mit dem College angefangen hatte. Er hatte sich gleich in ein Mädchen verliebt, und nachdem sie vor Weihnachten ihre Prüfung abgelegt hatte, brachte er sie zum Flugzeug, und sie flog nach Hause. Als er zurück ins Wohnheim kam, nahm er eine große Flasche Jim Beam und machte einen Spaziergang.

In den ersten Stunden nach ihrem Abflug dachte er, er würde sterben, ja, er wollte sogar sterben. Es war ein höchst merkwürdiger Zustand. Er wußte, er hätte eigentlich für eine Chemieklausur lernen müssen, aber er war so mit Leere angefüllt und auch schon so hin und her gerissen zwischen den Möglichkeiten, Dichter oder Arzt zu werden, daß er beschloß, Dichter zu werden und zu tun, was Dichter tun, und so ging er weiter und trank weiter, fühlte dabei immer wieder seinen Puls, bis er ihn schließlich nicht mehr spürte. Ihm war nicht klar, ob er keinen mehr hatte oder ob er einfach die richtige Stelle nicht mehr fand.

Er kam zu St. Catherine's, einer Kirche in einem schäbigen Viertel. Da stand eine lebensgroße Weihnachtskrippe: Maria, Josef und die Weisen aus dem Morgenland um das Jesuskind herum im Stall in Bethlehem. Er trat zu Josef und tat etwas, was er eines Poeten für würdig hielt: er küßte ihn auf sein hölzernes Gesicht. Sie waren ungefähr gleich groß. Um Maria zu küssen, mußte er sich ein wenig nach vorne beugen, und dabei sah er eine überpinselte Stelle auf ihren weißen Gewändern, um die Worte FICK DICH INS KNIE zu überdecken, die ihr jemand auf den Körper gesprüht hatte; die Buchstaben schimmerten noch als schwarze Schatten durch. Er begann erst leise, dann hemmungslos zu weinen, tat sich selbst leid, weil er meinte, die Worte seien für ihn gedacht und Maria sei gezwungen worden, sie zu tragen, und dann schalt er sich, daß er sich wieder einmal so dumm anstellte und wohl niemals gescheit werden würde.

Hinter der Krippe lagen Strohhaufen. Dort fand ihn am Morgen ein alter Priester; er war noch stockbetrunken vom Abend vorher, und der Alkohol hatte ihn die Nacht überleben lassen. Der Priester nahm ihn mit ins Haus und machte ihm auf einer Kochplatte Wasser für eine Tasse Kaffee heiß. Als Eddie den Kaffee schlürfte, verbrannte er sich den Mund und die Kehle so heftig, daß er lange überhaupt nichts mehr sagen konnte und schließlich nur ein Piepsen zustande brachte.

«Ich weiß nicht mehr, wohin», sagte er zu dem Priester.

«Sie sind in St. Catherine's», erklärte der Priester ihm und berührte seine Hand.

«Ja, ja», sagte Eddie, «aber ich weiß nicht mehr weiter.»
«Machen Sie sich keine Sorgen», meinte der Priester. «Ich bin ja bei Ihnen.»

Nicht lange danach ging er zur Marine.

Eddie stapft durch den Schnee rings ums Haus und sucht nach einem Fenster, das nicht verriegelt ist, doch er hat kein Glück. Die Hintertür ist ebenfalls abgesperrt, und der Kellerabgang ist zugeweht, also geht er in die Garage und holt eine Schneeschaufel. Er wird die Kellertreppe freischaufeln und es dort versuchen.

Die Kellertür liegt auf der Seite des Hauses, gegen die der Wind den Schnee treibt. Die Tür ist neu, aus Stahl. Er arbeitet langsam im Licht des Monds und der Sterne. Er muß bereits zwanzig Fuß vom Haus entfernt anfangen, einen Weg freizuschaufeln, weil der Schnee schon so hoch angehäuft ist. Er schneidet rechteckige Brocken heraus, so groß wie seine Schaufel, und stapelt sie links und rechts von sich auf, macht einen breiteren Weg frei als eigentlich notwendig, aber er will es ordentlich machen, falls jemand stirbt und nach unten gebracht werden muß.

Je näher er ans Haus kommt, desto höher werden die Schneewände. Schließlich sind sie so hoch, daß er den Schnee oben drüberwerfen oder dahin zurücktragen muß, wo die Wände noch niedriger sind.

Als er fast am Haus ist und die Schaufel tief in den Schnee drückt, um eine Fuhre herauszuheben, stößt er gegen die Kellertür. Er hört das metallene Geräusch und spürt zugleich, wie sich das Vibrieren des Metalls auf seine Unterarme überträgt. Er kratzt die Tür sorgfältig sauber und ruht sich dann aus.

Erst jetzt, wo er fertig ist, wird ihm klar, daß er besser hätte durch ein Fenster einbrechen oder wenigstens versuchen sollen, mit einem Dietrich das Schloß aufzukriegen oder die Hintertür mit einem Brecheisen aufzubrechen. Max sitzt am Anfang des Gangs im Schnee, als wollte er bestätigen, was Eddie denkt.

«Du Arschloch», sagt Eddie und wirft einen Schneeball nach ihm, trifft aber nicht.

Max gähnt, als das Ding links an ihm vorbeifliegt. Dann erhebt er sich und verzieht sich über die Schneewehen, hinterläßt dabei kleine Abdrücke seiner Pfoten und verschwindet in der Nacht.

Eddie versucht, die stählerne Tür aufzuziehen, doch sie rührt sich nicht. Er sieht an der Position des Riegels, daß sie nicht abgesperrt ist. Er geht zur Garage, um den Gasbrenner zu holen, muß aber feststellen, daß die Gasflasche leer ist. Seine Kleider sind völlig durchgeschwitzt vom Schneeschaufeln, und der Wind, der sanft in den Bäumen wispert, kühlt ihn jetzt bis auf die Knochen aus. Er könnte runtergehen zu Doodys Haus oder doch einfach ein Fenster einschlagen, doch er tut es nicht.

Er geht an seine Werkbank und leert eine mit Schrauben und Muttern gefüllte Kaffeekanne aus. Dann nimmt er den großen Benzinkanister und geht zurück an die Kellertür. Zuerst probiert er ein bißchen herum.

Er schüttet jedesmal etwas mehr Benzin in die Kaffeekanne, jagt immer größere Feuerbälle in den Nachthimmel. Der Knall der Explosion wird von Mal zu Mal lauter; das Loch im Schnee wird immer tiefer und seine schrägen Wände schwarz von Ruß.

Als er genug probiert hat, geht er mit der vollen Kanne hinüber zur Tür und läßt etwas Benzin auf die Fuge tropfen, an der die beiden Flügel zusammentreffen. Er beeilt sich, denn das Benzin verdunstet schnell. Als er mit der Fuge fertig ist, kippt er den Rest einfach über die Stahlfläche.

Im Zurückgehen zündet er ein Streichholz an, und sofort

fangen seine Handschuhe Feuer, und der Schnee rings um ihn strahlt hell. Später denkt er, er wäre womöglich verbrannt, wenn nicht das Benzin in der Fuge explodiert wäre.

Die Explosion schleudert ihn den Schneekorridor entlang und in die Schneewehe, wo er den Abdruck eines menschlichen Körpers mit ausgestreckten Armen und Beinen hinterläßt.

Eddie fängt an zu lachen. Er weiß, daß ihm nichts passiert ist. Am Ende des Ganges im Schnee sieht er die Tür weit offenstehen, aber die Flügel sind nicht aus den Angeln gerissen. Die Hauswand ist an einigen Stellen angesengt, und das Fenster im Parterre weist silbrige, graue und bläuliche Schattierungen auf. Er klopft sich den Schnee ab und geht hinunter in den dunklen Keller.

Eddie fängt wieder an, über den Tod nachzudenken. Der Tod ist das Gegenteil von Liebe, nicht von Leben, sagt er sich. Das muß man so sehen, denn Liebe ist etwas, das – anders als das Leben – nicht jeder hat. Wir können uns nicht vorstellen, das Leben zu verlieren, weil keiner von uns es schon einmal verloren hat. Liebe dagegen hat jeder schon einmal verloren. Also ist der Tod das Gegenteil von Liebe, und wohl auch umgekehrt, Liebe ist das Gegenteil von Tod.

Eddie nippt an seinem Kaffee und drückt dann die warme Hand an die Stirn. Erst jetzt bemerkt er, daß seine Augenbrauen angesengt sind und daß an einigen Stellen zehn, zwölf Haare zu einem Knäuel verschmolzen sind.

Er denkt an das Mädchen, das er so geliebt hat, das Mädchen, dessen Abreise ihn die Entscheidung treffen ließ, Dichter statt Arzt zu werden, wenn auch nur für ein oder zwei Jahre. Er überlegt, wie nett es doch wäre, wenn er sie gleich jetzt anrufen und mit ihr reden würde. Das würde sie vielleicht dazu bringen, einige Entscheidungen, die sie in ihrem Leben getroffen hat, noch einmal zu überdenken. Zumindest würde es ihr Gesprächsstoff liefern, eine Geschichte, die sie ihren neuen Freunden erzählen könnte, eine Geschichte, die für eine ganze Gesprächssaison gut wäre. Er bräuchte nur ein paar Telefongespräche zu führen, um sie aufzuspüren. Er könnte die Auskunft anrufen, oder das Sekretariat. Die haben alle Ehemaligen in ihren Akten. Eddie grinst und denkt sich, wäre es nicht toll, wenn die Auskunft endlich mal ihrem Namen gerecht werden könnte?

Er setzt sich an das Rollpult. Briefe, die angekommen sind, und die, die er abschicken muß, liegen nebeneinander. Er nimmt beide Stöße in die Hand und mischt sie durcheinander, mit der Vorderseite nach unten, wie einen Stoß Karten. Auf die Rückseite des obersten Briefs schreibt er: *Gedichte über den Tod von Eddie Ryan*. Ein guter Titel, denkt er. Die Gedichte werden wie Blumen sein oder wie Kinder auf einem Spielplatz. Irgendwie gehören sie zusammen und sind doch voneinander getrennt, getrennt und allein wie Weizenkörner oder Muscheln.

Er dreht den Umschlag um. Es ist einer von den Briefen, die er abschicken will. Ein Brief an Eileen. Die Fortsetzung einer Geschichte, die er für sie schreibt, von einer Insel, auf der ein Stamm lebt, der noch nicht entdeckt worden ist und auch nicht entdeckt werden will. Sie leben wie die Maden im Speck und sagen nette Dinge zueinander, sooft sie Gelegenheit dazu haben. Sie benutzen jede Gelegenheit, einander zu sagen, wie gern sie sich haben.

Eddie ist ein wenig besorgt, weil ihm nicht recht klar ist, wie er die Geschichte zu Ende bringen soll. Sicherlich wird sie sich nicht damit zufriedengeben, daß der Stamm einfach unentdeckt bleibt. Sie wird sie für völlig blödsinnig halten. Auf Eddies Insel ist jeder mit jedem verwandt, und sie weiß schon genug über Liebe und Tod, um sich zu fragen, wie sie wohl überleben können. Er beschließt, sie in seinem nächsten Brief einen Jungbrunnen entdekken zu lassen. Ganz gleich, was er schreibt, sie wird ihn auf jeden Fall fragen, woher er denn eigentlich von ihnen weiß, wenn sie doch überhaupt noch nicht entdeckt sind.

Der nächste Brief ist an Mary gerichtet, auch einer, den er erst noch abschicken muß. Es ist der siebte, und in ihm entschuldigt er sich dafür, daß er sich umgebracht hat. Das war alles, was er noch zu sagen hatte. Diesen Brief legt er beiseite. Als nächstes kommt ein Brief an Cody. Er weiß nicht mehr, was er ihm geschrieben hat. Es sind entweder Informationen über die Bestattungspraxis des ausgehenden neunzehnten Jahrhunderts oder über Methoden der Wachsplastik bei entstellten Leichen, zum Beispiel bei Fleischwunden, Schußverletzungen oder Enthauptungen. Das scheinen Sachen zu sein, für die sich Cody interessiert.

Er blättert die Briefe durch, sucht nach einem *von* Mary. Er kommt zum letzten und sieht, daß er zugleich der Absender und der Empfänger ist. Er weiß nicht mehr, was er da geschrieben hat. Er weiß nicht mehr, ob er ihn vor dem an Mary geschrieben hat. Er versucht angestrengt, sich daran zu erinnern. Und dann fängt er an zu weinen, weil er nicht weiß, ob er ihn vor oder nach dem siebten Brief geschrieben hat. Er weiß nicht, ob er in diesem Augenblick überhaupt noch am Leben ist oder schon tot.

Er geht durch das dunkle Haus, tastet sich behutsam voran. Er schreckt vor einem Kleidungsstück zurück, das an einer Tür hängt und das er zunächst für einen Menschen hält. Er kriecht vollständig angekleidet ins Bett und liegt einfach da, die Bettdecke bis zum Kinn hochgezogen. Dann ertönt ein Donnern. Es ist der Lärm von Schnee, der vom Schieferdach herabrutscht, und er sieht ihn auf dem Weg nach unten vor dem Fenster vorbeihuschen.

Er beschließt, am Morgen Codys Revolver ins Haus zu holen. Er wird ihn auf den Nachttisch neben dem Bett legen.

27

Eine nach der anderen tragen die Frauen ihre Liegestühle hinunter ans Wasser. Sie lassen sich gerade jenseits der Linie nieder, an der sich die Wellen zum letztenmal brechen; von dort kommt das Wasser auf sie zugeschossen, umspült ihre Schenkel und wirbelt hinter ihnen zu Schaum auf.

«Guck mal», meint Cody, «wie die die Beine breit machen. Ich wette, das geilt sie richtig auf.»

Er ist zum zweitenmal in diesem Jahr am Meer, zum zweitenmal in seinem ganzen Leben. Seit einer Woche ist er jetzt hier und hat noch keine Zehe hineingetaucht.

«Mein Gott, auf was für Gedanken du immer kommst», sagt Mary. «Und wenn schon.»

Eileen kommt zu der Decke, auf der sie liegen. Sie findet es beeindruckend, daß sie wieder richtig laufen kann. Sie geht, als ob ihre Füße Flossen wären, läßt sie bei jedem Schritt einknicken und durch den Sand schleifen. Das Laufen hat ihr noch nie soviel Spaß gemacht. Sie stützt die Hände in die Hüften und schaut sie nacheinander an, aber sie können ihr Gesicht nicht erkennen, denn es ist noch nicht spät und die Sonne steht genau hinter ihr, so daß sich das Licht in ihrem Haar verfängt.

«Schläft er den ganzen Tag?»

Sie meint ihren Bruder. Der liegt auf der Decke unter dem Sonnenschirm, neben Cody.

«Er wird bald aufwachen», sagt Mary.

«Ich dachte nur so. Ich frag mich, wieviel der Ozean wohl wiegt.»

Mary findet, daß das eine gute Frage ist, und sagt es ihr. Dann fragt sie Eileen: «Na, wie könnte man das denn ausrechnen?»

Eileen tut, als würde sie darüber nachdenken. Ihr sind schon ein paar Möglichkeiten eingefallen, von denen sie genau weiß, daß sie nicht funktionieren, aber sie plappert sie trotzdem heraus.

«Wir könnten ihn auf eine Waage legen», sagt sie, «wie bei uns im Badezimmer.»

«Das wär vielleicht 'n Ding», sagt Cody und läßt eine Handvoll Sand durch seine Finger rinnen. «Eine Waage, die so groß ist, daß der ganze Ozean draufpaßt.» Er denkt angestrengt über das Gewicht des Ozeans nach.

«Einen Tip», sagt Eileen, «helft mir, gebt mir einen Tip.»

«Eine Gallone wiegt acht Pfund, überall auf dem Erdenrund.»

Als er das sagt, streckt Cody die Hände vor, zu einer Schale gewölbt, als hätte er eine Gallone Wasser darin.

«Das reimt sich», sagt Eileen. «Pfund und rund. Das ist einfach. Man muß nur ausrechnen, wie viele Gallonen Wasser im Ozean sind, und die Zahl mal acht nehmen.»

«Nicht schlecht», meint Mary. «Und wie willst du ausrechnen, wie viele Gallonen Wasser im Ozean sind?»

Eileen denkt eine Weile nach und sagt dann: «Das ist dasselbe Problem wie am Anfang. Genau wie wenn man ausrechnen will, wie viele Pfund Wasser im Ozean sind. Das war kein guter Tip.»

«Doch», sagt Cody. «In unsere große Wassertonne passen fünfzig Gallonen, in den Waschzuber zehn Gallonen und in den großen Eimer fünf.»

«Und?»

«Na, und ich weiß doch, wie schwer die Dinger sind. Der volle Waschzuber wiegt achtzig Pfund und die Tonne vierhundert Pfund. Aber man muß natürlich noch das Gewicht der Behälter hinzurechnen.»

«Und?»

«Wir müssen nur ausrechnen, wie viele Tonnen oder Waschzuber oder Eimer ins Meer passen, und schon haben wir's.»

«Du bist ein Hohlkopf, Cody.»

«Mach dich nicht über sie lustig, Cody», sagt Mary. «Und du, Eileen, sag nicht solche Sachen zu Cody.»

«Nein, jetzt hab ich's. Wenn wir ausrechnen können, wie groß er ist, können wir auch ausrechnen, wieviel er wiegt.»

«Richtig», meint Mary.

«Und wie groß ist der Ozean?»

«Woher soll ich das wissen?» sagt Cody. «Wir könnten rauskriegen, wie groß seine Oberfläche ist, aber der Boden ist nicht eben. Da gibt's Berge, Schluchten und Täler.»

Eileen gibt ein kindliches Geräusch von sich, das soviel bedeutet wie: dann eben nicht. Dann sagt sie: «Erzähl mir noch mal, wie du die Bullen abgehängt hast, Cody.»

Eddie sitzt am Schreibtisch. Cody, Mary und die Kinder sind seit einer Woche weg. Er hat die ganze Zeit nichts getrunken und weiß, daß er im Moment klarkommt, ob er nun ein Problem hat oder nicht. Ein Gebet bietet ihm Halt, eine Bitte um Gelassenheit. Er spricht es laut: «Gott gebe mir die Gelassenheit, die Dinge zu akzeptieren, die ich nicht ändern kann, den Mut, die Dinge zu ändern, die ich ändern kann, und die Weisheit, den Unterschied zu erkennen.» Er kommt auch deshalb ganz gut klar, weil in den letzten Tagen niemand gestorben ist.

Damit ist er soweit, daß er die Post ansehen kann, einen Brief nach dem anderen, vielleicht ist ja einer von Mary dabei, doch zuerst befaßt er sich mit den Werbeprospekten.

Er liest jedes der Faltblätter sorgfältig, will das Ende seiner Suche so lange wie möglich hinauszögern, falls es eine Enttäuschung wird. Er liest die Angebote für Milch und Gemüsekonserven, für Fleisch und Brot. Er liest von Schneeschleudern, Winterreifen und Heizgeräten. Dann kommt ein Prospekt für einen neuen Leichenwagen, Modell «Elite», auf einem Cadillac-Fahrgestell. Er hat eine achtunddreißig Zoll hohe Hecktür und über vierzig Zoll lichte Höhe.

Überflüssig, denkt Eddie, bei mir tut's auch ein ganz normales Auto.

Der erste Umschlag, den er aufmacht, enthält einen Prospekt von Fred Hunters Museum für Bestattungsgeschichte in Hollywood, Florida. Da gibt es einen Kühlsarg, historische Leichenwagen und aus menschlichem Haar geflochtene Trauerkränze aus dem neunzehnten Jahrhundert. Außerdem einen Henney-Leichenwagen, einen Seitenlader mit blauer Innenausstattung. Der war eine Spezialanfertigung für das Bestattungsinstitut *Kick & Nice* in Philadelphia, das älteste in den USA, gegründet 1761.

Ein Sargmodell aus dem Jahr 1922 ist aus einem Zoll dickem Glas gemacht. Es wiegt fünfzehnhundert Pfund, und fast jeder Leichenwagen, in dem es transportiert wurde, kriegte einen Platten. Außerdem neigte der Sarg dazu umzukippen, wenn der Deckel aufstand. Es gibt auch aus Schilfrohr geflochtene Särge und Schmuck aus menschlichem Haar, Kettchen und Broschen, feine Geflechte aus Strähnen. Eddie überlegt, ob sich Mary und

Cody das Museum ansehen werden. Es klingt interessant. Er hofft, daß sie's nicht tun.

Er nimmt den nächsten Umschlag in die Hand, fährt mit dem Finger über den Poststempel aus Bellefonte, Pennsylvania. Dann reißt er den Brief auf. Im Umschlag steckt eine Grußkarte. Ein Bild von der Skulptur, die Cody mit einer Kugel durchlöchert hat, nur daß sie jetzt auf einem Platz in Seattle steht. Der Bildhauer hat eine Besprechung seines Werks beigelegt. Auf der Rückseite der Karte stehen ein paar unverbindliche Sätze, beste Wünsche für die Feiertage und eine Unterschrift. In der Besprechung wird die Skulptur als plastische Darstellung von Freiheit, Flucht und Durchbrechen aller Schranken bezeichnet, als Metapher für das Gegensatzpaar Enthüllung und Verhüllung. Sie wirke unangreifbar und zugleich verletzlich und entziehe sich jedem herkömmlichen Interpretationsansatz... wahre künstlerische Freiheit auf eine neuartige postminimalistische, beinahe rekonstruktivistische Art.

Als Eddie zu Ende gelesen hat, klingelt das Telefon, und er springt auf.

«Daddy, ich bin's.»

«Hallo, wie geht's dir?»

«Wir sind am Strand gewesen und haben versucht auszurechnen, wieviel der Ozean wiegt, aber wir haben's nicht rausgekriegt. Weißt du, wie man das ausrechnen kann?»

Eddie will ihr alles sagen, was er weiß, alles, was er in seinem Leben gelernt hat, doch ihm fällt nichts anderes ein, als daß der Salzgehalt von menschlichem Blut genauso hoch ist wie der von Meerwasser. Immerhin ein Anfang.

«Cody sagt, im Meer gibt's Berge und Schluchten.»

«Ja, da hat er recht. Du müßtest über Trigonometrie

und Topologie Bescheid wissen, und außerdem gibt es eine neue Wissenschaft, um Formen in der Natur zu vermessen. Das Wichtige ist nicht, daß man es ausrechnet, sondern daß man weiß, wie man es ausrechnen kann.»

Eddie hört, wie Eileen jemand anderem im Zimmer etwas zuruft. «Daddy sagt, es gibt eine neue Wissenschaft», ruft sie.

«Sag bloß.» Das ist Codys Stimme. Er klingt eingeschnappt. Der Gedanke an eine neue Wissenschaft behagt ihm nicht.

«Ist deine Mutter da?»

«Ja, es geht ihr gut.»

«Ich liebe euch. Ich hab euch alle furchtbar lieb.»

«Wir haben dich auch lieb.»

Bis dann, sagen beide und legen auf.

Little Eddie ist bereits eingeschlafen, als sie den Fernseher ausschalten.

Eileen zieht ein T-Shirt von ihrem Vater an. Der Kragen ist so ausgeleiert, daß es ihr dauernd über die Schultern und vom Körper herunterrutscht, aber sie will unbedingt dieses T-Shirt als Nachthemd tragen. Sie zieht es auf einer Seite ganz dicht an den Hals, auf der anderen läßt sie es über die Schulter herabfallen. Es reicht ihr bis an die Knöchel.

Mary deckt sie sorgfältig zu und liest ihr etwas vor, bis sie eingeschlafen ist. Sie haben wieder vergessen, miteinander zu beten, obwohl Eileen sich vorgenommen hatte, damit anzufangen, und so flüstert Mary jetzt die Gebete allein vor sich hin, läßt die Worte ganz nah am Gesicht ihrer Tochter herausströmen. Manchmal gewinnen Worte an Bedeutung, denkt sie, und entwickeln ein Eigenleben; manchmal werden Worte, die zwei Menschen wechseln, so bedeutungsvoll, daß das Leben schrecklich wird.

Sie geht über den Flur zu Codys Zimmer. Sie klopft an, aber er antwortet nicht. Sie nimmt an, daß er schon schläft, schlüpft leise zur Tür hinaus und läuft hinunter an den Strand. Der Sand ist noch warm, und weit draußen hört sie die Wellen tosen, ein von der Dunkelheit und der Entfernung gedämpftes Geräusch. Sie nähert sich der Brandung, watet ins flache Wasser, läßt es um ihre Knöchel plätschern, während sie am Strand dahinspaziert.

Irgendwie paßt es nicht recht zusammen, das Geräusch von weiter draußen und das sanfte Gefühl an ihren Knöcheln. Sie krempelt die Hosenbeine hoch und geht tiefer ins Wasser, bis sie schließlich doch naß werden, aber das ist ihr egal.

Sie läßt ihre Gedanken um etwas kreisen, was Eileen heute gesagt hat, wie leicht es wäre, wenn man sich gehenläßt und einfach immer weiter hinausmarschiert, bis nach Frankreich oder Afrika. Wenn sie das tun würde, wäre sie nach ein paar Minuten tot, und den Gedanken findet sie komisch.

Jetzt wäre eine gute Zeit zum Weinen, denkt sie, doch im Moment kann sie es nicht. Sie weiß nicht, ob es daher kommt, daß sie sich den ganzen Tag von der Sonne hat braten lassen und nun zu ausgetrocknet ist für Tränen. Sie hat den ganzen Tag geschwitzt, auf der Stirn, unter den Armen und am Oberkörper. Vielleicht waren das ihre Tränen, die Tränen, die sie jetzt gern zurück hätte.

«Es ist gut, daß sie so aus mir herausgekommen sind», sagt sie laut vor sich hin. «Sie haben einfach meinen Körper verlassen, auf verschiedenen Wegen.»

Und sie ist dankbar dafür: kein Ziehen im Brustkorb, keine schmerzenden Arme und Schultern. Nicht schlecht für den Anfang.

Nach einer halben Meile macht sie kehrt und geht zurück zu dem Apartmenthaus. Als sie die asphaltierte Auffahrt überquert, schaut sie nach oben und sieht Cody hoch über sich. Ihre Hand schnellt zum Mund, und sie schließt die Augen. Dann öffnet sie sie wieder und sieht ihn durch die Luft gleiten und in der Nacht verschwinden. Als nächstes hört sie das Platschen, als er in den Swimmingpool eintaucht. Sie lacht und geht hinüber zu der aquamarinblauen Fläche, schaut hinab in das Betonbecken, sieht ihn unter Wasser unbeholfen mit den Armen rudern. Er schaufelt das Wasser mit den Händen zur Seite, um sich auf diese Weise vorwärts zu bewegen.

Als er auftaucht, steht sie da und lacht. Mit einer geschmeidigen Bewegung ist er aus dem Becken und tritt an ihre Seite. Er legt den Kopf schief und schaut sie an, dann hebt er sie wortlos hoch und wirft sie ins Wasser.

Als sie wieder an die Oberfläche kommt, ist er verschwunden, und sie fragt sich einen Augenblick lang, ob er überhaupt dagewesen ist oder ob sie sich selbst hat hineinfallen lassen, komplett angezogen wie sie war.

Sie geht zurück zu ihrem Apartment und bleibt vor der Tür stehen. Rechts davon, aus Codys Zimmer, dringt Licht durch die Vorhänge. Während sich um ihre Füße eine Pfütze bildet, vergewissert sie sich, daß niemand in der Nähe ist. Dann öffnet sie die Tür, blickt sich noch einmal um, streift ihre Jeans ab und zieht sich den Pullover über den Kopf. Sie knüllt die Sachen zusammen, drückt sie einmal kräftig aus und verschwindet nach drinnen. Sie läßt das Bündel in die Badewanne fallen und trocknet sich mit einem Handtuch ab. Ein zweites Handtuch wickelt sie wie einen Turban um ihr nasses Haar, dann geht sie in ihr Zimmer, zieht sich an und schnappt sich eine Schere.

Nebenan brennt jetzt kein Licht mehr. Sie klopft leise an, drückt gleichzeitig auf den Türgriff und tritt ein. Er liegt vor ihr auf dem Bett, hat eine Hose an und ist barfuß. Das Zimmer ist blau, nur seine Zigarette glüht rötlich.

«Hast du mich in den Swimmingpool geworfen?»

«Ja natürlich. Wer soll's denn sonst gewesen sein?»

«Warum bist du abgehauen?»

«Ich weiß nicht», sagt er und lacht. «Schien mir das einzig Richtige.»

«Wissen Sie was, Mr. Cody? Sie können einen ganz schön hinters Licht führen.»

«Du meinst, ich bin ein Lügner?»

«Ich hab dich in den letzten Tagen beobachtet, und du bist nicht der, für den du dich ausgibst.»

«Und was meinst du, wer ich in Wirklichkeit bin?»

«Vor allem bist du ein junger Mann. Viel jünger, als ich immer gedacht hab. Anfangs konnte ich nicht sagen, wie alt du bist, fünfundzwanzig, fünfunddreißig, fünfundvierzig. Und da ist noch was. Irgendwas ist merkwürdig an dir, aber ich komm nicht drauf, was es ist. Komm mal her.»

Zuerst bleibt Cody regungslos liegen, doch dann steht er vom Bett auf und geht zu ihr hinüber. Sie führt ihn ins Bad und läßt ihn sich auf den Rand der Badewanne setzen. Als sie das Licht anknipst, sind sie beide einen Augenblick wie blind, dann können sie wieder sehen.

«Setz dich hier drauf», sagt sie und klopft auf den Klodeckel.

Cody nimmt auf dem Deckel Platz, neben dem Waschbecken. Mary nimmt ein Handtuch vom Halter, legt es über seine Brust und schiebt es ihm bis unters Kinn. Sie packt mit der linken Hand seinen Bart und drückt ihn zusammen, so daß die Haarspitzen unten aus ihrer Faust herausragen. Dann schneidet sie den Bart mit der rechten Hand dicht am Kinn ab.

Sie weiß nicht recht, wohin mit dieser ersten Handvoll Haare, dann legt sie sie ins Waschbecken, neben ihrer Hüfte. Als sie weiterschneidet, läßt sie die Büschel einfach in seinen Schoß fallen oder auf ihrem Handrücken liegen.

Als sie die Haare so kurz geschnitten hat, wie es mit der Schere geht, legt sie diese beiseite, dreht das Wasser auf und schäumt Seife in den Händen auf. Den Schaum schmiert sie ihm ums Kinn. Sie greift nach der Klinge, mit der er sich immer den Nacken ausrasiert, und bringt ihr Werk zu Ende.

Als seine Haut ganz glatt ist, tritt sie einen Schritt zurück und sieht ihn an. Sie öffnet den Mund, als ob sie sprechen will, sagt aber nichts.

Sie ergreift seine Hand und zieht daran, macht ihm deutlich, daß er ihr folgen soll. Am Bett hält sie an, geht zu seinem Schrank, nimmt ein Hemd heraus und läßt es ihn anziehen; sie bedeutet ihm, sich auf den Rücken zu legen, und faltet seine Hände auf der Brust. Dann legt sie sich so neben ihn, daß sie den Arm um seinen Kopf schieben und ihm die Hand auf die Schulter legen kann.

«Du siehst aus wie ich», flüstert sie.

Cody sagt nichts. Er kann das Wesen dieser Frau nicht begreifen. Er weiß nur, daß sich in ihm alles ganz schwach anfühlt, daß ihm ganz weich ist in den Gelenken. Als ob er den ganzen Tag Bäume gefällt, jede Menge Holz und eine schwere Säge geschleppt hätte, und jetzt ist der Tag vorbei, und er liegt in den Armen seiner eigenen Müdigkeit, in seiner nach all dieser Arbeit wohlverdienten eigenen Wärme.

«Du bist noch jung», sagt sie.

«Ja. Ich denk schon.»

«Jünger als ich.»

«Ich weiß nicht. Vielleicht.»

Mary klopft ihm auf die Schulter, als wäre er ein Kind.

«Wer ist Kay?»

Ohne zu zögern, erzählt ihr Cody die ganze Geschichte, so gut er sie hinkriegt. Er sagt, daß niemand, der mit den Händen arbeitet, einen Ehering trägt, weil ihn das unter

Umständen das Leben kosten könnte. Er sagt, sie war eine Frau, und ich war noch ein Kind.

«Das ist eine schöne Geschichte», sagt sie. «Ich erzähl dir auch eine.»

Mary erzählt, wie sie nach dem Tod ihres Vaters auf dem Speicher den Inhalt von Kisten durchstöbert hat. Sie ist an einen Karton mit *Playboy*-Heften geraten. Ein paar davon stammten noch aus den fünfziger Jahren. Beim Durchblättern stellte sie fest, daß ihr Vater überall die Doppelseite in der Mitte herausgetrennt hatte. Ganz unten in der Kiste war eine Schachtel, und in der lagen all die herausgetrennten Frauen. Er hatte Schere und Klebstoff genommen und ihre Körper zerschnitten und neu zusammengesetzt. Er hatte Köpfe, Beine und Brüste vertauscht, manchmal auch nur eine Hand oder das Haar. Bei einer hatte er nur die Schuhe ausgeschnitten und sie einer anderen angeklebt.

«Er muß mit einer Rasierklinge gearbeitet haben», sagt sie. «Es war wirklich erstaunlich. Er muß sehr lange dafür gebraucht haben. Meiner Mutter hab ich nie davon erzählt, sondern einfach das ganze Zeug auf den Müll geworfen. Manchmal kommt mir das alles komisch vor. Manchmal überhaupt nicht.»

Als sie mit ihrer Geschichte zu Ende ist, will Cody ihr sagen, daß das, was ihr Vater gemacht hat, gar nichts Besonderes war.

«Männer haben Geheimnisse, weil...» setzt er an und bringt den Gedanken nicht zu Ende, weil er nicht weiß, warum. Er will sich ein paar andere Wahrheiten einfallen lassen, möchte daran üben. Er will ihr erzählen, daß er nie schwimmen gelernt hat, daß er einfach ins Wasser springt und es darauf ankommen läßt, doch auch dazu kann er sich nicht durchringen, und so tut er, als wäre er eingeschlafen, denn er weiß, diese Wirkung erwartet man von Geschichten, die so spät in der Nacht erzählt werden.

Mary fällt darauf herein. Sie küßt ihn auf die Stirn und verläßt das Zimmer, sieht noch einmal nach den Kindern, ehe sie selbst schlafen geht.

Am nächsten Tag beobachtet Cody am Strand die Frauen. Für ihn sind sie alle Badenixen, ganz gleich, ob sie sechs sind oder sechzig. Er schaut ihnen nach, wie sie ballerinengleich auf die Brandung zutänzeln. Sie klopfen sich auf den Bauch, streichen ihren Badeanzug glatt und rücken die Träger zurecht.

Eileen kommt vorbei, auf ihrer Wanderung die Küste Floridas entlang. Sie hat niemanden, mit dem sie spielen kann, und beginnt nun, ihre Mutter zu bearbeiten. Mary liegt zusammen mit Little Eddie auf der Decke. Sie albern herum, legen sich abwechselnd einer auf den anderen.

«Komm doch, Ma. Gehen wir schwimmen.»

«Wir waren den ganzen Morgen schwimmen, ich bin jetzt einfach zu geschlaucht dafür.»

«Ich komm mit», sagt Cody, steht auf und zieht sein Hemd aus.

Eileen und Mary johlen vor Freude. Die ganze Woche haben sie versucht, ihn dazu zu bringen, doch er ist stur geblieben.

«Aber schmier dich ein», sagt Mary. «Mein Gott, wie siehst du bloß aus? Man ist ja richtig geblendet. Es wird dunkel um uns. Deine Haut saugt das ganze Sonnenlicht auf.»

Sie wirft ihm das Sonnenöl zu, und gemeinsam schaffen Eileen und er es, seinen Körper damit einzureiben. Dann rennt Eileen los, hinunter zum Wasser, und Cody hinterher, reichlich unsicher, ob das wirklich eine gute Idee gewesen ist.

Als er nahe genug ist, spritzt Eileen ihn naß. Er folgt ihr ins Wasser, bis zur Hüfte; das genügt, denn für sie ist es schon ziemlich tief.

«Wirf mich hoch, Cody. Wirf mich in die Luft.»

Cody packt sie unter den Armen und läßt sie wieder auf die Füße herabgleiten.

«Nein», ruft sie. «Du sollst mich werfen, richtig werfen!»

Er hebt sie noch einmal hoch und wirft sie in Richtung Strand. Sie gibt weiter laute Kommandos.

«Noch mal, bitte, Cody, noch einmal.»

Es macht ihnen Spaß. Cody hebt sie immer wieder hoch und wirft sie in die Wellen, und wenn sie zu ihm zurückgespült wird, packt er sie wieder. Sie schaukelt lachend auf dem Wasser, dann taucht ihr Kopf unter und kommt in der weißen Gischt erst wieder zum Vorschein, wenn sie schon ganz in seiner Nähe ist.

Cody lacht ebenfalls. Sie sieht aus wie ein Otter oder ein Biber, wenn sie wieder auftaucht mit ihrem langen, dünnen Mädchenkörper, der wie dafür gemacht ist, sich im Wasser zu bewegen. Jedesmal, wenn sie hochkommt, läuft das Wasser in klaren Strömen an ihr herab. Sie reibt sich die Augen und schlägt sich auf die Wangen. Er macht es ihr nach, fühlt dabei seine Gesichtshaut.

Sie gehen etwas tiefer ins Wasser, er wirft sie von sich, und als sie zurückkommt, verpaßt er ihr Bein und ihre Hand und erwischt sie erst an einem Träger ihres Badeanzugs. Der Träger reißt, und sie treibt mit der Unterströmung an ihm vorbei. Er dreht sich um und drischt auf das Wasser ein, versucht den Schaum beiseite zu schieben, damit er sie sehen kann, doch er findet sie nicht und gerät in Panik, weil er sie verloren hat. Er schlägt auf das Wasser ein, als wäre es Feuer, und dann taucht ihr Kopf auf, sie steht bis zu den Schultern im Wasser und lacht.

«Du hast mich nicht erwischt», sagt sie neckend.

Er geht zu ihr, hebt sie hoch und drückt sie fest an seine Brust. Er muß ein Zittern unterdrücken.

«Ich hab deinen Badeanzug zerrissen», sagt er.

«Macht nichts», meint sie. «Das kann man nähen.»

Sie gehen zur Decke, wo Mary Sandwiches zurechtlegt.

«Ich geh 'ne Weile rein», sagt Cody. «Ist mir zu heiß hier.»

Er läßt sie am Strand allein, geht zurück zu ihrem Apartmenthaus. Er hebt den Telefonhörer ab, wählt Eddie Ryans Nummer und scheißt ihn zusammen, sagt ihm, was für ein Arschloch er ist, was für Arschlöcher sie beide sind und daß sie anfangen müssen, härter an sich zu arbeiten, auch wenn sie bereits härter an sich arbeiten als die meisten anderen.

Es ist wie bei Motoren, sagt er: Die der kleinen ausländischen Wagen braucht man nur ab und zu mal ein bißchen zu warten, bei den schweren Maschinen dagegen muß man ständig dran bleiben.

Nach dem Gespräch setzt Eddie sich raus auf die Veranda, in die sonnige Kälte. Kater Max liegt vor ihm auf dem Boden. Er liegt auf dem Rücken und leckt sich den Bauch. Eddie weiß, daß er tun kann, was Cody ihm gesagt hat.

Du solltest diese Frau so sehr lieben, daß du sie ganz in dich aufnimmst, hat er gesagt, sie nie mehr losläßt.

Max rollt sich herum, verdreht sich dabei so, daß die Hinterpfoten in eine Richtung zeigen und der Kopf in die entgegengesetzte, wie um Eddie zu beweisen, was man alles kann, wenn man nur will.

Er hat ihm gesagt, wenn du sie nicht so lieben kannst, dann bist du kein Mann. Könntest du für sie sterben? Wenn sie sagen würde, stirb für mich, könntest du's tun? Könntest du einfach so sterben? Keine Kugel, kein Strick, einfach so sterben.

Eddie spürt, daß er gerade in diesem Moment über sich hinauswächst, daß er besser ist als in Wirklichkeit. Er weiß, daß er für sie sterben würde, und das erfüllt ihn mit Freude.

Ich kann es, hat Cody gesagt, ich kann einfach sterben. Nur durch Willenskraft. Ich kann mit meinem Willen meinen eigenen Tod herbeizwingen. Das ist Liebe.

Eddie denkt daran, wie sie immer sein Hemd küßt, wenn sie miteinander tanzen, wie sie ihre weichen Lippen in ihn hineindrückt. Dann schaut sie zu ihm auf, lächelt und läßt das Gesicht wieder an seine Brust sinken.

Drinnen klingelt das Telefon. Er stupst Max mit der Stiefelspitze an, sagt ihm, er soll aufhören, mit sich selbst zu spielen, und geht hinein.

28

Cody, es ist Kay. Sie haben sie heute morgen gebracht. Sie ist ins Eis eingebrochen, mit ein paar von den Kindern. Die Kinder haben sie mir auch gebracht. Sie waren eisangeln.»

«Bender? Ein Bender sitzt bei uns nicht ein. Ganz bestimmt nicht. Muß ein Irrtum sein. Nie gehört, den Namen.»

«Ein Schweißer, aus Keene.»

«Wir haben hier keinen Schweißer.»

29

Eddie sitzt am Telefon. Er sitzt schon seit Stunden da, reglos an derselben Stelle. Er hat den Stecker rausgezogen und fragt sich, was passieren wird. Cody, Mary und die Kinder sind schon auf dem Heimweg, fahren auf dem Highway nach Norden. Sie kommen immer näher. Langsam wird es dunkel, und fast kann er das Motorgeräusch hören, das, noch Hunderte von Meilen entfernt, in Richtung Heimat dröhnt.

Das Wissen um den Anblick des Todes, das er wie kaum ein anderer besitzt, erfüllt ihn wieder einmal mit dem Gedanken an die Zerbrechlichkeit des Menschen, diese kleinen Dinge, eine Sehne, die reißt, ein Nerv, der taub wird, eine Zelle, die bei der Teilung verrückt spielt, und die Tatsache, daß Lunge und Wasser nicht allzugut miteinander auskommen. Dieses Wissen läßt ihn nachdenklich werden, läßt einen wohlbekannten Phantomschmerz in seiner leeren Brust aufkommen. Er fängt an, Selbstgespräche zu führen.

«Sigmund Freud hat gesagt: ‹Wozu leben, wenn man für zehn Dollar eine Beerdigung bekommt?›

Na, Mr. Freud, ich weiß nicht», sagt Eddie. «Die Zeiten sind härter geworden. So billig kriegt man es heute nicht mehr.»

Eddie stöpselt das Telefon wieder ein und rückt näher heran. Er beugt sich vor, als könne es jeden Moment losklingeln, all die Anrufe, die sich in der Leitung gestaut haben. Er wartet, doch es klingelt nicht; also lehnt er sich wieder zurück.

«Sie dummes Arschloch», sagt er zu Freud.

Max reibt sich an seinem Bein, bis es zwischen ihnen knistert. Im dunklen Zimmer meint Eddie, an seinem Bein bläuliche elektrische Funken sehen zu können. Er hebt die Katze hoch und hält sie in seinem Schoß. Max fährt die Krallen aus, krallt sich in Eddies Hosenbein und die Haut darunter und läßt wieder los, als wollte er ihm etwas Schmerz als Geschenk anbieten.

Als er noch jünger war und Eileen gerade zu laufen anfing, hat er einmal ein Stopschild überfahren. Gleichzeitig kam ein anderes Auto, und Eddie stieg voll in die Bremsen. Damals hat er sich vorgenommen, nie mehr den Moment zu vergessen, als er mit dem einen Fuß auf die Bremse stieg und den anderen am Radkasten abstützte, denn gleichzeitig hatte er ganz automatisch die rechte Hand ausgestreckt und Eileen aufgefangen, als sie nach vorne schoß. Es war eine Reflexbewegung, die er als bewußte Handlung im Leben nicht hinbekommen hätte. Das war der Moment, in dem für ihn die Zeit begann. Er wußte, er würde ein guter Vater sein. Von da an, das war ihm klar, würde er nur noch mit Kindersitzen im Auto fahren.

Während er wartet, denkt er über diesen Tag nach. Er will seine Kinder zu Hause haben, wo er sie beschützen kann. Er will sie hierhaben, wo er ihre kleinen Schmerzen spüren, ihre Verletzungen nachfühlen und ihre Ängste beruhigen kann. Und er will Mary. Er will, daß das Leben weitergeht, sei es im Guten oder im Schlechten, in Krankheit oder in Gesundheit. Der Rest ist ein Klacks.

Letzte Nacht ist es im Norden wärmer geworden und hat

zu tauen angefangen. Das Wetter setzte sich nach Süden fort und blieb in der Luft hoch über Inverawe hängen. Der Schnee auf den Bergen schmolz in den Bächen, Flüssen und Strömen dahin. Die kleinsten Rinnsale füllten sich an, drängten durchs Land. Am Morgen stieg der Wasserpegel an, angeblich um fast einen Fuß, und das Wasser floß über das Eis, das sich auf den Bächen gebildet hatte, zum Fluß, der seinen Höchststand unterhalb von Bellows Falls erreichte. Was am Tag zuvor gefroren war, wurde nun matschig und weich, und so sind Kay, Owen, Maple und Micah ertrunken. Und jetzt sind drei von ihnen in Eddie Ryans Haus, und Owen ist noch immer vermißt und wird vielleicht nie gefunden werden.

Max gräbt sich tiefer in Eddies Bein. Eddie streichelt ihm den Rücken, bis sich sein Fell ordentlich aufgeladen hat. Dann hält er die Hand knapp darüber, so daß sich die Haare aufstellen und seiner Bewegung folgen.

Plötzlich überkommt ihn der Gedanke an Colma in Kalifornien, wo der Friedhof wie eine riesige Honigwabe aus Beton aussieht. Dort sehen die Familien nie, wie der Sarg in die Erde hinabgelassen wird. Neulich sind in Kalifornien ein paar Leute verhaftet worden, die Geschäftsführer eines riesigen Bestattungsinstitutes. Sie betrieben offenbar auch eine Keramikfabrik, und die Polizei vermutet, daß sie innerhalb von zwei Jahren sechzehntausend Leichen illegal verbrannt haben. Möglicherweise haben sie auch Goldfüllungen und Organe gestohlen.

In Indien versuchen sie, die Leichenverbrennungen etwas ökonomischer zu gestalten. Allein in Delhi werden pro Jahr fünfzigtausend Leichen verbrannt, und das Holz, das bei einer Verbrennung verbraucht wird, würde einer Familie sechs Monate lang als Brennholz genügen. Viele Familien können es sich nicht leisten, die Leichen ganz zu verbrennen, deshalb werfen sie die Überreste in den Ganges. Die neuen elektrischen Einrichtungen verbrauchen nur halb soviel Energie. Das beste wäre, denkt er, man würde die Kalifornier nach Indien verschiffen. Die würden die Sache richtig anpacken. Alles paßt zueinander.

«Sehen Sie, mein lieber Mr. Freud, es ist wesentlich teurer, als Sie denken.»

Eddie weiß, warum er an diese Dinge gedacht hat. Er steht auf, Max springt zu Boden, und er geht zu der Tür, die nach unten führt.

Im Präparationsraum stellt er sich mit gefalteten Händen neben Kay. Sie starrt zu ihm hoch, ihr Blick ist leer und einsam. Das Weiße in ihren Augen hat sich gelblich verfärbt, die Haut ist rein und blau, die Lippen lila. Das Wasser war kalt, deshalb ist sie nur wenig aufgequollen. Diese Frau hat er so oft gesehen, aber niemals mit dem Namen Kay in Verbindung gebracht. Er steht neben ihr und wartet. Er wartet darauf, daß sie aufwacht, und fürchtet, daß sie es nicht tun wird.

Er schließt die Augen und streckt die Hand aus. Die Hand berührt ihre Brust und gleitet zu den Rippen. Er kommt an die Stelle zwischen der vierten und fünften Rippe und bemerkt einen Einschnitt, nur ein paar Finger breit. Er dreht sich um und sucht nach einer Schere. In der Schublade findet er Marys Bonsaischere und trennt damit die Nähte auf. Mit einem Skalpell erweitert er den Schnitt, so daß seine Hand hindurchpaßt. Dann schließt er die Augen wieder.

Als er hineinfährt, beginnt sein Herz wild zu pochen. Er ist nicht sicher, aber das könnte ein Herzanfall sein. Er überlegt. Wenn es kein Herzanfall ist, dann hätte er nichts dagegen, einen zu bekommen, denn das kann nicht so schlimm sein wie das, was er im Moment spürt.

Er zieht die Hand heraus und setzt sich auf einen Hocker. Er wartet, bis sich sein Blutdruck wieder normalisiert hat, bis der Schweiß auf seiner Stirn getrocknet ist. Er beschließt, zum Arzt zu gehen.

Max kommt an die Tür. Eddie hört ihn, wie er aus tiefster Kehle jault. So klingt er, wenn er sich selbst in einen anderen Zustand versetzt, wenn er seinem Tötungstrieb freien Lauf läßt. Er zieht sich in sein Katzen-Ich zurück, macht sich bereit für einen Kampf unter Gleichen, einen Kampf um Territorialansprüche, nicht um Fressen oder des Spaßes halber.

Eddie öffnet die Tür, und die Katze läuft fort, erst hinter Raudabaughs neuen Brenner, dann die Treppe hinauf, mit angezogenen Vorderbeinen, während die Hinterbeine wie zwei Klappmesser herausschnellen. Eddie folgt ihm, und als er in die Küche kommt, kann auch er es hören, das Klappern von Mülltonnen in Bucks Stall.

Ein Tier hat hineingefunden, ein Tier, das nachts im warmen Stall herumstöbert und so groß ist, daß es Mülltonnen umstoßen und ihren Inhalt verstreuen kann, so daß sie scheppernd gegen die Wände der Pferdebox kippen.

Es muß ein Hund sein, denkt er, ein Hund, der Rotwild jagen würde, wenn er die Gelegenheit hätte.

Eddie geht ins Schlafzimmer und nimmt den 22er Revolver. Er überprüft den Ladestreifen, und sein Blick fällt auf die hohlen Spitzen der Geschosse. Das waren die einzigen, die Cody hatte, Hochgeschwindigkeitsgeschosse. Sie haben nur einen einzigen Zweck. Er schüttelt den Kopf, lächelt und ist gleichzeitig besorgt über sein Lächeln.

«Scheiß drauf», sagt er, schiebt die Schachtel mit den Patronen in die Tasche und geht die Treppe hinunter.

Max wartet an der Tür. Er macht einen Buckel und bewegt sich mehr wie eine flüssige Masse als ein Tier. Bei Eddies Vorkehrungen, den Müll sicher aufzubewahren, haben Schießeisen und Jagdkatzen eigentlich nie eine Rolle gespielt, aber manchmal kommen Dinge einfach so in

Gang, und dann ist es manchmal auch gut, einfach weiterzumachen, und sei es nur, um zu sehen, wie es ausgeht, um am Ende dabeizusein.

Sie überqueren den Hof, gehen im Licht der Sterne durch den matschigen Schnee. Die Luft ist warm und schwer, so nah am Regen, daß er nicht weiß, warum es nicht einfach losgeht. Vielleicht kann es nicht regnen, weil die Luft schon zu voll davon ist.

Jenseits der Straße hört er das Überlaufrohr, das Donnern von weißem Wasser, das weit aus ihm herausspritzt, auf unberührtes Gestein, das eine neue Kuhle in das Kiesbett gräbt, ein gutes Stück unterhalb der alten.

Als Eddie am Stall angekommen ist, wartet er nicht lange. Er macht die Tür auf und drückt auf den Lichtschalter. In der Flut gelben Lichts erstarrt eine bräunliche Katze mit einem langen, schwarz gefleckten Schwanz. Es ist eine riesige Wildkatze. Sie steht da auf allen vieren, und zuerst wölbt sich ihr Rücken hoch, dann biegt er sich tief nach unten, fast bis an die Erde. Max und die Riesenkatze fangen an, wie wild zu fauchen. Die Riesenkatze kommt wieder hoch und kauert sich erneut zusammen, und ihre Muskeln zucken unter dem Fell.

Eddie hebt den Revolver und feuert, doch die Wildkatze ist schon nicht mehr da. Sie springt mit allen vieren gleichzeitig hoch in die Luft und dreht sich dabei nach links, schlägt in der Luft einen Haken. Eddie schießt noch einmal, aber wieder nur dorthin, wo die große Wildkatze eben noch war. Jetzt kommt sie von der Wand her an ihm vorbeigeschossen, überrennt dabei Max, der auf den Rücken fällt und mit den Krallen ins Leere schlägt.

Sie jagen sie um die Scheune, doch die große Katze ist schon verschwunden, auf dem Pfad, der den Berg hinaufführt, und Eddie schießt weiter, schießt die Trommel leer, schießt lauter Löcher in die Luft.

Er lädt nach und lauscht. Aus dem tiefschwarzen Wald kommt kein Laut. Er lauscht angestrengt, bis er den Schnee schmelzen hört und sonst nichts, bis das Geräusch in seinem Kopf zu einem heftigen Rauschen anwächst, zum Rauschen des Meeres und eines starken Windes in den Bäumen.

«Meine Güte», sagt er. «Das war 'ne Katze, was, Max?»

Erst als er das sagt, wird ihm klar, *wie* groß die Katze war.

Er geht zurück zum Haus, aber nicht hinein.

Er geht aufrecht und hebt die Füße bei jedem Schritt hoch, als er einen neuen Pfad zur Straße hinunter in den Schnee tritt. Er geht am Zaun entlang, durch den Graben und den Hügel hinauf. Dort biegt er ab, auf den Platz zu, geht entschlossen und schnell. Dr. Pots Haus ist nicht mehr weit, und das ist sein Ziel.

Er hört, wie sich der Schnee in den Schneewehen setzt und die Wintervögel krächzen, die sich vom Vollmond haben täuschen lassen. Er denkt über das Chaos nach, das in seinem Leben entstanden ist, weil er ignoriert hat, was er nicht wissen konnte. Er macht sich Vorwürfe, weil er sich nicht genug um die Welten gekümmert hat, die parallel zu seiner verlaufen, die Welt seiner Kinder, seiner Frau, seiner Freunde und die Welt von Glück und Zufall, Welten, die alle Regeln brechen, Wirkungen ohne Ursachen, Aktionen ohne Reaktionen, Höhen ohne Tiefen, Tiefen ohne Höhen. Und um die stumme Welt des Konflikts zwischen Instinkt und Intellekt, Darwins Vorstellungen von Anpassung und Überleben.

Sie sendet chiffrierte Signale aus, diese Welt. Sie ist überall, doch man weiß es nicht, kann es nur vermuten.

«He, Mr. Darwin», sagt Eddie. «Was ist, ist eben, Freundchen.»

Er merkt, das ist Codys Redensweise, und es gefällt ihm. Er läßt sich darauf ein, läßt sich damit vollaufen, bis zum Rand, wo er noch hockt, wie angeklebt, bereit zu springen.

Pots Haus ist dunkel. Eddie zögert nicht. Er geht die Stufen hinauf und klopft gegen die Tür, bis er über sich Pots Stimme hört.

«Dr. Pot, hier ist Eddie Ryan. Ich glaube, ich hab einen Herzanfall gehabt.»

Dr. Pot klemmt sich das Stethoskop in die Ohren und lauscht den Geräuschen in Eddie Ryans nackter Brust. Er sagt ihm, er soll tief einatmen und dann husten. Er fragt ihn, ob es in letzter Zeit Probleme gab, ob er schlecht Luft bekommen hat oder Schmerzen in den Beinen hatte.

«Hab ich Ihnen schon von meinem Freund erzählt», sagt er, «der vor ein paar Jahren einen Gorilla in der Praxis hatte? Er hat hochgeguckt und einen Gorilla auf der Liege gesehen. Es war nur jemand aus dem Zirkus, in einem Gorillakostüm. Mein Freund fand das sehr witzig. Ihr Blutdruck gefällt mir nicht. Ich verschreib Ihnen was. Sie sollten auch etwas abnehmen. Sie sind zu schwer für Ihr Herz. Jedenfalls haben Sie keinen Herzinfarkt gehabt. Vielleicht Blähungen. Manchmal können Verdauungsstörungen so ein Gefühl verursachen.»

«Die Einschnitte», sagt Eddie. «Was machen Sie mit den Herzen? Mit denen, die Sie sich nehmen.»

Dr. Pot sieht von Eddies Brust auf. Sein Gesicht ist ausdruckslos. Kein Zeichen von Erstaunen, Erleichterung, Furcht oder Berechnung.

«Das Organ Herz», sagt er, «wird auf seine mechanischen Funktionen hin untersucht, im Gegensatz zu Leber und Niere, die auf ihre metabolische Funktion hin untersucht werden. Das Herzgewebe wird auf degenerative Erkrankungen bei Kindern mit unbekannter Ätiologie untersucht. Die Namen der Krankheiten fallen mir im Moment nicht ein. Man benutzt ein Elektronenmikroskop, um Herzgewebe, Muskel und Zelle sichtbar zu machen.»

Dr. Pot sieht zur Seite und seufzt.

«Wenn das Herz einmal tot ist, ist es sehr schwer, sein elektrophysiologisches Erregungsmuster zu rekonstruieren oder zu reaktivieren. Theoretisch ist es unvorstellbar, aber mit Hilfe des Computers untersuchen sie elektrophysiologische Erregungsmuster. Ich friere die Herzen in flüssigem Nitrogen ein. Mit dem Computer kann man heute auch die Sequenz der Nukleinsäuren feststellen. Das ist sehr wichtig bei der Untersuchung von Herzerkrankungen, um ein funktionierendes Herz auf dem Papier zu entwerfen.»

Eddie denkt darüber nach, was Dr. Pot ihm gerade gesagt hat... um ein funktionierendes Herz auf Papier zu entwerfen. Und was ist mit dem funktionierenden Herzen im Leben? denkt er.

«Steckt viel Geld im Geschäft mit den Herzen?» fragt er.

«Viel Geld. Aber noch mehr mit Cornea. Die Saudis zahlen sechshundertfünfzig Dollar pro Stück.»

«Das ist nicht recht», sagt Eddie. «Sehen Sie nicht, daß es grundfalsch ist?»

«Ich weiß, daß es nicht recht ist, aber es kann nur Gutes dabei herauskommen.»

«Aber es ist trotzdem nicht recht. Es verstößt gegen das Gesetz, und es gibt schwerwiegende ethische Einwände dagegen.»

«Auch Sie verstoßen gegen das Gesetz, Mr. Ryan. Wo ist Mr. G. R. Trimble? Auf dem Berg? Es heißt, sein Freund habe ihn umgebracht, und wo ist dieser Freund? Sie sind wie ich. Wir waren an den gleichen Orten. Sie haben die gleiche Angst vor Dunkelheit und Alpträumen, vor Türen, die zugeschlagen werden, vor Donner und Fehlzündungen. Niemand sonst denkt daran, nur wir beide.»

«Ich war dort, aber das hier ist etwas anderes. Das müssen Sie doch verstehen.»

«Es sind doch nur Herzen.»

Eddie sagt: «Aber man stiehlt nicht, was andere Menschen freiwillig geben.»

«Die Herzen waren noch jung, noch ohne Schwielen. Für das Geld, das ich damit verdiene, behandle ich die Patienten, die nicht zahlen können. So halte ich meine Praxis am Laufen.»

«Joe», sagt Eddie. «Sein Herz war nicht mehr jung.»

«Aber sehr stark. Es ist ein starkes Herz.»

«Clifford?»

«Das habe ich nicht genommen.»

«Kay?»

«Es war nicht mehr jung, aber es war ein sehr schönes Herz. Ich glaube, sie ist an gebrochenem Herzen gestorben.»

«Herrgott noch mal», sagt Eddie, «Sie wollen's einfach nicht verstehen.»

Pots Atem wird flacher. Er bewegt sich nicht, und dann sagt er: «Da war noch jemand. Mrs. Huguenot. Ich habe eine Technik angewandt, die sie in den vierzigern in New York am Mount Sinai Hospital perfektioniert haben. Das jüdische Gesetz verbietet Autopsien, und um die Entfernung von Organen zu vertuschen, entnimmt man sie durch den Anus. Ich dachte, das sollten Sie vielleicht wissen. Sie hat mich finanziell unterstützt, damit ich in dieses Land kommen konnte.»

«Wo ist Kays Herz?»

«Ich habe es hier.»

«Und die der Kinder?»

«Auch.»

Eddie reibt sich das Gesicht, bis es schmerzt. Seine Brust wird eng, und er atmet schwer. Schließlich steht er auf, zieht sich das Hemd wieder an und holt seinen Mantel.

«Eines muß ich noch wissen», sagt er leise. «Ich muß

wissen, daß sie und die Kinder tot waren. Sie waren nicht sehr lange unter Wasser. Ich muß wissen, daß sie nicht zurückgeholt werden konnten. Daß das absolut unmöglich war.»

Dr. Pot antwortet nicht. Er sieht Eddie nicht an, schaut auf seine Füße. «Soweit ich weiß, ja.»

Eddie erstarrt. Sein Atem setzt aus, und einen Augenblick lang hat er das Gefühl, daß er ohnmächtig wird. Als er wieder zu sich kommt, zieht er den Revolver aus der Tasche. Er hält ihn in der flachen Hand, fährt mit dem Finger über den Abzug.

«Wir sind an einem Punkt angelangt, wo es keine guten Lösungen mehr gibt. Was Sie getan haben, haben Sie uns allen angetan», sagt er. «Einige würden es schlucken, würden Sie davonkommen lassen. Die sollten auch sterben.»

Er streckt Dr. Pot die Waffe hin, und der nimmt sie. Er dankt Eddie, sagt ihm, daß es nicht immer so war. Es hat eine Zeit gegeben, da war er ein Mann, aber das ist vorbei. Er dankt ihm noch einmal.

«Hier», sagt er und gibt Eddie eine Handvoll Lollis. «Nehmen Sie nur eins. Damit Sie besser einschlafen. Es ist ein leichtes Beruhigungsmittel drin.»

«Und Sie?» fragt Eddie.

«Alles in Ordnung. Das hier ist meine beste Stunde.»

«Gut», sagt Eddie, und sie schütteln sich die Hand.

Eddie bleibt nicht an seinem Haus stehen. Er geht daran vorbei, zum See, auf dem vor ein paar Tagen die Kinder Schlittschuh gelaufen sind, in dem vor ein paar Monaten die Kinder geschwommen sind. Er will Mut sammeln, um wieder dorthin zurückzugehen, wo er lebt.

Im Näherkommen lauscht er auf das Rauschen des Wassers im Überlaufrohr, doch er kann es nicht hören. Hinter ihm kommt ein Auto, aber er dreht sich nicht um. Er geht weiter, genau da entlang, wo gleich das Auto sein wird, es sei denn, der Fahrer sieht ihn noch rechtzeitig und zieht auf die andere Spur hinüber. Das Licht der Scheinwerfer erfaßt seinen Rücken. Es ist gelblichweiß, und er denkt, daß es warm sein muß. Der Wagen wird langsamer und folgt ihm; das Abblendlicht umschließt ihn, beleuchtet seinen Weg.

Das Auto folgt ihm das kurze Stück zur Brücke, wo er die Straße verläßt und zur Befestigung der Pfeiler hinuntergehen will. Der Wagen bleibt neben ihm stehen, und das Beifahrerfenster geht runter. Eddie dreht sich um und sieht Louis Poissant. Sein Gesicht glüht im Schein der Armaturenbeleuchtung und der Streichholzflamme, die er an seine Zigarre hält.

Eddie stützt sich mit den Armen in die Fensteröffnung. Er hat die Knie durchgestreckt und den Oberkörper gerade abgewinkelt, um ins Wageninnere sehen zu können. Louis saugt an seiner Zigarre und stößt eine Rauchwolke aus, die sein Gesicht einhüllt.

«Schöner Abend zum Spazierengehen», sagt Louis.

«Schöner Abend zum Spazierenfahren.»

Louis saugt noch mal an seiner Zigarre und bläst den Rauch in den Innenraum des Cadillac. Eddie schaut nach unten und sieht einen Colt neben Louis' Bein auf dem Sitz liegen. Der Abzug schimmert hell, der Lauf ist matt. Mit der linken Hand greift Eddie nach dem Türgriff und drückt gegen den Riegel. Die Wagentür öffnet sich einen Spaltbreit, und die Innenbeleuchtung geht an. Der Lauf hat rote Flecken, und am Kolben hängen Haare und Fetzen von Kopfhaut; am Boden sieht er drei Paar Schuhe, zwei Paar für Kinder und eines für einen Erwachsenen.

Eddie lehnt sich gegen die Tür, so daß sie zufällt und das Licht ausgeht. Louis nimmt die Zigarre aus dem Mund und sieht sie an. Er leckt am Deckblatt, schiebt sie dann wieder in den Mund und rollt sie auf der Zunge.

Nach einer Weile sagt er: «George, drüben aus Bolton, wollte mir ihre Schuhe verkaufen, deshalb hab ich den Colt geholt. Er hat mir von dem Arzt erzählt, und dann hab ich ihm eins übergezogen. Er wird's überleben.»

«Codys Revolver», sagt Eddie, plötzlich angsterfüllt. «Ich hab Pot Codys Revolver dagelassen.»

«Da würd ich mir keine Sorgen machen. Die Leute leihen sich doch ständig Waffen aus. Außerdem ist es zu spät. Ich war grad da. Er hat's schon erledigt.»

Eddie sagt nichts.

Louis bearbeitet weiter seine Zigarre, knetet sie zwischen den Lippen und läßt die Asche bei jedem Zug aufglühen.

«Mr. Ryan, haben Sie eine Rechnung für mich?»

«Nein», sagt Eddie, «machen Sie sich deswegen keine Sorgen.»

«Ich brauch die Weide im Frühling wieder. Reden Sie mal mit Ihrer Frau drüber. Sieht so aus, als ob sie diejenige ist, die das Geschäftliche regelt.»

«Das ist eine gute Idee», sagt Eddie. «Ich werd mit ihr drüber sprechen.»

«Also, ich muß jetzt ins Bett, damit ich morgen früh aufstehen und Dr. Pot in seiner Praxis finden kann.»

Louis hebt mit einem kurzen Knopfdruck das Fenster etwas an, und Eddie versteht. Er richtet sich auf, und das Fenster schließt sich. Er sieht zu, wie der Cadillac um die Kurve verschwindet. Er steht noch lange da, hört, wie das Motorgeräusch immer schwächer wird. Dann ist er überrascht, wie still es rings um ihn ist. Vom Bach her ertönt kein Laut, der das Motorgeräusch ersetzen könnte. Er schaut nach unten und sieht, daß der Damm gebrochen ist, daß er offensteht wie ein großes Tor, als wäre er nie dagewesen. Nichts ist mehr übrig, nur das graue Wasser, das kleine Inseln von blauem Eis zum Fluß hinunterträgt.

Als Cody, Mary und die Kinder nach Hause kommen, sagt Cody kein Wort. Er hält die Hand hoch und legt den Kopf schief. Er geht in die Küche, zum Schrank, wo Eddie den Sprit stehen hat. Er nimmt eine Flasche, geht hinunter in den Präparationsraum und macht die Tür hinter sich zu.

Eddie und Mary tragen die schlafenden Kinder in ihre Betten. Eddie sieht, wie braungebrannt sie sind von der Zeit in der Sonne. Danach laden sie den Wagen aus. Es ist früher Morgen, die Sonne scheint, und die Luft wird wieder kalt. Der feuchte Schnee wird fest, überzieht sich mit einer harten Eisschicht, die alles Licht widerspiegelt.

Eddie öffnet den Mund, um etwas zu sagen, doch Mary will nicht reden. Sie hebt eine Hand, so wie Cody vorhin. Eddie kommt sich vor, als habe er ein riesiges Loch in sich, und der Rand bröckelt immer weiter ab. Er versucht nicht mehr, etwas zu sagen, hilft nur weiter beim Auspacken.

Die letzten Koffer gehören Mary, und sie und Eddie gehen gemeinsam die Treppe hoch. Im Schlafzimmer bedeutet sie ihm, sich aufs Bett zu setzen, und tritt einen Schritt zurück. Sie sagt ihm, er soll sie ansehen. Als sie sich auszieht, sieht er, wie hübsch und braun sie ist. In diesem Moment ist sie für ihn die einzige Frau, die er jemals gekannt hat. Sie kommt zu ihm und zieht auch ihm die Kleider aus, dann kniet sie sich zwischen seine Beine, nimmt ihn in den Mund. Er streichelt ihr über den Kopf und den Rücken, läßt die Finger an die Stelle gleiten, wo die braune Haut ins Weiße übergeht. Sie steht auf, setzt sich auf seinen Schoß, und sie sehen einander ins Gesicht. Mit den Beinen umklammert sie seinen Rücken.

«Ich will dich», flüstert sie, leckt ihn am Hals und beißt ihn.

Eddie steht auf, hält sie im Arm, hebt sie ein wenig an und läßt sie wieder sinken. Sie legt den Kopf zurück und macht sich steif. Sie fängt an zu stöhnen, bewegt sich rhythmisch auf und ab und drückt sich dabei fest an ihn.

«Du hältst dich zurück», flüstert sie ihm ins Ohr.

«Dein Diaphragma.»

«Wir lassen es drauf ankommen», sagt sie, und er kommt in ihr, seine Beine werden langsam schwach, und dann lassen sie sich auf das Bett fallen.

Sie liegen lange Zeit da, Eddie auf dem Rücken, und Mary auf ihm. Allmählich schläft sie ein. Er sieht zur Decke und denkt einen Augenblick, es sei Wasser, doch das stimmt nicht. Es ist das Licht, das vom Schnee reflektiert wird und durchs Fenster hereinströmt. Er rollt sich zur Seite, läßt Mary aufs Bett sinken und zieht die Decke über sie beide.

«Geh, hilf Cody», sagt sie im Halbschlaf. «Sieh nach, ob alles in Ordnung ist. Trink einen mit ihm. Er braucht dich.»

Eddie zieht sich an und geht hinunter in den Präparationsraum.

«Johnnie Walker ist mein bester Freund», sagt Cody und hält die Flasche hoch, die noch voll ist.

«Meiner auch», sagt Eddie.

Cody öffnet die Flasche, und beide nehmen einen Schluck.

«Weißt du was», sagt Cody, «ich glaub, mein Herz macht schlapp.»

«Nein», sagt Eddie. «Es ist nur im Moment ein bißchen schwach.»

«Meinst du?»

«Ja.»

Nach den Beerdigungen fahren Mary und Eddie heim, während Cody noch dableibt, ganz allein, und die vier Gräber zuschaufelt. Die Friedhofsverwaltung hatte zuerst keine Genehmigung zum Ausheben der Gräber erteilen wollen. Die Toten sollten so lange in der Gruft bleiben, bis die Erde im Frühling wieder auftaute.

Rose Kennedy hat die anderen Mitglieder des verantwortlichen Ausschusses dazu gebracht, einem Winterbegräbnis zuzustimmen, nachdem Eddie zu ihr gegangen war und ihr fast die Tür eingeschlagen hatte. Alles war vergeben und vergessen, und die Beerdigungen konnten stattfinden – die von Kay, Maple, Micah und Dr. Pot – während Owen dem Fluß überlassen blieb, der ihn geschluckt hatte und wieder zugefroren war.

«Sag mir, daß du mich liebst», sagt sie.

«Louis hat sie gesagt, sie würde Cody noch mal heiraten, und Cody hat sie gesagt, sie wäre mit einem Mann namens Bender verlobt, den es überhaupt nicht gibt.»

«Sie hat sich von niemandem was vormachen lassen.»

«Ich liebe dich», sagt Eddie.

«In Ordnung. Du hast es mir an dem Morgen gezeigt, als wir heimgekommen sind. Manchmal bist du mir so fern. So weit weg. Komm nur immer wieder zurück. Dann komm ich schon damit klar.»

Etwas später sagt sie: «Das mit Dr. Pot tut mir leid», und wartet ab, doch Eddie gibt ihr keine Antwort.

Als Cody nach Hause kommt, haben Eddie und Mary den Kofferraum vollgepackt mit Essen für Louis und die Kinder. Cody geht unter die Dusche, und als er herauskommt, sind Tom und Jeri und Dick und Marlene Doody da. Sie haben was zum Essen mitgebracht und wollen auch mitkommen. Sie schütteln Cody die Hand und behandeln ihn mit dem Respekt, der Trauernden nach einem schweren Verlust zusteht.

Mary geht ins Haus, um Eileen und Little Eddie zu holen. Sie gehen alle zu ihren Autos und fahren in die Stadt, wo Eddie bei Washburn anhält, um Cola und Bier zu kaufen. Er sagt Washburn, wo er hinfährt, und der sagt, er wird auch gleich nachkommen.

«Sobald ich hier zumachen kann», sagt er. «Ich bring aus dem Lager noch was zu trinken mit.»

Eddie trägt die Getränke hinaus und sieht, daß ein Auto neben ihm geparkt hat. Es ist der Volvo von Rose und Barkley. Coonie hat sich zu den Doodys dazugequetscht. Thad parkt hinter den Kennedys.

Eddie winkt ihnen zu und steigt in seinen Wagen. Er sieht auf den Rücksitz, doch Cody ist weg.

«Es war zuviel für ihn», sagt Mary. «Laß ihn.»

Eddie fährt an, und die anderen folgen ihm. Sie fahren die River Road zu Louis' Farm hinauf.

Als sie dort ankommen, arbeitet er mit den Kindern im Stall. Dome und Ram Goerlitz sind auch da, streiten sich darüber, wie man Kühe am besten melkt.

Andere Leute aus Inverawe tauchen auf, und die Frauen scheuchen die Kinder ins Haus, wo sie sie baden und den Tisch decken.

Louis geht nicht hinein. Ihm fallen immer wieder neue Arbeiten ein. Die Männer helfen ihm, den Stall sauberzumachen und die Kühe zu melken. Als das erledigt ist, läßt er sie die Kälberboxen ausmisten. Teller mit Essen werden zwischen Stall und Haus hin- und hergetragen.

Louis geht zu Eddie und sagt ihm, daß er Kay, Maple und Micah im Frühling umbetten will. Sie sollen hier auf dem Hügel bei seiner Farm liegen. Man hat ihm gesagt, das gehe nicht, und er fragt Eddie, ob es nicht doch irgendwie geht. Eddie meint, sie werden es schon hinkriegen.

Sie machen sich wieder daran, die Kälberställe und Futterkrippen auszumisten. Mary Looney und Blond Bomber kommen. Sie gehen in den Stall, und die Männer strengen sich jetzt ein bißchen mehr an.

Schließlich ist es fast Mitternacht, und sie gehen in Zweier- und Dreiergruppen zum hellerleuchteten Haus, lassen den Stall hinter sich. Der gefrorene Boden knirscht unter ihren Füßen. Sie laufen dahin unter dem sternenbedeckten Himmel und dem dicken Mond, den ein Lichtkranz umhüllt, Tausende von Meilen von seinem kalten Körper entfernt.

Eddie und Louis sind die letzten. Sie machen das Licht im Stall aus, schließen die Tür und gehen zum Haus, sehen dabei auf den unebenen Boden, schauen nicht auf.

Doch hätten sie aufgeschaut und zum Fluß hinübergesehen, dann hätten sie in der Ferne die schwarze Silhouette eines Mannes erkannt, der auf dem Eis davongeht. Er hat eine Axt über der Schulter und zieht einen langen Krakelhaken hinter sich her. Dann verschwindet er hinter der Biegung, in Richtung Südamerika.

TEIL SECHS

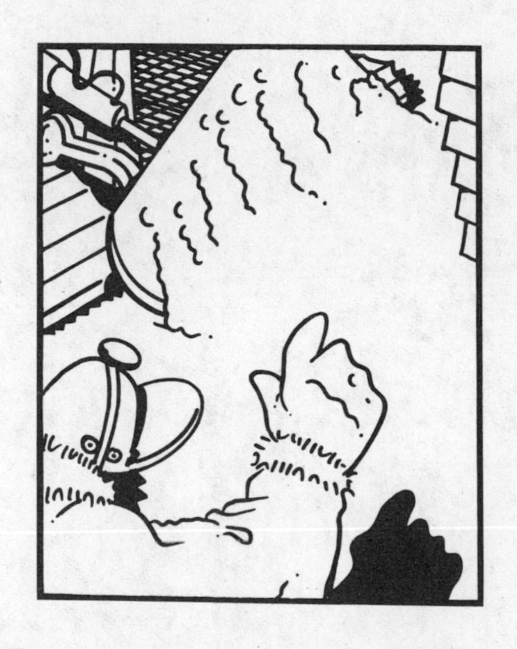

30

Eddie beginnt in Codys wie neu wiederhergerichtetem Pickup zu dösen. Er sitzt aufrecht auf dem harten Sitz, den Kopf gefüllt mit dem Neuwagengeruch, der heutzutage von irgendwelchen Arschlöchern in Flaschen abgefüllt in den Handel gebracht wird, um andere Arschlöcher auszunehmen.

Die Sonne knallt ihm auf die rechte Schulter. Sie läßt den Hals und die Wange glühen, macht seinen Körper schlapp und träge.

Hinter ihm liegen Tod und Leben zugleich, Mary und die Kinder und die Tragödie in Pots Praxis. Mary wollte nicht, daß er nach Georgia fuhr. Sie glaubt, Cody ist verrückt geworden. Eddie hat ihr gesagt, er weiß es nicht, und es ist ihm auch egal. Außerdem hat Cody gemeint, es wird das letzte Mal sein.

«Mann, was 'n Scheiß», murmelt er. «Mann, was 'n Scheiß.»

Er fällt in einen unruhigen Schlaf, aus dem er jeden Augenblick zurück in einen hellwachen Zustand katapultiert werden kann. Die Art von Schlaf, wo eine Leitplanke sich in einen Menschen verwandelt, ein Stein in ein Reihenhaus, ein Blatt in einen Hirsch. Jedesmal wenn er aufwacht, schickt er seine Schmerzfühler von der Stirn in den Nacken hinab, von wo sie langsam in die Schultern dringen. Immer wieder nickt er so ein, reiht einen weißen Fleck an den anderen, weiße Flecken in seinem Kopf, im Radio, in der Landschaft, die an ihnen vorbeihuscht. Als würde Cody den Pickup durch Tunnel in den Bergen fahren, und Eddie hofft, daß er in einen kommt, der nie wieder aufhört.

Cody fängt an, mit der Faust aufs Armaturenbrett zu hämmern. Das weckt Eddie, und jetzt bleibt er wach.

«So eine Scheiße», brüllt Cody. «So eine Scheiße.»

«Was ist denn los?»

Cody sagt, im Radio wurde eben gemeldet, daß ein Vorortszug entgleist ist und Hunderte von Passagieren gezwungen waren, in einem finsteren Tunnel auszusteigen.

«Um Himmels willen, Cody, was ist denn in dich gefahren?»

Cody schlägt mit der Faust aufs Armaturenbrett. Ein Kaffeebecher kippt um, und ein Schwall heißer Flüssigkeit durchnäßt erst die Sitzbank zwischen ihnen und tropft dann auf den Boden.

«Das raff ich nicht», meint er, «das ist mir zu hoch. Was zum Teufel ist denn schon dabei, wenn die Leute aus dem Tunnel rauslaufen müssen? Die meisten Menschen bringen ihr ganzes Leben in so einem Scheißtunnel zu, wo kein Lichtstrahl reindringt, und die Idioten tun so, als ob's was ganz Besonderes wär, daß die Leute zu Fuß aus dem Tunnel raus mußten. Immerhin sind sie rausgekommen. Sind wir denn alle in einem riesengroßen Kindergarten? Was ist mit Mut? Und mit Schmerz? Kein Mensch leidet heute mehr. Traurig sein ist anomal. So ein Schwachsinn. Ich bin gern traurig.»

Cody tritt aufs Gas und zieht an einem halben Dutzend Autos vorbei. Bei jedem lehnt er sich auf Eddies Seite hinüber und macht eine obszöne Geste. Danach scheint er sich besser zu fühlen.

Eddie zuckt mit den Schultern und seufzt. Zwischen ihm und Mary hat sich einiges verändert. Es gibt Sachen, die sie nicht mehr miteinander besprechen. Sie hat angefangen, am College in Keene ihren Studienabschluß nachzuholen, ohne daß sie jemals darüber geredet hätten; sie hat ihm nur gesagt, sie würde es tun. Er weiß, daß es richtig ist, beschließt, daß er nicht mehr darüber nachdenken will. Er wird schlafen, bis sie den Staat New York hinter sich haben.

Es war Weihnachten, als Cody zu ihnen zurückkam. Sein Gesicht war von der Kälte gezeichnet, und er hatte sich die Kleider mit Bindfaden, Bändern und Stricken um den Körper gebunden. Wo die Schnüre sich kreuzten, wirkte er aufgeplustert, vollgestopft mit Daunen, Federn, Zeitungspapier, Glaswolle oder Reisig.

Die Axt hatte er sich auf den Rücken geschnallt, über der Schulter trug er den Krakelhaken, dessen langer Stiel auf der Straße schleifte, während ihm der Haken gegen die Brust schlug.

So kam er in die Küche, den Stiel noch in der Tür, so daß sie dagegenknallte, anstatt ins Schloß zu fallen. Er setzte sich, und Eddie nahm ihm das Ding von der Schulter und schob es zur Tür hinaus. Mary machte ihm eine Tasse Kaffee und stellte sie vor ihn hin.

Eddie und Cody halten an einer Raststätte. Alle beide sind sie müde und hungrig. Sie sind schon sechs Stunden unterwegs zu ihrem zweiten gemeinsamen Jagdausflug.

Die Kellnerin heißt Mim. Das steht auf dem Namensschildchen an ihrem Kittel.

Eddie beobachtet die Fernfahrer, die versuchen, so zu essen, als würden sie ein Festmahl zu sich nehmen. Sie kratzen die Suppenschalen mit dem Löffel aus und rücken dann Teller, Tassen und Gläser sorgfältig auf den Sets zurecht.

Eddie schreibt auf sein Papierset, was er sieht. Er vermeidet es, sich Gedanken zu machen, hält sich an Dinge wie rostfreier Edelstahl, Resopal, Nußbaumfurnier, Papierhandtücher, Wasser, Luft, Licht.

Die Männer essen immer noch. Sie hocken über Tellern mit Haschee, Pfannkuchen und Fleischkäse mit Soße. Eddie würde am liebsten nach Hause fahren, den Telefonhörer neben das Telefon legen, einen Zaun ums Haus bauen und sich vor dem Leben verstecken. Er notiert Bedürfnisse auf seinem Set. Als er fertig ist, trinkt er einen Schluck Wasser und stellt dann das Glas wieder ab, doch irgendwie zuckt seine Hand dabei, und ein Schwall Wasser ergießt sich über das Set. Er sieht, wie seine Worte von tintenblauem Wasser davongespült werden. Er rührt mit dem Finger darin und denkt, wie hübsch sie doch aussehen, wenn ihre Formen auf dem Papier zerfließen.

Cody liest: «‹Die endlosen Höhlen von West Virginia.› Was soll denn das heißen?»

Seine Oberlippe ist weiß von dem Maaloxan, das in seinem Schnurrbart angetrocknet ist.

«Sie müssen ein Ende haben. Alles hat ein Ende.»

Der Mond sitzt auf Codys linker Schulter wie ein Papagei, und Eddie ist sich sicher, daß er die Augen, die Ohren, die Nase und den Mund heute nacht erkennen kann. Der Mann im Mond ist dick und fröhlich.

«Troutville», sagt Cody. «Das ist ein Ort für mich. Da könnte ich meinen Lebensabend verbringen. *Troutville*. Ein Ort mit so einem Namen kann nicht so übel sein. Ich werd mir eine Hütte bauen, mit Strom, fließendem Wasser und einer Senkgrube, kauf mir 'nen Videorecorder und seh mir alle Filme an, die's gibt. Bin im Leben höchstens einmal im Kino gewesen. Ein Ort mit so 'nem Namen. Das hätte dem Jungen gefallen. Ich werd's ihm erzählen.»

Eddie setzt sich aufrecht hin und rutscht auf dem Sitz hin

und her. Er will ihm sagen, der Junge ist tot, mausetot, aber er hält es zurück, denn er ist sich zum erstenmal nicht mehr ganz sicher.

Zwischen Roanoke und Wytheville fahren sie durchs Gebirge. Eddies Herz schlägt für seinen Freund, der sich übers Lenkrad beugt und kurze Blicke nach links und rechts wirft, auf die schneebedeckten Berge, die sich beiderseits der Straße erheben. Im Mondlicht wirken die Bäume wie schwarze Dornen. Möglicherweise hat es hier einen Waldbrand gegeben, und jetzt stehen nur noch verkohlte Pfähle da. Emmylou Harris singt von zwei Desperados, Poncho und Lefty. Cody singt ein Stück mit, und als das Lied vorbei ist, drückt er auf den Sendersuchknopf; einige Meilen weit hören sie alle paar Sekunden eine andere Station. Dann kommen sie an einem Warnschild vorbei, auf dem ACHTUNG STEINSCHLAG steht.

«Da», meint Cody, «ich hab dir doch gesagt, die Berge sehen aus, als wenn sie jeden Moment zusammenkrachen könnten. Scheinen sich ineinanderzuschieben. Die Gipfel brechen ab, und im Handumdrehen ist die ganze Erde flach.»

«Dafür gibt's sogar schon einen Verein. Die Gesellschaft der Freunde der flachen Erde.»

«Überrascht mich nicht. Heutzutage gibt's doch für jeden Scheiß 'nen Verein. Für jede Krankheit gibt's einen. Aber eins sag ich dir, Eddie, für die Krankheit, die ich hab, gibt's keinen. Nicht mal eine Selbsthilfegruppe. Ist 'ne ziemlich unübliche Krankheit.»

«Fancy Gap», brüllt Cody. «Hab mal 'n Mädchen gekannt, die hätt da herkommen können, aber das war in 'nem anderen Leben.»

Die Scheinwerferkegel erfassen die graubraunen Rehe mit den weißen Hinterteilen, die am Rand der Straße grasen. Sie stehen fluchtbereit da oder mit gespreizten Vorderbeinen und gesenkten Köpfen, knabbern an niedergedrückten, harten Grashalmen, die nach Salz schmecken, nach dem Salz, mit dem die Straße eisfrei gehalten wird.

Im Licht der Scheinwerfer wirken sie grau oder sogar grün, wie sie dastehen, bereit, sofort davonzurennen, in den Verkehr auf der Straße hinein oder in den Wald. Beide Wege stehen ihnen offen.

«Sie sehen aus wie Frauen», meint Cody.

«Wie kommst du denn darauf?»

Sie starren durch die Windschutzscheibe hinaus in den schmalen Streifen Dunkelheit, der von den Scheinwerfern erhellt wird.

«Ich weiß nicht. Vielleicht liegt's an ihren Augen. Man sagt, ihre Augen sind voller Angst, aber das hab ich nie gefunden. Nur Anmut und Schönheit. Dieses Licht muß ihnen gefallen, sie müssen es mögen, wenn es ihnen in die Augen scheint, wenn es sie festnagelt, wo sie gerade stehen. Irgendwie sehen sie für mich aus wie Frauen, wie Frauen, die etwas verloren haben.»

«Wirklich?»

«Nein. Ich finde, sie sehen eher aus wie Frauen, die wieder Mädchen geworden sind.»

Eddie schaut seinen Freund an. Er sieht seine Wange und seinen Hals, eine Seite der Nase, eine Schläfe und ein Auge, alles von der Armaturenbeleuchtung nur spärlich erhellt. Er fühlt sich, als ob sein Herz gleich Feuer fangen wird, als würde es auflodern mit dem Wissen um etwas, das ihm eben erst klargeworden ist. Er spürt, wie sich Steine in seinem Herzen bewegen.

«Ja», sagt er leise. «Sie sind Frauen. Aber laß uns nicht weiter darüber reden. Nicht, weil ich nicht will. Nur weil ich über das, was du gesagt hast, nachdenken möchte.»

Cody deutet ein Nicken an, und Eddie lehnt sich zurück,

wartet darauf, daß sie neben der Straße auftauchen, damit er sie anschauen kann, immer wieder, und nach ein paar Meilen tauchen sie wirklich noch einmal auf, und sein Herz beginnt wieder, sich zu entflammen bei ihrem Anblick. Es sind vier Tiere, und sie stehen in alle vier Himmelsrichtungen gewandt da. Dann gehen sie auseinander, kehren zurück in den Wald und sind schneller verschwunden, als er dies alles denken kann.

Ein paar Meilen weiter läßt Eddie sich wieder in den Schlaf gleiten, einen wiegenden, sanften Schlaf. Die warme Luft aus den Lüftungsschlitzen hilft ihm dabei, scheint sein Gesicht und seine im Schoß gefalteten Hände wie mit Fingern zu berühren. In diesem Schlaf träumt er von Mary, und er kann sich nicht vorstellen, daß er sie jemals mehr geliebt hat als gerade jetzt. Er denkt bei sich, daß der Tod nicht nur zerstört, sondern auch neue Liebe hervorbringt.

Als Eddie aufwacht, ist es noch immer finstere Nacht. Sie stehen mit laufendem Motor neben einer Zapfsäule. Durch das Fenster auf der Fahrerseite kann er in die Tankstelle hineinsehen. Cody breitet die Arme aus und sagt etwas. Die Männer, zu denen er es sagt, lachen. Eddie denkt, daß er ihnen wohl gerade einen Witz erzählt hat. Er beobachtet die Leute in der Tankstelle. Sie trinken Kaffee und reden miteinander, liefern abwechselnd neuen Gesprächsstoff. Er schaut auf die Uhr. Es ist bald Morgen. Im Osten sieht er einen Streifen blauen Himmels, einen Vorboten des neuen Tages. Er fragt sich, in welchem Bundesstaat sie wohl sind. Er versucht wach zu bleiben, um zu fragen, doch er will nichts als schlafen, also tut er es.

«Amen», brüllt Cody, als der Pickup mit singenden Ventilstößeln in den Staat Georgia hineinfährt.

Zwischen Lost Swamp und dem Atlantik windet sich der Ogeechee River träge dahin, schwillt im Zwölfstundenrhythmus an mit der Flut, die die Sümpfe und das morastige Waldland unter Wasser setzt. Hier leben die Wildschweine, die sie suchen, die *Razorbacks*, ernähren sich von Gräsern, Wurzeln, Fröschen, jungen Kaninchen, Baumwollknollen und ab und zu von einem Rehkitz. Aus ihren Kiefern wachsen oben und unten Hauer, die wie Messer und Wetzstahl funktionieren. Ihr Körper ist ein dicker Panzer aus Muskeln und Knorpeln, und die brauchen sie auch, denn ihre zweitliebste Beschäftigung ist Kämpfen.

Dewey und Ron stehen am Feuerfaß, treten auf der Stelle, um sich warm zu halten, und warten auf Payton und die beiden Jäger aus New Hampshire. Hinten im Schuppen sind die Jagdhunde, und rings um das Camp ragen Kiefern in den grauen Himmel; ein paar von ihnen bersten mit lautem Krachen unter dem Druck des Eises. Ein feuchter Januartag im südlichen Georgia, die Temperatur liegt knapp unter dem Gefrierpunkt.

Ron fragt Dewey, ob er den Witz von dem Jungen kennt, der sich in ein Maultier verliebt hat. Dewey sagt nein, und Ron ist enttäuscht, als hätte er erwartet, daß Dewey ihm diesen Witz erzählen kann, von dem er nur weiß, daß es ihn gibt.

Payton kommt mit seinem Pickup an. Er schlüpft aus dem Fahrerhaus, steigt rasch auf die Ladefläche und reicht Kettensägen, eine Batterie und Gasflaschen und zwei Opossums herunter.

Dewey und Ron heben den Käfig für die Hunde an und schieben ihn auf die Ladefläche.

«Die Jungs aus New Hampshire sind noch nicht hier», brüllt Ron.

«Das seh ich selbst. Ich bin nicht blind und ganz bestimmt auch nicht taub. Jetzt her mit den Hunden. Los.»

Dewey und Ron gehen hinter den Schuppen und kommen mit zwei Jagdhunden zurück.

«Das hier ist Rambo», sagt Ron und zerrt ein schwarzbraun geflecktes Tier hoch. «Ist so häßlich, wie der Name verspricht, aber er ist sauschnell und hat schon 'ne Menge Wildschweine aufgestöbert.»

Nun kommt Dewey mit Snowball, einer stämmigen Schäferhundmischung mit einem blauen Auge. Sie verriegeln die Türen, dann heben sie den Bootsanhänger auf die Anhängerkupplung und lassen ihn einrasten.

Payton schaut erst auf Ron und dann auf Dewey. Dewey sagt nie was und ist immer schwarz vor Ruß. Er wohnt in einem Schulbus, unterhält immer ein offenes Feuer und trägt Kleider aus zweiter Hand. Er sieht das ganze Leben viel lockerer als Ron. Ron war bei der Nationalgarde.

«Da muß noch Benzin rein», sagt Payton und deutet mit einer Kopfbewegung auf das Boot.

«Der Tank ist voll», sagt Ron, und dann sagt er Dewey, daß er zurück ins Camp fahren und die Lunchpakete und den Kaffee holen soll.

Payton und Ron treten näher an das Feuerfaß und halten die Hände über die Öffnung, spüren aber nicht, wie die Flammen an ihren Handflächen lecken. Dewey kommt in seinem Jeep vom Camp zurück, hat Lunchpakete und drei Thermoskannen voll Kaffee.

«Wo die Jungs bloß so lange bleiben», sagt Payton.

«Sie wollten heut morgen hiersein.»

«Dewey, mach eine von den Thermoskannen auf und gieß uns Kaffee ein.»

Während sie den Kaffee schlürfen, lassen sie sich am Feuerfaß von allen Seiten aufwärmen. Dewey legt Kiefernscheite nach. Das zischt und knackt, und jedesmal stieben dabei Funken empor.

Irgendwo tiefer in dem eisigen Sumpf knackt ein Baumstamm in der Morgenstille. Dewey und Ron ziehen bei dem Geräusch den Kopf ein, als ob ihnen das Knacken was tun könnte. Payton grinst.

«Leck mich», sagt Ron. «Das war verdammt nah.»

Dann ertönt das Geräusch eines Pickup, der eine Viertelmeile weit weg von der Schotterstraße in den Feldweg einbiegt. Die drei Männer halten nach ihm Ausschau, sehen dann, daß er nicht aus Georgia ist.

Als der Wagen hinter dem Boot anhält, steigt Cody als erster aus. Er stampft auf den Boden, um seine Hosenbeine zurechtzuschütteln. Er nickt Payton, Dewey und Ron zu. Nur Payton erwidert das Nicken.

«Hab gedacht, ihr kommt zu zweit», meint Payton.

Cody zeigt mit dem Daumen hinauf zum Führerhaus. Dort hat Eddie sich mittlerweile aufgesetzt und reibt sich die Augen. Er war noch nie in Georgia und wundert sich, daß es hier so kalt ist.

«Kommt mit», sagt Payton, geht zu seinem Pickup und läßt den Motor an.

Ron und Dewey packen eilig die Lunchpakete und die Thermoskannen in den Wagen. Payton schüttelt den Kopf, als sie übereinander stolpern, doch sie fallen nicht hin.

«Ihr zieht den Opossums das Fell ab.»

Payton macht die Fahrertür zu, wendet und sieht im Rückspiegel, wie Cody das gleiche tut; hinter Cody sieht er Ron und Dewey wieder am Feuerfaß stehen, und an dem Balken über ihnen hängen Trappermützen und lange Stöcke. Wieder ertönt das Krachen eines Baumstammes, und sie ziehen den Kopf ein.

Am Landesteg in Richmond Hill parkt Cody seinen Pickup, während Payton den Anhänger rückwärts ins Wasser fährt. Eddie und Cody stehen in der kalten Morgenluft, ziehen sich bis auf die lange Unterwäsche aus und schlüpfen dann in Wollhosen und Stiefel. Cody zieht einen 44er mit Halfter unter dem Sitz hervor und reicht ihn Eddie, sagt ihm, daß er ihn anlegen soll und daß er geladen ist.

Payton läßt das Boot ins Wasser, fährt damit an die Anlegestelle und macht es dort fest. Dann stellt er seinen Pickup neben den von Cody. Er sieht, daß Eddie die Waffe hat, also wendet er sich an ihn.

«Du gehst als erster. Und dann du», sagt er und deutet auf Cody. «Wir folgen immer den Hunden. Und ihr schießt erst, wenn ich es sage. Ich sag euch schon, wenn's soweit ist. Das wär's. Dann mal los.»

Das Wasser ist aufgewühlt, und der Schnee ist in Regen übergegangen. Sie kauern sich auf den Sitzbänken zusammen, als sie über den Ogeechee fahren, zwischen den Beinen die Hunde, ein paar Eimer, Leinen und Maulkörbe.

Eddie und Cody sitzen mit dem Rücken zum Bug, damit der kalte Wind erträglicher ist. Eddie brennt der Magen, weil er nichts gegessen und zuviel Kaffee getrunken hat. Wenn er mehr im Magen hätte, würde er sich wohl übers Schandeck beugen und in den Fluß kotzen. Cody quatscht unentwegt davon, was für ein schöner Tag heute ist, einer von den Tagen, an denen der Unterschied zwischen Männern und grünen Jungs deutlich wird.

«Ein Mann gegen die Elemente», sagt er, «ein Mann gegen die Elemente.»

Eddies Magen beginnt, sich unter dem Gürtel zusammenzuziehen. Eddie packt Rambo am Ohr, vergräbt sein Gesicht in den Nacken des Hundes und holt tief Luft. Der Geruch des nassen Fells läßt ihn ruhiger werden. Er blickt über die Schulter und sieht in Fahrtrichtung eine Welt aus Nebel und Dunst, einen schmalen Streifen Land zwischen dem Wasser und dem endlosen Grau.

Eine Viertelstunde später läßt das heftige Klatschen gegen den Schiffsrumpf nach, und sie verlassen den Fluß, fahren in ein Netz von Kanälen. Sie wurden alle von Sklaven gegraben, zur Bewässerung von Reisfeldern, die jetzt mit Schilf und Rohrkolben überwachsen sind.

Es hat aufgehört zu regnen, aber sie sind bereits klatschnaß; ein steifer Wind geht jetzt, und der Himmel ist aschgrau. Im Nordwesten hört man fernes Donnern. Payton sagt ihnen, das kommt von Fort Steward; die machen ihre Artilleriemanöver, wenn es regnet, damit es keine Waldbrände gibt.

Payton stellt den Motor aus. Dann wühlt er in dem Gepäck zwischen ihren Füßen nach den Maulkörben. Cody hilft ihm dabei, sie den Hunden anzulegen.

«So, und hinter was seid ihr nun eigentlich her, Jungs? Wir können euch hier alles bieten, Schweine in allen Schattierungen, Frischlinge, Bachen, kapitale Keiler, eine ganze Schweinerei.»

«Wir wollen nichts Besonderes», sagt Cody. «Wollen uns nur ein bißchen erholen an einem so schönen Tag.»

Payton lacht, und das muntert Eddie auf. Codys Begeisterung für diesen Tag keimt auch in ihm auf, und er vergißt seinen Magen, seine Müdigkeit und die feuchte Kälte, die bis in die Knochen dringt. Er hat in letzter Zeit genug gehabt vom Leben und denkt jetzt, wie schön es doch wäre, einfach auf diesem grauen Wasser durch die Nebelbänke zu fahren.

«Such, Rambo. Such, Snowball», brüllt Payton. «Führt uns zu den Schweinen, sucht uns einen Keiler!»

Die beiden Hunde kommen nach vorn, drängeln sich im Bug, die Nasen im Wind, um zu schnuppern, was er heranträgt.

Payton läßt den Motor aufheulen, sie biegen in einen Kanal hinein und gelangen in eine andere Welt. Das Schilf ist hier gebeugt, jedes Rohr ist von Eis umhüllt. An den

Ufern haben sich gezackte Eisplatten gebildet, und rings um sie her steigt Nebel auf.

Rambo und Snowball stehen im Bug, ihre Rücken glänzen von gefrorenem Regen. Auch wenn der Motor tuckert, ist es ringsum völlig ruhig. Eddie spürt, wie er zum Leben erwacht an diesem eindringlichen Ort. Ihm wird warm von seinem eigenen Blut, das er durch den Körper fließen fühlt.

Sie fahren den ganzen Tag auf den Kanälen umher, setzen ab und zu die Hunde ab und folgen ihnen ein Stück in den Sumpf. Sie sind bis auf die Knochen durchnäßt, und der steife Wind packt sie immer wieder. Unentwegt pocht ein dumpfer Schmerz durch ihre Glieder, in ihren Gedärmen. Immer wenn sie zurück zum Boot kommen, drängen sich die Hunde zwischen ihre Beine, um sich zu wärmen. Payton gönnt ihnen eine kleine Pause, dann schickt er sie wieder zum Bug.

Cody sieht Eddie an und fragt ihn, ob er schon die Schnauze voll hat. Eddie sagt nein, es macht ihm Spaß.

«Meine Güte», sagt Cody, «dir scheint's ja blendend zu gehen. Hab dich noch nie so strahlen sehen.»

Payton setzt das Boot auf Grund. Die Hunde stürzen los in den Sumpf. Er sagt zu Eddie und Cody, daß es jetzt Zeit ist für einen richtigen Marsch. Einer von ihnen wird im Boot bleiben und es hinüber auf die andere Seite fahren müssen. Der andere wird mit ihm durch den Sumpf zum Damm marschieren, eine halbe Meile weit.

«Ich komm mit», sagt Eddie und steigt als erster aus dem Boot.

Payton erklärt Cody den Weg durch das Netz von Kanälen, dann folgt er Eddie. Die Hunde sind bereits zwischen den mannshohen braunen Gräsern verschwunden. Sie schieben Cody zurück in tieferes Wasser und dringen in die dichte Schilfwand vor ihnen ein.

Ein Stück von dem Kanal entfernt verändert sich die

Umgebung. Teilweise ist das Land überflutet, und es gibt Löcher, die man nicht sieht und wo man keinen Boden mehr unter den Füßen hat. Payton kämpft sich voran, sagt Eddie, er soll genau auf seinen Spuren folgen, die Füße ein bißchen schleifen lassen, so daß er immer etwas Gras unter den Sohlen hat. Als sie an eine lichte Stelle kommen, zeigt Payton auf einen kleinen Hügel, wo ein Wildschwein sein Lager gebaut hat, damit es trocken bleibt.

«Sie mögen's nicht, wenn sie naß werden», sagt er. «Und sie sind ziemlich schlechte Schwimmer.»

Er zeigt auf frische Losung und einen Kiefernstumpf, an dem sich die Wildschweine gewetzt haben. Er sagt Eddie, sie tun es, um sich zu kratzen, aber dabei dringt ihnen Harz ins Fell und bildet eine harte Schutzschicht.

«Wie wir mal einem Keiler die Decke abgezogen haben», sagt Payton, «sind große Schrotkugeln wie Murmeln rausgerollt. Ich sag dir, die Scheißkerle halten was aus. Wer soviel aushält, ist meistens auch ziemlich fies.»

Als er das gesagt hat, stöbern die Hunde ein Stück weiter ein Wildschwein auf.

«Hörst du? Das ist Rambo», sagt Payton und läuft los.

Eddie folgt ihm auf den Fersen, setzt Kräfte frei, die er lange nicht genutzt hat, aber der Boden unter ihren Füßen ist unsicher. Zuerst ist er hart, dann schlammig, und im Handumdrehen ist es passiert. Sie sacken alle beide ein und liegen auf dem Bauch im kalten Wasser. Doch sie kommen wieder hoch und laufen weiter. Vor sich sieht Eddie ein schreckliches Getümmel, wogendes Schilfgras, das von dem Kampf am Boden hin und her gerissen wird.

Noch ein Stück, und er und Payton stehen auf einem Kanaldamm. Cody kommt weit hinten gerade mit Vollgas in den Kanal hineingefahren.

«Scheiß drauf», brüllt Payton und springt hinein, durchbricht die dünne Eisdecke und schwimmt zur anderen

Seite. Ohne zu zögern folgt Eddie ihm und robbt die Böschung hinauf. Auf der anderen Seite geraten sie wieder in einen Graben. Payton kämpft sich durch, und Eddie folgt ihm. Er steht bis zur Hüfte im Wasser und schaufelt sich mit den Armen vorwärts, da taucht an der Stelle, wo Payton ins Wasser gesprungen ist, das Wildschwein auf. Sie sehen sich einen Moment lang an, und dann verschwindet das Tier wieder.

«Nicht schießen», brüllt Payton, «nicht schießen! Es ist eine Bache.»

Eddie steht im Wasser, und es kommt ihm warm vor. Er möchte den ganzen Tag so dastehen, vor Erschöpfung keuchend, schwitzend in der kalten Luft. Als Payton mit den beiden Hunden am Halsband aus dem Schilf kommt, lacht Eddie und pißt einfach durch die langen Unterhosen und die Wollhosen. Payton fängt ebenfalls an zu lachen.

«Du bist okay, Eddie», sagt er. «Du bist wirklich okay.»

Cody ist auf dem Deich, als sie zurückkommen. Vor ihm steht ein Teerkübel voller Reisig und Treibholz. Er hat es angezündet, und Flammen züngeln aus der Öffnung. Es raucht stark, aber es ist warm, und die Männer beugen sich darüber, lassen sich den Rauch um die Brust, den Hals und das Gesicht streichen.

«Ihr seid alle beide okay», sagt Payton, «ihr zwei Yankees.»

Sie verzehren dort auf dem Damm ihren Lunch. Ein Rotschwanzbussard durchschneidet die Luft, und Payton macht sie auf eine Palme aufmerksam, wo ihn einmal im Sommer eine Mokassinschlange gebissen hat. Er erzählt von der Nacht, in der er am Fluß auf Waschbärenjagd ging. Da ist ihm bei voller Fahrt das Ruder abgebrochen, und ehe er die Zündung ausschalten konnte, fuhr er schon auf einen Baumstamm unter der Wasseroberfläche und kenterte. Er tauchte hinab, um seine Hunde loszuschneiden, doch dabei geriet er mit der Hand zwischen das Messer und ein Hundehalsband und verletzte sich selbst ganz ordentlich.

«Hab gedacht, Mann, ist das 'n hartes Leder, und immer weiter gesägt, bis ich schließlich gemerkt hab, daß ich schon in meiner eigenen Hand war. Siebenunddreißig Stiche.»

Er hält ihnen seine Hand hin. Die Narbe ist weiß und gemustert, als ob er unter der Haut eine Perlenkette hätte.

«Und deine Hunde?» fragt Cody.

«Hab zwei verloren.»

Er erzählt ihnen, daß es zwanzig Bootsminuten von hier ein Kriegsgefangenenlager gibt. Das hat er mit seinem Vater für eine Filmgesellschaft gebaut. Sie hatten den Auftrag gekriegt, das Lager zu bauen, und dann haben sie den ganzen Sommer über den Fährdienst für das Filmteam und die Schauspieler gemacht. Es war ein Vietnamfilm, einer von denen, wo der Held Jahre später nach Vietnam zurückgeht und seine Kumpels raushaut. Ron und Dewey durften gefallene GIs spielen.

«In dem Sommer gab's bei uns immer Steak», sagt Payton.

Sie fahren noch eine Stunde lang dahin. Eddie ist drauf und dran einzudösen. Die Ruhe läßt ihn die Kälte wieder spüren. Er sieht Cody an und fragt sich, wie sein Freund so lange ohne Schlaf auskommen kann. Er schaut wieder auf Payton und stellt fest, daß er und Cody mit dem gleichen Gesichtsausdruck den Blick langsam über das Schilfgras hinweggleiten lassen. Sie haben sich alle beide in sich zurückgezogen, ihre Energie vorübergehend abgeschaltet. Sie sind in sich selbst versunken und werden erst wieder auftauchen, wenn es nötig ist. Eddie denkt darüber nach und tut es ihnen dann gleich, angenehm überrascht, wie einfach es ist.

Sie fahren unter dem Nest eines Fischadlers durch. Rambo und Snowball springen vom Bug aus ins Wasser. Sie stöbern ein Wildschwein auf, das am Kanalufer schläft, und der Kampf beginnt. Payton setzt das Boot auf Grund, und Eddie ist als erster draußen im Schilfgras. Payton folgt ihm, und Cody stößt das Boot ab, um auf der anderen Seite an Land zu gehen.

Bald überholt Payton Eddie, als sie so schnell wie möglich durch den Morast stapfen, um in den Kampf einzugreifen. Doch dann kommen sie wieder an einen Kanal, und in dem sehen sie das Wildschwein, an dessen Kopf die Hunde hängen.

Payton springt ins Wasser, packt das Wildschwein an den Ohren und zieht es in Richtung Ufer. Es geht unter, und er mit ihm, aber dann kommt er allein wieder hoch. Sie leinen die Hunde an und warten, aber umsonst. Das Wildschwein ist in dem kalten Wasser versunken und treibt dem Meer zu. Dampf steigt von ihnen auf, als die kalte Luft die Wärme aus ihren Körpern zieht. Sie stehen bis zur Hüfte im Wasser und warten auf Cody.

Der hat wieder den Teerkübel angeschürt, und Eddy und Payton bedanken sich. Ihre Kiefer sind ganz steif vor Kälte. Bei jeder Bewegung knacken ihre Kleider. Sie fahren langsam weiter, Cody am Ruder. Er steuert nah ans Ufer, um noch ein bißchen Holz für den Kübel zu sammeln. Payton wartet, bis die Hunde sich aufgewärmt haben, dann schickt er sie wieder zum Bug. Dort, ein Stück weit weg von der Wärme und dem Rauch, fangen sie wieder an, sich wie Hunde zu benehmen, tänzeln und rutschen umher, recken den Hals und wittern.

«Los, ihr zwei», brüllt Payton mit vor Kälte ganz hohler Stimme. «Sucht mir ein ordentliches Wildschwein. Packt das Schwein. Los!»

Er schaut erst auf Cody und dann auf Eddie.

«Hab fast einen von den Stuntmen umgebracht», sagt er. «Der hat mit meiner Freundin gebumst. Hab ihn an einer roten Ampel erwischt. Ich hab hinter ihm angehalten, bin ausgestiegen und zu ihm vorgegangen. Hab zu ihm gesagt, laß die Finger von meinem Schätzchen, und er zu mir, ich soll mich zum Teufel scheren. Ich hab gesagt, da war ich schon, und hab ihn angebrüllt. Dann hat er mir mit dem automatischen Fensterheber die Arme eingeklemmt. Als Grün kam, ist er losgefahren und hat mich mitgeschleppt, bis zur nächsten Kreuzung. Heiße Sohlen hab ich mir dabei geholt. Dann hab ich mein Messer rausgekriegt und wollt's ihm schon reinjagen, da hat er mich einfach fallen lassen und sich nach Texas verpißt. Na, egal. Irgendwann treffen wir uns schon noch mal.»

Rambo bellt und winselt, während Snowball geradeaus starrt, das gesunde Auge graublau und das andere milchigweiß. Payton stößt den Daumen in die Luft, und Cody reißt das Boot herum. Die Hunde schießen los, hinunter aufs Land. Es ist ein Prachtkerl von Keiler, er ist verdammt wild und hat keinesfalls vor zu ertrinken. Er versucht durchzubrechen, aber Rambo erwischt ihn am Ohr, und Snowball hängt an seinem Hinterteil. So stürzen sie alle drei zu Boden.

Der Keiler kämpft sich wieder hoch. Wenn er einen Hund niedergerungen hat, springt ihn der andere an. Er würde furchtbar gern einen seiner Hauer in Snowballs weichen Bauch stoßen und sie bis zum Hals aufschlitzen, aber keiner der beiden Hunde weicht zurück. Immer mehr Schilfgras zerknickt unter ihnen, und Schlamm und Wasser spritzen durch die Luft.

Cody setzt das Boot auf Grund, und sie folgen alle drei den kämpfenden Tieren, möglichst dicht, manchmal knietief im Wasser. Payton packt Rambo am Schwanz und zerrt ihn weg. Der Hund hat ein Ohr verloren, und aus seinem

Kopf quillt Blut. Eddie schiebt sich zwischen Snowball und den Keiler und hebt den 44er. Der Keiler will sich auf ihn stürzen und fällt, als er feuert, vor seinen Füßen zu Boden.

31

An diesem Abend fällt die Stromversorgung einem Eissturm zum Opfer. Überall um sie her knacken und krachen Baumstämme und Äste. Man weiß, was es ist, und doch schreckt man jedesmal auf.

Eddie und Cody warten darauf, daß Payton zurückkommt und sie zum Truthahnschießen abholt. Sie essen im Licht einer Kerze Wildschwein- und Rehbraten, Süßkartoffeln, Erbsen und Brot, während Lance, der Camp-Manager, aus einer Plastiktasse Whiskey schlürft.

Lance meint, die einzigen Knarren, die was taugen, sind 22er, 38er und 44er. Alle anderen Kaliber sind Scheiße.

Dann hört man, wie sich ein schweres Fahrzeug durch den Schlamm und das Eis auf dem Feldweg zum Lager voranwühlt. Scheinwerfer tanzen in der Dunkelheit auf und ab, und ihre Lichtkegel streifen die Fenster der Hütte. Es ist Payton. Er kommt nicht herein, bleibt einfach im Wagen sitzen und wartet.

«Euer Taxi», sagt Lance. «Ich übernachte bei meiner Freundin im Wohnwagen. Ihr könnt gern vorbeikommen, wenn euer nächtliches Abenteuer vorbei ist. Ich hab tolle Videos. Und drüben bei ihr gibt's noch Strom.»

Eddie und Cody danken Lance für das Abendessen. Sie holen sich trockene Sachen vom Ofen und ziehen sie an.

Währenddessen sagt ihnen Lance, sie sollen nicht hinter die Hütte pinkeln gehen. Dort hält Paytons Vater seinen schärfsten Jagdhund.

«So scharf wie der ist keiner, der beißt euch die Eier ab, wenn ihr über ihn stolpert. Und wenn ihr nicht über ihn stolpert, auch.»

Draußen ist es jetzt kälter, aber der Regen hat aufgehört. Sie stehen auf den schlüpfrigen Stufen und spüren, wie die Luft ihre Körper umschließt. Die Kälte greift nach ihnen, eine Eiseskälte, die schneidend wird durch den Wind.

Die beiden Freunde zögern, warten jeder darauf, daß der andere zuerst geht. Sie haben seit über dreißig Stunden nicht besonders viel geschlafen, doch in diesem Augenblick sind sie wacher als je zuvor. Sie stehen eher da wie ein einziger Mensch, der darauf wartet, daß sich eine Hälfte von ihm in Bewegung setzt.

«Gehen wir», meint Cody, und sie quetschen sich in Paytons Pickup.

Im Schein der Innenbeleuchtung sehen sie den Abdruck von vier Fingern auf Paytons Backe. Seine Augen sind rot und verquollen.

«Aha, deine Freundin ist Linkshänder», sagt Cody.

Payton kann ein Grinsen nicht unterdrücken. Er gibt Cody ein Jagdgewehr und eine Schrotflinte zu halten, damit sie nicht beim Schalten stören. Sie fahren den Feldweg entlang, an dem Schuppen vorbei, wo – die Schnauze nach unten – Eddies aus der Decke geschlagenes Wildschwein hängt. Sie fahren in ein County weiter im Süden. Eddie sitzt schweigend da und fühlt sich, als wäre er in den letzten Tagen splitternackt ausgezogen worden und würde sich erst jetzt wieder anziehen, Stück für Stück. Diese Gedanken gehen ihm durch den Kopf, aber er verweilt nicht lange bei ihnen, aus Angst, er könnte sie zum Zerspringen bringen, wie ein zu schwerer Gegenstand eine Glasscheibe.

In dem Gebiet, in das sie jetzt kommen, gibt es Lichter, zuerst wenige, aber dann werden es immer mehr. Es sind Lampen, die an Wohnwagen hängen, das weiche Grün und Gelb und Rot chinesischer Lampions aus Plastik, die an einem Kabel schaukeln, und Lichter hoch über einem Hof, die ganze Kaskaden eines gelben Schleims über Grasbüschel, zerbrochene Zäune und Autoteile vergießen.

Payton fährt jetzt von der Straße ab, durchpflügt schlammige Felder, um auf einen Weg auf der anderen Seite zu kommen. Die Straßen werden immer schlechter, und einmal werden ihm die Kontakte naß, als er in ein Loch voller Wasser fährt. Nicht einmal das bringt sie zum Reden. Sie sitzen schweigend da und warten, bis unter der Motorhaube alles von alleine getrocknet ist; dann lassen sie den Motor wieder an.

Schließlich kommen sie zu einem Eisentor, und aus dem feuchten Dunkel taucht ein Mann auf. Sobald er das Fahrzeug sieht, macht er das Tor auf. Eddie grüßt ihn mit einer Handbewegung, doch der Mann grüßt nicht zurück. Er starrt sie nur an.

Ein Stück weiter gibt es wieder Lichter. Vor einem Schuppen stehen hohe Pfosten mit Scheinwerfern. Sie beleuchten einen Schießplatz, an dessen Ende, hundert Fuß von der offenen Seite des Schuppens entfernt, Holzklötze aufgebaut sind.

Die anderen Männer dort freuen sich, Payton zu sehen, weil er der beste Schütze ist, aber aus dem gleichen Grund freuen sie sich auch wieder nicht zu sehr.

«Also», sagt Payton, «es gibt zwölf Schießstände für zwölf Schützen. Der Schuß kostet 'nen Dollar. Und dann gibt's die Wetten, die nebenbei gemacht werden. Das sind noch mal zwei Dollar. Der beste Schütze kriegt das Fleisch und gewinnt zusätzlich die Wette, wenn er mitgewettet hat.»

Nach dem ersten Schuß kommt ein Mann auf einem Motordreirad hinter dem Schuppen hervor auf den Schießplatz gefahren. Er hat eine offene Flasche Bourbon in der Jackentasche, und bei jeder Unebenheit im Boden schwappt etwas heraus, verfärbt den grünen Stoff dunkel.

Er fährt von einem Zielpfosten zum nächsten und nimmt die Papierzielscheiben ab. Ab und zu blockiert das Hinterrad, und er kippt beinahe um.

«Der alte Knabe ist nicht ganz richtig im Kopf», sagt Payton. «Der kommt auch aus dem Norden, auch 'n Yankee. Er war Bordschütze. Ich hab den Eindruck, manche Leute hat der Krieg so werden lassen, und manche waren schon vorher so. So bringt man den Krieg in Verruf. Das Problem ist, daß ich nicht herauskriege, wer zu welcher Gruppe gehört.»

Eddie kann nur nicken. Ihm wird klar, daß er sich in einer Art Zwischenkriegsgesellschaft befindet. Diese Männer leben vor dem nächsten Krieg oder nach dem letzten. Payton deutet auf den kleinen Kerl, der als dritter schießt. Er sagt Eddie, der hat drei von den Fahrten mitgemacht, um Leute von Kuba herüberzuholen, hat mit angesehen, wie Frauen und Kinder im Wasser mit Maschinengewehren erschossen wurden, als sie den Kordon durchbrachen und zu den Booten zu schwimmen versuchten. Eddie denkt an Mike den Polacken, der auf die dünne Birke neben dem Grillplatz geklettert ist, und an G. R. Trimble, wie Cody ihn beschrieben hat. Eddie hat das Gefühl, er wird hochgehoben und auf Luft oder Wasser wieder abgesetzt, nah genug am Land, um zu wissen, daß es da ist, und doch ziemlich weit davon entfernt.

«Wer ist der Kerl da drüben, der uns die ganze Zeit anstarrt?» fragt Eddie.

«Das ist mein Daddy», sagt Payton.

Der Mann ist etwa so alt wie Eddie, nur daß das Leben

nicht sehr nett zu ihm gewesen ist. Er trägt einen grünen Kampfanzug, und sein Gesicht ist von kleinen roten Trinkeräderchen übersät, die sich von den Augen über beide Wangen ziehen.

«Er war sechs Jahre in Vietnam, bei der Marine, viermal verwundet. Ich hab ihn noch nie schlafen sehen. Immer, wenn ich die Tür zu seinem Schlafzimmer aufmache, steht er im Dunkeln dahinter.»

Um Mitternacht bringen sie die Truthähne heraus. Das Licht gibt ihren grünen, roten und gelblich-braunen Federn einen metallischen Glanz, und die Farben verschwimmen ineinander. Sie stecken die Truthähne in Kisten hinter den Zielpfosten, ketten sie mit dem Hals an die Holzklötze und graben ihr Hinterteil im Sand ein.

Ein auf und ab hüpfender Kopf als Ziel für einen 22er auf hundert Fuß Entfernung. Payton erlegt zwei und Cody einen. Die anderen beiden gehen an den Mickerling.

Auf der Rückfahrt ins Lager sagt Payton ihnen, daß er heute Geburtstag hat. Vor einem Jahr hat er drei Tage im Gefängnis gesessen, weil er einen Kerl, der sein Gewehr geklaut hatte, mit dem Messer angegriffen hat. Vor einiger Zeit haben er und Leann ihren fünf Monate alten Sohn verloren. Er sagt, er mag nicht drüber reden. Er sagt, es war was Innerliches, was Unheilbares. Und heute wird er neunzehn.

Eddie beginnt auf dem Beifahrersitz still vor sich hin zu weinen. Cody tätschelt ihm das Knie und sagt ihm, daß er wohl allmählich alt wird, ein weinerlicher alter Mann. Eddie sagt nichts, er lächelt nur durch die Tränen und legt seine Hand auf die von Cody. So fahren sie dahin.

Als sie ankommen, gibt Eddie Payton einen Fünfzigdollarschein, weil er ein guter Führer war. Er sagt ihm, er soll das Wildschwein Dewey geben oder jemand anderem, der das Fleisch braucht. Dann geht er in die Hütte.

Drinnen ist es rauchig und warm. Lance muß bis eben noch hiergewesen sein, denn es brennt noch eine Lampe, und im Ofen liegt ein frisches Holzscheit. Eddie schiebt zwei Sofas ans Feuer, eines für sich selbst und eines für Cody. Sie werden hier unten schlafen, in der trockenen Wärme, die der Ofen abgibt.

In dieser Nacht erzählt Cody Eddie bei Kerzenlicht Dinge, die ihm im Kopf und im Herzen herumgehen. Er erzählt ihm eine lange Geschichte von einem Hund mit zwei Beinen, der mit den Hinterläufen in eine Mähmaschine geraten war, ganz einfach, *zack, zack*. An der Cornell University haben sie ihm dann zwei künstliche Beine gemacht, und er trat in Fernsehshows auf, aber die Beine aus Draht und Stahl waren nur zum Sitzen geeignet, und so war der Hund als Gast bald nicht mehr sehr gefragt.

Schließlich hat man ihn in Ruhe gelassen, und er hat gelernt, sein Hinterteil anzuheben und auf den Vorderbeinen herumzulaufen, aber natürlich war er so nicht mehr so schnell wie früher. Aber eigentlich kann er mit vier Beinen auch nicht so furchtbar schnell gewesen sein.

«Verstehst du's jetzt?»

«Was?» fragt Eddie.

Cody sagt ihm, wenn er das nicht von selbst kapiert, dann kann er es ihm auch nicht erklären.

«Du bist betrunken, Cody. Leg dich schlafen, damit wir morgen früh rauskommen.»

Der Wind wird stärker, und von draußen kommen Geräusche aus dem Sumpf, das Bersten von Baumstämmen, die zu Boden donnern, das prasselnde Geräusch der Äste und Zweige, die dabei abgeknickt werden. Ringsum das Krachen und Reißen von Bäumen, die ins Dunkel fallen.

«Es muß raus», sagt Cody. «Ich muß dir ein paar Dinge erzählen.»

«Was ist denn jetzt los?»

«Wenn ich sterbe, hoff ich, daß ich nur von Krankenschwestern mit großen Titten versorgt werd.»

«Erzähl mir nichts vom Sterben.»

«Ich hoffe, es passiert auf 'nem Motorrad, bei hundertzwei, und wenn ich gegen den Brückenkopf fahr, bleibt die Tachonadel hängen, und hinterher sagen alle, mit hundertzwei Meilen hat er den Abgang gemacht.»

Die beiden sitzen da, das Bettzeug bis unter die Achseln hochgezogen. Sie lassen die Bourbon-Flasche hin- und herwandern, spüren die Wärme, die die Lippen des anderen an der Öffnung hinterlassen haben.

Cody sagt Eddie, daß er zurückfahren und Mary und Eileen und Little Eddie durchs Leben helfen muß. Er wird sein eigener Vater sein müssen.

«Meinen ganzen irdischen Besitz hinterlaß ich dir», sagt er. «Ich hoffe, du verstehst zu teilen. Sei großzügig, aber gib nie mehr als fünfzig Dollar auf einmal aus. Mach noch ein Kind oder kauf dir einen hübschen Hund, einen, der sich auf deine Füße legt und sie warm hält, wenn's dunkel ist. Einen Hund mit großen Augen, die immer mit Tränen gefüllt sind.»

«Du spinnst», sagt Eddie. «Das macht nichts, du bist eben manchmal ein Spinner, aber jetzt übertreibst du's.»

Cody schaut ihn an. In seinen Augen sieht Eddie den bernsteinfarbenen Bourbon und dann das leuchtende Gelb und Grün der Kerze. Eddie sieht ihn an, solange er kann, und als er den Blick abwendet, spürt er, wie der Alkohol auch in seinen müden Kopf steigt und ihn schwach und traurig macht.

«Es kommt der Tag», sagt Cody, «da muß ich Kay und den Kindern auf ihrer Reise helfen, auf der Reise dahin, wo G. R. ist, und wenn wir dort ankommen, werden wir ein Haus bauen, wo wir irgendwann wieder zusammensein werden, wo wir einer nach dem anderen ankommen. Es wird ein Haus sein, das im Winter warm ist und dicht, mit einer verglasten Veranda rundherum, ein Haus, auf das man stolz sein kann.

Vielleicht hast du Pot umgebracht, und weiß Gott, es war schlimm für dich, und dir wurde vergeben.»

«Ich habe Pot umgebracht», sagt Eddie, «und weiß Gott, es mußte getan werden. Die Zeit der Vergeltung war gekommen.»

«Es hat ihm sicher nicht viel ausgemacht. Sein Volk war durch den Tod noch nie besonders zu beeindrucken. Er wird sicher sogar mal bei uns vorbeikommen, in unserem neuen Haus. Er kommt vielleicht als Grille wieder oder, wenn er Glück hat, als irgendein Nagetier.»

«Schlaf jetzt», sagt Eddie.

Er möchte Cody von den Herzen erzählen, tut es aber nicht. Er möchte ihm sagen, daß er Pot nicht umgebracht hat, aber er begreift, daß Cody das nicht akzeptieren wird.

«Du hast noch viel zu tun in diesem Leben. Du mußt zurückgehen und weiterhin für alle dasein, für die Lebenden und die Toten. Du mußt den Lebenden die Gewißheit geben, daß alles gut wird, daß man keine Angst davor zu haben braucht, und die Toten mußt du hübsch zurechtmachen und auf den Weg bringen.»

Cody faltet die Hände, zieht sie wieder auseinander. Mit einer greift er nach einem Messer, mit der anderen nach einer Flasche, froh, daß er sich an etwas festhalten kann. «Mary wird schon mit dem College angefangen haben, wenn du zurückkommst», sagt er. «Du mußt für sie dasein.»

Eddie will etwas sagen, doch Cody läßt ihn nicht. Er legt ihm eine Hand auf den Mund und nimmt sie nur ab und zu weg, damit Eddie einen Schluck aus der Flasche trinken kann, bis er schließlich einschläft.

Cody legt sich neben ihn und rückt dicht an ihn heran.

«Ich und Payton», sagt er, «wir hauen morgen früh ab nach Texas. Wenn du wach wirst, bin ich schon weg. Du sollst wissen, daß ich mich in vielem geändert hab. Nicht, daß ich neue Wege gehen will. Ich denk nur über vieles anders. Wir haben beide unser Geheimnis mit uns rumgeschleppt, und jetzt, wo deins raus ist, ist meins auch raus.»

«Cody», sagt Eddie und hebt die Hand.

Cody ergreift sie und legt sie ihm wieder auf die Brust.

«Schlaf weiter», sagt er. «Mach dir keine Sorgen um mich. *Adiós, mi amigo.*»

Am Morgen ist Cody weg. Die Hütte ist leer. Der Rauch aus dem Ofen ist kalt. Er hat sich in die Balken und die Möbel gehängt, sich im Bettzeug und im Fußboden festgesetzt. Man hat ihn an den Händen, sobald man etwas anfaßt.

Eddie setzt sich auf und stellt die Füße auf den Boden. Ihm ist klar, daß er allein ist, aber er weiß nicht, was er dabei empfindet. Langsam zieht er sich an, achtet darauf, daß die Socken richtig sitzen, daß sie an den Fersen keine Falten werfen und am Knöchel nicht verdreht sind. Er stopft das Hemd in die Hose, macht den Gürtel zu und rückt die Hose zurecht. Dann schnürt er in aller Ruhe seine Stiefel bis oben hin zu und schüttelt im Stehen die Hosenbeine darüber.

In der Küche macht er sich Kaffee, indem er eine Handvoll Kaffeepulver in einem Topf Wasser aufkocht. Er setzt sich neben den Kocher, um sich daran zu wärmen, und wartet. Er fängt an, über die Rückfahrt nachzudenken, doch dann schiebt er den Gedanken beiseite. Dafür ist später noch Zeit. Jetzt möchte er über gar nichts nachdenken und gar nichts tun. Er gibt sich große Mühe. Es ist nicht einfach. Er freut sich, als es im Topf zu brodeln beginnt. Sein Kaffee ist fertig.

Eddie nimmt seine Tasse und geht in der Hütte umher.

Bei Tageslicht hat er sie noch nicht gesehen. Vor dem Fenster an der Rückseite bleibt er stehen und schaut hinaus auf den Sumpf. Die Luft wirkt so schwer, daß er nicht sagen kann, ob es regnet oder schneit. Er sieht einen Hund auf seiner Hundehütte sitzen, doppelt so groß wie Rambo und Snowball, dem Aussehen nach eine Kreuzung aus Mastiff und Bernhardiner. Der Hund starrt Eddie an, und dann wird Eddie klar, daß ihn das Tier schon die ganze Zeit durchs Fenster beobachtet hat.

Codys Pickup steht noch da, und im Fahrerhaus sitzt jemand. Eddie geht nachsehen, wer es ist. Als die Fliegentür hinter ihm zufällt, erschrickt er. Es ist ein lautes Geräusch in der schweren Luft, das einzige Geräusch, das er wahrgenommen hat, seit er aufgewacht ist. Er überquert den Weg und denkt darüber nach, wie schwammig die Erde hier ist. Sie lädt ihn ein aufzutreten, dämpft seinen Schritt.

Im Fahrerhaus sitzt G. R. Trimble. Er ist fast bis aufs Skelett geräuchert, Gesicht und Hände sind braun, mit Kiefernharz mumifiziert. Er sitzt hinter dem Lenkrad wie ein Gespenst, hat die Beine an die Brust gezogen, die Hände um die Schienbeine geschlungen. Sein Kinn ruht auf den Knien, und er lächelt. Neben ihm liegt Codys offener Matchsack, der, den er auf jede Tour mitgenommen hat.

Eddie hebt G. R. hoch, drückt den steifen, hölzernen Körper an die Brust. Er ist leicht, wie ein Eimer Asche oder ein Korb voll Wäsche. Eddie nimmt ihn mit hinein ins Warme, und dann sitzen sie beide am Ofen, Eddie trinkt Kaffee und G. R. sieht aus, als würde er gleich wieder lebendig werden.

Eddie beobachtet ihn, wartet darauf, daß er etwas sagt oder sich bewegt. Es geht ihm über den Verstand, wie etwas so Zerbrechliches zusammenhalten kann. Die Pointe eines Witzes kommt ihm in den Sinn: *Es tut nur weh, wenn der Daumen dazwischenkommt.* Er fängt an zu lachen, und es erfüllt die ganze Hütte. Er lacht so sehr, daß ihm die Tränen über die Wangen laufen und ihn am Kinn kitzeln. G. R. beginnt neben ihm auf dem Sofa zu hüpfen, während das Lachen Eddies Brust aufwühlt.

Eddie macht die Ofentür auf. Eine Rauchwolke quillt heraus und hüllt ihn ein, bis er darauf kommt, die Luftklappe zu öffnen. Er schiebt ein paar Holzscheite hinein, und dann strömt gleichmäßige Wärme durch den Raum. Aus seinem eigenen Matchsack zieht er die Tagebücher. Zwanzig Jahre im Schulheftformat, liniert und mit Spiralbindung. Dieses Gepäck enthält sein Leben, hat es als Geisel genommen. Alles, was er zu wissen glaubte.

Er schiebt die Hefte nacheinander in den Bauch des Ofens, sieht zu, wie sich die Seiten kräuseln, sich von Gelb über Blau nach Braun verfärben. Als eins nach dem anderen in Flammen aufgeht, spürt er, wie ihm nach und nach die Last seines bisherigen Lebens von den Schultern genommen wird.

Die Flammen zittern und beben, als die Seiten beim Verbrennen mehr und mehr Licht abgeben. Die Entdeckung des Feuers macht ihn trunken, Licht und Hitze erlösen ihn.

Als die letzten Tagebücher zu Asche zerfallen sind, nimmt er G. R. Trimble in die Arme und drückt den zusammengeschrumpften Körper an die Brust. Er macht kein Zeichen, sagt kein Wort und schiebt ihn wie ein Scheit Holz in den Ofen, sanft und behutsam, ohne auf die Blasen zu achten, die sich an seinen Händen bilden. Während G. R. auflodert, saugt Eddie an seinen verbrannten Fingern, steckt die Hände in die Achselhöhlen, hockt sich dann vor die Ofentür und läßt die Geister der Hitze sein Gesicht und seinen Hals umspülen, läßt seinen Körper im Duft des Kiefernrauches baden.

Drinnen sieht er die zehrenden Flammen, stellt sich vor, daß sie Worte von sich geben, verschlüsselte Worte, die in der Hitze tanzen und die er lesen zu können glaubt. Inverawe, Tatamagouche, Bellefonte, Savannah. Er sieht das indische Baby, die Kinder von Izieu, Evangeline und seinen Vater winken. Er sieht Enten, Hirsche, Planeten und Sterne. Max, die Jagdkatze. Tiere, die auf die stählernen Wände gezeichnet sind.

Er wird nach Hause zurückkehren, beschließt er, wird da weitermachen, wo er aufgehört hat, und der Mann sein, der er ist.

EPILOG

Im späten Frühjahr, an einem Tag, an dem sich in der Erde Aufnahme und Abstrahlung der Wärme genau die Waage halten, steigen Eddie Ryan und Louis Poissant zu einer Wiese hinauf, von der aus man den Connecticut River übersehen kann. Sie waten durch Butterblumen und Klee. Louis hat einen Spaten in der Hand und benutzt ihn als Stütze, um besser den Berg hochzukommen. Eddie trägt einen Rucksack, hat die Daumen in die Träger eingehängt, und während er hinterhergeht, bekommt er den Stallgeruch, der Louis aus Hose und Mantel dringt, in die Nase.

Die Sonne scheint Eddie in den Nacken, und er spürt, wie sich der Schweiß auf dem Rücken und in den Achselhöhlen abkühlt. Er denkt, wie wunderbar doch die Schwerkraft ist und daß sie in einer Stadt wie Inverawe besonders stark, besonders intensiv zu spüren ist. Er denkt daran, wie viele man doch braucht, um den Mittelpunkt so auszufüllen, wie ihn vor vielen Monaten eine dicke Frau ausgefüllt hat.

Oben angekommen, bleibt Louis stehen und sieht sich um. Eddie wartet darauf, daß er sich für eine Stelle entscheidet.

«Hier», sagt er schließlich und deutet mit dem Spaten darauf.

Eddie läßt den Rucksack vom Rücken gleiten und nimmt eine Plastikplane heraus. Er faltet sie auseinander und läßt sich dann von Louis den Spaten geben. Er sticht ihn in den Boden, hebt vorsichtig die eckigen Grassoden heraus und legt sie zur Seite. Er gräbt so lange, bis die Erde schwarz und lehmig wird, schaufelt alles sorgfältig auf die Plastikplane. Als er die Frostgrenze erreicht hat, hört er auf, geht zum Rucksack und kommt mit drei kleinen Kühlboxen wieder, in denen die Herzen sind, die Louis aufbewahrt hat – die von Maple, Micah und Kay.

Eddie geht auf die Knie und setzt die Behälter unten ins Grab. Sie fühlen sich kalt an, und der Inhalt, der sich beim Einfrieren ausgedehnt hat, hat sie gewölbt. Dann zieht er ein paar zusammengefaltete Zettel aus der Brusttasche, eine kleine Nachricht für jeden von ihnen. Er schaut auf, und Louis nickt, als gebe er sein Einverständnis. Eddie schiebt die Zettel zwischen die Kühlboxen.

Als er aufgestanden ist, gibt er Louis den Spaten. Der alte Mann nimmt ihn und stützt sich einen Augenblick darauf. Er sieht Eddie kurz an und deutet mit einer Kopfbewegung zum Wald.

«Gucken Sie nicht hin», sagt er leise. «Sonst verjagen Sie ihn.»

Eddie Ryan lächelt, als er begreift, wer es ist. Der alte Louis fängt an zu weinen. Er sagt Eddie, er ist schon lange zu alt zum Leben, schafft es aber irgendwie nicht zu sterben.

«Mich hätte es erwischen sollen, nicht sie.» Er reibt sich unwirsch die Tränen von den Wangen, mag sie nicht auf seinem Gesicht spüren.

«Er ist da draußen», sagt Eddie.

«Nein, ist er nicht. Es ist der Geist von Paul Champagne und Goody. Heute ist ihr Hochzeitstag. Sie kommen jedes Jahr um diese Zeit nach Canoe Meadow zurück.»

«Schön», sagt Eddie, kniet sich wieder hin und nimmt eine Handvoll Erde, läßt sie durch seine Finger in das Loch rieseln.

Louis geht auch auf die Knie, und sie arbeiten gemeinsam, nehmen jedesmal eine kleinere Handvoll Erde und lassen sie ins Grab rieseln, fein wie Staub oder Asche.

«Das reicht», sagt Louis. «Soll er es fertigmachen.»

Eddie steht auf und hilft Louis auf. Louis reibt sich das rechte Bein und sagt: «Verdammtes Rheuma.» Eddie legt einen Arm um ihn und spürt, daß er fast nur aus Haut und Knochen besteht. Er nimmt den Spaten, und gemeinsam gehen die beiden Männer den Berg hinunter.

John Irving

T. S. Garp wurde geboren mit einem sonnigen Gemüt und der Gewißheit, daß die Welt verrückt ist. Aber mit seiner Geburt war er nicht mehr aufzuhalten. **John Irving** erzählt seine Biographie, die Biographie von Helen, seiner Schulfreundin und späteren Frau, die Biographien der Kinder, der Freunde. Irvin erzählt alles – kraß, bunt, zart, ungereimt wie das Leben.

Garp und wie er die Welt sah
Roman
(rororo 5042 oder als gebundene Sonderausgabe)
«Die Amerikaner haben uns gezeigt, wie unsere Welt sich darstellen läßt... In ihrer profanen Erzähllust, in ihrer pragmatischen Unbefangenheit sind Autoren wie Saul Bellow, Joseph Heller, John Updike, Irving Wallace, Norman Mailer (ein paar Namen nur) Vorbilder für einen schriftstellerischen Wirklichkeitssinn, der hierzulande so gut wie unbekannt ist. Kraß und bunt, grausam und von unbestechlicher Logik der Entwicklung, ungereimt wie das Leben ungereimt ist. John Irving – das ist hier ein neuer Name, und sein Roman *Garp und wie er die Welt sah* hat einen Rang, über den hinaus man sich kaum etwas vorstellen kann... Garp wird Schriftsteller, ‹richtiger› Schriftsteller.
Irving erzählt seine Biographie, die Biographie von Helen, seiner Schulfreundin und späteren Frau, die Biographien der Kinder, der Freunde, Irving erzählt alles:

Die Geschichten sind ineinander verflochten wie Marinetauwerk, es gibt in diesem Buch keinen überflüssigen Satz, der Bau des Romans ist von der Genauigkeit eines hochkomplizierten Uhrwerks. Garp beendet die Schule, geht mit seiner Mutter nach Wien, macht dort erste Schreibversuche – ‹Pension Grillparzer› bekommen wir in voller Länge nebenbei zu lesen –, sucht und findet die ersten wirklichen Schreibmotivationen, er kehrt mit der Mutter in die Staaten zurück, heiratet, hat zwei Kinder, wird langsam berühmt, experimentiert mit Affären, es scheint ein leichtes, widerstandsloses Leben zu sein – bis das Schicksal zuschlägt.»
Reinhardt Stumm, «Tagesanzeiger»

rororo Literatur

3240/1